La comtesse Greffulhe

DU MÊME AUTEUR

La duchesse de Berry, l'oiseau rebelle des Bourbons, Flammarion, 2010
Le tiroir indiscret, Mercure de France, 2005
On ne prête qu'aux riches, Albin Michel, 2001

Laure Hillerin

La comtesse Greffulhe

L'ombre des Guermantes

Flammarion

© Editions Flammarion, Paris, 2014
ISBN : 978-2-0812-9054-9

Je dédie ce livre à ma fille Marie-Aimée,
« Mimi », et à ses deux enfants, Axel et Diane.
« Le malheur de t'avoir perdue n'effacera
jamais le bonheur de t'avoir connue. »

« C'est parce que celui que vous deviez considérer
comme un petit imbécile a fait de vous
le héros d'un de ses romans, qu'on recommence
à parler de vous et que peut-être vous vivrez. »

Marcel Proust, *La Prisonnière*

AVANT-PROPOS

C'est un étrange paradoxe : la comtesse Greffulhe, qui fut la vedette de Paris à la Belle Époque, et bien après, est aujourd'hui totalement inconnue du grand public. Sa figure, légendaire pour ses contemporains, a été effacée par une autre légende bien plus puissante, immortelle légende de papier : celle des Guermantes.

Elle ne méritait pas cet oubli. Car elle ne s'est pas contentée, comme la belle Oriane ou madame Verdurin, de pratiquer « les Arts du Néant ». Bien au contraire, réussissant à franchir ou à contourner presque toutes les frontières que la société imposait aux femmes de son milieu et de son époque, elle a contribué, à sa mesure, à faire bouger les lignes.

Seuls quelques musicologues américains savent aujourd'hui qu'elle joua un rôle de premier plan dans la vie musicale au tournant du siècle – remettant Wagner à l'honneur, patronnant Fauré et toute une génération de compositeurs et d'interprètes, aidant Diaghilev à monter les Ballets russes en France. Plus personne ne sait qu'elle permit à Marie Curie de trouver le financement de l'Institut du radium, et à Édouard Branly de mener jusqu'au bout ses recherches sur la télémécanique.

Certains se souviennent qu'elle était belle, élégante, originale, qu'elle régnait en souveraine sur le gratin, était l'amie de tous les rois et princes d'Europe. Mais tout le monde ignore qu'elle était aussi moderne et visionnaire – dreyfusarde, féministe, philanthrope, « tête politique », reine conciliatrice de la IIIe République – et qu'elle tint le salon diplomatique et politique « le plus suivi, le

11

plus complet, le plus brillant de tout Paris » avant la première guerre.

On sait, enfin, qu'elle fut l'un des modèles d'Oriane et de sa cousine ; mais on n'a pas encore mesuré le rôle clé qu'elle a joué dans la genèse de la Recherche, *dans la mystérieuse alchimie créatrice qui conduisit Proust à édifier sa cathédrale autour de la figure mythique des Guermantes.*

Ironie du sort : elle qui avait gouverné sa vie et son image comme une œuvre d'art, dans l'objectif d'être « inoubliable », y a échoué, précisément parce qu'elle avait trop bien réussi. Le roman l'a emporté sur la vie, il a dévoré et fait disparaître la femme réelle qui aurait tant voulu laisser une trace. C'est elle que j'ai voulu faire revivre.

La documentation est pléthorique – 209 cartons d'archives privées déposés aux Archives nationales, auxquels s'ajoutent les 63 cartons du fonds comte Greffulhe. Toute une vie conservée, depuis l'enfance, et même avant, jusqu'à la mort. La bibliographie, elle aussi, est foisonnante, car celle qui fut la reine de Paris figure en bonne place, non seulement dans la presse de l'époque, mais aussi dans la correspondance, les journaux et les mémoires de ceux qui ont eu l'occasion de la côtoyer. Pourtant, un seul ouvrage lui avait été consacré jusqu'à présent : celui de son arrière-arrière-petite-fille Anne de Cossé-Brissac.

L'entreprise était un défi, car il s'agissait de raconter à la fois une longue existence – quatre-vingt-douze années, couvrant la fin du Second Empire, deux Républiques, deux guerres mondiales ; des activités multiformes, dans des sphères très différentes, s'inscrivant, elles aussi, dans la durée ; une personnalité complexe, une vie intime et douloureuse qui s'est peu à peu dévoilée au fil de mes recherches, face cachée de cet astre qui était le symbole public du bonheur et de la réussite ; enfin, last but not least, *ses relations avec Marcel Proust et l'influence qu'elle eut sur son œuvre – les unes comme l'autre très méconnues.*

J'ai donc été amenée à adopter pour cet ouvrage un plan singulier, en cinq parties. Seule la première est chronologique. Les trois suivantes approfondissent le portrait, en braquant le projecteur sur différents aspects de sa vie publique et privée, sur sa famille et ses amis proches. La dernière, enfin, consacrée à Marcel Proust, referme la boucle en retraçant l'histoire d'un rendez-vous manqué dans la vie et d'une transmutation miraculeuse dans la littérature.

Les Guermantes sont devenus éternels. La comtesse Greffulhe avait été reléguée dans le « royaume du Néant ». J'espère avoir contribué à l'en arracher.

PROLOGUE

18 novembre 1947. « Vernissage de l'exposition Proust à la Bibliothèque nationale. Soudain fit son entrée dans la salle une dame très élégante, vers laquelle s'empressèrent un conservateur de la bibliothèque et plusieurs autres personnalités : le visage pâle encadré de blanches soieries, les yeux noirs très vifs sous un vaste chapeau noir, la comtesse Greffulhe, qui fut l'une des inspiratrices et l'un des modèles de Marcel Proust, venait sourire à son passé. Et la grande dame, plus que nonagénaire, dont les ans ont respecté l'allure et la grâce majestueuse, put regarder une image qui la montre telle qu'elle était à la fin du siècle dernier, alors qu'elle comptait au premier rang des admirations d'un Paris raffiné[1]. »

Cette fois encore, elle a réussi son entrée. Elle avance, majestueuse, irréelle, de sa démarche toujours ailée que l'âge n'a pas alourdie. La foule s'ouvre sous ses pas. Tandis que les personnalités s'empressent pour l'accueillir, elle perçoit dans son sillage le remous familier, celui qu'elle provoquait autrefois dès qu'elle apparaissait sur le seuil d'un salon ; elle entend son nom voler de lèvres en lèvres. « C'est Elle ! La vieille dame au grand chapeau noir... » « Comme elle est belle encore, quelle allure ! Quel âge a-t-elle, déjà ? » « Quatre-vingt-sept ans bien sonnés. » « Quelle silhouette ! Et quelle élégance ! » « Mais de qui parlez-vous ? » « De la comtesse Greffulhe. Vous savez bien, Élisabeth de Caraman-Chimay : le modèle de la duchesse de Guermantes. »

15

Guermantes. Voilà pourquoi elle est ici aujourd'hui, elle qui ne sort plus que rarement de sa forteresse de la rue d'Astorg. Elle est l'invitée d'honneur de cette exposition consacrée à Marcel Proust. Le petit Marcel... Cet étrange jeune homme qui la dévorait des yeux – ses yeux si noirs dans son visage si pâle – et qui écrivait des lettres si drôles. Il était séduisant, ce garçon, quoiqu'un peu agaçant, mais elle n'aurait pas parié un sou sur son avenir posthume. Elle qui a patronné et lancé tant d'artistes, celui-là lui a échappé.

Quelle sensation étrange que d'avancer ainsi, comme un fantôme, dans la foule murmurante qui ne voit plus d'elle que son reflet. Ils ne l'ont pas connue à l'heure de sa gloire, quand elle était la souveraine incontestée du Paris de la Belle Époque, l'arbitre des élégances, la protectrice des arts et des sciences. Elle était la Parfaite, l'Imprévisible, la Toujours Espérée, celle que l'on attendait et qui ne venait pas, ou arrivait en retard. Femme d'influence dans tous les domaines, elle était, pour tous les hommes qui croisaient sa route, comme un rêve sans espoir. Et pourtant, qui se souvient d'elle aujourd'hui, à part quelques rares survivants, comme elle-même, d'un monde disparu ? Elle n'est plus, aux yeux de tous ces quidams en complet-veston, que « le modèle d'Oriane, la duchesse de Guermantes » – et, pour les plus avertis, de la princesse du même nom.

À Oriane, elle a donné, bien involontairement, son rire « qui sonne comme le carillon de Bruges », sa personnalité orgueilleuse et fantasque, son esprit brillant et original... et son mari, ce Jupiter volage. Mais elle doit cohabiter dans ce personnage avec plusieurs modèles : Laure de Chevigné, qui a fourni les yeux bleus à fleur de tête, les cheveux blonds, la voix rauque et le bec d'oiseau ; Mme Straus, dispensatrice des mots d'esprit ; Mme Standish pour la précision de ses robes. À la princesse de Guermantes, elle a offert ses yeux d'onyx, sa silhouette juvénile, la grâce polynésienne de ses coiffures, ses toilettes aussi ravissantes qu'imprévues. Mais là aussi, elle a « collaboré » avec d'autres, comme Dorothée de Castellane. Ainsi démembrée, atomisée, recomposée, on l'admire, elle s'admire, mais elle ne se reconnaît pas. « Lorsque le cuisinier de Napoléon III lui faisait cuire une côtelette, avait confié un jour Marcel, il y mettait le jus de quatre côtelettes. Ainsi sont faits mes personnages, du suc de plusieurs vivants mêlés[2]. » Quelle audace !

Guermantes l'agace. Ce n'est pas là l'immortalité qu'elle espérait. Ce démon de Marcel a fait d'elle un simple matériau pour son œuvre. Pour elle qui se voulait l'Unique, la pilule est amère. Elle a passé sa vie à se dépenser sans compter, dans l'obsession d'être utile et de laisser son empreinte. Tant d'énergie déployée pour sortir de la prison dorée réservée aux femmes, tenter de survivre dans la mémoire des hommes. Et tout cela pour se retrouver utilisée comme une vulgaire côtelette par cet infernal et génial marmiton ! Quel paradoxe de se voir ainsi à la fois sublimée et réduite dans cette double figure, Janus emblématique d'une société futile, d'un monde capiteux à jamais englouti ! Enfermé dans sa chambre noire, le petit Marcel aurait-il réussi là où elle a échoué ?

Après tout, quelle importance ? À la barre de Bois-Boudran et de la rue d'Astorg, elle a eu longtemps rang de capitaine. Aujourd'hui, ses amis morts, sa jeunesse envolée, sa puissance évanouie, elle n'est plus qu'une passagère parmi d'autres. Elle sait que d'utile à futile, il n'y a que l'épaisseur d'une lettre et que le superflu, c'est-à-dire l'esprit, est la seule chose vraiment nécessaire. *Sic transit Gloria Mundi...* Elle a fait ce qu'elle a pu. La rose qui fleurira sur sa tombe n'est pas exactement celle qu'elle aurait voulue. Mais au moins, elle sera éternelle.

I

TRAJECTOIRE D'UNE ÉTOILE

« Dieu se sert de tout, même d'un manchon, même d'une ombrelle ; même de cette ombre d'une ombre que fait une robe de femme en passant sur la terre. »

Abbé Mugnier

1

La sublime fiancée

Agenouillée sur son prie-Dieu de velours rouge, la jeune mariée pleure à chaudes larmes et, derrière elle, sa mère ne vaut guère mieux. Superbe dans son habit bleu de roi, la pose avantageuse et la barbe démonstrative, l'époux couve du regard sa nouvelle « acquisition ».

En ce 25 septembre 1878, le Tout-Paris s'écrase dans la nef de Saint-Germain-des-Prés pour assister à l'événement de la saison, dont l'annonce fait palpiter le noble faubourg depuis le printemps : les épousailles de la jeune Élisabeth de Caraman-Chimay, dix-huit ans, et du vicomte Henry Greffulhe, de onze ans son aîné.

C'est le mariage idéal, celui dont toutes les mères dans l'assistance rêveraient pour leurs filles : l'alliance d'une jeune beauté désargentée, mais issue d'une illustre lignée, avec l'unique héritier d'une colossale fortune. Par son père Joseph, prince de Caraman-Chimay et futur dix-huitième prince de Chimay, Élisabeth descend d'une grande famille de bâtisseurs et de guerriers, d'une dynastie de seigneurs du Saint-Empire remontant au XIᵉ siècle – mécènes, musiciens et mélomanes. Du côté de sa mère, Marie de Montesquiou-Fézensac, on peut retracer les origines jusqu'aux Mérovingiens, par les ducs d'Aquitaine. La famille Greffulhe, de souche cévenole protestante convertie au catholicisme, est nettement plus récente[1]. Mais les ancêtres d'Henry ont fait fortune dans la banque, et contracté d'excellentes alliances. L'époux s'enorgueillit de descendre de Louis XV – par la main gauche – et sa

21

mère est née La Rochefoucauld d'Estissac. Quant à son grand-père, Jean-Louis Greffulhe, il était un proche ami du duc de Berry : il l'avait reçu pour son dernier bal, la veille de son assassinat, et était mort – de chagrin, disait-on dans la famille – dix jours après ce tragique événement, laissant deux fils qui s'appelaient, comme il se doit, Charles et Henri.

Un mariage trop parfait

L'union que l'on bénit en ce beau jour d'automne, en présence de tout le gratin[2] parisien, a été, comme c'est la règle dans ce milieu et à cette époque, arrangée par les familles, conclue au terme d'une subtile transaction qui prend en compte les actifs financiers et sociaux de chacune des parties. En caricaturant un peu, avec notre point de vue du XXIe siècle, on pourrait dire qu'Élisabeth a été « vendue » – avec son plein consentement, et en toute bonne foi de la part de ses parents, persuadés d'avoir déniché le charmant jeune homme qui rendra leur fille heureuse. Car la famille Caraman-Chimay est aussi prestigieuse que ruinée, tandis que l'époux, les pieds bien enfoncés dans la terre, dispose d'un château et d'une terre de 1048 hectares en Seine-et-Marne, de quatre cent mille francs de revenus annuels, ainsi que d'une dot de huit millions de francs – sans oublier ce que l'on nomme pudiquement les « espérances », puisque, fils unique, il doit hériter des fortunes additionnées de son père et de son oncle, célibataire sans descendance. La recette des Greffulhe est simple : un patrimoine diversifié qui fait une large place aux biens fonciers, un seul héritier par génération, et le don de gérer sa fortune pour en faire jaillir des fleuves d'or à jet continu.

Dans la balance, outre son origine prestigieuse, la jeune fille apporte sa grande beauté. Sa silhouette élancée, sa lourde chevelure brune et l'éclat mat de ses yeux noirs viendront compenser la minceur de sa dot : un capital de cent mille francs, produisant une rente annuelle de cinq mille francs. Elle forme avec Henry ce qu'on appelle un beau couple : ce jeune homme

encore blond et mince, la barbe en éventail, les cheveux légèrement ondulés partagés par une superbe raie presqu'au milieu
du front, le regard clair et dominateur, a été surnommé « Barbe
d'or » ; c'est un véritable Roi de cœur, le parfait prototype du
gentleman à la mode, prodigue de ses grandes richesses, chasseur
enragé et infatué de ses nombreuses conquêtes féminines[3].
« Greffulhe, note abruptement son ami Henri de Breteuil, l'a
demandée en mariage parce qu'elle était jolie fille de prince, et
d'une famille honorable – il ne pouvait deviner les qualités
d'esprit et d'intelligence que cachaient son modeste maintien
de jeune fille. Elle a dit oui parce qu'il était bien fait pour
plaire, et que toutes les mères avaient les yeux fixés sur un aussi
gros sac. »

Breteuil a vu juste : Élisabeth n'a pas grand-chose de commun avec les jeunes filles à marier modèle courant. Malgré ses
apparences timides et un peu gauches, elle n'a rien à voir avec
ses congénères de la bonne société, ce troupeau de blanches
brebis qui accomplissent consciencieusement leur noviciat mondain et tournent jusqu'à épuisement dans les « bals blancs » dans
l'espoir d'y pêcher un mari acceptable. Certes, jusqu'à ce jour,
elle a porté l'uniforme ordinaire des jeunes filles à marier :
condamnée aux couleurs virginales, chapeautée de paille, chaussée de bottines à hauts talons, le buste cuirassé par les vigou-
reuses baleines du corset, la croupe étrangement bossuée par la
« tournure » qui protège solidement les positions d'arrière. Mais,
sous ce harnachement de rigueur, elle est bien différente, car
elle a reçu une éducation sans aucun rapport avec celle que
l'on réserve habituellement aux pucelles du faubourg Saint-
Germain.

Élisabeth est la deuxième d'une famille de six enfants, nés
avec ponctualité tous les deux ou trois ans sur une période de
quinze ans : Joseph, dit Jo, Élisabeth (Bebeth), Pierre (Toto),
Ghislaine (Guigui), Geneviève (Minet) et Alexandre, le petit
Mousse. « Joseph devient une petite fille et joue à la poupée.
Bebeth se roule par terre et devient un gamin ; Pierre est tapé
par tout le monde, et entre l'anglais, l'allemand, le français et
l'italien, on n'entend plus qu'un bruit informe destiné, je le

crains, à devenir le fruit de l'éducation polyglotte des jeunes phénomènes qui persistent malgré tout à ne pas savoir lire. Il paraît, du reste, qu'ils sont charmants, car c'est ce que tout le monde dit. » Chronique mouvementée d'une tribu heureuse, et pas tout à fait ordinaire.

La famille a beaucoup voyagé, au rythme des nominations du *pater familias*, diplomate à la Légation de Belgique. Après Paris, Rome, Saint-Pétersbourg, Berne, ils ont atterri à Mons, où le prince de Caraman-Chimay, chargé d'une lourde progéniture, a accepté avec gratitude sa nomination au poste de gouverneur du Hainaut. Car, si les Chimay ont en Belgique une position quasi souveraine, leur fortune n'est plus qu'un souvenir. Elle s'est largement évaporée à la génération précédente dans la réfection de l'abbaye, dans l'entretien et l'embellissement du gigantesque château familial et surtout dans la compagnie de chemin de fer créée par le grand-père d'Élisabeth, diplomate de haut vol et industriel visionnaire, mais peu doué pour faire fortune, surnommé par ses concitoyens « le Grand Prince »[4].

Mons, ville industrielle vouée à la houille, arrosée par deux fleuves aux noms peu engageants, la Trouille et la Haine, n'était pas un séjour très reluisant du point de vue mondain. Mais la famille Caraman-Chimay se souciait peu de mondanités. Elle avait assez de ressources en elle-même pour créer son propre univers, une vraie vie de famille, chaleureuse et gaie, tout entière vouée à la musique et à la culture. Marie de Montesquiou, mère attentive, femme délicate et énergique, est artiste dans l'âme et musicienne de grand talent : elle a étudié le piano avec Camille O'Meara, l'élève préférée de Chopin, puis avec Clara Schumann, et ses interprétations du grand maître romantique tirent des larmes aux plus endurcis. Lors de son séjour à Rome, elle s'était liée d'amitié avec Liszt : « Je fais de la musique solitairement avec Liszt qui, décidément, trouve que je ne joue pas trop mal, confiait-elle à sa mère. Il veut revenir, et même prendre un jour fixe [...]. Il me prend au sérieux comme une artiste pour de bon. » L'illustre compositeur appréciait son talent, et celui de violoniste de son mari, au point de leur demander de participer à son concert d'adieu, avant d'entrer dans les ordres et de leur faire cadeau d'une messe, spécialement composée pour Chimay.

Chaque membre de la famille jouait d'un instrument – le piano pour Élisabeth – et la triste maison de Mons était enchantée par des flots d'harmonie. Avec la musique, la littérature était le grand moyen d'évasion. Élisabeth dévorait les classiques français, allemands, italiens, rêvait sur la légende des Niebelungen, de la Béatrice de Dante ou de la Laure de Pétrarque. Marie croyait à la supériorité de l'esprit sur la matière, et élevait elle-même ses enfants, dans le vrai sens du terme : elle s'efforçait de leur donner de « l'altitude ». Faisant fi des conventions, elle avait encouragé sa fille à passer son brevet d'institutrice. Une telle éducation, il faut le souligner, était très inhabituelle pour l'époque, où l'idée couramment répandue était qu'une jeune fille bien née devait, sous peine de passer pour un bas-bleu, limiter ses études aux arts d'agrément, enrichis d'un soupçon d'histoire et de géographie.

Élisabeth avait donc reçu une éducation raffinée, mais elle ne possédait, sa mère en était bien consciente, « que ses beaux yeux pour se marier ». Et comment dénicher à Mons un mari acceptable, sur le plan généalogique et financier ? Le jeune prince Louis de Ligne aurait volontiers fait sa demande : mais ayant le château de Belœil à entretenir, il n'était pas assez riche pour épouser une jeune fille sans fortune.

Heureusement, il y avait Paris, où la famille possédait toujours, sur le quai Malaquais, le vieil hôtel de Bouillon hérité d'Émilie de Pellapra. Le bâtiment était un peu décrépi, faute d'argent pour l'entretenir ; par souci d'économie, le premier étage avait été loué à la famille Singer, des machines à coudre, les Caraman-Chimay se réservant le rez-de-chaussée pour leurs séjours parisiens. Élisabeth aimait ce lieu hors du temps où Marie Mancini, duchesse de Bouillon, avait reçu La Fontaine. Elle aimait tout de ce cher « Quai » : le vestibule palatial d'où montait un bel escalier à rampe de fer forgé, le poétique jardin et le silence de la province en plein Paris ; et aussi les ruines toutes proches du Palais d'Orsay,

25

où la nature avait repris ses droits : un lieu sauvage et mystérieux, une sorte de jardin d'Éden en plein Paris, comme un pied de nez anarchiste au cœur du « triangle d'or », délimité par la rue Bonaparte, le quai d'Orsay, l'esplanade des Invalides et la rue du Cherche-Midi, où se retranchaient toutes les bonnes familles qui n'avaient pas encore osé investir la rive droite.

En s'installant « dans les meubles » de l'Empire, la jeune et encore fragile IIIᵉ République a trouvé un Paris certes dévasté par la Commune, mais prêt à accueillir l'avenir : dessiné, quadrillé d'avenues, doté d'un réseau d'égouts et revêtu par Haussmann d'un bel habit presque trop neuf. La ville est redevenue, comme au temps du Second Empire, un vaste chantier où l'on s'affaire à effacer les cicatrices de la guerre civile. Le Paris élégant se lance timidement à la conquête de l'ouest et commence à quitter la rive gauche pour s'installer aux abords de la Madeleine — comme la famille Greffulhe, établie dans quatre hôtels particuliers communiquant par un vaste jardin, occupant tout un pâté de maisons entre la rue d'Astorg et la rue de la Ville-l'Évêque[5]. Les abords du parc Monceau font déjà figure de quartiers chics, mais seuls les audacieux osent bâtir à la limite des terres civilisées, dans les avenues désertes autour de l'Étoile, qui n'ont pas encore la lumière électrique. En attendant l'éclairage à incandescence, qui en est encore aux balbutiements, seuls l'hippodrome, le quartier de l'Opéra, les grands magasins et les grands hôtels sont éclairés par des lampes à arc, baptisées « bougies électriques », ou bougies Jablochkoff, alimentées en courant alternatif par de complexes installations à base de dynamos. Quant aux transports en commun, ils se limitent au chemin de fer de ceinture et à quelques tramways à vapeur asthmatiques, incarnation de la modernité à côté des omnibus hippomobiles qui ne tarderont pas à être relégués à la ferraille. Malgré les quatre révolutions dont elle a été le théâtre, la ville, dans la plupart des quartiers, a gardé son visage de l'Ancien Régime, sillonnée par les tombereaux des maraîchers, les crieurs de rue, les fiacres et les fringants équipages, et livrée, la nuit venue, aux allumeurs de réverbères et aux quatre cents chiffonniers qui assurent à eux seuls le service d'enlèvement des déchets d'une cité de deux millions d'habitants.

C'est donc quai Malaquais que la princesse de Caraman-Chimay et ses enfants se sont installés, à la fin de l'hiver, afin de mettre à profit la *saison* parisienne pour résoudre la grande affaire du mariage de la fille aînée. Après quelques coups de sonde, la pêche a été miraculeuse, et le gros poisson d'or impeccablement ferré par les yeux noirs de l'innocence. Quelques semaines après la première entrevue, on célébrait les fiançailles. Ce jour-là, nous dit Robert de Montesquiou, « la jeune fille portait un chapeau en paille de riz, dont la vaste ombrelle se creusait en avant, sous le poids d'une rose. Cette rose était, pour cette femme, je veux croire, l'image de ce que lui aura donné à porter de fardeau, toute son existence, quand cette vie sera devenue tout à fait longue ».

En ce 25 septembre 1878, c'est sur son enfance enchantée et sur ce « fardeau » qu'elle pressent que pleure la jeune mariée sous son voile, à côté de son nouvel époux dont elle ne connaît rien, si ce n'est son « pedigree », sa fortune et ses apparences flatteuses. Quatre mois à peine se sont écoulés depuis leur première entrevue, au printemps, dans un jardin de Sèvres. Henry a fait sa cour dans les formes – visites quotidiennes, regards appuyés, frôlements de mains, romances chantées en duo en s'accompagnant au piano. Il a obtenu le résultat escompté : au moment de faire le grand saut dans l'inconnu, Élisabeth est – ou veut se croire – amoureuse. Pourtant, ses larmes en témoignent, elle n'est pas aussi heureuse qu'elle voudrait le paraître. Derrière la perfection affichée, le bonheur annoncé, sa nature hypersensible et extralucide a décelé des signaux qu'elle essaye de ne pas voir. Son instinct tire la sonnette d'alarme. Quelques semaines auparavant, elle a écrit ce texte émouvant, qui reflète son conflit intérieur :

« 30 août 1878
Je n'ai plus qu'un jour après ce jour. J'entre dans ce mois. Le mois où je m'envolerai pour toujours. Mon règne de jeune

fille est fini... bien fini entends bien... Adieu tout ce que j'aimais, rêverie et poésie adieu. Comme je vous aimais ! Il faut mourir pour vous. Je me marie. Moi qui avais juré de ne pas me marier [...].

J'enchaîne ma vie pour toujours. Toujours. Je ne dépends plus de moi. En me mariant j'accepte toutes les conséquences. [...] Ne jouons pas avec des ressorts aussi sensibles que nos cœurs. Il est temps encore. Prends une résolution. Vous êtes dangereux tous les deux quand vous n'adorez pas. [...] Réfléchis, tu peux tout. Mais plus de regrets en quittant la vie présente. Dis-lui adieu bravement sans tourner la tête en arrière de peur de pleurer. Tes parents te voient heureuse. Et tu les aimeras doublement après. Dis encore une fois adieu à tout ce que j'adore. Ce mariage insensé. L'incertitude qui m'enveloppe délicieusement. Le nuage est tombé et je vois l'avenir. »

À l'extérieur de l'église, les voitures armoriées qui stationnent sur la place ont attiré une foule de badauds. En cette fin d'été, la troisième Exposition universelle entretient un climat de liesse. Le président Mac-Mahon vient d'inaugurer le palais du Trocadéro, édifié pour la circonstance dans un style byzantino-mauresque. La ville a retrouvé, sinon le faste du Second Empire, du moins sa gaieté. Le 30 juin 1878, les Parisiens ont fêté toute la nuit « la paix et le travail » dans une ville pavoisée d'oriflammes et de drapeaux. Dans cette « République des ducs », ce sont encore les grandes familles qui donnent le ton, et les titis parisiens aiment à « se rincer l'œil » en admirant les fastueux équipages et les toilettes élégantes[6].

Ce jour-là, le couple qui se profile sur le parvis de Saint-Germain-des-Prés fait l'unanimité dans la foule, tout d'abord muette d'admiration.

— À la bonne heure ! En voilà un qui ne s'embêtera pas !

Ce cri du cœur d'un passant déclenche un tonnerre d'applaudissements. La jeune mariée, avec ses boucles dans le cou et sa traîne de cinq mètres de long, connaît son premier succès public. Mais dans la voiture qui les emmène quai Malaquais, Élisabeth, au lieu des effusions de tendresse attendues, surprend le regard de son mari qui surveille l'allure de ses chevaux reflétés par les vitrines des magasins.

Une famille en or

La pluie tombe, fine et serrée. Impalpable, éternelle, et terriblement mouillée. Une vraie pluie de Seine-et-Marne. Élisabeth est mariée depuis deux mois. Elle pourrait l'être depuis deux siècles, tant la morne routine de Bois-Boudran a envahi sa vie. La lune de miel à La Rivière, les jours bénis passés à « nuager », comme elle l'a écrit à sa mère, ne sont déjà plus qu'un lointain souvenir. Henry s'est acquitté pendant deux semaines du rôle de jeune époux amoureux et attentionné que l'on attendait de lui. Mais les jours raccourcissent, la sacrosainte saison de la chasse est déjà largement commencée : très vite, il a ramené sa femme dans le château familial. Dès le 3 octobre, Élisabeth notait dans son *Journal* : « La vraie cause de ma tristesse est qu'il me semble qu'Henry commence à redescendre. »

D'emblée, elle a détesté cet endroit. Une grande bâtisse en grès, une caserne grise et triste, plantée au milieu des champs plats et mornes. « Je crois qu'il faudrait chercher longtemps avant de trouver quelque chose d'aussi laid que B. B. – mais on y est très confortable » : des chambres toutes pareilles, « découpées comme des parts de gâteaux » ; un mobilier fonctionnel, mais sans grâce. Et dehors, à perte de vue, les terres labourées, bornées par les bois noirs. Quatre mille cinq cents hectares, paradis des chasseurs qui les arpentent toute la journée.

Le château est à l'image de ses habitants : prosaïque. Très vite, Élisabeth a compris qu'elle n'avait pas épousé un homme, mais une famille. Elle n'a pas le choix : elle doit s'intégrer dans un « corps constitué », composé de ses beaux-parents, de l'oncle Henri, frère de son beau-père, et des deux sœurs d'Henry avec maris et enfants, Louise et Robert de l'Aigle, Jeanne et Auguste d'Arenberg. Une famille soudée qui, à Paris comme à la campagne, vit comme en phalanstère et se réunit chaque soir à dîner. Félicité, sa belle-mère, est une petite personne potelée, le nez pointu, l'œil bleu perçant, le chef coiffé d'une perruque noire coiffée en raie, car elle a perdu très tôt ses cheveux, ainsi que ses dents. Cette belle-mère qu'Élisabeth désignera bientôt, dans sa correspondance intime, sous l'abréviation désinvolte de « BM », est une femme de devoir, d'une grande piété, que le doute n'a jamais effleurée : elle sait ce qu'il faut faire, en toutes circonstances. Elle a la haute main sur tout. Rien n'échappe à sa vigilance, depuis ses bonnes œuvres – en particulier la Société philanthropique[7] fondée par la famille Greffulhe, à laquelle elle consacre le plus clair de son temps, tricotant, récoltant les dons et faisant la chasse aux testaments avec une inépuisable énergie – jusqu'à la mise à mort des cochons et l'agrainage des faisans ; sans oublier la chasse à courre, qui la plonge dans un état extatique. Son beau-père, Charles Greffulhe, grand et blond, les favoris mousseux, le teint coloré, est un enfant qui n'a jamais grandi : quand tout va bien, il plaisante et s'amuse d'un rien. Mais à la moindre alerte, il se réfugie dans les jupes de son épouse, qui tient les rênes du gouvernement. Toute la famille est en adoration devant Henry : ce grand enfant gâté, note avec perspicacité sa jeune épouse, « les fait tous manœuvrer comme des marionnettes ».

À Bois-Boudran, l'art cynégétique est élevé au rang de sacerdoce : toute la vie de la maison tourne autour de la chasse. Durant la saison, on chasse tous les jours, sauf le dimanche, jour du Seigneur. Outre la famille au grand complet, la maison est toujours pleine d'amis, voire de pique-assiettes, comme le « vieux père Gramont » qui s'incruste tout l'hiver. Tous les jeudis soir, selon un rite immuable, les meilleurs fusils de France, qui se sont nommés les « Fondateurs[8] », arrivent par le train pour se livrer pendant deux jours à des hécatombes de gibier et repartir le dimanche après la messe. Outre ces chasses « ordinaires », plusieurs grandes battues sont organisées chaque saison en l'honneur de personnalités, comme le maréchal de Mac-Mahon ou les princes d'Orléans. À ces « journées des duchesses », ainsi nommées par les habitués, on convie le gratin ; les chasseurs y brûlent les cartouches par centaines, et ce sont des milliers d'animaux à poil et à plume qui figurent alors au tableau. Le livre de chasse recense chaque année de vingt à vingt-cinq mille pièces. Pour satisfaire la passion de BM, on s'adonne aussi à la vénerie. Les laisser-courre de l'équipage de Bois-Boudran sont célèbres, découplant en forêt de Villefermoy et dans les environs cinquante bâtards vendéens derrière le cerf, et autant de chiens anglais derrière le sanglier.

À table comme au salon, les conversations ne passionnent pas la jeune mariée : « Les soirées sont un peu dures. Les conversations aussi. Ô mon cher sanctuaire du quai Malaquais ! Je ne veux pas comparer, non vous êtes un ciel disparu. La matière tient ici une grande place ainsi que tout ce qui a trait à la vie usuelle – les poulets, les dindons, voire même les cochons. La conversation est d'ordinaire jusqu'à présent sur la chasse. On discute beaucoup, on parle très fort. Henry n'est plus mon Henry. Ses yeux sont fixés sur rien, il ne fait aucune attention à moi. Je me suis échappée du salon où il y a des chiens comme unique décoration ; ma belle-mère tricote jusqu'à extinction tous les soirs », écrit Élisabeth dans son *Journal de mariage* le 12 octobre, trois semaines à peine après ses noces.

De musique, il n'est pas question : étudier le piano, c'est « passer le temps. Il ne faut pas aimer un morceau plus qu'un autre ». De littérature, encore moins : lire, c'est encore du temps perdu. BM ne connaît pas d'autre lecture que la *Gazette de France* ; la bibliothèque est fermée à clé : Henry, comme son père, n'a jamais pu concevoir « qu'une bibliothèque fût ouverte et qu'on y prît des livres pour les lire ». Quand Élisabeth réclame de la lecture, on lui propose *L'Imitation de Jésus-Christ*, ou un traité d'éducation par l'archevêque d'Orléans. Tous les romans sont jugés « inconvenants » par Henry, qui lui susurre d'un air fat : « Ne lisez rien, aimez-moi, c'est le plus beau roman. » Le tricot et le mistigri sont les seules occupations admises pour égayer les interminables soirées d'hiver, que seuls les chasseurs passent joyeusement, enfermés entre hommes dans le fumoir. « À dix heures, tout le monde est couché et endormi. »

Jamais Élisabeth ne s'est sentie aussi proche de sa mère, sa chère Mimi, que depuis qu'elle vit loin d'elle. Mimi est le fil qui, à distance, la relie à la vie : « J'ai absolument besoin de vous voir car ma provision d'air est épuisée depuis longtemps, j'étouffe dans cette atmosphère où il n'y a pas d'oxygène. » Leur correspondance quotidienne est la soupape de sécurité qui lui permet de prendre de la distance pour ne pas devenir folle. L'humour, qu'elle ne peut partager qu'avec elle, est son souverain remède. Elle rit pour ne pas pleurer : « On reprend les mêmes sujets inépuisables sur le poil du lapin, le vol de la perdrix, les œufs de fourmis qui ont augmenté ou diminué de prix. Enfin c'est comme un vieux malaise qui vous aurait quitté et qui vous reprendrait, on reconnaît les symptômes précurseurs qu'on avait oubliés. Je tombe dans une stupeur morne et ne quitte plus mon album de dessin. Quel talent j'aurai si je dessine chaque fois qu'on parlera potins et lapins ! » Dans ses lettres, elle lui dit tout, en précisant au besoin les révélations trop intimes par quelques lignes de sténo – hélas indéchiffrables aujourd'hui[9]. Le jour où Henry, un mois après leur nuit de noces, réussit à faire « tomber les murailles de Jéricho », sa mère est la première informée : « Aujourd'hui il y a eu une date de plus dans ma vie. Un voile s'est déchiré et l'univers entier a été éclairé pour moi d'une extase infinie et inexprimable. »

Hélas, cet exploit accompli, Henry s'est estimé quitte. Le seigneur et maître a déposé son butin dans sa tribu et, ainsi libéré, s'envole régulièrement vers d'autres conquêtes. Tous ses amis le savent : il a toujours préféré les blondes, grassouillettes si possibles, et, de préférence, idiotes. Lorsqu'il est présent, entre deux escapades galantes à Paris, il n'est plus le même. Quand il adresse la parole à sa femme, c'est pour lui faire des recommandations qui sonnent comme des ordres : « Faites-vous belle. » Quand il la regarde, c'est pour vérifier l'impression qu'elle produit sur les autres, et donc mesurer par là son propre prestige, ou pour s'assurer qu'elle ne va pas trop loin dans la séduction. Elle est la plus belle jument de son écurie, un objet dont la possession le flatte, au même titre qu'un beau meuble ; on peut, on doit l'admirer, mais de loin. L'œil dur, la colère soudaine, il a repris sa vraie nature de dangereux prédateur. Il n'est plus qu'un homme primitif déguisé en grand seigneur.

Comme on est loin des soirées intimes de Mons, ou du charmant « salon vert » du quai Malaquais, où Henry, il y a quelques semaines, lui faisait encore sa cour... Dans cette grande bâtisse où s'affairent des dizaines de domestiques à l'écoute des conversations, dans ces salons toujours pleins de convives tonitruants, Élisabeth se sent plus qu'étrangère : d'une autre race. « Quelquefois je m'imagine être transportée dans une autre planète », écrit-elle à sa mère. Et elle note comiquement dans son *Journal* : « Je suis un peu comme la chatte métamorphosée en femme et j'ai envie de sauter sur les chaises avec mes robes à queue. »

Malgré la sollicitude de son beau-père, qui la traite comme un bibelot précieux et fragile, la jeune femme étouffe dans cette atmosphère qui est « le contraire absolu » de celle où elle a été élevée. Avec bonne volonté, elle essaie de se mettre au diapason de « ces conversations abrutissantes », de cette maisonnée où « la vie du corps a tout l'intérêt ». Suivant les conseils épistolaires prodigués par sa mère – « Puisqu'il aime tout cela il faut que cela ait l'air de t'amuser aussi » –, elle grelotte des journées entières à la chasse. Mais, à l'indignation de BM, elle ne parvient pas à distinguer une laie d'un sanglier mâle ; et Henry lui reproche de ressembler à Ophélie lorsqu'elle assiste à la tuerie du gibier d'eau sur le lac.

Ah ! Si seulement elle pouvait être comme eux, si seulement elle pouvait éviter de *penser* ! « Ce qu'il y a de plus dur ce sont les soirées dans l'énorme salon, j'en ai des crampes d'estomac, écrit-elle à Mimi. Pendant que ma belle-mère fait son tricot, je pense – c'est ce qu'il y a de plus dur. Je pense au salon vert. Alors je n'y tiens plus, je me lève, je m'assois sur toutes les chaises et je finis par échouer sur l'affreux piano où je chante mon triste adagio. Quelquefois je dis que je vais chercher quelque chose, puis je passe devant le fumoir où je m'attarde pour entendre la voix d'Henry. Ne le dites pas. Je suis là, tremblante comme une criminelle, enveloppée dans le petit châle blanc. On revient du fumoir aussitôt. Je tricote. Et je m'endors sur mon tricot. Quand on ne joue pas au mistigri. Voilà une soirée. Déchirez cette lettre. Je crois que je suis une imbécile. Enfin, vous venez mardi ! »

Elle essaie de toutes ses forces : mais tout son être se révolte contre cette vie qu'on veut lui imposer : « On ne me trouve pas assez abrutie comme cela, je n'en peux plus de parler faisans tout le temps, il faut tricoter toute la soirée. J'en ai par-dessus la tête de tout cela. »

Cygne parmi les canards

Durant ses premières années de mariage, les apparitions de la jeune vicomtesse Greffulhe dans le monde sont plutôt rares. Son charme est réservé au « premier cercle ». Il y a, bien sûr, les proches amis d'Henry, Henri et Constance de Breteuil ou Arthur et Marguerite O'Connor, qui deviennent des intimes du jeune couple. Et bien d'autres admirateurs habitués de Bois-Boudran, comme le baron François Hottinguer, le comte Hocquart, qui a fait les présentations, ou bien Saint-Priest, Robert de Fitz-James et le beau général de Galliffet ; tous lui font une cour assidue en se disputant la place auprès d'elle à table, au grand émoi de son époux.

Empêtré dans ses contradictions d'enfant gâté, celui-ci est à la fois flatté et exaspéré par cette admiration. Il voudrait n'en retenir que le reflet sur lui, interdire à sa « Bebeth » d'exister en dehors de lui. « Il veut épater avec tout ce qu'il a », se moque son beau-frère Auguste d'Arenberg. À Dieppe, où Charles Greffulhe a loué une maison pour que sa belle-fille puisse y passer les étés au bon air, le premier bain de mer d'Élisabeth a plongé Henry dans des affres, et le nombreux public venu assister à cette baignade triomphale a fait des gorges chaudes de « ce mari enchanté et désolé à la fois »…

Henry, si sûr de lui dans ses territoires de chasse – Bois-Boudran pour le gibier et Paris pour les femmes –, redoute les voyages qui l'obligent à quitter ses fiefs pour affronter l'inconnu. C'est à grand-peine que sa femme parviendra à l'entraîner quelques jours en Italie, où, pendant qu'elle admire les chefs-d'œuvre, lui ne la quitte pas des yeux. Quant au séjour qu'ils font en Écosse pour chasser et pêcher la truite avec les Breteuil et les O'Connor, il le passe en « plaintes éternelles », avant de l'abréger brutalement au bout de douze jours, pour soustraire son épouse aux prévenances excessives d'un gentil-homme écossais.

La vie d'Élisabeth, si brillante et privilégiée en apparence, est donc bien amère durant ces premières années. Rue d'Astorg comme à Bois-Boudran, elle passe nombre de soirées à jouer aux cartes avec ses beaux-parents, et le plus clair de ses journées sous la férule de sa belle-mère. Chaque fois qu'on lui fait un compliment sur sa bru, celle-ci « secoue la tête comme si on lui arrachait une dent », puis déclare : « Il faut mépriser tout cela, ma chère ! » Foin des futilités : BM l'initie à la quête pour les bonnes œuvres – « vingt lettres par jour » –, aux « réunions obligatoires pour la châtelaine de Bois-Boudran ». « Il ne faut pas que cela vous ennuie, ma chère fille. Il faut accepter ces sortes de choses comme un devoir de situation et alors on finit par y trouver du charme », lui serine-t-elle. Mais le charme n'opère pas. Résignée, Bebeth s'est fait « une raison de marmotte ». Elle s'est aménagé une vie à elle, un espace réservé : « J'ai mon terrier où je peux me retirer à mes heures, c'est une grande chose. » Dès qu'elle le peut, elle se réfugie dans son « Trianon », son petit salon de Bois-Boudran, pour faire de la musique, écrire à sa mère, et lire : car elle a fini par profiter d'une absence de ses beaux-parents pour forcer, avec ses amies Constance et Marguerite, la serrure de la bibliothèque, où elle braconne désormais à sa guise.

Ses trop rares visites quai Malaquais ou à Chimay sont des « jours de grâce » qui lui permettent de « respirer son air natal » et « d'échapper à cette maudite baraque » : « J'ai besoin de me retremper auprès de vous *absolument*. » La correspondance montre l'extraordinaire intimité, la communion d'esprit unissant la mère et la fille. Outre les passages en sténo, elle abonde en phrases sibyllines, écrites en langage codé, qui laissent entrevoir leur « jardin secret », territoire partagé par elles seules, et révèlent leur commun intérêt pour la face cachée du monde.

De toute évidence, Marie a développé une spiritualité très audacieuse pour son époque, dépassant largement la stricte observance des pratiques religieuses conventionnelles, et l'a fait partager à sa fille. Leurs liens vont bien au-delà d'une classique relation mère-fille. Rien n'est tabou entre elles, pas même l'amour physique et le plaisir, qu'elles désignent joliment par le terme de « fonctions divines[10] ». Elles partagent également un solide sens de l'humour.

C'est ainsi avec un commentaire guilleret qu'Élisabeth, un an après son mariage, envoie à sa mère la lettre anonyme « très drôle » qu'elle vient de recevoir, dénonçant les « débordements » de son mari, et qui ne sera que la première d'une longue série. Si elle ne cache rien à sa chère Mimi de ses malheurs conjugaux et de son désarroi au sein de sa pesante belle-famille, elle le fait sur un ton léger et désabusé qui ne manque pas de sel : « Que le Seigneur les bénisse tous – parce que cela ne serait pas possible de dire que le diable les emporte, mais c'est le fond de ma pensée. » Elle habille sa détresse sous l'élégance du rire : ainsi, les maîtresses qu'Henry va régulièrement voir à Paris sont désignées sous le vocable de « sacrifice au dieu inconnu » : « Henry ne veut pas quitter Paris avant lundi, le sacrifice au dieu inconnu le presse de rester. » Elle est d'une totale lucidité : « Henry revient ce soir, il m'a écrit une lettre de tendresses afin de m'adoucir comme les holocaustes qu'on offrait au dieu Pan » ; et les conclusions qu'elle en tire sur la condition féminine sont formulées de façon très personnelle : « Le rôle des femmes légitimes est bien bête quelquefois ! » « La dernière définition de la vie d'une femme honnête est comme une raie d'encre qu'on fait autour d'un insecte et il ne fait que se dérouiller les pattes. C'est moi qui ai trouvé cela. Qu'en dites-vous ? Nous n'avons ni moyen de vengeance si nos maris nous trompent, ni initiative, sans cela gare à l'encre. »

Pendant ces trois premières années, Élisabeth vit donc au rythme des sautes d'humeur d'Henry, qui alterne brusques accès de tendresse et humiliations publiques. Avec le fond de gaieté qui constitue sa nature, elle en prend, le plus souvent, son parti : « elle cueillait à pleine main les fleurs du chemin en négligeant toutes les épines », se souviendra Louise d'Arenberg. Mais parfois, la coupe est trop pleine : deux ans après son mariage, elle frôle la dépression, sans jamais, cependant, se départir de son sens de l'humour, fût-il grinçant. Cette lettre à sa mère, oscillant entre rire et larmes, nous donne un portrait pris sur le vif de cette jeune mariée désenchantée :

« Je ne sais si je suis triste ou gaie, mais il me semble que je suis bien changée. Je n'ai plus de goût pour rien, je ne travaille plus, je ne jouis plus comme autrefois de la moindre chose, tout m'est indifférent et je prends grand intérêt au nombre de bécasses et de perdreaux. Quand je demande quel nombre on en a tué il me semble que je n'aurais pas la voix plus émue que celle de Sarah Bernhardt demandant dans *Hernani* si son amant vit encore. Ce n'est qu'un déplacement d'idées et de sentiments. Comme un sinapisme qu'on aurait changé de place. Je n'aime plus que les choses vulgaires, je me moque du sentiment et je me plais énormément dans l'étable aux animaux grinçons. Prenez une fille, élevez-la en raffinant ses sentiments, en cultivant son goût pour les arts, pour les belles choses. Faites croire qu'il lui faut être modeste, aimable, vraie, naturelle et mariez-la. Voilà ce que vous recueillerez au bout de deux ans de mariage. Est-ce sa faute, est-ce celle de son intérieur, celle de son mari, celle de sa vie ? Courons, courons, c'est aujourd'hui qu'on exécute Martin le plus gros cochon de la ferme, on m'appelle. Pareille à l'instrument qui ne peut plus se taire, *"et qui d'avoir chanté semble longtemps gémir*[11]*"*. Voilà ce qui me reste quand je suis loin de vous, et tout ce qui me reste de bon vient de vous et quand je pense à vous. »

Le « sacrifice au dieu inconnu », cependant, n'a pas détourné entièrement Henry de son devoir conjugal, car il est essentiel d'avoir un héritier pour prolonger la lignée. Élisabeth a bien conscience de ce « devoir d'État » : à mesure que les mois et les années passent, la pression familiale et maternelle s'est faite de plus en plus explicite : « C'est bien singulier que tu n'aies pas d'enfant ! »

Enfin, durant l'été 1881, elle peut annoncer la nouvelle : la grossesse tant espérée est devenue réalité. À sa grande irritation, elle sera même annoncée par un entrefilet dans *Le Clairon*. Pour Marie, cela ne fait pas de doute, ce sera un garçon, « tout brun avec les yeux bleus ». Elle a déjà choisi le prénom : « Je pense souvent à ce petit Jean. » Mais c'est une fille, Elaine, qui naît le 19 mars 1882.

Mission accomplie – ou plutôt, à demi accomplie, car une fille ne transmet pas le nom. Seule la venue au monde d'un « petit boy » répondrait pleinement aux attentes d'Henry et de toute la famille. Mais Élisabeth n'a pas une vocation maternelle très affirmée : ces vœux ne seront pas exaucés.

Hors de la chrysalide

« La vicomtesse de Greffulhe (*sic*), avec son chapeau manille couvert de violettes, représentait le camp des fleurs. Impossible de leur donner une plus rayonnante personnification. Cette femme charmante, type adorable, aristocratique beauté, m'apparaît comme la vivante incarnation de ces blanches filles des cieux dont les mains diaphanes sont créées pour tresser les guirlandes, effeuillant sur la vie les fleurs radieuses, fraîches strophes d'un poème éternel. »

En ce mois de mai 1882, le Tout-Paris se presse sur l'hippodrome de Longchamp pour assister au Grand Prix, qui marque la clôture de la *saison* parisienne – avant le départ pour les villégiatures d'été, puis le retour à la campagne pour la saison des chasses. Ce portrait élégiaque, qui paraît dans la chronique mondaine du *Gaulois* consacrée à l'événement, n'est que le prélude aux innombrables articles qui, dans les sept décennies à venir, célébreront la figure montante, puis la reine, et enfin l'étoile affaiblie, puis disparue, des élégances parisiennes.

Élisabeth commence tout juste à monter dans la lumière, et les chroniqueurs à la suivre à la trace. Ils célèbrent avec emphase « la plus exquise jeune femme de Paris. Vingt ans, belle comme un ange, de l'esprit plein la tête, de la bonté plein le cœur et l'air de ne pas se douter de cela ».

Durant les quatre années écoulées depuis son mariage, elle a beaucoup mûri, elle est revenue de bien des illusions. La naissance de sa fille lui a conféré un nouveau statut dans la famille. Délivrée de sa grossesse, qu'elle a vécue à son corps défendant comme un état pénible, voire humiliant, elle a en quelque sorte accouché d'elle-même, imago s'extrayant de sa chrysalide. Elle n'est plus la fiancée tremblante, la timide jeune épousée cherchant à se faire accepter. Fini le temps où elle se sentait comme un « moucheron qui saute sur la vitre ». La larve est devenue papillon ; il est temps pour elle de commencer à vivre au grand jour. Sa ligne rapidement retrouvée, elle a mis à profit la fin de la saison parisienne, malgré la jalousie maladive de son époux. « Je vous avoue que je jette un peu mon bonnet pardessus tous les moulins, on me fait une réputation de femme agréable et d'esprit, je me laisse faire un doigt de cour. Ayant un mari qui me lâche, j'en prends mon parti gaiement », écritelle à sa mère. « Il n'y a qu'une chose à faire, c'est premièrement n'avoir l'air de rien aux yeux des autres, deuxièmement s'arranger une vie et des agréments à soi. Cela s'arrange d'autant mieux qu'il aime à me voir briller, pour qu'on dise qu'il n'a pas épousé une dinde. » La ligne de conduite est tracée.

Un homme dans la position sociale d'Henry Greffulhe ne peut pas mettre complètement sa femme sous le boisseau. La réclusion à Bois-Boudran ne peut guère se prolonger au-delà de la saison de chasse. Henry aimerait bien « lui faire renoncer au monde et à ses pompes », mais veut aussi la faire admirer. À quoi servirait un beau tableau qu'on enfermerait dans un coffre ? Et puis, il est impossible de refuser certaines invitations, comme celles de séjourner au château d'Eu chez le comte de Paris, ou à Chantilly chez le duc d'Aumale. Très vite, Élisabeth a donc été prise dans le tourbillon de la vie mondaine : « Dès qu'on arrive à Paris on est englobé comme dans une machine à tisser si on était le fil. On est pris et comme avalé par un boa, qui vous pétrit d'abord, vous presse, vous allonge et puis vous avale. Nous sommes dans les grandeurs jusqu'au cou, le comte de Paris ne nous quitte plus, déjeuners, dîners, matinées, soirées, enfin c'est à perdre la tête. » Elle prend tout cela avec un certain recul : « Je n'aime plus tant le monde ; je m'aperçois qu'on y devient sceptique, poseur, qu'il ne faut rien y dire de ce qu'on pense, ne compter sur personne, faire semblant d'adorer tout le monde en particulier et bien d'autres choses encore. » Mais elle commence à en analyser les ressorts : « Comme c'est amusant d'étudier la grande comédie humaine – ce qu'on peut dire – ce qu'il faut dire pour pouvoir faire ce qu'on veut. »

La loge à l'Opéra ou au Français fait partie, elle aussi, des obligations sociales incontournables, même si l'on s'efforce de dérober aux regards du public la jeune vicomtesse, trop lumineuse aux yeux de sa belle-famille : « Mes beaux-parents viennent de rendre la loge du haut de l'Opéra [...] Henry a échangé sa loge du Français contre une affreuse baignoire du fond, c'est fait exprès pour moi », se plaint Élisabeth à sa mère. « Si vous saviez toutes les histoires et tremblements de terre qu'occasionne ma première sortie à l'Opéra dans une baignoire », ajoute-t-elle en décrivant le spectacle hallucinant d'un époux fou furieux, prenant « une posture d'athlète » et « faisant des yeux furibonds à ceux qui osaient approcher ».

« Henry prétend qu'il n'y en a que pour moi, et que lui a le rôle du guguse de l'hippodrome... » Mais qu'il le veuille ou non, Élisabeth est lancée, et plus rien n'arrêtera son ascension. Ses apparitions aux célèbres bals costumés que donne chaque année la princesse de Sagan donnent l'occasion aux chroniqueurs mondains de déchaîner leur plume dithyrambique : « Avec ses cheveux noirs tordus sur sa nuque, son buste frêle et ses grands yeux noirs, dont le regard profond se mêle d'exquise tendresse et de chaste fierté, c'est la vivante image de la Diane athénienne, dont l'âme altière semblait rayonner à son front », s'extasie *Le Gaulois*. Belle, certes, mais mieux encore, originale : « Par exemple, ce qu'elle hait, c'est la banalité. Originale en toutes choses, une pointe d'excentricité marque parfois ses ajustements, ses façons, ses idées mêmes. Ses toilettes, inventées pour elle ou par elle, ne doivent ressembler à aucune... »

Le peintre Eugène Louis Lami immortalisera cette fête dans un tableau dont il exécutera une esquisse pour Henry Greffulhe. Celui-ci y apparaît au premier plan, vêtu comme tous les convives en habit du XVIe siècle, véritable incarnation de Barbe-Bleue, la barbe à deux pointes largement étalée sur sa fraise ; à ses côtés son épouse, la taille étranglée dans une robe noire décolletée agrémentée de deux ailes noires dans le dos, coiffée d'un petit chapeau noir, un sceptre à la main, figure en Reine de la Nuit. Un peu en retrait, un personnage qui pourrait être Robert de Montesquiou, la moustache triomphante, contemple son œuvre.

Son œuvre, c'est bien le mot : car « l'oncle Robert », cousin de Marie de Montesquiou, a commencé à prendre sérieusement en main Élisabeth, dont il décèle déjà le potentiel prometteur. La tendresse de Robert de Montesquiou pour sa nièce – qui a cinq ans seulement de moins que lui – remonte à leur jeunesse, à l'époque des amours enfantines, quand ils passaient ensemble leurs vacances dans le château familial de Courtanvaux : il s'amusait à la coiffer en marquise, ou à faire des boucles à ses poupées, pendant que, taquine, elle le « coiffait » à son tour avec la balayette de la cheminée… Elle rêvait de l'épouser un jour, car elle voyait en lui « un mari charmant ».

Esthète décadent, collectionneur raffiné, Robert, qui n'a pas trente ans, est déjà « le capiteux monarque d'une société capiteuse », le maître de ballet qui réglera les dernières fêtes d'un monde promis à l'engloutissement. Il n'a encore rien publié, mais la littérature est sa grande ambition – une ambition qui restera douloureusement insatisfaite, car son abondante production rencontrera peu d'échos favorables, même chez ses contemporains. Ce prodigieux dandy est un fruit sec, et souffre de l'être ; il ne crée pas, il perpétue. Quand il n'écrit pas de vers, son occupation principale est de mettre en scène sa propre vie, d'organiser des « fêtes du goût et de l'esprit » qu'il veut inoubliables. D'une insolence magnifique, la crinière offensée, la moustache provocatrice, le nez prédateur, toujours monté sur ses ergots et la voix vibrant dans les aigus d'une indignation perpétuelle, cet écorché vif susceptible à l'excès vit l'amitié comme une suite de sommations, et se brouillera avec jubilation avec tous ses amis.

Avec tous, sauf avec Élisabeth, qui va bientôt devenir le plus bel ornement de ses fêtes. D'elle, il aime tout ; il lui pardonne tout, même ses retards ; elle lui passe ses excès, ses colères et ses ridicules : « Je n'ai jamais encore rencontré dans le monde un seul homme qui ait ses appréciations et son extrême goût et distinction, c'est dommage qu'il soit ridicule, mais comme c'est à ce résultat qu'il désire arriver tout est bien, c'est déjà beaucoup que d'imposer *au monde* ce pourquoi on pose », écrit-elle spirituellement à Mimi. Entre eux semble exister un pacte tacite : plus encore que par le sang, ils sont liés par une sorte de gémellité spirituelle. « Car ils s'étaient reconnus de bonne heure, analyse un contemporain, comme des fleurs exceptionnelles poussées sur la même tige, et s'étaient salués, dès lors, avec un fraternel enthousiasme qui ne devait jamais se démentir. »

« Je n'ai jamais été comprise que par vous et par le soleil », écrira un jour Élisabeth à Robert. Celui-ci, qui collectionne les photographies et les portraits de sa belle « cousine », lui consa-crera des pages magnifiques[12]. Et surtout, il lui fera rencontrer Marcel Proust, qui l'immortalisera bien mieux encore. Mais pour le moment, il s'improvise son Pygmalion et la conseille sur ses toilettes – pas fâché de faire ainsi bouillir de rage Henry, ce grand jaloux, qui le déteste cordialement, car il encourage sa femme à se faire remarquer.

« *La mort d'une mère est le premier chagrin qu'on pleure sans elle* »

26 décembre 1884. « On nous télégraphie de Bruxelles que Mme la princesse de Caraman-Chimay, née Montesquiou-Fezensac, femme du ministre des Affaires étrangères de Belgique, a succombé la nuit dernière [...]. Elle était âgée de cinquante ans [...]. Madame la princesse de Caraman-Chimay laisse six enfants, dont seule est mariée Mme la vicomtesse Greffulhe. C'est dire qu'ils sont tous bien jeunes. »

Depuis quatre ans, déjà, Marie souffrait d'une toux tenace – un méchant « catarrhe », qu'elle soignait tous les étés par des cures au Mont-Dore ou à Davos. Elle ne se plaignait jamais, évoquant un simple rhume. Mais sans doute se savait-elle condamnée. Étrangement, sa propre mère, dont elle était très proche et avec qui elle avait entretenu une correspondance quo-tidienne, était morte, elle aussi, à cinquante ans.

Accourue à Bruxelles où ses parents venaient de s'installer, Élisabeth a pu vivre à son chevet sa dernière semaine, partager ses derniers moments de lucidité et de tendresse, entre les crises d'étouffement et l'abrutissement de la morphine. Elle était auprès d'elle à cet instant d'épouvante où Marie, si chaleureuse et si vivante, s'est transformée en une « chose » froide et étrangère. Si proche, depuis toujours, et soudain, en un instant, à jamais inatteignable.

Élisabeth a vingt-quatre ans. Le jour de Noël ne sera jamais plus une fête pour elle. Elle n'a pas perdu sa mère : elle a perdu son âme sœur, sa seule véritable amie, sa confidente, son guide spirituel – la personne qu'elle aimait le plus au monde. « Je suis comme une âme errante sans vous », lui écrivait-elle quelques mois auparavant. Sans Mimi, la vie n'a plus de sens ni de saveur. Elle était la bouffée d'air pur indispensable à la vie, la caisse de résonance de son existence, l'amplificateur de ses joies, la consolatrice de ses chagrins. Elle était l'amour inconditionnel.

Comment vivre sans cette présence, sans cette correspondance quotidienne qui rythmait les mornes journées ? Depuis son mariage, six ans plus tôt, le fil invisible qui les reliait était devenu plus fort encore. C'est dans l'absence que Bebeth avait vraiment pris conscience de l'amour absolu de sa mère et de la place unique qu'elle occupait dans sa vie. Par contraste avec sa belle-famille, elle avait pris toute la mesure de la supériorité de ses parents et, en particulier, de l'exceptionnelle qualité d'âme et de cœur de Marie.

Marie de Montesquiou avait vécu, au milieu des siens, une vie qui n'appartenait qu'à elle, en communication directe avec le monde suprasensible. Elle savait que le corps n'est pas dissociable de l'âme, et avait initié sa fille aux mystérieuses communications entre la matière et l'esprit. Elle aimait ses cinq enfants, chacun d'une différente affection, sans aucune injustice. Mais il y avait entre elle et son aînée un lien d'une profondeur et d'une intensité unique. Mimi, c'était le rire et les larmes partagées, la complicité de tous les instants. Savoir que, dans quelques heures, elle allait tout lui raconter dans sa prochaine lettre rendait Élisabeth capable de tout supporter. Avec elle, elle pouvait rire des pires humiliations, ironiser sur ses malheurs. Mimi était de son côté. Elles avaient « partie liée ».

« Que je voudrais pouvoir vous souhaiter votre fête de près comme toujours et vous dire combien je vous aime et que je suis avec vous toujours de loin, que je souffre d'être loin, que je vous aimerai toute ma vie plus que tout au monde, que vous êtes mon adoration, mon modèle dans tout. Ce que vous m'avez dit, ce que vous m'avez appris a l'air de s'être gravé dans mon esprit et dans mon cœur, les impulsions que vous m'avez données continuent à se faire sentir. J'obéis de loin à votre influence. Ce titre de mère et d'amie que vous aviez pour moi ! Plus je vois de mères et de filles, plus je comprends ce qu'elles ne sont pas et ce que nous étions... Je suis jalouse, jalouse des autres qui vous voient, vous embrassent, vous ont et moi qui vous envoie un morceau de papier au lieu de vous embrasser... »

Cette lettre d'adoration presque enfantine qu'elle lui a écrite cinq ans plus tôt, elle aurait pu l'écrire encore la veille de sa mort, sans y changer un mot. Mais Marie l'a abandonnée. Bebeth ne sera jamais plus une enfant. Elle n'a plus personne sur qui s'appuyer. Personne, et surtout pas Henry. Henry admirait et respectait sa belle-mère : elle était, au sens propre du terme, son *garde-fou*. À présent les excès de ce fantasque époux ne connaîtront plus de bornes.

Le pilier de la famille a disparu. Terrassé de douleur, accaparé par ses nouvelles responsabilités de ministre, le prince veuf est désemparé : il est seul pour veiller à l'avenir de cinq enfants qui sont loin d'être tirés d'affaire. Deux filles à marier – Ghislaine, dix-neuf ans et Geneviève, quatorze ans –, deux garçons à « établir » et à marier également – Joseph, vingt-six ans, Pierre, vingt-deux ans –, et le petit Mousse, Alexandre, qui n'a que onze ans. Le tout avec une fortune en berne.

Impossible de compter sur Jo, l'aîné, futur héritier du titre : loin d'être un soutien, il est le principal souci de la famille. L'adolescent charmeur et paresseux s'est mué en un jeune homme irresponsable et, pour tout dire, peu intelligent. Non seulement il manque d'envergure, mais il tourne au mauvais sujet, engrossant une jeune fille et faisant des dettes, alors que son père se prive de tout pour subvenir aux besoins de ses enfants et entretenir le château familial. « Il n'écoute et ne croit rien de ce qu'on lui dit et ne dit pas, lui-même un mot de vérité ! Il ne tient à rien ni à personne ; et nous l'avons vu et le voyons, n'est susceptible d'aucune émotion ni d'aucun dévouement ! Il n'y a donc pas de prise sur lui ! Dans ces conditions, je le crois perdu », se désespère le prince de Chimay.

Dans ce contexte, Élisabeth se sent investie d'une mission protectrice envers sa famille. C'est à elle qu'il incombe de remplacer Marie. Désormais, c'est avec son père et Ghislaine qu'elle correspond – Geneviève est encore bien jeune. La mort de leur mère adorée a rapproché les deux sœurs. Ghislaine a remplacé Marie comme correspondante attitrée, mais les rôles sont inversés : à Bebeth le rôle de mentor, à Guigui celui d'adoratrice.

Avec son père, le ton est tout autre : plus question de se faire des confidences ni de s'épancher : ils ont, ensemble, bien des combats à mener, dont les plus urgents sont de faire rentrer Jo dans le rang, de le marier si possible avec une riche héritière et de caser dans la foulée Guigui, ce qui n'est pas une mince affaire. Mais Élisabeth n'est plus, ne sera jamais plus la même. « J'entre dans ma seconde jeunesse sans tristesse et comme chloroformée », écrira-t-elle dans son journal intime.

2

L'ARRIVÉE CHEZ LES CYGNES NOIRS

9 juin 1892. Le Tout-Paris se presse à l'Opéra-Comique pour la Première des *Troyens* de Berlioz. C'est la première fois, depuis la mort du compositeur, que l'on joue en France une version « complétée », sinon complète, de cet ambitieux poème lyrique en cinq actes, qui avait été fortement amputé – et fort mal accueilli – lors de sa création à Paris en 1863. L'événement est de taille sur le plan artistique ; mais il l'est aussi sur le plan mondain. Si l'ombre du grand Berlioz, mort en maudissant ses compatriotes de n'avoir pas reconnu son œuvre, peut enfin s'apaiser, c'est grâce à l'initiative d'une « femme du monde ».

Adieu beau ciel d'Afrique, astres que j'admirai... Dans la salle, les dernières notes se sont éteintes sur la mort de Didon. À la lumière revenue, toutes les lorgnettes se sont braquées sur la loge de la comtesse Greffulhe, fondatrice et présidente de la Société des grandes auditions musicales de France à qui l'on doit la résurrection de cette œuvre « maudite »[1]. Dans tout l'éclat de ses trente-deux ans, elle est étrangement belle et suprêmement élégante, avec cette pointe d'excentricité qui signe toujours ses toilettes – gainée dans un fourreau de soie blanche, environnée d'une gaze exotique qui drape en plis tristes sa longue silhouette.

Élisabeth sent cet hommage de la foule anonyme comme une caresse, un mystérieux fluide qui la remplit d'une énergie, d'une puissance presque surnaturelles. Elle contemple dans le vague, évitant soigneusement de croiser les regards, amis ou anonymes, attachés sur elle, fascinés par l'éclat de ses yeux noirs. Comme elle est loin, la jeune et timide épousée, « craintive d'être trouvée jolie dans son milieu et s'enlaidissant pour trouver grâce devant lui ». Elle est devenue une autre femme, du moins en public. Tout à l'heure, en rentrant rue d'Astorg, elle contemplera longuement son reflet, et écrira une « Ode au miroir » avant d'aller en soupirant « enfouir ses beautés auprès d'un dormeur assoupi ».

Combien de fois, depuis quelques années, a-t-elle monté ou descendu les marches de l'Opéra, sans prêter la moindre attention au jeune homme pâle, aux abondants cheveux noirs, qui, posté en bas de l'escalier, la dévorait des yeux. Il se nomme Marcel Proust, et devra attendre encore quelques mois avant de faire officiellement sa connaissance, au printemps suivant, chez la princesse de Wagram.

Chef de famille

Presque sept années se sont écoulées depuis ce lugubre soir de Noël où Élisabeth et ses sœurs sanglotaient devant le lit de mort de leur mère. Sept ans, le temps d'une métamorphose. Les premiers temps, écrasée par un sentiment d'immense solitude, Élisabeth a cru qu'elle ne surmonterait jamais son chagrin. Elle avait bien pour soutien quelques amis véritables, comme François Hottinguer, fidèle entre tous, qui lui écrivait : « Je ne puis jamais bien dire ce que je ressens quand je vous vois triste comme aujourd'hui. Je vous vois pleurer, je suis là, et je ne puis rien ! Si vous saviez ce qu'il y a d'affreusement triste pour moi dans ces mots "ne rien pouvoir". Il y a tant de gens indifférents auxquels on peut rendre service et à ceux qu'on aime – rien ! » Mais Henry, le seul sur qui elle aurait voulu s'appuyer, s'était dérobé. Sa métamorphose physique et morale était complète : le romantique vicomte blond et mince des fiançailles, héritier du titre et de la fortune à la mort de son père en 1888, était à présent l'imposant comte Greffulhe, un Barbe-Bleue au poil sombre, épaissi par l'abus de la bonne chère, uniquement occupé de ses chasses et de ses maîtresses. Quant à sa belle-mère, elle lui était devenue insupportable, tout comme l'hôtel de la rue d'Astorg où, depuis son veuvage, Félicité continuait à régner sur sa tribu. Oh ! Ce damas vert omniprésent, sur les meubles capitonnés comme dans la chambre de la comtesse douairière ! Cette pièce funèbre lui faisait horreur, avec son lit à baldaquin orné de quatre plumets de corbillard et ses murs couverts d'images mortuaires et de mèches de cheveux en médaillons. Et plus encore, cette rigidité stérile, ces idées toutes faites, aussi immuables que des dogmes, cette inquisition permanente de ses moindres faits et gestes, ce « droit de critique » autoproclamé, cette dureté de cœur sous la piété affichée, ce « raffinement venimeux », si habile à flétrir tout ce qui lui échappe. La sensibilité et l'intuition aiguisées par le chagrin, Élisabeth avait très vite compris qu'elle ne recevrait aucun soutien moral de son mari ni de sa belle-famille – à l'exception, peut-être, de sa belle-sœur Jeanne d'Arenberg : « La clarté, la beauté, le talent les offensent comme une injure personnelle et les suffoquent. » Lucide et stoïque, elle les étudiait « comme on s'initie aux mystères d'une fourmilière ». Ils lui avaient inspiré une *Esquisse* assez bien vue, intitulée « Conscients et Inconscients » :

« Les Inconscients, incapables de savoir, d'aimer ou de souffrir, sont heureux dans leur ignorance. Ils sont inconscients des choses et d'eux-mêmes ; leur esprit, qui se satisfait du terre à terre journalier, est comme leur corps, il a une logique et des idées toutes faites ; de même que la nature les a créés avec l'œil gris, le cheveu blond, etc., rien ne les modifiera. Ils ne peuvent juger ni s'élever ; la routine remplace pour eux la raison. [...] Si on agit avec sentiment et délicatesse, il n'en est tenu aucun compte ; il faut que ce soit gros pour être vu. [...]

Il faut apprendre à parler intérêts.

Non seulement intérêts ; mais intérêts présents, pas de souvenir.

Le passé est le passé ; il faut des choses récentes ! – menu du jour ! – déjeuner du matin ! – dernières personnes vues ! politique de la veille ! crime du moment : conversation aimée des âmes roturières, des âmes qui auraient des mains calleuses et des doigts courts si elles se personnifiaient.

Les conscients et les inconscients peuvent sembler se mêler ; leurs âmes ne se toucheront jamais.

Et si l'amour s'allume entre eux, le tourment éternel s'allumera en même temps au cœur profond du conscient ; car le cruel malentendu s'amplifiera de toute la beauté du sentiment ; et l'appel sublime restera sans réponse, le sacrifice sans prix, l'attente sans retour. »

Durant les premiers temps, la seule chose qui l'a maintenue en vie était le sentiment de sa responsabilité. Non pas tant envers sa fille Elaine, confiée à une nurse, et dont l'éducation, inévitablement, était supervisée par le clan, mais envers ses sœurs, ses frères et son père. Dans ses lettres quasi quotidiennes, Ghislaine la suppliait : « Il faut absolument que vous vous rattachiez à la vie non seulement pour la petite, mais encore pour nous tous. C'est en vous que nous avons tous foi maintenant, si vous vous découragez, nous ne saurons plus en qui croire, si vous saviez comme j'ai confiance en vous et en tout ce que vous dites. Quand je vous sens loin je perds tout mon courage. » Et le prince de Chimay, lui aussi, s'appuyait sur elle : « Par toi j'espère tout. Et tu justifies ma confiance car avec tes deux chères petites mains, tu soulèves des montagnes. » Comment résister à ces appels au secours, à cette foi aveugle que lui manifestaient les siens ?

Quand Élisabeth considère ces sept années écoulées, elle peut se dire qu'elle a rempli sa mission – du moins autant que cela était en son pouvoir. Pierre s'est marié en 1889 avec Marthe Werlé, qui lui a donné deux fils. Pour Jo, l'affaire a été plus problématique. Au terme de multiples rebondissements, qui ont fait l'objet d'une abondante correspondance familiale, le « miracle » tant attendu s'est enfin produit : au printemps 1890, on a marié l'enfant terrible avec une riche héritière américaine de seize ans, Clara Ward. Ils ont déjà eu une petite fille, Marie ; mais l'épée de Damoclès plane toujours au-dessus de la famille, car la donzelle s'est vite révélée imprévisible, excentrique et « capable de faire battre des montagnes ». Pour Geneviève, on commence à évoquer un prétendant acceptable, un jeune officier, Charles Pochet de Tinan, dont elle semble amoureuse.

Alexandre est encore bien jeune[2] ; quant à Ghislaine, elle se révèle désespérément rétive à tous les projets matrimoniaux échafaudés par sa famille : « J'ai un caractère si indépendant que je n'ai besoin de personne et que je m'arrange très bien de mon côté... J'aime beaucoup mieux ne jamais me marier que d'épouser quelqu'un qui me ferait horreur ! »

À vrai dire, le plus gros chagrin qui a frappé Élisabeth depuis la mort de sa mère est venu de là où elle l'attendait le moins : à la surprise générale, et au grand désespoir de ses enfants, le prince de Chimay s'est remarié en septembre 1889 avec Mathilde de Barandarian. Depuis quelque temps, Élisabeth s'était résolue à lui prêcher le mariage, comme remède à ses ennuis financiers inextricables et à son état dépressif d'homme incapable de supporter la solitude ; elle avait même déniché plusieurs riches candidates. Il avait repoussé l'idée avec horreur : « Je me sens incapable de fonder une nouvelle existence. Je vis avec mes souvenirs et je ne tiens qu'aux choses qui me les rappellent et parce qu'elles me les rappellent. Peut-on demander à quelqu'un d'épouser votre vie passée, vos souvenirs et vos regrets ; de vivre dans un cimetière moral peuplé de tout ce qui n'est plus ? » Puis, subitement, il s'était entiché de cette jeune personne sans le sou – huit mille francs de rente –, dont la mère avait fort mauvaise réputation, et qui avait l'âge de Ghislaine. Cet épisode avait considérablement refroidi leurs relations.

Tout cela appartient au passé : le prince de Chimay est mort au printemps 1892, moins de trois ans après son remariage. Mort, comme sa chère belle-sœur Jeanne, son unique complice rue d'Astorg, emportée prématurément par la tuberculose. Élisabeth est seule, comme un arbre isolé privé de la futaie protectrice.

Productrice de concerts

C'est donc bien « en première ligne » qu'apparaît la comtesse Greffulhe, jeune femme éblouissante offerte à l'admiration des spectateurs de l'Opéra-Comique, en cette soirée de juin. Qui pourrait douter du bonheur de cette femme si belle, si riche, entourée d'admirateurs, couvée d'un regard flatté et inquiet par son imposant mari, laissant de temps en temps échapper vers le ciel les trilles de son rire irrésistible ? Qui pourrait imaginer que, deux mois plus tôt, en pleine dépression après la mort de son père, persuadée qu'elle allait mourir à son tour, elle avait fait son testament et rédigé une lettre d'adieu à son mari ? Aux yeux de tous, elle incarne la perfection, l'insouciance heureuse et gaie. Seuls les observateurs les plus intuitifs savent déceler, dans l'eau sombre de ses yeux, la tristesse qui ajoute à son pouvoir de séduction. C'est le cas de ce mystérieux adorateur qui s'attache à ses pas, au concert, au théâtre et même à l'église, semant ses poèmes jusque sur son prie-Dieu à la Madeleine :

« Son front n'est pas joyeux des caresses dernières ;
Elle a des robes d'autrefois.
Reines des rois jaloux qui semblez prisonnières,
Je pense à vous quand je la vois. »

« Pourquoi me fuir et me railler ?
Puisque ton cœur est seul, ou presque. »

« Mais voilà ce front tourmenté
Qui s'éclaire en la foule énorme.
Elle reconquiert sa beauté.
Son apparence se transforme
La chaleur de mes yeux aimants
A fondu ses mélancolies
C'est le regard de leurs amants
Qui fait les femmes si jolies. »

Porto-Riche[3] – c'est le poète inconnu – a tout compris. Mais qu'importe la tristesse, tant que rien n'y paraît. Pour l'heure, Élisabeth est en train de mettre en œuvre en grande partie cet « Avis pour 1892 », programme rédigé de sa main à l'aube de la nouvelle année :

1 - Préparation d'un livre philosophique
2 - Dessin réalisation coffrée de costume (*sic*)
3 - Velours noir. Voile immense

4 - Préparation méditée des apparats
5 - Préparation méditée des rencontres
6 - Sorties fixées
7 - Soirées à donner. Dîners
8 - Famille. Cartes
9 - Opéra. Faire donner les *Troyens* de Berlioz

Après avoir longtemps médité sur les secrets mécanismes du prestige, elle est parvenue à la conclusion qu'il naît « de la qualité, mais aussi de la volonté ». Elle a donc décidé de devenir metteur en scène de sa propre vie, en mettant en pratique cette maxime : « Toujours voir la personne en se disant : je veux qu'elle emporte le souvenir d'un prestige à nul autre pareil. »

Décidée à se rendre inoubliable aux yeux des autres pour compenser les humiliations quotidiennes de sa vie conjugale, elle a longtemps cherché sa voie. L'écriture l'a d'abord tentée, sans doute à force de fréquenter les auteurs à la mode, qu'elle rencontre notamment dans le *Grenier* des Goncourt à Auteuil, où elle est l'une des rares femmes à être admise. Elle a écrit des centaines de pages, souvent corrigées par Robert de Montesquiou, et dont elle a même fait imprimer des épreuves. Mais elle n'a rien publié, sur les conseils fort avisés d'Edmond de Goncourt.

On a du mal à imaginer aujourd'hui les difficultés que rencontre une femme, en cette fin de siècle, à exister par elle-même. Singulièrement, dans la « bonne société », hors l'essayage des robes et chapeaux, les réceptions, les visites et les tournées de dépôt de cartes cornées, les seules activités jugées « convenables » sont celles qui ont trait à la charité, avec toutes ses tâches annexes : la quête pour les œuvres, les ventes de bienfaisance, l'épluchage des demandes de secours – de préférence dûment estampillées par le clergé –, les ouvrages de dame et le tricot pour les pauvres. Les activités artistiques sont suspectes si l'on s'y livre avec trop d'enthousiasme et de persévérance. Elles doivent être pratiquées avec discrétion et modération. Il ne messied pas de trousser une aquarelle de temps à autre, de s'approcher du piano pour chanter ou accompagner quelque fade romance ; mais s'intéresser vraiment à l'art, sous quelque forme que ce

soit, c'est, pour une femme, « poser » ou « perdre son temps »
– péchés capitaux dans la famille Greffulhe, qui souscrit pleinement à cette injonction des manuels de savoir-vivre : « La femme la plus estimable est celle dont on parle le moins, et la plus parfaite, celle dont on ne parle pas du tout. »

Les femmes du monde qui passent outre à ces règles sont rarissimes. Il n'y a guère que la duchesse d'Uzès qui peut tout se permettre : ayant eu le bonheur d'être veuve à trente ans, et fort riche, elle vit à sa guise, en se moquant du qu'en dira-t-on. Elle pilote elle-même son yacht et son automobile, s'adonne à la vénerie, à la sculpture, à la politique, osant même embrasser la cause des femmes et militer contre les injustices frappant cette moitié de la population – les épouses, par exemple, ne sont pas autorisées par la loi à toucher le fruit de leur travail ni à administrer leurs biens. Les hommes la raillent copieusement, bien des femmes l'admirent en secret. Mais on lui pardonne tout, car sa charité est aussi inépuisable que sa fortune[4].

Les bonnes œuvres sont également la cause enfourchée par l'astucieuse baronne Reille, qui a fondé rue de l'Université la parfumerie Sainte-Geneviève, où elle vend en personne les parfums qu'elle prépare elle-même ; mais comme ses profits sont intégralement affectés aux œuvres de charité qu'elle patronne, elle échappe à l'oukase interdisant aux femmes de la bonne société de travailler et, *horresco referens*, de faire du commerce. Nombre de ses amies prennent des airs pincés en évoquant cette activité. « Elle se déclasse », murmure-t-on dans certains salons. Mais la baronne n'en a cure, et proclame à qui veut l'entendre : « Il ne suffit pas de donner aux pauvres, il faut travailler pour eux ! »

Les dames patronnesses comme BM, avec leur mâchoire musclée par l'éloquence et leur chef surmonté de plumets triomphants de bonne conscience, ont le don de terroriser Élisabeth. Le tricot lui paraît un art « voisin de la pierre tombale ». Hélas, les femmes de son monde n'ont guère le choix : la charité, voilà bien la seule issue…

C'est à force d'entendre les éternels rabâchages de sa belle-mère, toujours à la recherche de fonds pour ses œuvres, que lui est venue une idée, un jour de l'hiver 1889. L'idée qui allait lui permettre enfin de s'échapper du bocal où on la condamne à tourner en rond comme un poisson rouge. La charité, oui, mais en conciliant le devoir avec sa passion : la musique. Des concerts, elle en organisait déjà, mais sous la forme d'auditions privées de musique de chambre, dans ses salons, à Paris ou à Dieppe. L'idée qu'elle a proposée ce soir-la, au cours du sacro-saint dîner familial, était plus ambitieuse : organiser un grand concert public, dont le bénéfice serait versé à la Société philanthropique. Le projet a été accepté avec enthousiasme, et Élisabeth s'est aussitôt mise à l'œuvre. Pour ne pas prendre de risque, on a choisi une œuvre très populaire, religieuse de surcroît. Annoncé à tambours et trompettes dans la presse et dans les salons, *Le Messie* de Haendel, donné en juin 1899 dans la salle des fêtes du Trocadéro, a fait salle comble et rapporté 25 000 francs de recette. Élisabeth a découvert, à cette occasion, son talent pour ce que l'on ne nomme pas encore le métier de producteur de spectacles. Elle ne s'arrêtera pas en si bon chemin.

La musique a toujours fait partie de sa vie. Sans être une pianiste hors pair comme sa mère, elle a reçu une formation musicale suffisamment poussée pour pouvoir apprécier une œuvre en lisant la partition. Elle aurait rêvé de jouer avec son mari des duos piano-violon, comme le faisaient ses parents ; mais Henry n'est pas très doué, et l'époux a vite laissé tomber l'archet que le fiancé avait manié comme une arme de séduction. C'est avec le prince Edmond de Polignac, l'un de ses amis les plus chers, qu'elle peut partager de grands moments d'intimité musicale, jouer à quatre mains, écouter ses compositions. Pianiste et compositeur de talent, Polignac est, depuis plusieurs années, un habitué des étés à Dieppe, où Charles Greffulhe a fini par acheter une maison, un an avant sa mort, pour en faire don à sa belle-fille. Vivre dans l'intimité d'un musicien, c'est, pour Élisabeth, une définition du bonheur. Aussi, quand Robert de Montesquiou, en 1886, lui a présenté Gabriel Fauré – qu'elle connaissait déjà de nom, en tant que maître de chapelle de la Madeleine –, elle s'est empressée de l'inviter lui aussi à Dieppe.

Fauré considère Montesquiou comme « un aimable toqué ». Mais Élisabeth, admiratrice de Wagner comme lui, sera sa « souveraine », son « roi de Bavière ». « Elle est remarquablement intelligente, et bonne, et quelque peu désillusionnée, je crois, sur ce monde et sur l'autre. » Après ce séjour, il a composé sa *Pavane*, œuvre d'une mélancolie poignante, dédiée à la comtesse Greffulhe, à qui il a offert le manuscrit[5].

C'est en fréquentant Polignac, puis Fauré, dont les compositions ne sont connues à l'époque que de rares initiés, qu'Élisabeth a conçu un projet plus ambitieux : créer une organisation capable de faire jouer en France les œuvres mal connues des artistes français, anciens ou contemporains. Après moult consultations, il a été décidé de créer une structure indépendante des diverses sociétés musicales existantes. Les premières souscriptions ont été lancées en avril 1890, relayées avec enthousiasme par *Le Figaro*, où la comtesse possède un appui dévoué en la personne de Gaston Calmette. Elle a embarqué dans l'aventure ses amis les plus chers – Polignac, Hottinguer – et les plus brillants du point de vue mondain, comme le prince de Sagan. Elle a déployé pour la circonstance un talent de stratège et de fédératrice dont elle ne se savait pas capable : comité consultatif composé d'artistes contemporains et de chefs d'orchestre réputés, comité d'honneur présidé par Gounod, généreux souscripteurs – dont la baronne de Rothschild et le président Sadi Carnot –, administrateurs dévoués choisis dans la garde rapprochée des amis...

À partir du prétexte charitable qui avait été à l'origine du premier concert au Trocadéro, les choses se sont enchaînées très vite : dès 1891, la Société des grandes auditions musicales de France – que l'on avait pensé tout d'abord à appeler La Lyre de France – a donné avec succès sa première représentation : l'opéra *Béatrice et Bénédict* de Berlioz, à l'Odéon, devant tout le gratin parisien. Avec *Les Troyens*, œuvre majeure s'il en fut, la comtesse Greffulhe vient de passer à la « vitesse supérieure » et de prouver sa capacité à mobiliser, sinon les foules, du moins ses nombreuses relations, ce qui suffit largement à remplir un théâtre.

Élisabeth avait deviné depuis longtemps l'étrange fascination qu'elle exerçait. Mais en ce soir de Première, dans sa loge de l'Opéra-Comique, elle comprend qu'elle détient un véritable pouvoir : celui de vaincre tous les obstacles pour faire avancer les causes qui lui tiennent à cœur. Elle est à la tête d'une organisation qui mobilise les élites artistiques et sociales au service de la musique. Elle ne se cantonne plus, comme le voudrait la règle, à l'espace privé de sa demeure ni à l'œuvre de charité pure et dure. Sans même y penser, elle a ainsi accompli un pas décisif, qui constitue, dans la société de son époque, une transgression majeure. Elle a compris, comme Marcel Proust, que « là où la vie emmure, l'intelligence perce une issue ».

Le feu du ciel

4 mai 1897. Depuis plusieurs semaines, les dames patronnesses de Paris sont en effervescence : le Bazar de la Charité, l'événement charitable de ce printemps, vient d'ouvrir ses portes rue Jean-Goujon. Quelques années plus tôt les innombrables œuvres de bienfaisance parisiennes ont décidé de mutualiser leurs moyens en instaurant, une fois par an, cette manifestation qui fonctionne selon le principe de nos salons commerciaux d'aujourd'hui : pendant une semaine, elles se regroupent dans une vaste salle où, moyennant une participation financière, chaque œuvre peut disposer d'un stand pour vendre des objets divers au bénéfice de ses protégés. Le succès des années précédentes a conduit le baron de Mackau, président de cette institution, à chercher un local plus vaste : en ces beaux jours de mai, le Tout-Paris, qui apprécie de faire d'une pierre deux coups en alliant mondanité et charité, va se presser dans un grand bâtiment en planches, construit à la hâte sur un terrain vague rue Jean-Goujon.

La charité donne la main au théâtre : les vingt-deux comptoirs sont abrités dans un décor représentant une rue de Paris au Moyen Âge, que l'ingénieux baron a racheté pour la somme de cent quatre-vingts francs. Les vendeuses d'un jour officient donc dans de coquettes échoppes de carton-pâte et bois blanc, décorées de toiles peintes et signalées par des enseignes en fer forgé : *Au Chat botté, À la Truie qui file, Au Pélican blanc, À la Belle Ferronnière, À la Tour de Nesles...* Plus grand que la galerie des Glaces de Versailles[6], l'éphémère édifice – qui doit être démoli après l'événement – est construit en sapin de Norvège et toile goudronnée. Le toit est dissimulé par un immense velum ; partout sont déployées des draperies d'andrinople pour cacher les raccords et décorer les boutiques. Amarrée au plafond au milieu de la salle, une montgolfière gonflée au gaz reçoit les billets de la tombola. Cerise sur le gâteau, on a aménagé une salle de cinématographe pour projeter les vues animées des frères Lumière : une sortie d'usine, un train entrant en gare, et même une scène comique qui s'appelle *L'Arroseur arrosé*. Une concession à la modernité, car il faut bien vivre avec son temps – même si, de l'avis général, cette invention n'a aucun avenir : quel intérêt y a-t-il à s'asseoir dans une salle obscure pour voir ce qu'on peut voir tous les jours de ses propres yeux ? Comme le téléphone et l'automobile, on n'en entendra plus parler dans quelques années... Mais les Parisiens sont friands de nouveauté : on attend donc plus d'un millier de personnes à l'heure de pointe. D'ailleurs, depuis que le Bazar a ouvert, l'avant-veille, on a vu y défiler chaque jour plus de quatre mille personnes ; la recette journalière a battu le record historique de quarante-cinq mille francs.

Ce jour-là, la comtesse Greffulhe douairière est évidemment présente au Bazar. Avec sa fille Louise de L'Aigle, elle règne sur le comptoir de la Société philanthropique. Élisabeth a été sollicitée, elle aussi, suppliée même par la princesse de Metternich de présider un stand : mais l'œuvre du « Home des gouvernantes françaises à Vienne » n'est pas une cause à sa mesure... Elle a pris trop d'envergure pour se commettre avec les dames patronnesses ordinaires – fussent-elles de sang royal, comme la duchesse d'Alençon, l'une des vedettes du Bazar. Elle a donc opposé à la princesse une fin de non-recevoir polie, mais ferme.

Il est 16 h 20. De sa boutique donnant sur la rue encombrée de victorias et de badauds, M. Corbet, marchand de vin, entend des hurlements inhumains, des vociférations de bêtes fauves qui le glacent d'effroi ; par la fenêtre, il voit une immense colonne de feu et de fumée s'élever du toit du Bazar. Le bâtiment brûle comme une torche de résine. Devant l'une des portes, il aperçoit une montagne de femmes entassées, enchevêtrées, que tentent d'escalader d'autres femmes hurlantes. Certaines ont réussi à sortir, mais couronnées de flammes ; elles se roulent sur le trottoir et dans le caniveau. Des hommes sont accourus avec des seaux d'eau, des haches pour défoncer la façade, mais la chaleur est telle qu'ils ne peuvent approcher. Dans la rue, les vitres explosent, les bannes des boutiques prennent feu, le plâtre tombe des façades. Dix minutes plus tard, les cris ont cessé ; le bâtiment s'effondre. À 16 h 30, le Bazar n'est plus qu'un amas de décombres fumants où seuls se dressent quelques mâts noircis. Au fond se profile, comme irréelle, la silhouette de la tour Eiffel. Dans l'air flotte une atroce odeur de chair grillée. Au milieu de l'affolement général, des pleurs, des hennissements des chevaux terrifiés, un homme prend calmement des photographies.

Félicité Greffulhe officiait à son comptoir lorsqu'elle a entendu le grondement de panique jailli de mille gosiers. Elle a vu le trait de feu traverser le Bazar dans toute sa largeur, le velum du plafond se gonfler comme une voile et s'embraser d'un bout à l'autre, une pluie de flammèches tomber du ciel sur les boutiques de carton-pâte et sur les élégants chapeaux de paille et de tulle, aussitôt transformés en torches.

Elle a eu la vie sauve, ainsi que sa fille Louise, grâce à Jean Deligart, son valet de pied : avec un sang-froid remarquable, il l'a guidée par le buffet vers la seule issue possible, le terrain vague situé derrière le bâtiment — un cul-de-sac bordé de hauts murs, où déjà l'air était devenu fournaise. Avec l'aide d'un sergent de ville, il l'a relevée alors qu'elle était tombée à terre. Évitant les torches vivantes qui se roulaient dans l'herbe, les deux hommes lui ont frayé un accès jusqu'à l'échelle en bois dressée contre un mur par les employés d'une imprimerie voisine, au pied de laquelle on se battait pour empoigner les barreaux salvateurs. Moitié poussée, moitié tirée, copieusement arrosée par les seaux d'eau versés de la fenêtre en surplomb, la respectable femme a grimpé avec une agilité surprenante malgré son embonpoint, sans lâcher la précieuse cassette contenant sa recette du jour. De son côté, Louise a réussi à s'enfuir en passant par une fenêtre de l'hôtel du Palais, où d'autres sauveteurs étaient à l'œuvre.

Décidément inoxydables, BM et sa fille, de retour rue d'Astorg, ont rapidement recouvré leur dignité habituelle : « Elles sont étonnantes de calme et d'absence de nerfs, confiera Élisabeth à l'un de ses correspondants. Elles se sont crues mutuellement grillées et n'ont rien fait pour se chercher, ne songeant qu'à fuir... Ma BM a même ramassé un petit sac qui contenait de l'argent. Elle disait le soir même à sa fille, ayant la tête enveloppée de coton à cause des brûlures : "Combien as-tu fait à ta boutique ces deux jours ?" Elle n'a pas de brûlures directes, c'est la réverbération qui a produit un effet de cuisson traversant peau et étoffe. »

Quelques jours plus tard, BM recevra des nouvelles du sergent de ville qui l'a aidée à sauver sa peau, un dénommé Louis Aubry. Elle refusera de recevoir son courageux sauveteur, mais lui octroiera une prime de trois cents francs – l'équivalent d'environ six mois de salaire –, dont il la remerciera humblement. Quant à Elaine, l'événement lui inspirera un étonnant petit conte religieux, décrivant un ange chargé par la Sainte Vierge de lui cueillir des roses sur la terre : « L'ange vit une assemblée de femmes. Son regard flamboyant mit le feu à l'endroit où elles étaient réunies et une flamme immense surgit, se dressant entre la terre et le ciel, comme une échelle gigantesque, portant à la vierge des roses idéales, des GLOIRES de la Charité. »

À l'horreur de l'incendie succèdent, pour les familles des victimes, des journées d'épouvante : la reconnaissance des corps, exposés dans le palais de l'Industrie tout proche promis à la démolition. Des formes noires, fondues avec le goudron du toit en un magma de chair, d'os, d'étoffes et d'objets divers, sous une température de plus de mille degrés ; impossibles à identifier, si ce n'est à leurs bijoux ou fragments de vêtements. Il faudra donc plusieurs jours pour connaître le nombre exact et l'identité des victimes : cent vingt-sept, dont cent vingt femmes. On y dénombre une Altesse royale – la duchesse d'Alençon, identifiée par sa mâchoire –, deux marquises, huit comtesses, six vicomtesses, trois baronnes, six bonnes sœurs et quarante « jeunes filles », parmi lesquelles douze « vieilles filles » – de plus de trente ans – et quatre petites filles. La plus âgée avait quatre-vingts ans, la plus jeune, quatre ans. Toutes n'étaient pas des aristocrates ou des bourgeoises oisives : sur la liste figurent une cuisinière, deux professeurs de piano, une domestique, deux femmes de chambre, une dame de compagnie et une bibliothécaire. Quant aux hommes, ils sont au nombre de sept seulement, dont un général et deux médecins.

Une violence révélatrice

La première émotion passée, la polémique fait rage sur plusieurs fronts. Comme toujours, on fait la chasse aux respon-sables. La thèse d'un attentat anarchiste, comme ceux qui ont secoué Paris en 1893 et 94 et coûté la vie au président Sadi Carnot, est un moment évoquée, vite réfutée : l'enquête prou-vera que l'incendie a été provoqué par le cinématographe. Mais le préfet de police Louis Lépine est mis en cause pour avoir autorisé l'exploitation de la salle[7]. Plus généralement, la gent masculine est montrée du doigt. Quoi ? Sept victimes mâles seulement, alors qu'ils étaient sans doute plusieurs centaines, sur les 1200 à 1700 personnes estimées ? Les journaux les plus modérés expliquent que les hommes « n'ont dû leur salut qu'à leur force physique » ; d'autres, que certains sont sortis en se frayant un passage à coups de poing, de pied ou de canne parmi les femmes. Les langues vont bon train dans les salons et dans les cercles, et beaucoup de noms circulent. Robert de Montes-quiou, bien connu pour son fétichisme des cannes, devra se battre en duel avec Henri de Régnier pour défendre son honneur : il n'a jamais mis les pieds au Bazar, c'est prouvé, mais son inso-lence hautaine lui a valu bien des ennemis.

Dans *La Patrie*, une certaine Andrée d'Ixe signe un réquisitoire en règle :

« Qu'attendre de ces jeunes gens qui passent de l'alcôve haut cotée au cabinet du Grand-Seize, de la piste de Longchamp à la table de poker ? Et l'on s'étonne de les voir se conduire comme des pleutres aux heures où ils devraient se montrer... Simplement humains... Confits dans un égoïsme féroce, hypnotisés par la contemplation perpétuelle de leur idole, le Veau d'Or, ces "fils à papa" ne vivent que pour la qualité de leur plastron de chemise et, pour sauver des flammes une cravate dernier cri, ils piétinent sur des femmes agonisantes...[8] ! »

La presse populaire livre à ses lecteurs des détails croustillants et des sujets de scandale. La presse politique leur sert des arguments. Le journal conservateur *La Patrie* se déchaîne vertueusement ; il conspue l'Administration comme il conspue les Juifs et les traîtres. Comme toujours, chacun mesure son indignation à l'aune de ses intérêts. De son côté, *Le Figaro*, la lecture préférée, avec *Le Gaulois*, des cercleux et des salons élégants, s'efforce de panser les plaies : dans ses colonnes, on affirme que les hommes n'étaient pas plus de quarante, et que tous ont fait leur devoir.

La vérité, question de bon sens, se situe sans doute à mi-chemin. L'évidence, c'est tout simplement qu'on court plus vite avec un pantalon qu'avec une jupe longue, de hauts talons et un corset qui vous étouffe. Que du goudron enflammé tombant du ciel embrase beaucoup mieux un buisson de paille et de Celluloïd, une collerette de tulle, une robe de mousseline ou des gants nettoyés au pétrole qu'un huit-reflets et une redingote. Qu'un homme habitué aux exercices physiques, cavalier ou chasseur, possède un instinct de survie et une rapidité de réaction beaucoup plus développés qu'une femme ou une jeune fille cultivée en serre chaude, élevée dans le culte de la soumission et de la passivité, entravée moralement autant que physiquement.

C'est peut-être cela, le vrai scandale, songe Élisabeth, qui commence à caresser l'idée de rédiger un jour un ouvrage féministe. En attendant, elle a fort à faire pour venir à bout d'un courrier encore plus abondant que d'ordinaire : il faut écrire aux familles endeuillées – sans oublier les « victimes collatérales », comme le duc d'Aumale en exil, terrassé par une crise cardiaque en écrivant ses lettres de condoléances. Si la comtesse Greffulhe a échappé à l'œuvre du « Home des gouvernantes », elle n'a pas pu refuser de participer au comité qui s'est institué pour édifier sur l'emplacement du Bazar une chapelle commémorative[9]. Une fois de plus, sa force de conviction et son entregent feront merveille : elle s'entremet avec succès entre l'archevêque de Paris et le propriétaire du terrain, qui négocie âprement son lopin, et réussit à obtenir un prix acceptable pour les deux parties.

Élisabeth sourit en recevant de l'étranger quelques lettres qui lui font prendre la mesure de sa popularité et de son prestige. Ainsi, son ami Gaston Calmette lui a fait suivre une missive, reçue au *Figaro*, d'un certain Constantin A. Boyazoglu, de Constantinople, le priant de lui « répondre par retour du courrier si madame la comtesse Greffulhe, la plus jolie femme de toute l'aristocratie parisienne, a eu le malheur d'être dans le Bazar au moment de l'accident et si elle a souffert de cet indescriptible fléau ». Une autre de ses connaissances, un dénommé Constantin Philips, s'est ému, lui aussi, en lisant dans les journaux « et avec tous détails, la mort, dans cette affreuse catastrophe, de la comtesse de Greffulhe » ; et il ajoute : « la plus belle personne de France ! Pouvais-je douter qu'il s'agissait de notre charmante hôtesse de Dieppe ? Une des personnes les plus douées et les plus sympathiques que je connaisse ? Mais j'ai été rassuré (à quel point !) en lisant que "la comtesse de Greffulhe était née La Rochefoucauld et que même celle-là a été sauvée". »

« Celle-là », en vérité, est une dure à cuire, songe Élisabeth.

L'incendie du Bazar de la Charité, s'il a bouleversé le microcosme parisien, ravive également les tensions religieuses et sociales. Nombreux sont ceux – et pas seulement les anticléricaux – qui s'indignent du prêche « musclé » prononcé par le R. P. Ollivier à Notre-Dame le 8 mai 1897 durant la cérémonie à la mémoire des victimes. Devant les membres du

Gouvernement, le prêtre a évoqué l'ange exterminateur : « La France a mérité ce châtiment, par un nouvel abandon de ses traditions. Au lieu de marcher à la tête de la civilisation chrétienne, elle a consenti à suivre, en servante ou en esclave, des doctrines aussi étrangères à son génie qu'à son baptême. »

Chrétien, lui aussi, mais de tendance anarchiste, Léon Bloy, « mendiant ingrat » qui a fait de la pauvreté affichée son fonds de commerce, mystique désespéré et provocateur cynique, commente la catastrophe dans son *Journal* en des termes d'une violence inouïe : « À la lecture des premières nouvelles de cet événement épouvantable, j'ai eu la sensation nette et *délicieuse* d'un poids immense dont on aurait délivré mon cœur. Le petit nombre des victimes, il est vrai, limitait ma joie. Enfin ! Me disais-je tout de même, enfin ! ENFIN ! Voilà donc un commencement de justice ! [...] Mais tout de même, tu recevras "ta récompense" et, demain matin, belle vicomtesse, on vous ramassera à la pelle, avec vos bijoux et votre or fondus, dans les immondices. »

Bloy fustige ce « pince-cul aristocratique », « le spectacle vraiment monstrueux de l'aristocratie universelle ». La presse de gauche ironise sur ce « deuil de riches », et met en parallèle la lâcheté des hommes du monde avec le courage des hommes du peuple et des domestiques qui ont risqué leur vie pour essayer de sauver leurs maîtres.

Bien des contradictions et des tensions de cette France fin de siècle sont résumées dans cet épisode : une aristocratie qui, à son corps défendant, a troqué sa mission historique contre un rôle « décoratif », mais qui compte encore parmi ses membres de nombreux députés, et dont les institutions charitables très nombreuses et actives sont le seul et mince rempart contre la pauvreté. Une Église encore puissante, mais tout juste tolérée, et qui se sent de plus en plus menacée depuis que le républicain Jules Ferry, au début des années 1880, a restreint la liberté d'enseignement et fait expulser les Jésuites, et que le radical et anticlérical « petit père Combes » commence à prendre de l'influence sur l'échiquier politique. Une armée chamarrée d'uniformes éclatants qui, comme la patrie mutilée par la guerre de 70, fait l'objet d'une dévotion de la part de tous les Français.

Au cœur de l'affaire Dreyfus

« Je redoute les discussions D… [...]. Enfin on n'en parle plus à table. J'ai institué que deux personnes pouvaient se donner rendez-vous dans le salon d'à côté pour discuter quand le silence sur ce sujet est devenu trop pénible. Mais jamais plus de deux et pas de harangue publique. » Cette lettre de Ghislaine à sa sœur illustre le climat qui règne, en cet automne 1898, à propos de l'affaire Dreyfus. Le 13 janvier, l'Affaire, feuilleton tragique aux multiples rebondissements qui déchaînait depuis de longs mois dans la presse les passions opposées, a pris une nouvelle dimension avec la « bombe » de Zola, son article intitulé « J'accuse… ! » publié dans *L'Aurore*.

La violence de l'Affaire divise les Français jusqu'au sein de leur famille et n'épargne pas le gratin : « Un "conservateur" bien-pensant, raconte la comtesse de Pange, devait admettre sans discussion que le procès Dreyfus mettait en péril la religion catholique et l'honneur de l'armée française. Supposer que Dreyfus pouvait être innocent et n'avait pas mérité sa condamnation, c'était faire le jeu infâme des francs-maçons qui voulaient détruire à la fois le prestige de l'armée et les fondements du catholicisme. [...] En prononçant de telles paroles, on risquait fort de se faire rayer à tout jamais de la fameuse liste des intimes déposés chez notre concierge ! »

Depuis quelques années, affaires et crises s'étaient succédé au rythme des présidents de la République – l'affaire des décorations, l'agitation boulangiste, puis le scandale de Panamá. En 1894, « année sanglante » qui a vu l'assassinat du président Sadi Carnot, ce sont surtout les menaces et les bombes anarchistes, ainsi que les exécutions capitales, qui ont tenu la France en haleine. Aussi, au début, le cas d'Alfred Dreyfus n'a-t-il provoqué qu'une émotion limitée. Dans les salons, on se passionnait plutôt pour le « mariage du siècle », par lequel le beau Boni de

Castellane unissait sa blondeur capiteuse et désargentée à la noirceur velue d'une riche héritière américaine[10]. Le sort de l'obscur officier juif, condamné pour espionnage en décembre 1894 après un procès bâclé à huis clos, puis expédié à l'île du Diable après dégradation publique, ne préoccupait guère que quelques observateurs attentifs. La comtesse Greffulhe était de ceux-là.

Les femmes, fleurs fragiles et esprits faibles, ne sont pas supposées s'intéresser à la politique ni aux relations internationales. Mais Élisabeth, une fois de plus, déroge à la règle. Son père lui a, sans doute, transmis le virus, tout comme il lui a appris qu'on pouvait être patriote sans être xénophobe. Elle a essayé de faire de la politique « par procuration », en poussant Henry à se présenter, tout d'abord au conseil général, puis à l'Assemblée nationale. Mais Henry est trop fantasque, indépendant et maladroit pour jouer le jeu de la vie parlementaire : après un mandat de député, officiellement dans les rangs des républicains de centre gauche, il a abandonné la partie, au grand regret de son épouse.

Longtemps aussi, Élisabeth a caressé le rêve qu'il soit nommé ambassadeur, à Saint-Pétersbourg ou à Londres, encouragée dans cette ambition par sa sœur Ghislaine et ses amies : « Pourquoi le comte Greffulhe n'accepterait-il pas d'aller à Londres ou à Vienne comme ambassadeur ? Ça vous irait si bien ! Vous êtes faite pour ce rôle lors et votre beauté et votre esprit attireraient tous les étrangers à vous. Ils se figureraient que toutes les Françaises vous ressemblent. » « On parle beaucoup de l'ambassade d'Henry à Pétersbourg. Je me demande s'il accepterait. Cela serait agréable pour vous mais cela me semble impossible de tenir Henry huit jours loin de Paris. »

En effet, Henry n'a pas l'étoffe d'un diplomate et ne supporte pas de s'éloigner de ses terres : « Il sait que le monde commence à Bois-Boudran pour finir à Paris. Il se doute peut-être qu'il y a encore des pays habités mais aime mieux en entendre les récits que d'y aller voir », dit de lui sa sœur Louise. Sa surface politique ne dépassera donc pas celle du canton[11].

Élisabeth se console en recevant, à Bois-Boudran ou à Paris, tout ce que l'Europe compte de princes de sang, de têtes couronnées, découronnées, ou susceptibles de l'être un jour ou l'autre : le grand-duc Wladimir Alexandrovitch, frère préféré du tsar Alexandre III de Russie, est un habitué, avec son épouse, tout comme le prince de Galles, futur Édouard VII, les rois Carlos Ier du Portugal ou Oscar II de Suède, et bientôt Alphonse XIII d'Espagne et Élisabeth, reine des Belges, nièce de l'impératrice Sissi. L'impératrice Frédéric, fille aînée de la reine Victoria et mère de l'empereur Guillaume II, est venue incognito rue d'Astorg.

La comtesse Greffulhe fait ainsi figure de « reine officieuse » pour accueillir les monarques européens au nom de la jeune République française. Côté intérieur, elle invite les politiciens de tous bords, dès lors qu'elle les juge « intéressants » ou pleins d'avenir. On peut croiser dans son salon la plupart des présidents de la République successifs : c'est au cours d'une fête donnée rue d'Astorg en son honneur que Jean Casimir-Perier a appris l'assassinat de Sadi Carnot, auquel il allait bientôt – et brièvement – succéder. Durant cette période, on rencontre également chez les Greffulhe le socialiste Alexandre Millerand, le président du Conseil Waldeck-Rousseau et, bien sûr, le général de Galliffet qui est un soupirant de longue date de la maîtresse de maison. Ces hommes politiques, qui joueront un rôle clé dans le dénouement de l'affaire Dreyfus, apprécient ce terrain neutre où l'on peut non seulement, selon les circonstances, tirer des centaines de perdreaux ou écouter de la bonne musique, mais aussi bavarder, loin des regards indiscrets, avec des peintres, des écrivains, des scientifiques, des journalistes et des députés.

L'éclectisme est la marque du salon Greffulhe, unique en son genre. Cela vaut à Élisabeth de sévères critiques : on lui reproche de recevoir « une société mêlée ». Cette expression la fait sourire en secret : si sa mère était encore là, elle s'en moquerait avec elle, évoquant les albums de Töppfer[12] qui les ont tant fait rire : « Monsieur Jabot croit devoir s'éloigner d'un groupe qui lui paraît renfermer une société mêlée. »

Bien informée grâce à ses multiples relations dans les milieux politiques et journalistiques, Élisabeth s'est donc passionnée très tôt pour l'affaire Dreyfus. Le journaliste et député Joseph Reinach, qui a pris dès l'origine la défense de l'accusé et réclame depuis 1897 la révision du procès, est l'un de ses amis. Elle invite de temps en temps rue d'Astorg le comte Maximilien von Schwartzkoppen, l'attaché militaire allemand à Paris, à qui était adressé le bordereau accusateur, mais qui affirme n'avoir jamais connu Dreyfus. Quant à Gaston Calmette, du *Figaro*, il lui livre la primeur des événements, avant même qu'ils ne soient révélés par la presse, comme en témoignent plusieurs dépêches conservées dans ses archives.

Bien avant que la vérité n'éclate au grand jour, Élisabeth était convaincue de l'innocence de Dreyfus. Sans participer ouvertement au mouvement dreyfusard, elle n'a jamais caché ses opinions, partagées par nombre de ses amis proches, comme Albert de Mun, Philippe de Massa et le général de Galliffet, qu'elle encourage à soutenir le témoignage de Picquart innocentant Dreyfus.

Lorsque, en octobre 1898, la Cour de cassation, enfin saisie, déclare recevable la demande de révision du procès, Dreyfus n'est pas informé. Lui qui, depuis des mois, écrit au président de la République des lettres « à faire pleurer les pierres », vit désormais retranché du monde des vivants, ne prononçant plus un mot ; désespéré, il est persuadé que sa fin est proche et qu'il finira ses jours sur l'île du Diable. En vain, son épouse Lucie a demandé l'autorisation de lui télégraphier la nouvelle. Joseph Reinach a dénoncé cette situation dans un long article publié dans *Le Siècle*, sans plus de résultat. Alors, c'est à la comtesse Greffulhe qu'il s'adresse, en lui demandant d'intervenir auprès du président Félix Faure et du président du Conseil Charles Dupuy :

« Vous êtes belle, vous avez une haute intelligence, un noble cœur.
Donc, vous êtes puissante.
Voulez-vous écrire, d'urgence, un mot à M. Félix Faure, un mot à M. Dupuy.
Il ne s'agit pas de savoir si Dreyfus est innocent ou coupable.
Il s'agit de ne pas laisser plus longtemps déshonorer la France par un acte inutile d'inhumanité.

Que vous demandiez, vous, Madame, à Faure ou à Dupuy, le droit pour Mme Dreyfus de télégraphier immédiatement, en clair, à son mari, il est probable qu'ils vous répondront : *Oui*.

À vous, femme, parlant avec votre triple autorité, on ne pourra pas vous répondre par un refus.

Vous aurez, en tout cas, agi noblement.

Voulez-vous faire cette démarche ?

Merci d'avance, au nom d'une femme infortunée. »

Élisabeth, semble-t-il, répondra à cette demande, avec une habileté consommée, comme en témoigne un brouillon raturé conservé dans ses archives :

« Je vous l'ai envoyée [*cette brochure*] pour que vous lisiez les lettres de Dreyfus avec attention. En me laissant aller à huis clos à ne juger qu'avec le sentiment, il me semble qu'un homme qui écrit de cette façon n'est pas coupable. Mais je mets cette question, encore plus immoralement que vous, au dixième plan. Avant le christianisme, les esclaves témoins de certains faits gênants avaient la tête tranchée. C'était la précaution qu'on prenait pour assurer leur discrétion. Il me semble que le pauvre Dreyfus aura moralement ce sort. Je voudrais de tout cœur qu'on pût conserver le prestige des pouvoirs organisés et qu'on donne cours à la pitié chrétienne. [...] »

Rien n'a filtré de cette démarche. Le dreyfusisme de la comtesse Greffulhe est une affaire privée... Il ne le restera pas longtemps. En mars 1899, alors que la Cour de cassation, ayant cassé le jugement de 1894, examine la demande de révision, sous la direction du président Alexis Ballot-Beaupré, la comtesse Greffulhe prend le train pour Dresde, puis Berlin, où elle va retrouver sa sœur Geneviève et son mari, le capitaine de Tinan. Que va-t-elle faire dans cette galère ? La chose reste à vrai dire obscure. Élisabeth, qui aime les voyages et sa famille, aurait saisi l'occasion d'accompagner son beau-frère chargé d'une « mission technique » en Allemagne, et de saluer par la même occasion l'empereur Guillaume II, dont elle connaît déjà la mère. L'empereur la recevra en « souveraine » et la comblera de prévenances. Mais elle se serait bien passée, en revanche, de la campagne de presse qui saluera, quelques semaines plus tard, son escapade : au mois de juillet suivant, alors que tous les journaux évoquent les préparatifs du nouveau procès de Rennes, la presse antidreyfusarde s'avise de ce voyage. Pour *Le Soir* ou *La Liberté*, qui titre « Les émissaires français à Berlin », la comtesse Greffulhe est, tout simplement, allée demander à Guillaume II de lui donner une preuve de l'innocence de Dreyfus. Bien des années plus tard, le sulfureux Léon Daudet, en écrivant ses souvenirs, réitérera cette affirmation : « La comtesse Greffulhe, personnalité quasi officielle, accompagnée de son parent M. Pochet de Tinan, fit tout exprès le voyage de Berlin pour recueillir, sur les lèvres de l'empereur, l'affirmation de l'innocence de Dreyfus. »

Malgré la colère d'Henry, qui supporte de moins en moins que sa femme se fasse remarquer et trouble sa tranquillité, Élisabeth trouve cette polémique assez amusante, et tente d'apaiser l'exaspération de son époux : « Quand aux mythes racontés sur moi, j'en suis très fière. On dit que j'ai fait le ministère et le rapport Ballot. [...] On me fait jouer un rôle magnifique et on m'attribue une puissance que je n'ai certes pas. [...] Tout cela est de la jalousie et de l'envie. Les gens sont affolés, ils vivent et mangent de l'Affaire, ils sont en ce moment surexcités comme des bêtes fauves. »

Elle dément avec énergie – que pourrait-elle faire d'autre ? Ces rumeurs, cependant, ne sont peut-être pas infondées. On sait, en effet, qu'avant le procès en révision, le général de Galliffet, ministre de la Guerre, très proche d'Élisabeth, essaya en vain d'obtenir de l'Allemagne des éléments établissant l'innocence de Dreyfus. Il n'est donc pas du tout impossible qu'il ait mandaté pour cette mission sa belle amie, qui connaissait personnellement l'attaché militaire allemand à Paris.

Vraies ou fausses, ces rumeurs causeront bien des ennuis à Tinan, dès lors soupçonné de dreyfusisme, crime inexpiable pour un militaire, et mis au ban de sa garnison à Reims. Quant à Élisabeth, son dreyfusisme désormais officiel lui vaudra la haine tenace de la presse antisémite – mais aussi la sympathie de Marcel Proust, qui prêtera ce trait à la princesse de Guermantes. Ainsi s'achève le siècle – « Un siècle qui débute par le consul Bonaparte et qui finit par le président Loubet ! » ironise l'abbé Mugnier dans son *Journal*. Du conquérant visionnaire au barbichu en redingote... Élisabeth a quarante ans au tournant de ce siècle qui va voir s'ouvrir pour la France une période de « grandes vacances », de prospérité et d'insouciance. Libérée de leurs corsets par Poiret le magnifique, les femmes porteront des robes fluides, des chapeaux immenses comme des ailes, fleuris comme des jardins. Les hommes seront toujours noir et blanc, étayés par leur plastron et leur col dur. Chacun est bien rangé à sa place, dans un édifice social qui semble indestructible. C'est la *Belle Époque*. Pas belle pour tout le monde, certes, mais qui, à distance, paraît si grisante et si douce.

3

L'OR DU RHIN

Lundi 14 novembre 1904. Église de la Madeleine. Ce n'est pas une femme qui descend du coupé superbement attelé de deux chevaux bai-brun, presque noirs. C'est une déesse, une idole byzantine gainée d'or et d'argent, chargée de perles et de pierreries, auréolée de feu, autour de qui s'empressent, pour disposer sa traîne ourlée de zibeline, quatre essayeuses et deux femmes de chambre[1].

En cette brumeuse matinée d'automne, la comtesse Greffulhe marie sa fille. La petite Elaine, nous n'en n'avons guère parlé jusqu'à présent, si ce n'est pour signaler sa naissance : c'est qu'elle n'a joué qu'un rôle de figurante dans cette vie trépidante. La petite fille d'une étonnante précocité, l'enfant qui écrivait, entre cinq et sept ans, des vers naïfs et douloureux admirés par son oncle Robert de Montesquiou, est devenue une jeune fille plutôt jolie, mais un peu terne : comme si tout éclat, toute vitalité en elle étaient absorbés par la personnalité de sa mère, à qui elle voue depuis l'enfance une admiration sans bornes. Dans les chroniques mondaines des journaux, elle est toujours citée, comme à regret, après elle. « Dans une fraîche toilette », « charmante aussi » : c'est ainsi qu'on la qualifie systématiquement, après la salve d'éloges décernés à la comtesse Greffulhe.

L'abbé Mugnier, subtil entremetteur

À vingt-deux ans, Elaine, unique héritière d'une immense fortune, est pourtant un parti très recherché ; Élisabeth n'a pas voulu pour elle d'un coureur de dot, si titré soit-il. Elle n'est peut-être pas très maternelle, du moins en apparence ; elle n'a sans doute pas su construire de véritable intimité avec sa fille, si peu expansive ; mais elle souffre trop de son union malheureuse pour lui infliger la même chose : « J'attends que Dieu nous révèle celui à qui je sentirai que je peux la confier et qui l'aimera et qui voudra la connaître : elle si inconnue et qui garde en réserve de tels trésors pour le cœur à qui elle donnera le sien. »

Et Dieu l'a exaucée : elle a enfin déniché la perle des maris. Armand de Gramont, duc de Guiche, est le fils aîné du duc Agénor de Gramont. Veuf, celui-ci s'est remarié en secondes noces à Marguerite de Rothschild[2]. À cette époque, l'aristocratie ne dédaignait pas de s'allier à la florissante bourgeoisie juive, grande « redoreuse de blasons ». Mais, en l'occurrence, il s'agissait d'un mariage d'amour, puisque Marguerite avait été déshéritée par son père, le baron Mayer Carl von Rothschild, pour avoir épousé un catholique et s'être convertie à la religion de son mari. À la mort de son père, en 1886, elle a pourtant été réintégrée dans ses droits par ses frères et sœurs, et est ainsi entrée en possession de soixante millions de francs-or. Armand, son fils, a donc ce qu'il est convenu d'appeler « de belles espérances » – et une moitié de sang juif, ce qui ne plaît guère à Henry Greffulhe. En vain, celui-ci a tenté de s'opposer à ce choix, sans lésiner sur les points d'exclamation : « Ce n'est pas de notre eau. Croyez-moi, elle reparaît toujours. Nous n'avons qu'une fille. Il *faut la garder* avec nous et la donner à notre eau sans alliage. Tante Bethsabée Léonino ou Stern ! sont autant de blasphèmes !! On épouse la famille, la race pour les enfants et il ne faut pas se laisser aveugler par la personne. Ce serait une *folie*. Un *crime*. Je penche pour Broglie. Pas de compromissions surtout. Défendons la petite de ce piège d'Israël. »

Malgré ses éructations furibondes, Henry n'a pas eu voix au chapitre, pas plus que BM, qui poussait son candidat. Élisabeth est étrangère à tout sentiment d'antisémitisme : à la différence de sa belle-famille, elle met la personne au-dessus de la catégorie. Armand a toutes les qualités à ses yeux ; non seulement il est séduisant, riche, issu d'une très ancienne et noble famille ; mais surtout, c'est une personnalité exceptionnelle : scientifique de très haut niveau, homme d'une grande culture, peintre de talent et sportif accompli, habitué des terrains de polo et de golf, le tout enveloppé dans une simplicité, une franchise et une modestie désarmantes. Un homme complet, un véritable grand seigneur : le mari selon son cœur.

Les pourparlers entre les deux familles ont été menées avec brio, pendant presque deux ans, par l'abbé Mugnier, vicaire de Sainte-Clotilde, chouchou du gratin et des milieux littéraires parisiens, et grand ami d'Élisabeth, qui voue à son jugement une confiance absolue. La négociation a été ardue : une longue valse-hésitation, ponctuée de moult rebondissements, véritable feuilleton qui se dessine au fil de leur correspondance. Après plusieurs entrevues avec la mère du postulant, qu'il nomme plaisamment « la fille du roi David » et qu'il estime « parfaite de droiture, de conscience et de cœur », l'abbé a, selon ses propres termes, « ausculté » le jeune homme, qu'il a jugé « séduisant, au-delà de toute expression ». « Il est certain que nous sommes en face d'une nature exceptionnellement loyale, car il m'a ouvert son âme, de haut en bas, avec une sincérité qui m'a profondément touché. Les objections porteraient sur le mariage en général plutôt que sur la personne à épouser. Mais comme il est décidé à ne pas se singulariser et à entrer dans la voie commune ouverte par Adam et Ève, il serait heureux d'avoir une belle-mère comme vous. » La messe était dite... ou presque. Un point restait à éclaircir : la belle-famille demandait que l'on auscultât cette fois-ci, non les âmes, mais les corps, car de méchantes langues avaient « dit et redit que la jeune personne est d'une santé *très délicate* ». Les docteurs Dieulafoy et Boncour se sont donc rencontrés « pour établir l'état de santé des deux jeunes gens ». Enfin, le cher vicaire a pu annoncer par télégramme, le 1ᵉʳ août, que l'affaire était conclue. Grâce à son entremise diplomatique, pleine de tact et d'humour, ce qui aurait pu être vécu par Elaine comme un odieux marchandage s'était déroulé avec élégance, et achevé sur un plein succès. Élisabeth, qui n'était pas une ingrate, rendit grâce à son ambassadeur par « de royales largesses », dont il la remercia, pour ses pauvres, avec une « infinie gratitude ».

Quelques semaines de fiançailles ont suffi pour rendre Elaine follement amoureuse de son futur mari. Les perspectives de bonheur qui s'ouvrent devant elle, c'est à sa mère qu'elle les doit. Cette mère, pourtant, lui vole la vedette en ce grand jour, qu'elle a minutieusement organisé pour en faire son apothéose personnelle.

« Telle Salammbô devant le temple de Tanit »

Élisabeth a pris soin d'arriver bien en avance, à midi moins le quart précis. En attendant l'arrivée de la voiture amenant la future épouse, elle gravit l'escalier d'un pied ailé, saluée par la rumeur admirative des badauds massés sur la place de la Madeleine. Pendant un quart d'heure, debout sous le péristyle, entourée de quelques amis, elle offre complaisamment à l'admiration des foules sa silhouette élancée, vêtue d'une robe comme personne n'en a jamais vu à Paris en plein jour... jusqu'à ce qu'éclate la fanfare de Bois-Boudran, saluant l'arrivée de la mariée au bras de son père. Ces sonorités profondes et barbares, faites pour résonner au fond des bois, le soleil déchirant la brume à ce moment précis, embrasant d'or la lumineuse idole qui se profile entre les colonnes corinthiennes, « telle Salammbô devant le temple de Tanit » : tout cela donne à l'assistance le sentiment étrange de participer à quelque antique liturgie en l'honneur d'une déesse inconnue.

La cérémonie dure deux longues heures : ce n'est plus une messe de mariage, c'est un concert, presque un opéra. Aux grandes orgues, Gabriel Fauré. Après la *Marche de Jeanne d'Arc*, à l'entrée, l'assistance a droit à un programme musical époustouflant : un *Tantum Ergo*, composé pour la circonstance par Fauré et dédié à la comtesse Greffulhe, à qui le musicien offrira la partition ; le chœur des pèlerins du *Tannhäuser* de Wagner, le *Largo* de Haendel et les *Motets à la Sainte Vierge* de César Franck... La bénédiction nuptiale, donnée par l'abbé Mugnier, passerait presque inaperçue au milieu de ce déluge musical.

Pendant le défilé à la sacristie, qui dure plus d'une heure, les journalistes remarquent la présence de « S.A.R. Mgr le duc de Chartres, S.A.R. Mgr le comte d'Eu, et tous les ambassadeurs ». Pendant ce temps, sur la place, l'attroupement a grossi. Badauds, commis et commerçants du quartier ont déserté les comptoirs des magasins et des cafés. Enfin, la porte de l'église s'ouvre à deux battants, vomissant, dans le tonnerre des grandes orgues, un Suisse monumental, puis un cortège empanaché, multicolore, froufroutant, couronné d'immenses chapeaux ailés et fleuris, frémissant de tulles et d'aigrettes, ponctué par les taches blanches des plastrons et les silhouettes noires des habits et des huit-reflets. Tout ce que compte Paris de plus élégant est réuni sur cet escalier. Pourtant c'est toujours vers *ELLE* que convergent tous les regards. C'est elle que les chroniqueurs dévorent des yeux, griffonnant et croquant sur leurs calepins les moindres détails de sa mise : « Tout à fait sensationnelle, la toilette de la comtesse Greffulhe, qui a semblé à l'assistance une féerique vision de songe des Mille et une Nuits, dans sa robe byzantine en toile d'or, entièrement couverte d'une broderie or et argent d'un dessin byzantin, enrichie de pierres et de perles fines ; haute bordure de zibeline ; collier de chien et superbe sautoir en perles fines. Très grand chapeau de toile d'or de même broderie qu'à la robe, avec, au milieu, un énorme diamant qui jetait des feux d'étoile radieuse ; de chaque côté, un volumineux panache d'oiseaux de paradis "marron doré". »

« Ça, une mère de mariée ! Eh ! ben, on épouserait n'importe quoi pour se payer une belle-mère pareille ! » Comme vingt-six ans plus tôt, sur le parvis de Saint-Germain-des-Prés, l'admiration unanime jaillit de la foule par la voix d'un titi de passage – en l'occurrence, un ouvrier typographe. Au bras du duc de Gramont, aux côtés de sa fille tout émue sous ses dentelles,

Élisabeth éclipse tout le monde. Elle obtient exactement le résultat escompté lorsqu'elle a imaginé sa robe. Elle se souvient encore du silence recueilli qui régnait, il y a quelques jours, dans le salon d'essayage où Paul Poiret officiait, mettant la dernière main à ce chef-d'œuvre[3].

Une apparition de Marcel Proust ?

En bas des marches, les journalistes notent fébrilement tous les noms qu'ils identifient, ces grands noms, toujours les mêmes, dont il ne faut pas oublier un seul, sous peine se faire sévèrement rappeler à l'ordre par son chef pour crime de lèse-gratin. Deux noms, cependant, ne figurent pas sur leurs carnets, car ils sont encore inconnus du public. Ce sont deux hommes, qui, chacun à sa manière, vont jouer un rôle d'importance dans la vie de la comtesse Greffulhe – et, pour l'un d'eux, influer sur son destin posthume.

Qui est ce jeune homme aux cheveux noirs qui bavarde presque familièrement avec elle et réussit, à deux reprises, à faire jaillir son rire en cascade ? C'est Marcel Proust, aimable écrivain mondain à l'audience encore confidentielle, qui se trouve être un ami proche du marié. Peut-être est-ce lui, ce jeune homme en manteau clair, coiffé d'un chapeau melon qui laisse les yeux dans l'ombre, laissant apercevoir la moustache et l'ovale du visage, dévalant précipitamment les marches, doublant le cortège sur le côté droit, afin de rejoindre avant les autres l'éblouissante belle-mère ? On le voit quelques secondes sur un film d'amateur – une pellicule de deux minutes à peine, conservée aux Archives françaises du film à Bois-d'Arcy[4].

Inconnu, lui aussi, cet homme de haute taille, aux yeux tristes, qui échange avec la déesse quelques mots en aparté. Peu de gens, à Paris, ont entendu parler ce bel Italien, Roffredo Caetani, compositeur encore confidentiel. Pourtant, il est, depuis plus de deux ans, le grand amour d'Élisabeth. Seuls sont au courant quelques amis très proches et les deux sœurs confidentes. Ils se sont rencontrés à Bayreuth durant l'été 1902 et ont ressenti un véritable coup de foudre. Depuis, leurs âmes ne se sont plus quittées. Leurs âmes, car Élisabeth – nous y reviendrons – a choisi de rester vertueuse, comme on dit à l'époque, apportant en cela un brillant démenti à la conviction de Boni de Castellane, qui professe volontiers : « La vertu est le médiocre apanage des femmes qui n'ont jamais eu l'occasion favorable de la perdre. » C'est Roffredo qui a composé l'improvisation que joue en ce moment l'orchestre pour accompagner la sortie du cortège. Pendant les années qui vont suivre, Élisabeth sera le manager, l'agent artistique, l'âme sœur de Roffredo. Leur rencontre a marqué le début de ce qui sera la période la plus heureuse, la plus fertile et la plus créative de sa vie.

Le lendemain de la cérémonie, parmi l'abondant courrier de félicitations, Élisabeth trouvera un télégramme enflammé du grand-duc Wladimir, qui a envoyé de Russie, pour la corbeille de la mariée, une superbe agrafe de corsage enrichie de rubis, en précisant : « J'y mets mon cœur, ma reconnaissance, ma joie passée et mes espérances nébuleuses. »

« De ce mariage, conclut *La Vie parisienne*, un souvenir en demeurera extraordinaire, tumultueux, violent, inénarrable, celui de Mme la comtesse Greffulhe. Ce mariage restera comme l'apothéose d'une femme qui veut tout ce qu'elle veut comme on ne sait plus "vouloir" à présent. Qui organise, dispose, sème et récolte avec des gestes en continuelle harmonie, des audaces que nul autre ne saurait supporter avec une pareille sérénité. »

Audace et modernité

Elle veut, et elle obtient, en effet. La comtesse Greffulhe a quarante-quatre ans, on lui en donnerait vingt. Souveraine incontestée de Paris, elle règne sans partage, bien au-delà de la capitale et des frontières, assistée par une escouade de secrétaires, sur un peloton d'amis dévoués, un escadron d'amoureux transis – et destinés à le rester –, un bataillon d'admirateurs et une légion de relations dans toutes les sphères de l'art, de la science et de la politique. Musiciens, peintres, écrivains, savants, journalistes, ministres, députés, présidents de la République, généraux, vicomtes, comtes, marquis, ducs, princes régnants ou non… Tous sont à ses pieds, depuis l'obscur médecin jusqu'au roi en exercice. Elle est devenue un personnage public, dont on relate le moindre geste dans les journaux. Ceux qui n'ont pas l'honneur de lui avoir été présentés peuvent l'admirer tout à loisir à l'Opéra ou, tout simplement, à la messe du dimanche à la Madeleine, qu'elle fréquente pendant la saison parisienne et dont elle constitue la principale attraction : « À la Madeleine, note Philippe de Massa, l'on remarque un relâchement considérable dans la piété des fidèles à la messe du dimanche de dix heures et demie. La quête pour l'entretien de l'église y fait le minimum : 0,30 c. En temps ordinaire, c'est-à-dire depuis la fermeture de la chasse jusqu'au départ pour Dieppe, on ne fait jamais moins de 40 F à la messe précitée. Si ça continue, c'est-à-dire si Madame ne revient pas, le curé parle de fermer, comme les directeurs de théâtre. »

Une seule personne échappe à sa souveraineté, Henry. Le « Roi de cœur » est toujours entiché de ses nombreuses maîtresses, toujours aussi fier de son épouse en public, toujours aussi blessant dans l'intimité, alternant lettres d'amour passionnées, reproches et scènes de jalousie. Élisabeth s'est accoutumée à ce rude régime de douche écossaise. Elle trouve un puissant dérivatif dans les nombreuses entreprises qu'elle mène de front avec succès, et dans l'encens d'admiration qui monte vers elle de toute part. Ce domaine réservé qu'elle a su se construire lui procure une relative sérénité. Elle est trop connue, trop admirée, trop citée dans tous les journaux ; Henry ne peut plus grand-chose, désormais, pour entraver l'action de sa bouillonnante moitié. Depuis la mort de son beau-père, Élisabeth règne en maîtresse – autant que faire se peut avec un tel époux – sur le 8 rue d'Astorg, comme à Bois-Boudran, où elle reçoit tous ses amis et protégés et donne des fêtes musicales aussi légendaires que les chasses de son mari, dans le fastueux théâtre qu'Henry a fait édifier. Elle a pris le pas sur sa belle-mère, déclinante, qui ne la critique plus que par habitude, et sans espoir d'être entendue.

Au fil des années, elle a pris confiance en elle. Pour parvenir à ses fins, elle joue en artiste de son fameux regard, qui « semble aller plus loin, traverser la matière pour arriver à un point lumineux dont elle semble conserver le reflet », et de son sourire – « le soleil éclairant subitement un paysage dans l'ombre ». À ce charisme, Élisabeth ajoute un autre talent : celui de déceler, dans son époque, les tendances artistiques et les innovations scientifiques porteuses d'avenir.

Cette modernité est un trait singulier : elle la démarque du gratin ordinaire, conservateur par nature. « Tous sans exception autour de moi sont totalement convaincus qu'on est en pleine décadence, que plus rien de "moderne" ne survivra », raconte la comtesse de Pange. La comtesse Greffulhe est aux antipodes de cette vision passéiste, comme en témoigne ce passage d'une lettre écrite à Roffredo Caetani en 1902 :

> « Nous sommes dans un temps où de plus en plus la valeur personnelle comptera seule pour quelque chose. Ne faut-il pas devancer son époque ? Comprendre que le temps où l'on n'avait que la peine de naître est passé : que l'influence autrefois prépondérante de la noblesse s'efface et se perd faute de capacités personnelles. Elle n'a qu'un seul moyen de conquérir une place dans les forces vives de la nation : celui de se créer une force indépendante des apports qu'elle a trouvés dans son berceau et qui ne sont plus désormais que des entraves s'ils ne sont pas excusés par une intelligence ; qu'il s'agisse du travail de la pensée ou du travail industriel, peu importe, il faut employer ses dons ou son activité : ceux-là seuls confèrent à l'homme de notre temps des titres de noblesse plus ennoblissants que les blasons qui décorent les plafonds de ses palais et qui parlent de la valeur de ses ancêtres (dont ils ne sont pour la plupart que des parodies) ne servant le plus souvent qu'à faire ressortir la médiocrité de leurs descendants. »

Par son regard neuf, elle a le talent d'ouvrir les portes que l'on croyait fermées, de trouver la solution là où personne ne voit d'issue. « Elle trouve toujours les possibilités contre ce qui semble impossible au premier abord », dira d'elle un contemporain, qui attribue cette faculté à son atavisme napoléonien. Elle possède aussi d'étonnantes capacités pour organiser, faciliter,

81

coordonner, créer des liens et des occasions propices, fédérer les bonnes volontés ; un véritable génie de ce que l'on appelle aujourd'hui les relations publiques ou le *lobbying* ; le don d'être au bon moment, au bon endroit, avec les bonnes personnes. À ce talent, elle joint une énergie inépuisable, nourrie du désespoir de sa vie conjugale. « C'est singulièrement triste d'inspirer ce qu'il y a de plus exquis d'une part comme adoration et d'être pour une autre personne un objet de satiété, de lassitude, d'ordinaire », notait-elle déjà dans son *Journal*, bien des années auparavant.

Possunt quia posse videntur, ils peuvent car ils croient pouvoir, est devenu sa devise, comme une conjuration au malheur.

Cette formidable énergie va permettre à Élisabeth Greffulhe de mener à bien avec succès, en l'espace d'une décennie, un nombre prodigieux de projets dans les domaines les plus divers, se mettant au service des plus grandes aventures scientifiques et artistiques de son époque en aidant ses amis Marie Curie, Édouard Branly, Serge Diaghilev – et tant d'autres moins illustres. « Il faut bien servir à quelque chose quand on vit. Je suis de plus en plus convaincue de ce devoir. [...] Ce n'est pas assez d'éviter le mal, il faut faire le bien. Il faut avoir une vie utile [...]. Ceci est une mission haute et un impérieux devoir », écrit-elle à Henry, qui se moque de sa philanthropie en l'appelant « le Terre-Neuve ». Une vocation altruiste qui lui permet également de satisfaire ses propres penchants : « Servir, c'est la devise de tous ceux qui aiment commander »...

Une princesse en république

11 juillet 1908. Élisabeth, semble-t-il, apprécie les colonnades à l'antique, qui constituent un décor idéal pour son « culte ». En ce soir de juillet, c'est dans le parc de Versailles que la présidente des Grandes auditions a donné rendez-vous, pour 9 heures, à ses invités. Privatiser le parc de Versailles n'est pas donné à tout le monde : mais la comtesse Greffulhe est, depuis 1903, présidente de l'Association des amis du château, et

connaît bien son conservateur Pierre de Nolhac. Pour la circonstance, comme au temps du Roi-Soleil, une flottille de bateaux, yoles, gondoles, illuminés de lanternes, anime une partie du Grand Canal, depuis les bassins jusqu'à la croix. « Une soirée à Versailles », annonçait l'invitation, « avec le concours des artistes du Théâtre-Français et des artistes du Ballet de l'Opéra, au bénéfice de l'Assistance par le travail ». Le programme est ambitieux. La première partie aura pour décor le bosquet des bains d'Apollon, où l'on exécutera des danses grecques et antiques, et l'on déclamera des sonnets sur Versailles, de Robert de Montesquiou et Henri de Régnier. Après l'*Oceano Nox*, de Victor Hugo, puis l'*Alceste* de Gluck, chanté par mademoiselle Litvinne, l'assistance est priée de se rendre à la Colonnade, dans l'Allée royale. Là, la *Marche des Prêtresses* d'*Hyppolite et Aricie*, de Rameau, ouvrira le ban ; les acteurs du Français joueront *Psyché* de Molière, et le corps de ballet dansera des danses anciennes – la gavotte d'*Armide*, de Gluck, la *Pavane* de Fauré, le *Menuet* de Haendel et la *Sarabande* de Lacoste. Un feu d'artifice, tiré à onze heures sur le Grand Canal et accompagné par les orchestres militaires du Génie et de l'Artillerie, clôturera la soirée. Les convives pourront rejoindre leurs automobiles à *La Petite Venise* – en quelques années, ce nouveau moyen de transport a fait des progrès fulgurants. Pour les piétons, trois trains spéciaux vers Paris ont été affrétés.

Il faut être la comtesse Greffulhe pour pouvoir retenir dans ses hôtels parisiens, jusqu'au milieu de juillet, le Tout-Paris qui, d'ordinaire, prend ses quartiers d'été fin juin, au lendemain du Grand Prix. Ce « songe d'une nuit d'été » à Versailles s'inscrit dans une longue série de fêtes champêtres dont Élisabeth s'est fait une spécialité, depuis la première qu'elle a organisée, encore toute jeune mariée, en 1886, à la Châtaigneraie, près de Paris, en l'honneur du grand-duc Wladimir.

Cette soirée au programme quelque peu hétéroclite fut-elle une réussite ou un fiasco ? Les convives, comme Mme Lemaire, chère amie de Marcel Proust – qui avait lui-même décliné l'invitation, craignant pour son asthme la fraîcheur nocturne – remercieront en termes émus, évoquant l'hôtesse « comme une belle fée qui d'un coup de sa baguette animait et donnait la vie à toutes ces merveilles [...] déesse étoilée au-dessus de cette colonnade admirablement éclairée ».

Selon leur bord, les journaux en donneront des versions bien différentes. *Le Figaro* fournit ses éternels dithyrambes, les *Chroniques musicales* également : « On peut établir des républiques aussi solide et durable qu'on voudra, on n'en saura jamais exiler tout à fait les royautés. Deux majestés souveraines, l'autre soir, ont jeté leur splendeur et leur domination sur nous [...]. Le roi s'appelait Versailles illuminée, la reine s'appelait la comtesse Greffulhe. »

Pour l'occasion, Élisabeth a, comme à l'accoutumée, longuement médité sa toilette. Elle s'est fait confectionner une sorte d'auréole empanachée, large comme une roue de bicyclette si l'on en croit le dessin commenté de son chapeau dans la presse : « Grand chapeau en tulle blanc avec bordure de brillants. Écharpes de Liberty ; aigrette blanche ; fil de brillants sur les cheveux. Création de Dondel, 11 rue du Faubourg-Saint-Honoré. »

Mais l'infatigable et quelque peu mégalomane comtesse commence à indisposer sérieusement un certain nombre de journaux, notamment la presse nationaliste antisémite, qui ne lui pardonne pas son dreyfusisme et ses amitiés juives dans le monde de la musique. En contrepoint aux éloges des chroniqueurs mondains, les moqueries se déchaînent, épinglant sans pitié tous les incidents qui ont émaillé la soirée. L'année précédente, c'était *La Libre Parole* qui l'avait violemment attaquée pour avoir fait jouer *Salomé* de Richard Strauss. À présent, c'est *L'Action française* qui commente la chute d'un invité dans l'eau aux Bains d'Apollon : « Or l'auteur dramatique Brieux, prenant cette invitation à la lettre et croyant sans doute à un rite juif ou belge, entra dans l'eau délibérément au grand effroi des assistants [...] on prête à notre confrère l'intention de tirer de son aventure un drame moralisateur et humanitaire sous le titre "le Triton involontaire". » *L'Intransigeant* rapporte une conversation entendue entre un duc et une princesse d'Empire : « Ah quelle splendeur, quelle gloire... Ah si nous avions vécu à cette heureuse époque ! Alors le duc qui ne s'étonne de rien, redressant sa petite taille : "Permettez ma chère princesse ! Si nous avions vécu de ce temps-là, nous serions probablement vous fille d'auberge et moi garçon d'écurie !" » Le sifflet d'une locomotive interrompant la tirade de Mounet-Sully, la maigreur du buffet, le chiche dédommagement versé aux artistes... La presse ne fait grâce d'aucun détail désobligeant. Les uns n'ont vu qu'une maigre assistance, « des invités grincheux, venus là en habit noir, et des invitées qui ont craint de sortir leurs plus belles robes ». D'autres déplorent une foule excessive : « Le feu d'artifice sur le grand canal fut démocratique. 1 200 voitures automobiles défoncèrent la route de Ville-d'Avray, et l'octroi de la porte Maillot renonça à contrôler le contenu des réservoirs d'essence. » Difficile de démêler, dans ce concert polyphonique, les voix sincères des voix malveillantes. Ce qui est certain, c'est que la fête mettra en péril les finances fragiles des Grandes auditions, comme en témoigne cette note de sa présidente : « Allons-nous à une perte énorme et à des dettes ? Nous n'avons que 10 000 F encaissés et le budget de Versailles s'élève déjà à 22 000 F. »

Si l'on en croit la comtesse Greffulhe, la soirée fut très réussie, et c'est ce succès même qui indisposa les mauvaises langues : « J'ai donc surgi au milieu d'enthousiastes déchaînés qui se sont mis à applaudir [...]. Il y avait 3 000 personnes en amphithéâtre et comme je l'avais demandé, toutes les femmes en blanc assises sur les marches. C'était fantastique de beauté [...]. J'ai traversé lentement au milieu car il fallait gagner des places réservées. Voyez d'ici le déchaînement de colère des ennemis. Je ne comprends pas que j'aie encore des yeux ! Mais les amis étaient aussi en nombre, aussi je me sentais portée par l'enivrement de la foule et je ne voyais personne. »

Tout comme l'admiration, la critique la stimule. Elle continuera d'organiser concerts et fêtes musicales, de défrayer la chronique et d'irriter la presse nationaliste en patronnant des œuvres jugées sulfureuses. Abandonnant à regret l'idée d'une soirée vénitienne sur le Grand Canal, elle se contentera, l'été suivant, du décor plus modeste de Bagatelle.

Un an plus tard, elle fêtera son cinquantième anniversaire. Au faîte de sa gloire, elle a le sentiment grisant de réussir tout ce qu'elle entreprend – tout, ou presque, car son rêve de créer un « Bayreuth français » en ressuscitant l'Opéra de Versailles vient d'échouer. « Je me sens à ce point culminant de ma vie, où j'ai le sentiment de posséder tout ce que je voudrais : d'avoir tout, de faire surgir ce qui me plairait et cela comme dans les contes de fées sur un simple désir de ma part. Et je ne désire plus rien que ce qui ne dépend pas de moi. »

L'amie de Rodin

Décidément, cette femme ne ressemble à aucune autre. On dirait que rien ne l'atteint, pas même la chaleur torride qui, en ce début d'été 1914, congestionne tous les voyageurs de la malle Calais-Douvres. C'est la réflexion que se fait le très mondain Gabriel-Louis Pringué, habitué des châteaux et des dîners en ville, en apercevant, sur le pont, la comtesse Greffulhe, en conférence animée avec sa femme de chambre et un vieillard à la barbe fluviale. C'est à son rire en cascade, son chapeau improbable et sa silhouette juvénile qu'il l'a reconnue, « coiffée de terrasses, volières et jardins, sa poétique sveltesse enroulée de tulles et de mousselines ». Qui pourrait imaginer qu'elle a largement dépassé la cinquantaine ? Son interlocuteur n'est autre que le célèbre Auguste Rodin, avec qui elle entretient des relations amicales depuis une dizaine d'années. Transpirant sous sa redingote noire et son haut-de-forme, le maître paraît très inquiet et dévore, pour calmer sa soif, des pêches veloutées que lui présente, de la part d'une riche admiratrice américaine, un valet de pied en livrée amarante, au chapeau galonné d'or. En s'approchant de ce groupe insolite, Pringué a l'explication de cette étrange conférence en mer : la comtesse et le sculpteur partent pour Londres, où l'*Exposition d'art français décoratif contemporain* doit être inaugurée le 2 juillet en présence de la reine Alexandra. Rodin, monté à bord pour surveiller l'embarquement de ses œuvres, n'a pas entendu la cloche du départ, et vogue vers l'Angleterre sans bagages. Élisabeth s'emploie à le rassurer : elle fera en sorte qu'il trouve tout le nécessaire sur place. En attendant, comme le vent commence à fraîchir, elle a envoyé sa femme de chambre quérir pour lui dans sa propre malle une écharpe, ou ce qui en tient lieu : car celui qu'elle nomme volontiers en privé « le vieux satyre » arbore, entortillée autour de son cou, l'une de ses plus fines chemises de nuit en soie et dentelles !

L'anecdote est-elle véridique ? Elle pourrait l'être, car elle reflète bien sa personnalité : le naturel, la capacité d'improvisation, le sens de l'humour, qui s'allient à son élégance si singulière, même dans les circonstances les plus officielles. Avant chaque voyage ou apparition publique, elle ne laisse rien au hasard, médite longuement ses toilettes, donne des instructions minutieuses pour la préparation de ses bagages. Mais une fois dans le feu de l'action, c'est sa nature fantasque, foncièrement gaie et spontanée qui s'exprime, fuse à chaque instant dans son rire ; elle s'amuse sans arrière-pensée, sourit aux cocasseries de l'existence, se multiplie pour le bien-être de ses hôtes. Voilà, sans aucun doute, l'un des secrets du charme qu'elle exerce sur tous ceux qui l'approchent, et qu'ils appellent de « la bienveillance ».

L'exposition qui motive ce voyage a été organisée à son initiative. C'est sur sa suggestion que le duc de Westminster, qu'elle connaît depuis longtemps, a proposé de prêter ses salons de Grosvenor House – ce qu'elle a eu la joie, six semaines plus tôt, d'annoncer au sculpteur : « J'ai reçu votre si ravissante lettre ce matin et, voyez ce qu'est le hasard, en même temps que la vôtre, j'en recevais une du duc de Westminster (un des plus grands seigneurs d'Angleterre, possédant tout un quartier de Londres et le *Blue Boy* de Gainsborough) m'informant qu'il serait heureux de mettre son palais à Londres à notre disposition pour y exposer les chefs-d'œuvre de l'art français moderne. Il me parle tout particulièrement de vous, insistant sur le plaisir qu'il aurait à voir exposer dans sa propre maison une collection de vos belles œuvres. »

Depuis que le président Émile Loubet et le roi Édouard VII ont signé, en 1904, le traité d'Entente cordiale, pierre angulaire du système de Triple-Entente avec la Russie, les relations culturelles entre la France et l'Angleterre se sont resserrées. Pour Élisabeth, c'était l'occasion rêvée de jouer le rôle qu'elle aime tant : ambassadrice de la culture française. Deux ans auparavant, elle avait présidé le comité organisateur du triomphal concert de musique contemporaine donné par l'orchestre Colonne à Londres, et représenté officiellement le gouvernement français à cette occasion.

Parlant parfaitement l'anglais, familière de l'ex-prince de Galles qu'elle a si souvent reçu à Bois-Boudran comme rue d'Astorg, hôte régulière de la famille royale à Sandringham, elle est chez elle dans les sphères de la Cour et de la haute aristocratie britannique. Elle a donc constitué un comité international pour patronner cette manifestation – organisée sous l'égide de la Société Baudelaire. Outre vingt et une sculptures de Rodin seront exposés quatre-vingt-huit toiles de peintres français, depuis les classiques Ingres et Delacroix jusqu'aux impressionnistes et post-impressionnistes, en passant par Daumier et Toulouse-Lautrec. Le prince de Wagram a, pour l'occasion, prêté sa célèbre collection de Renoir[5].

Le soutien apporté par la comtesse Greffulhe aux arts plastiques ne date pas d'hier. Pour Alfred Stevens, le plus parisien des peintres belges, elle a réussi l'exploit, en 1900, d'obtenir une exposition individuelle à l'École des beaux-arts – pour la première fois consacrée à un peintre vivant. Elle s'est passionnée pour le peintre symboliste Gustave Moreau, qui était un ami de sa mère, et que lui ont fait mieux connaître Robert de Montesquiou et Charles Ephrussi : elle a fait acheter par Henry plusieurs de ses tableaux, et organisé avec Robert, en 1906 et 1908, deux rétrospectives consacrées à l'artiste. Mais cette fois-ci, elle affirme résolument ses goûts personnels, en s'affranchissant des diktats de son époux. Car – est-il besoin de le préciser ? – Henry réprouve cette entreprise. Il est pourtant un collectionneur très avisé : mais il s'est arrêté au XVIIIe siècle, et affiche un suprême dédain pour ce qu'il appelle « une cochon-nerie de Rodin ou de quelques impressionnistes ».

Quelques jours plus tard, l'exposition est officiellement inaugurée, en présence de la reine Alexandra, de l'impératrice douairière de Russie, de la princesse Victoria, de Paul Cambon, ambassadeur de France, et des ambassadeurs d'Allemagne et de Russie. Tous les membres de la Triple-Entente sont ainsi repré-sentés, et Élisabeth les connaît tous personnellement. Magni-fique dans son habit d'excellente coupe, la barbe souriante, fêté par tous les convives, Rodin n'a pas perdu de vue l'objectif de la Société Baudelaire, dont il est ici le représentant : réhabiliter le poète, dont la condamnation pour *Les Fleurs du Mal*, en 1857, pour « offense à la morale religieuse et outrage à la morale publique et aux bonnes mœurs », est toujours en vigueur, longtemps après sa mort. Dans son discours, il prend donc courageusement la défense de Baudelaire. À sa surprise ravie, le duc de Westminster lui apporte, dans sa réponse, son plein soutien, au nom de l'attachement traditionnel de son pays à la liberté d'expression. Cette prise de position provoque bien quelques grimaces dans les rangs des officiels français ; mais, racontera Rodin, « l'exquise comtesse, qui ne supporte pas le moindre faux pas, réussit à détourner leur attention, avec son tact habituel[6] ».

Ayant pleinement accompli sa mission diplomatique, Élisabeth couronnera la journée par une apparition remarquée au bal offert par l'hôte de ces lieux, auquel s'est ruée, « derrière la famille royale, toute l'aristocratie anglaise caparaçonnée dans ses joyaux héréditaires ». « Je n'oublierai jamais, ce soir-là, raconte Pringué, la vision étourdissante que fut l'entrée de la comtesse Greffulhe avec le duc de Westminster. Elle était vêtue de blanc et paraissait un cygne, sa petite tête si bien plantée, coiffée d'une énorme tiare de diamants étincelants d'où descendaient sur le cou, en en faisant le tour, une longue plume d'autruche blanche, qui trouvait encore le moyen de retomber en légère cascade brisée sur les reins de la ravissante grande dame dont le bas de la robe et toute la traîne étaient garnies de plumes d'autruche blanches. Elle semblait une apparition. »

Comment ne pas rapprocher cette description de celle que Proust fait de la princesse de Guermantes dans sa baignoire à l'Opéra, dans le volume dont il est en train, précisément à cette époque, de corriger les épreuves ?

« À la fois plume et corolle, ainsi que certaines floraisons marines, une grande fleur blanche, duvetée comme une aile, descendait du front de la princesse le long d'une de ses joues dont elle suivait l'inflexion avec une souplesse coquette, amoureuse et vivante, et semblait l'enfermer à demi comme un œuf rose dans la douceur d'un nid d'alcyon[7]. »

Cette apparition est à marquer d'une pierre blanche : elle balise la fin d'un rêve. C'est la dernière fois que la comtesse Greffulhe se montrera dans toute sa splendeur avant que ne survienne l'orage de fer et de feu qui va se déchaîner sur l'Europe, marquant à jamais « la fin de la douceur de vivre », l'écroulement d'une société qui a jeté avec allégresse ses derniers feux, et dont elle est l'une des figures les plus emblématiques.

4

LE CRÉPUSCULE DES DIEUX

Devant le succès remporté, l'exposition, qui devait s'achever le 21 juillet, est prolongée de dix jours. Tandis que les amateurs britanniques découvrent les artistes français, ce sont les plages qui ont la vedette, un peu partout en Europe, en ce mois de juillet 1914. Il y avait longtemps qu'on n'avait connu un été radieux comme celui-ci. Les stations balnéaires affichent complet, les baigneurs sont euphoriques. Si cela continue, les vignobles produiront un cru exceptionnel.

Le 28 juin, l'assassinat à Sarajevo de l'archiduc François-Ferdinand et de son épouse n'a pas soulevé d'immense émotion populaire dans leur pays. L'héritier du trône impérial austro-hongrois était peu aimé de ses concitoyens ; l'attentat a été traité dans un premier temps par la presse comme un fait-divers. Personne n'imaginait le *crescendo* qui allait suivre. L'optimisme populaire a perduré en France, comme en Allemagne et en Autriche, jusqu'à la fin de juillet, malgré l'ultimatum de l'Autriche à la Serbie, au rythme des échanges de télégrammes entre le tsar et l'empereur Guillaume.

Mais en ce samedi 31 juillet, l'Europe est en ébullition. Trois jours plus tôt, l'Autriche a déclaré la guerre à la Serbie. Alors que les journaux français titrent sur les rumeurs de guerre, Jaurès est assassiné. Il n'a pas eu le temps d'écrire le grand article qu'il méditait, le « J'accuse » pacifiste qui, peut-être, aurait pu électriser l'opinion. Le parti de la paix a perdu son dernier rempart, et son plus grand tribun. Il était l'un des seuls à avoir prédit que la guerre serait terrible : « Songez à ce que serait le désastre pour l'Europe : ce ne serait plus, comme dans les Balkans, une armée de trois cent mille hommes, mais quatre, cinq et six armées de deux millions d'hommes. Quel massacre, quelles ruines, quelle barbarie ! Et voilà pourquoi, quand la nuée de l'orage est déjà sur nous, voilà pourquoi je veux espérer encore que le crime ne sera pas consommé[1]. » Le 1er août, l'Allemagne mobilise et déclare la guerre à la Russie. L'après-midi même en France, le Gouvernement décrète la mobilisation générale.

Le 4 août, les estivants allemands, qui étaient nombreux à prendre le soleil sur le littoral belge, s'entassent dans les derniers trains en partance. Stefan Zweig est parmi les voyageurs. Peu avant de passer la frontière, le convoi s'immobilise en rase campagne pour laisser passer, en sens inverse, plusieurs trains de marchandises. Sous les bâches recouvrant les wagons, on distingue la forme des canons. Zweig sent un grand froid l'envahir : l'Allemagne, au mépris des conventions jurées, envahit la Belgique neutre[2]. Les deux patries d'Élisabeth sont engagées dans la guerre.

Un cataclysme mondial est un creuset dans lequel se fondent les misères personnelles. Toutes les bonnes volontés sont réquisitionnées ; l'heure n'est pas à l'introspection. La comtesse Greffulhe va se jeter dans l'action, tournant ainsi la page sur une décennie qui a marqué son apothéose publique, mais aussi quelques-unes des années les plus douloureuses de son existence privée. « Il est poli d'être gai », disait Voltaire. À la différence d'Henry, qui se lamente et accuse la terre entière au moindre bobo, Élisabeth a été élevée dans cet état d'esprit : le sourire affiché sous les coups de poignard de l'existence est une forme suprême de courtoisie. Et des coups de poignard, elle n'en pas manqué au cours des dernières années.

C'est peu après la fête de Bagatelle, au moment où elle écrivait, avec un instinct visionnaire « je me sens au point culminant de ma vie », que le bel édifice de sa toute-puissance divine a commencé à se craqueler. Le premier coup lui a été porté par le mariage de Roffredo Caetani, à l'automne 1911, avec une jeune Américaine. Elle n'avait pas prévu le coup cruel que lui porterait la perte de cette si précieuse intimité spirituelle qui, neuf années durant, avait réchauffé sa vie et nourri son énergie. L'événement l'a plongée dans une profonde dépression.

Comme un malheur n'arrive jamais seul, Henry a choisi ce moment pour lui porter le coup de grâce. Élisabeth avait pris son parti des infidélités répétées de son époux, qui n'était plus qu'un mari de façade, mais à qui elle restait, cependant, attachée par un lien indéfectible. Les maîtresses se succédaient, un temps adorées, très vite remplacées, ce qui les rendait, au fond, assez inoffensives. Mais depuis 1905, une femme redoutable était entrée dans sa vie : la comtesse de La Béraudière, née Marie-Thérèse Brocheton ; elle y avait pris une place de plus en plus envahissante, exerçant sur lui une fascination délétère.

Au fil des ans, les choses se sont aggravées. En 1911, madame de La Béraudière, engluée dans une procédure de divorce conflictuelle, a été déclarée séparée de corps de son époux. Henry a officiellement installé sa maîtresse dans son château de la Grande Commune, à côté de Bois-Boudran, et envisage de l'établir rue d'Astorg – où il a investi avec sa maisonnée le numéro 10, libéré par le décès sa mère, au mois de mai. Marie-Thérèse ne se contente plus d'être la maîtresse en titre : elle veut épouser son amant qui le lui a promis. Dans cette perspective, elle s'occupe à « drainer ferme la fortune », et attise habilement le perpétuel courroux d'Henry envers son épouse légitime. Élisabeth songe très sérieusement à demander le divorce – après trente-cinq ans de mariage – et consulte des hommes de loi à ce sujet.

Mais la guerre va bouleverser le jeu, dissoudre les misères individuelles dans le chaos mondial. Il n'y a plus de place pour le vaudeville, ni le drame familial quand les hommes meurent chaque jour par milliers. Le conflit, en mettant provisoirement en veilleuse ses misères conjugales, donnera un nouvel espace à l'inextinguible besoin d'activité de la comtesse Greffulhe. Le rideau est tombé sur la scène mondaine et artistique : c'est sur un autre terrain qu'elle va, à présent, déployer ses ailes.

Les drames de l'opulence

2 août 1914. Il a suffi d'une nuit pour que le visage de Paris soit transformé. Les luxueuses automobiles ont fait place aux taxis surchargés de grappes d'hommes accrochés aux marche-pieds, hérissés de drapeaux, roulant dans un fracas de ferraille. Un flot humain envahit les grandes artères de la capitale et s'engloutit dans la gare de l'Est. Sur le quai, l'abbé Mugnier absout à tour de bras les jeunes soldats au visage d'enfant qui se pressent autour de lui. Si nécessaire, ce sont les boutiques des marchands de vin qui font office de confessionnal. Au moment des adieux, hommes et femmes retrouvent les gestes éternels, immortalisés par tant de tableaux : femmes pleurant dans leur tablier, air faussement dégagé de l'homme qui part sans se retourner en portant sa valise, son litron et ses provisions... Ferdinand Bac, qui sillonne à pied Paris, vit cette nuit-là « la nuit la plus cruelle de [sa] vie ». En voyant une femme, plantée au milieu des rails du tramway, repousser son homme en lui criant « Va te battre pour les autres ! », il commente : « Le peuple avait bien le sentiment qu'en fin de compte il était bien l'instrument d'une liquidation collective sur laquelle il se trouvait sommairement instruit. » Au matin, son cœur se serre encore en voyant défiler, sur le pavé déjà brûlant, le régiment de la Pépinière, en route pour le front – la clique et la musique muettes, les hommes marchant pesamment sous leur lourd paquetage, les yeux fixés au sol, les officiers mâchonnant leur moustache. Sur le trottoir, la foule est silencieuse. Et lorsqu'un élégant vieux monsieur lève son chapeau de paille en criant « À Berlin ! », le seul écho qui lui répond vient d'un soldat chétif, pathétique sous son képi trop grand : « Ta gueule, fourneau ! On va à la crève ! »

Dans les beaux hôtels de la rive droite, c'est à des drames d'un autre registre, « les drames de l'opulence », qu'assiste cet observateur pénétrant. Appelé rue d'Astorg par un petit mot d'Henry Greffulhe, le chroniqueur trouve grande ouverte la porte cochère, d'habitude soigneusement gardée. Les valets de pied ont quitté leur livrée : d'obséquieuses statues chargées d'accueillir les visiteurs, ils sont redevenus de simples mortels ; en veston, coiffés de casquettes ou de chapeaux mous, clope au bec et valise à la main, ils forment, au bas du perron, un groupe d'allure louche, qui ne prend pas la peine de le saluer. Le symbole est fort : au moment où Marcel Proust vient de publier le premier tome de la *Recherche*, le monde qui le fit tant rêver bascule dans le passé. Évanouie, « la meute éparse, magnifique et désœuvrée des grands valets de pied » semblant appartenir à une « race disparue », jadis si habiles à témoigner au visiteur « du mépris pour sa personne et des égards pour son chapeau »...

La maison est déserte, toutes les portes sont ouvertes. Bac traverse les antichambres, les salons, monte le grand escalier. Personne. Au premier étage, une voix angoissée, soulignée par la sonnerie frénétique d'un timbre, l'attire vers le cabinet de travail du seigneur des lieux – qui ne règne plus sur rien.

« Pierre ! Jean ! Jules ! Mais où sont-ils donc ! »

Derrière son bureau, renversé sur son fauteuil, la face moite et l'œil fixe, Henry appelle en vain ses serviteurs. Ils ne viennent pas. Ils ne reviendront peut-être jamais. Ils obéissent désormais à un autre maître, dont les ordres sont plus impérieux. Pour la première fois de sa vie, le comte Greffulhe n'est plus le centre du monde : pour ce vieil enfant gâté, c'est une expérience douloureuse. Il parcourt les journaux avec une muette horreur. Mais, à l'instar de madame Verdurin dégustant son croissant, la mort prochaine de tous ces hommes ne doit « lui apparaître que réduite au milliardième »... Car ce qu'il cherche fébrilement, c'est son nom : celui-ci ne figure pas sur la dernière promotion de la Légion d'honneur. « Le Gouvernement m'avait promis la rosette pour le 14 juillet. Il a manqué à sa parole ! »

Les fourneaux sont éteints, faute de personnel. Le maître d'hôtel en civil leur sert un dernier repas, commandé au troquet du coin, avant d'aller rejoindre son poste d'artilleur à la forteresse de Belfort. Il est sans illusion sur son sort : « Je ne reviendrai pas, je sauterai avec le fort. » Pour la première fois de leur existence, maître et serviteur parlent d'égal à égal et échangent une poignée de main.

Tel Charles X en juillet 1930, évoquant les ombres de sa jeunesse dans un Trianon désert, Henry passe mélancoliquement en revue ses salons, ses collections, médite longuement devant le *Psyché et l'Amour* de Fragonard. Comme beaucoup, il est persuadé que « dans huit jours les Uhlans seront à Saint-Denis ». À ces mots, chose inouïe, Cordier, son fidèle secrétaire, si soumis depuis des années à sa tyrannie et ses tracasseries quotidiennes, ose relever la tête, le regarder en face, et le contredire haut et fort en lui reprochant son défaitisme. Décidément, la révolution est en marche ! Magnifiquement conté par Ferdinand Bac, cet épisode pathétique du « maître abandonné » est à la fois burlesque et grandiose.

Le comte Greffulhe est décidé à rester et à « tenir le coup ». Mais nombreux sont les Parisiens qui cèdent à la panique ; certains décrochent leurs tableaux et cachent leurs collections, comme cette dame qui a remplacé par les rebuts de ses greniers ses meubles signés, et fait sceller sous une dalle ses collections d'orfèvrerie et de bijoux, avant d'aller chercher refuge chez ses parents, dans sa « douce province du Nord »… précisément à la rencontre de l'ennemi !

En trois semaines, en effet, les armées du Reich ont traversé la Belgique et occupent le nord de la France. À la fin du mois d'août, les armées allemandes ont franchi la Marne ; l'attaque de Paris semble imminente[3]. La ville est devenue un désert, une cité fantôme qui se dessine sur un ciel limpide : toutes les usines ont cessé de tourner et de cracher leurs fumées. Le 29 août, avenue Marigny, notre chroniqueur voit une longue file d'automobiles chargées de caisses et de bagages stationnées le long du mur du jardin de l'Élysée. Officiellement, le Gouvernement va visiter un hôpital militaire. Le lendemain, les journaux rendent compte, comme à l'ordinaire, du Conseil des ministres qui s'est réuni à l'Élysée pour expédier les affaires courantes. En réalité, « les affaires courent sur la route de Bordeaux »…

Ce départ en catimini a fini par se savoir et, dans la capitale, la panique a gagné. Le Sud-Ouest est devenu la Terre promise. Parisiens et réfugiés venus du Nord assiègent la gare d'Orsay, se battant pour monter dans les rares trains réguliers qui circulent encore – lorsque les trains spéciaux, transportant les « favoris d'une démocratie trop accueillante » leur laissent la voie libre. On a beau être en république, tout cela a un relent de cour en exil. C'est dans un train « ordinaire » que Bac a fini par sauter, au moment où il s'ébranlait, avec la complicité d'une main amicale qui l'a tiré dans un wagon bondé. À la gare Saint-Jean de Bordeaux, il croise la comtesse de Chevigné, étreignant avec effusion une famille d'ouvriers qui l'a recueillie dans son compartiment de troisième classe. Ensemble, ils montent dans un train en partance pour Biarritz. Ils sont à peine installés qu'un convoi de blessés s'immobilise à côté du wagon. Ceux qui, un mois plus tôt, sont partis la fleur au fusil au cri d'« À Berlin ! » sont là, décharnés, enveloppés de linges, ou plutôt de chiffons maculés de boue et de sang, couchés depuis plusieurs jours sur la paille souillée par le crottin de cheval ; beaucoup sont atteints de la gangrène. Une odeur infecte se dégage du fourgon, dans la chaleur encore torride de ce début septembre. La guerre dévoile soudain à ceux de « l'arrière » son visage hideux. À ce spectacle la belle Laure de Chevigné, l'altière descendante du divin marquis, éclate en sanglots : ne sachant comment leur venir en aide, elle leur passe par la portière les reliefs de son repas, puis vide ses sacs et leur jette tout ce qui lui tombe sous la main, jusqu'à son porte-cigarettes en or.

« L'aiguillon du ministère »

> « 11 novembre 1914
> Mon cher Petit. Ici j'ai eu hier la commande de 1 million de pantalons. On s'est aperçu que la couleur rouge était néfaste – gardez ceci pour vous, car il est évident qu'on aurait pu s'en apercevoir plus tôt. »

Cette lettre d'Élisabeth à son mari porte en en-tête « Assistance aux convalescents militaires. Présidente la comtesse Greffulhe. Siège 59, cours de l'Intendance, Bordeaux. »

Elaine et ses enfants ont trouvé refuge à Biarritz ; Henry traîne son ennui à l'hôtel Normandy de Deauville ; Élisabeth, quant à elle, a suivi le Gouvernement à Bordeaux, où elle déploie une activité sans bornes. Elle tient son époux informé au jour le jour de ses activités ; comme toujours, dans ce couple étrange, l'éloignement resserre les liens. Pour elle, l'heure n'est plus à l'art, aux fêtes et à la musique. C'est à des projets beaucoup plus prosaïques – mais ô combien utiles – qu'elle applique désormais son instinct créateur, sa force de conviction et son talent d'organisatrice.

La comtesse Greffulhe n'est pas membre du Gouvernement, mais c'est tout comme ! Elle évolue dans le cercle rapproché de son ami Alexandre Millerand, ministre de la Guerre. Les premiers combats ont démontré ce qui nous apparaît *a posteriori* comme une évidence : les pantalons et les képis garance, hérités de la guerre de 70, font des soldats une cible magnifique pour l'ennemi ; et lorsqu'il pleut, nos « poilus » macèrent dans leurs épais tissus de laine imbibés d'eau et impossibles à sécher. Derechef, Élisabeth s'est attaquée au problème – et à bien d'autres parallèlement :

« 22 novembre 1914

Mon cher petit Henry

Aucune panique à Bordeaux. Au contraire un calme absolu. Chacun travaille un peu à aider. Hier, j'ai pu désigner un dépôt de 25 000 chevaux. J'ai tout de suite été le signaler. Ils ont été achetés de suite dans d'excellentes conditions pour notre armée. Voici la clé de ce mystère. Sir Thomas Barclay, le promoteur de l'entente franco-anglaise, traversait Bordeaux et m'a livré ce secret que j'ai pu rendre de suite pratique pour nos armées.

En ce moment on cherche la forme de vêtements qui rendraient le plus de services dans la tranchée. J'ai pu ainsi faire couper une forme dans l'atelier de Mme Bascou. J'ai télégraphié de suite à M. Lainy, ambassadeur extraordinaire de l'Argentine, pour recevoir des peaux de moutons. J'ai donné le modèle du « ciré » des matelots pour empêcher l'humidité de les envahir quand les pauvres malheureux sont plongés dans l'eau et qu'il pleut. Il y a toujours de l'eau dans les tranchées – aussi on leur donnera une huile dont les matelots enduisent leurs bottes...

Un incident assez drôle – c'est que Marcel Sembat et Jules Guesde ont fait demander mon modèle aux ateliers de guerre et l'ont approuvé. Marcel Sembat est paraît-il alpiniste. Il a trouvé une modification encore plus pratique pour les manches. Voilà donc mon idée modifiée par M. Sembat qui va peut-être être adoptée par l'armée tout entière [...]. J'ai fait partir moi-même la dépêche demandant, pour commencer, cent mille peaux de mouton en Argentine. Notre œuvre en attendant prospère. Je fais travailler toutes les dames de Bordeaux... »

Bientôt, on se racontera en souriant la « dernière » de la comtesse Greffulhe, qui vaut bien les « dernières d'Oriane », les excentricités de la duchesse de Guermantes dont se régalent les protagonistes de la *Recherche* : elle venait à peine de sortir du bureau ministériel, emportant la fameuse commande... et oubliant le modèle, quand le ministre a jailli hors de la pièce en criant à l'huissier de service :

— Courez après la comtesse Greffulhe ! Elle a oublié sa culotte dans mon bureau !

Dès 1915 seront distribués les nouveaux uniformes bleu horizon, et les képis remplacés par des casques. L'affaire réglée, Élisabeth est retournée aux affaires courantes : « Je passe ma vie au bureau ou dépôt des éclopés, à la préfecture, aux hôpitaux. Le soir nous distribuons des vêtements aux pauvres réfugiés qui passent à la gare dans les trains sans savoir même où on les emmène – à chaque wagon je vais leur remonter le moral [...] nous leur donnons du bouillon, du café chaud [...]. »

On la voit dans les hôpitaux où elle supervise les pansements à l'ambrine[4], « cette nouvelle préparation qui est merveilleuse et que j'ai pu faire accepter dans les principaux hôpitaux de Bordeaux ». Plus que jamais, elle se sent utile, et admirée des plus grands, comme Clemenceau, qui lui déclare : « Il n'y a plus en France que deux personnes intelligentes : vous et moi ! » C'est avec une évidente satisfaction qu'elle rapporte à Henry ces propos flatteurs, en ajoutant : « Je mène une vie très intéressante.

Je suis appelée "Notre-Dame des belles idées", "l'aiguillon du ministère", etc. Dès qu'une chose ne va pas on me téléphone. Nous inaugurons deux nouvelles maisons mercredi avec Poincaré. » Bois-Boudran sera bientôt l'une de ces maisons de repos gérées par l'œuvre d'Assistance aux convalescents militaires, ce qui, explique-t-elle à Henry, permet d'éviter sa transformation en hôpital.

Grisée par l'action, le dévouement et, il faut bien l'admettre, aussi par sa propre « gloire », Élisabeth vit intensément ces mois d'exil bordelais. Jamais elle n'a eu un tel sentiment de liberté, d'indépendance, d'utilité.

Sa guerre de l'arrière

La parenthèse bordelaise n'aura duré que trois mois. Après la victoire de la Marne, qui a permis d'épargner Paris, le Gouvernement a regagné la capitale en décembre. Élisabeth a retrouvé la rue d'Astorg. À « la guerre de mouvement » a succédé la « guerre de position », qui s'éternise. Les fantassins, ces « marchantes mottes de terre » chantées par l'artilleur Guillaume Apollinaire, sont terrés dans leurs tranchées. Paris, lassé de ses émotions, s'est installé dans le conflit comme dans « un état déréglé de paix ». Les salons ont rouvert, on a recommencé à rire et à danser. La ville est redevenue gaie, ou fait semblant de l'être. Marcel Proust qui, réformé, est resté dans la capitale, évoquera dans *Le Temps retrouvé* les raids des zeppelins comme un spectacle wagnérien : le ciel noir soudain illuminé par les projecteurs, les escadrilles de la chasse montant dans la nuit comme des étoiles, à l'appel déchirant des sirènes. Pour le narrateur, Paris a des parfums de Directoire, avec ses élégances nouvelles, ses jeunes femmes « coiffées de hauts turbans cylindriques comme aurait pu l'être une contemporaine de Mme Tallien ». « On ne dirait pas que c'est la guerre, ici », constatent les permissionnaires en contemplant les « embusqués » derrière les vitrines illuminées des restaurants : « c'était des rivages de la mort, vers lesquels ils allaient retourner, qu'ils venaient un instant parmi nous, incompréhensibles pour nous, nous remplissant de tendresse, d'effroi, et d'un sentiment de mystère », commente le narrateur de la *Recherche*.

Amputées de leur avenir, les familles pleurent leurs jeunes morts avec retenue – ils sont si nombreux. Élisabeth n'a qu'une fille, et son gendre est affecté à la Section technique de l'aéronautique militaire : c'est un scientifique trop précieux pour être sacrifié au front. Sa famille proche est donc épargnée ; mais elle essuiera quelques larmes en apprenant la mort de son neveu Gérard de Reinach-Cessac, qui était si naïvement amoureux d'elle. En septembre 1915, une semaine avant d'être tué d'une balle dans la tempe, au cours d'une attaque menée à la baïonnette, il lui avait écrit :

> « Chère cousine
> Nous sommes à la veille de tâcher d'aller de l'avant...
> Vous êtes toujours ma divinité tutélaire, je ne cours pas de danger que je ne le fasse avec joie parce que je me sens alors un peu plus digne de votre amitié. »

Il dort à présent dans un petit cimetière derrière la ligne de feu, lui qui écrivait à sa belle cousine : « Je ne vous ai jamais si bien considérée comme une image de Dieu sur cette terre ». Terrifiée par les attaques des zeppelins, la population parisienne se réfugie souvent dans les caves en pleine nuit, ce qui inspire à Proust ce pastiche de chronique mondaine : « Reconnu : la duchesse de Guermantes superbe en chemise de nuit, le duc de Guermantes inénarrable en pyjama rose et peignoir de bain »... Élisabeth, qui descend souvent dans les sous-sols de la rue d'Astorg, pourrait se reconnaître dans ce « vaudeville ». Mais ses journées sont bien différentes de celles de la futile Oriane : « Je ne supporte plus les petites réunions, en ce temps où chaque minute est synonyme de désespoir, mon royaume est de ne plus être dans le monde, mais là où on souffre et où je me sens utile. »

À Paris, elle a repris ses activités plus fébrilement que jamais. Puisés dans ses registres, quelques exemples des courriers qu'elle écrit de sa main ou fait écrire à longueur de journée donnent une petite idée de ce qui occupe ses journées : « Lettre à un sénateur pour lui demander la protection de son journal pour ses œuvres de guerre. Lettre à un ministre à propos de la reconstitution du cheptel belge. Lettre au préfet de la Seine pour solliciter 100 tonnes de charbon afin de permettre à l'hospice Greffulhe de passer l'hiver. Lettre à un député pour obtenir l'affectation d'un domaine à des tuberculeux belges. Lettre à un ambassadeur pour faire libérer un prisonnier de guerre. Lettre demandant "deux pneus ferrés antidérapants 880/120 pour la voiture de la princesse Marie-Josée de Belgique". » Harcelée par les solliciteurs de tout poil, elle fait répondre sèchement par son secrétariat aux demandes hors sujet : « Madame la comtesse, absente et entièrement absorbée par les œuvres de guerre – soldats, permissionnaires, mutilés, aveugles etc. – ne s'occupe pas de dentelle. Vous pourriez peut-être utilement vous adresser au magasin Au Bon Marché. »

« Élisabeth a tant de choses en train que je la vois à peine étant sous le même toit... Quelquefois elle surgit au milieu du dîner à l'avenue d'Eylau, en retard. À la hâte elle avale une soupe puis elle reprend son vol. Elle met tout le monde en mouvement et obtient tout ce qu'elle veut, surtout l'impossible car en réalité il n'y a que cela qui la tente. » Parmi les choses « impossibles » obtenues, il y a, par exemple, la libération de Nijinski, prisonnier en Hongrie, par l'entremise du roi d'Espagne Alphonse XIII, qui fut si souvent son hôte à Bois-Boudran[5]. La démarche n'est pas tout à fait désintéressée, puisque le danseur pourra ainsi participer à deux spectacles qu'elle organise à l'Opéra, avec le concours de Diaghilev, au profit de la Croix-Rouge belge et de la Croix-Rouge britannique.

L'œuvre qui mobilise l'essentiel de son énergie, c'est celle qu'elle a fondée au service de ses deux patries : l'Union de la France pour la Belgique et les pays alliés et amis. Elle est présidente et Pierre Loti secrétaire général de cette œuvre, qui se ramifie en multiples filiales : l'œuvre des Aveugles de la guerre – qui crée une entreprise de brosserie pour les faire travailler –, l'œuvre des Permissionnaires belges, l'œuvre des Convalescents militaires, gestionnaire du centre ouvert à Bois-Boudran. La Belgique est toujours proche de son cœur, surtout depuis que sa sœur Ghislaine, en 1910, est devenue dame d'honneur et amie intime de la reine des Belges. Toujours en avance, elle s'intéresse ainsi aux États-Unis bien avant leur entrée en guerre. Le projet d'une exposition de mode outre-Atlantique n'aboutira pas ; mais, dès 1915, elle obtient d'Henry qu'il mette à la disposition de ces futurs alliés, via l'Union, quelques-uns des nombreux immeubles qu'il possède à Paris, contribuant ainsi à la naissance de l'escadrille Lafayette[6].

Pour la comtesse Greffulhe, l'art et l'action sociale sont indissociables. Aussi concerts, expositions et cérémonies se succèdent-ils pour lever des fonds – comme cette « Veillée des tombes » à grand spectacle à la Madeleine, le 19 décembre 1916, sous le patronage du roi des Belges. Pour cette « Solennité musicale », Élisabeth a sorti l'artillerie des grands jours et mobilisé, une fois de plus, ses amis artistes. Chœur, grand orgue, trompettes et dix violoncelles sont placés sous la direction de son cher Gabriel Fauré, dont les œuvres fournissent le cœur du programme, encadrées par une introduction de César Franck et, pour le final, par l'éclatant *Ego sum ressurectio et vita* de Gounod, où les trompettes répondent au chœur. Avec une pareille affiche, on attend beaucoup de la quête. Pour doper les profits, elle a eu l'idée de vendre à cette occasion une médaille exécutée par Lalique, portant au recto un dessin de Bakst, et au verso une phrase d'Anna de Noailles : « L'avenir jaillit d'entre le repos des morts. » La musique, les arts décoratifs et la poésie ont été mobilisés pour cet événement, qui se traduira, faute d'un service d'ordre suffisant, par une cohue sans précédent.

La cible des polémistes antisémites

Sur la scène de l'arrière, la comtesse Greffulhe, plus que jamais, tient la vedette. Le ministre de la Guerre de Belgique a détaché un soldat auprès d'elle, en ordre de mission, pour lui servir de chauffeur et d'agent de liaison avec Ghislaine. Le service d'information de la Chambre des députés lui envoie chaque jour les comptes rendus rédigés par l'agence Havas. Elle trône à nouveau à l'Opéra, cible de tous les regards, affichant son patriotisme en arborant, en guise de chapeau, un gros nœud alsacien de tulle blanc.

Henry, lui, est sur le « banc de touche ». La chasse, grande passion de sa vie, est interdite. Élisabeth, en transformant Bois-Boudran en centre d'accueil des convalescents, lui a ôté sa raison de vivre. « Les allées ne sont plus entretenues, le gibier encombre les plaines et Henry est désolé de voir que cela va servir à des convalescents au lieu de son train de vie et de la chasse auxquels il était habitué depuis si longtemps. » Pratiquement plus de domestiques à gourmander, une femme toujours débordée qui se prend pour le sauveur de l'humanité, des forces qui déclinent avec l'âge… et une vieille maîtresse toujours plus revendicatrice et irascible. Une maîtresse qui doit avoir, pour régner sur son cœur, de secrets atouts, car il ne semble pas que la nature l'ait dotée d'un physique fort attrayant. On ignore à quoi elle ressemblait, mais ses contemporains s'accordent à la doter d'une pilosité hors du commun : « La comtesse de B passe pour très poilue, raconte Paul Morand. Boni l'appelle "L'Essuie-plumes". "Que vais-je faire d'elle si les Allemands avancent" demande son amant, le comte G. "Entreposez-la chez Révillon" répond Loche Radziwill. » Gros bourdon tombé dans la toile d'une araignée velue, voilà le triste sort de ce don Juan sur le retour. Le « Roi de cœur » a perdu son royaume, le maître de Bois-Boudran voit son univers s'écrouler. Qui pourrait payer pour ce naufrage personnel, sinon « Bebeth », dont l'insolente vitalité est une insulte quotidienne ?

Elle va payer, et durement.

Léon Daudet n'a jamais pardonné à Élisabeth Greffulhe ses prises de position en faveur de Dreyfus. En janvier 1918, ce polémiste volontiers antisémite, aussi violent que talentueux, la prend à nouveau pour cible. Cette fois-ci, il lui reproche sa sympathie pour le radical Joseph Caillaux, partisan d'une négo-ciation avec l'Allemagne : écœurée comme lui par la boucherie qui fait chaque semaine, sur le front, des dizaines de milliers de morts, elle lui a apporté courageusement son soutien, alors qu'on s'apprêtait à le faire arrêter pour « intelligence avec l'ennemi ». Dans la presse nationaliste, Daudet accuse la comtesse Greffulhe d'être une pacifiste à la solde de l'Allemagne. Chaque jour, en ouvrant *L'Action française*, Henry trouve un article qui le met hors de lui, dénonçant « le salon défaitiste Greffulhe, où Caillaux est un dieu », « la tourbe infâme de salonnards, de greffulhards », « le salon, tout dévoué à Guillaume II, des Greffulhe ». À cette époque, on ne mâche pas ses mots. Les polémistes qui s'affrontent dans les colonnes des journaux échangent allègrement injures, voire appels au meurtre – quand ils n'en viennent pas aux coups ou aux duels. La presse n'a aucune retenue, et rien ne vient entraver le déchaînement rhétorique du prolifique et truculent colosse, que l'on a surnommé « le gros Léon ».

Les amis d'Henry tentent de calmer sa colère et de minimiser la portée des flèches de Daudet : « Vous avez affaire à un aliéné, contre les accès, spontanés ou provoqués, duquel il n'y a aucun moyen légal ou physique de se protéger. » Peine perdue : dévorée de jalousie envers Élisabeth, qu'elle appelle « cette commère de revue déguisée en châtelaine », madame de La Béraudière jette habilement de l'huile sur le feu. Pire encore, il semble bien qu'elle joue un double jeu, aiguillonnant en sous-main l'agressivité de Daudet. Malgré ses protestations d'innocence, chacun sait qu'elle compte de nombreuses relations dans la presse et qu'elle connaît bien le virulent journaliste[7]. Ce jeu infernal se traduit parfois par des scènes cocasses : c'est ainsi qu'un jour, le comte Greffulhe, trouvant dans son antichambre un chapeau haut de forme aux initiales J. C., l'attribue à Joseph Caillaux, qu'il a formellement interdit à sa femme de recevoir ; il est en train de piétiner rageusement le couvre-chef lorsque apparaît son légitime propriétaire : Jules Cambon. Cette anecdote sera narrée à Paul Morand par Proust, qui l'utilisera dans la fameuse scène du *Côté de Guermantes* où l'on voit le narrateur s'acharner sur le chapeau du baron de Charlus.

Mais les violences physiques de l'irascible comte ne s'exercent pas uniquement sur les chapeaux ; elles atteignent aussi son épouse, qui constate sobrement : « le coup de canne que vous m'avez donné ce matin me fait très mal... » Élisabeth fait face, comme toujours : « Madame de la Béraudière arrive à ses fins. Elle veut détruire ma santé et connaissant votre lâcheté elle prend ce moyen pour me tuer. Hé bien figurez-vous bien que je ne me laisserai pas anéantir par une *Brocheton*. »

Amère victoire

Le 11 novembre 1918, à l'annonce de l'armistice tant attendu, les rues de Paris s'emplissent d'un flot multicolore. On rit, on pleure, on s'étreint. Mais la fin de la guerre a pour la comtesse Greffulhe un arrière-goût d'amertume. Certes, elle se réjouit que le massacre cesse enfin, et que la France ait reconquis les provinces perdues ; mais elle sent bien que cette victoire, qui laisse un vainqueur exsangue et un vaincu à la puissance industrielle intacte, ne présage pas un avenir radieux. Dans cette ambiance de Carnaval, ce sont les morceaux de la vieille Europe que l'on ramasse en confettis. Les unes après les autres s'écroulent les vieilles dynasties ; les uns après les autres tombent les souverains. L'empereur Guillaume II a abdiqué. Le tsar Nicolas II a succombé avec toute sa famille sous le couteau des bolcheviks à Ekaterinburg. Elle se souvient comme d'hier de sa première rencontre, en 1896, avec les souverains russes en visite à Paris. Ils semblaient déjà porter leur martyre sur leur visage – surtout l'impératrice : « la tête droite, les yeux profonds qui voient sans avoir l'air de regarder, de rares sourires. [...] Elle a dans le regard ce je-ne-sais-quoi d'anxieux que j'ai déjà vu dans les yeux de ceux qui doivent être préparés à tout. Elle a dû envisager la bombe de poignard », avait-elle noté à l'époque. Le tsar Nicolas lui avait fait « l'effet d'un être souffrant, victime du rang ou le sort l'a placé, [...] faisant bien son métier ou plutôt le *subissant* bien ». Quelques années plus tard, il avait honoré de sa présence sa loge à l'Opéra. Élisabeth possède encore la splendide cape dont il lui avait fait cadeau.

La guerre a accouché d'un monde nouveau auquel elle se sent étrangère. Soutenu par Caillaux, l'impôt sur le revenu, ce « serpent de mer » d'avant-guerre, a fini par être voté. Une révolution que, dans son entourage, on ressent comme une spoliation pure et simple. Fini les somptueux gaspillages de la Belle Époque, les salons et châteaux insouciants, les fêtes des Mille et Une Nuits, les libéralités charitables que l'on pouvait distribuer à sa guise. Le gratin perd le dernier de ses pouvoirs. « Il est aisé de comprendre que nul n'aime livrer ses biens au pressoir auquel chaque gouvernement pourra donner un autre tour de vis afin de broyer jusqu'à extinction complète de la matière broyable les pauvres contribuables réduits à l'état de biftecks aplatis et desséchés sans qu'ils aient la consolation de connaître l'emploi qui est fait de leur jus », notera quelques années plus tard Élisabeth de Gramont, en constatant que la pression fiscale, très légère à l'origine, s'est rapidement accentuée[8].

Henry va devoir apprendre, dans la douleur, le sens du mot « économies ». Rien ne sera jamais plus comme avant, Élisabeth le sait. L'argent, au fond, lui importe peu ; l'important, pour elle c'est de continuer à vivre, à agir, à apporter sa marque. Tout, plutôt que d'être reléguée à la marge de l'Histoire, inutile, enchaînée, soumise aux caprices d'un bourreau qui lui fait une vie plus infernale que jamais. Elle a cinquante-huit ans et derrière elle quarante années de mariage qui sont autant de stations d'un calvaire. De divorce, il n'est plus question pour le moment : la « baronne de Feuchères » – comme elle nomme par dérision sa rivale, par allusion à la sulfureuse maîtresse du duc de Bourbon – serait trop heureuse de cette victoire. Henry a soixante-dix ans ; le temps, qui semble ne pas avoir de prise sur son épouse, ne l'a pas épargné : c'est un vieillard à barbe blanche, qui marche difficilement. Si au moins ces dernières années pouvaient leur apporter la paix…

5

LE VAISSEAU FANTÔME

21 décembre 1931. « Pensez à ce que c'est de ne pas avoir pu bouger d'un lit qu'on n'a pas pu refaire depuis 41 jours sans pouvoir faire un mouvement à droite ou à gauche ! » À la clinique Bizet, la comtesse Greffulhe se remet d'une opération spectaculaire : le professeur Gosset, surnommé « le Napoléon du bistouri », lui a enlevé un énorme fibrome. Elle pesait soixante-sept kilos à son arrivée. Elle a retrouvé sa ligne de jeune fille et ses cinquante kilos. L'encombrant parasite la rongeait depuis des années, et avait atteint de telles proportions qu'il déformait sa légendaire silhouette. Elle était toujours belle comme une fée, mais comme « une fée qui aurait fauté », lui fera remarquer *a posteriori* l'une de ses nièces. C'est ce qui l'a, enfin, décidée à se faire opérer. Ses deux sœurs, toujours fidèles au poste, ont tout pris en main : Henry cantonné à Bois-Boudran, en compagnie de Geneviève, Ghislaine auprès d'Élisabeth, servant de *go-between*.

De la clinique, puis de l'hôtel des Réservoirs, à Versailles, où elle est en convalescence, Élisabeth se laisse flotter dans un bien-être qu'elle n'a pas connu depuis des années. Elle qui se sentait « écrasée par une grosse pierre » a le sentiment d'une résurrection. Henry a eu très peur de perdre son indispensable souffre-douleur et, à la faveur de l'éloignement, leurs relations, comme toujours, se sont resserrées. Ils s'écrivent chaque jour, des lettres tendres.

« Mon cher amour Henry, Dieu nous a exaucés je crois que je vais aller bien, je vous aime et vous embrasse », lui a-t-elle écrit dès le lendemain de son opération. Depuis, ils filent le parfait amour épistolaire – Henry est très fort à ce jeu-là. Il la bombarde de missives enflammées : « Ma si chère grande petite, sans égale [...]. Je compte vos heures de sommeil aux battements de mon cœur... » Elle s'extasie devant « les pages immortelles de beauté » qu'il lui écrit. Elle le tient au courant des progrès de son rétablissement. L'expression « nous avons tenu » revient comme un leitmotiv dans ses lettres. C'est comme si, avec le fibrome, le bistouri l'avait délivrée de toutes ces années d'humiliations, de souffrances secrètes, de stoïcisme affiché. Tout ce qui subsiste, c'est une immense fierté d'avoir tenu contre vents et marées, d'avoir enfin, pense-t-elle, reconquis l'amour de ce vieil enfant pour qui, au soir de sa vie, elle est enfin devenue l'Unique. Les illusions sont nécessaires à la guérison.

À l'écart des Années folles

Et pourtant, qu'elles ont été difficiles pour Élisabeth, ces années d'après-guerre... Autant elle avait été au cœur de la Belle Époque, autant elle s'était sentie en marge de l'effervescence des Années folles. Dans les yeux des hommes, le désir avait fait place au respect. Elle était rattrapée par ce sentiment de la fuite vertigineuse du temps, qu'elle écartait d'un revers de main, autrefois, quand il venait obscurcir sa vie. Encore belle, mais sexagénaire ; toujours fêtée et recherchée, mais plus indispensable ; hors du creuset bouillonnant où s'élaboraient les nouvelles tendances artistiques ; hors du courant... et même hors de chez elle, avec la présence de plus en plus envahissante, de plus en plus officielle, de cette « B », comme « Béraudière », ou comme « Brocheton », de cette femme qui se faisait appeler « Mystère », et qui ne faisait plus, précisément, aucun mystère de ses relations avec Henry – s'affichant avec insolence à Bois-Boudran, à Dieppe villa La Case, rue d'Astorg et, pire encore, adoptée par Elaine et son mari qui la recevaient sans états d'âme.

En 1920, en brandissant à nouveau la menace de divorce, elle a échappé à la cohabitation que voulait lui imposer Henry :

« Mon cher Henry, Blanche me transmet votre désir de m'imposer votre maîtresse, madame Brocheton. Je lui ai répondu que jamais, moi vivante, je n'accepterai une pareille promiscuité. Je l'ai priée de vous dire de faire confirmer ce désir par votre avocat. Ce jour-là je vous quitterai, ayant terminé mon devoir et je me retirerai pour échapper à cette atroce persécution de chaque jour. J'y pense beaucoup maintenant car j'ai besoin de tranquillité et de calme. Je sais que je ne l'aurai jamais dans les conditions que vous m'imposez. Seulement faisons les choses en règle. Vous serez très heureux avec madame Brocheton. Et moi je serai moins malheureuse loin de vous. Dieu vous donnera le temps de vous repentir de l'exemple que vous aurez donné. »

Elle a ri parfois de cette situation, comme ce jour où, lors d'une réception rue d'Astorg, un invité peu familier des lieux lui a chuchoté d'un air entendu, avec un regard dédaigneux à Mme de La Béraudière : « Ah ! Madame ! Comme je comprends le comte ! » Il avait pris l'éblouissante épouse pour la maîtresse du comte Greffulhe…

Mais elle a surtout pleuré, et une fois de plus, senti le souffle froid de la dépression. En vain, le docteur Flandrin avait-il tenté d'alerter le comte Greffulhe, en termes choisis : « J'ai constaté comme vous un certain degré de dépression de la comtesse. [...] Elle a maigri, elle est anxieuse et sur le chemin de la neurasthénie. [...] Dans le tête à tête plus continu à Bois-Boudran qu'à Paris, votre juvénile ardeur retentit sur sa sensibilité et, après les éclats de voix du soir, le sommeil vient difficilement. [...] Il faut éviter toute contrariété, discussions, le soir surtout. [...] Somme toute, il est temps, par des mesures faciles à appliquer, d'éviter une catastrophe qui serait terrible pour vous et dont vous ne me pardonneriez pas de vous laisser la responsabilité. » Hélas, la « juvénile ardeur » du comte – ou plutôt sa sénile irascibilité – ne s'était point calmée. Élisabeth restait le bouc émissaire de toutes ses contrariétés.

Et de contrariétés il n'en manquait pas car, pour la première fois de sa vie, il devait apprendre à compter. Depuis longtemps, dès l'époque du mariage d'Elaine, Élisabeth l'alertait sur le « coulage » qui régnait dans sa maison, et la nécessité de réformer son train de vie s'il ne voulait pas manger son capital et aboutir à la ruine. Dans leur correspondance, depuis 1904, Henry abordait régulièrement la question à laquelle, il le savait bien, il n'apporterait jamais de réponse : « Faut-il vendre Bois-Boudran ? » Chacun reprochait à l'autre ses dépenses. Élisabeth invitait son époux à prendre « des mesures d'ordre », « des partis intelligents », au lieu de se lamenter sur le prix du billet de chemin de fer : « Ce qui ruine, c'est le train de vie sans ordre, le gaspillage dont personne ne profite, les choses en double. Personne n'a plus autant de chevaux que vous avec les automobiles... ». De son côté, il stigmatisait ses « chiffons », voyages, bonnes œuvres, et tout ce qu'il appelait avec dérision « ses grandes entreprises ».

Avec l'impôt sur le revenu, appliqué à partir de 1916, puis la débâcle économique de 1929, ceux qui avaient toujours vécu sans compter avaient dû apprendre à faire de douloureuses soustractions. La réduction drastique du personnel, dont un tiers n'avait pas été remplacé après la guerre, était loin d'être suffisante. Henry restait un grand propriétaire terrien et immobilier ; mais, incapable de renoncer à « tout ce luxe fou d'avant-guerre », il croquait allègrement sa fortune[1] ; comme le faisait remarquer Élisabeth à sa fille, « chaque année, on engloutit près de deux millions de capital ».

Pour la comtesse Greffulhe, « l'heure de gloire » était passée, il fallait bien s'y résoudre. De tous les projets qu'elle avait menés à bien avant et pendant la guerre ne subsistait plus guère que l'Union de la France pour la Belgique, qui avait poursuivi son action jusqu'en 1927, sur une dernière opération couronnée de succès : la publication d'un « Livre d'or franco-britannique », témoignage de reconnaissance de la France à ses alliés. Elle n'avait pas ménagé sa peine, obtenant une préface de Poincaré, « deux pages vibrantes » du maréchal Pétain, une citation lapidaire de Clemenceau. Cela avait été sa dernière action de porte-drapeau de l'amitié entre les peuples. En 1924, elle avait bien créé avec Sarah Bernhardt l'Œuvre de reconnaissance aux mères françaises, pour venir en aide aux mères et veuves de guerre.

Mais le feu sacré l'avait abandonnée. Fini aussi la musique, les fêtes, les spectacles : les Grandes auditions avaient sombré dans la guerre, et le Paris des Années folles voyait monter au firmament d'autres étoiles. De plus en plus souvent recluse à la campagne par la volonté d'Henry, elle avait reconverti son besoin d'action concrète dans l'élevage de lévriers, issus d'un couple de barzoïs envoyé en cadeau, en août 1914, par le grand-duc Nicolas Nikolaïevitch de Russie, futur commandant suprême de l'armée impériale et familier des chasses de Bois-Boudran. Elle avait même introduit en France les courses de lévriers, en créant une société par actions, un centre d'élevage, un cynodrome à Courbevoie, et en obtenant du ministre de l'Agriculture le PMU. Cette idée novatrice avait prospéré... et enrichi des individus plus doués qu'elle pour le commerce.

« La plus grande escroquerie du siècle »

Elle s'était repliée sur les arts plastiques – le pastel, les miniatures et le vitrail, pour lequel elle avait aménagé un atelier dans une ancienne chapelle. Toujours, elle s'accrochait à ce jardin secret : plus que les activités mondaines, charitables ou officielles, l'art, elle le sentait bien, était sa seule planche de salut contre la dépression.

Cependant, toujours, son besoin de s'entremettre et d'agir était le plus fort : inquiète de l'état de réclusion et de déliquescence où se trouvait son amie Anna de Noailles, elle l'avait incitée à suivre son exemple, et à s'adonner au pastel comme thérapie. Mais l'auteur du *Cœur innombrable* ne pouvait se satisfaire d'un travail obscur : pour l'encourager, Élisabeth avait donc décidé d'exposer ses œuvres, et l'avait fait avec son professionnalisme habituel. Après le succès d'une première exposition rue d'Astorg, où les médiocres tableaux de la poétesse s'étaient vendus à des prix fort élevés, Anna, ravie mais lucide, s'était écriée : « Chère Élisabeth, vous venez de collaborer à la plus grande escroquerie du siècle ! » Enchantée de constater qu'elle n'avait rien perdu de sa capacité à attirer le Tout-Paris, la mécène avait donc réitéré cette « escroquerie » à plus grande échelle, en exposant cinquante pastels d'Anna à la galerie Bernheim-Jeune, avec le parrainage, cette fois, de la direction des Beaux-Arts. La critique, aux ordres, s'était extasiée, malgré les insuffisances évidentes de l'artiste. La moitié des œuvres s'étaient vendues, et l'une d'elle avait même été achetée par l'État. Ce tour de force avait suscité la fureur de Marguerite de Saint-Marceaux, qui notait dans son journal, à la date du 22 juin 1927 : « Visite aux cinquante pastels de la comtesse de Noailles qui subitement est devenue peintre sans avoir jamais touché un pastel. Le ministre des Beaux-Arts, le Tout-Paris pour regarder des œuvres sans aucun talent. La fumisterie dans toute sa splendeur, le snobisme, la bêtise humaine. » Alors même que son étoile commençait à pâlir, le nom de la comtesse Greffulhe restait la formule magique qui suffisait à assurer le succès d'une manifestation.

Henry, ne voulant pas être en reste, se voyait, lui aussi, en artiste. Devenu, depuis 1913, simple conseiller municipal de Fontenailles après avoir été un temps député, puis, plus longtemps, conseiller général de son canton, il s'était découvert sur le tard une nouvelle « vocation » : l'écriture ou, plus exactement, la poésie. Tout au long de son existence, il avait été un graphomane impénitent, écrivant chaque jour des dizaines de lettres à ses maîtresses, et à son épouse quand elle était loin de lui. Puis, persuadé qu'il était un grand écrivain, affirmant ingénument que son grand talent devait recueillir les suffrages de « quelques rares esprits avertis doublés de rayons artistiques », il s'était mis en tête de passer à la postérité. Toujours dévouée – et peu rancunière –, Élisabeth s'était donné un mal fou pour essayer, sans succès, de faire publier cette littérature aussi hétéroclite qu'approximative ; elle s'était finalement contentée de faire imprimer deux volumes[2].

Comme il est beau, en ce début de printemps, ce parc de Versailles qu'Élisabeth arpente avec ardeur pour prendre de l'exercice. Elle a retrouvé sa démarche aérienne, et les promeneurs se retournent sur sa haute silhouette encore juvénile. Qui pourrait imaginer qu'elle a soixante-douze ans ? Chaque jour, elle marche, pour reprendre des forces, pour être à la hauteur de l'amour retrouvé d'Henry qu'elle savoure au fil de ses lettres. Loin d'elle, affirme-t-il, il est « comme un chien qui a perdu son ombre ». Ce Barbe-Bleue, qu'elle recommence à nommer son « cher Petit », « l'adore et l'aime, l'embrasse et la réembrasse ». Elle en a tant reçu, au cours de leur longue existence, de ces missives enflammées, qu'elle devrait savoir ce qu'elles valent. Mais cette fois-ci, après cette longue séparation qui a effacé les mauvais souvenirs, elle veut y croire, elle y croit, et ces pensées lui donnent des ailes. Plus de quatre mois ont passé depuis son opération, et sa convalescence se prolonge, comme une parenthèse enchantée, porteuse de toutes les promesses. Ils ont « tenu », dans les tempêtes de haute mer, et bientôt, le vaisseau de leur amour touchera aux eaux calmes du port. Ils vieilliront ensemble, vieux couple apaisé devenu enfin fraternel…

Mystère, ou la vie ironique

31 mars 1932. « Anéantissement de ma vie. Henry disparaît subitement, doucement, Geneviève seule auprès de lui. Minuit et demi. Jules, Paul Laude, Victor le transportent de son cabinet de toilette à son lit. N'a pas souffert. Mort subite comme en un sommeil paisible. Il s'est évadé. »

Il s'est évadé, et cette évasion est comme une ultime dérobade. Si Henry était mort au lendemain de l'une de ses scènes de violence coutumières, peut-être Élisabeth aurait-elle été soulagée d'être enfin délivrée de son bourreau. Mais en disparaissant après ces mois de tendre correspondance, au moment où elle croyait enfin avoir reconquis son amour, Henry reste figé pour toujours dans son esprit sous le masque du mari aimant. Le processus de « béatification » est en marche. La veuve va désormais porter aux nues le mari qui la torturait moralement. Il était, en effet, sa « raison d'être », lui qui jamais ne se laissait oublier. L'habitude de souffrir par lui avait envahi son existence. Le bruit et la fureur, c'était la vie… Ce travail inconscient de vénération *post-mortem* répond peut-être, tout simplement, à un instinct de survie : comment ne pas penser à ce phénomène psychologique désormais bien connu, qui sera décrit bien plus tard par sous le nom de *syndrome de Stockholm* ?

« Vendredi. 8 h. Mise en bière. Samedi. Caveau de la Madeleine.

5 avril. Henry n'a pas fait de testament. Aucun toit prévu pour ma tête.

Mercredi 6. Enterrement 10 h 1/2 à la Madeleine et Père Lachaise.

15 mai. Je retrouve le croissant de perles qu'Henry m'avait donné au moment de notre mariage. Il avait écrit sur l'écrin "Comme mon amour il va toujours croissant". Et cela a été vrai.

28 mai. Retour définitif de Versailles. Anéantissement de la séparation.

27 juillet. Retour à BB. Il me semble que c'est moi qui suis morte.

28 juillet. Naufrage.

17 oct. Poids affreux des pensées. »

Qui croirait, en lisant cette chronique de sa douleur tenue au jour le jour dans un carnet rouge, que la comtesse Greffulhe a vécu cinquante-quatre années d'enfer conjugal ? Sans doute est-ce sa façon à elle de faire son deuil, de se protéger en protégeant la pureté de son chagrin. Henry mort, elle va peut-être enfin trouver, en chérissant la mémoire d'un époux idéal, la paix qui lui a été refusée pendant un demi-siècle.

Mais le pire est encore à venir.

La bombe à retardement qu'Henry avait amorcée bien des années plus tôt éclate tout juste cinq semaines après son décès. Sur le moment, Élisabeth n'a pas pris la chose très au sérieux. Elle a simplement noté dans son calepin, à la date du 5 mai : « Elaine vient m'annoncer que Mme de la B. a produit un testament lui donnant collections. Je me refuse à le croire valable. » Deux jours plus tard, les choses se corsent : « 7 mai. Armand vient, me dit que Mme de la B va faire apposer scellés rue d'Astorg et venue avec huissier pour tout visiter, même ma chambre ! »

Le « testament » exhibé par Marie-Thérèse de La Béraudière est un texte étrange, contenu dans une enveloppe portant cette suscription : « À celle qui devrait être déjà, qui sera, j'en ai l'assurance, la comtesse Greffulhe, mes désirs et mes volontés. »

« Avoir un enfant de Mystère.
La voir heureuse et gaie.
Lui donner ma vie fidèle et dévouée jusqu'à son dernier jour.
Mon nom comme ma vie est à elle.
Ne jamais la quitter d'une semaine.
Collections et valeurs mobilières anglaises et françaises à ma Mystère adorée, qui se souviendra que ma vie est la preuve de mon amour, comme ma mort sera la preuve de la vérité.

Henry Greffulhe, 26 novembre 1908. »

En dépit de sa forme surprenante, plus proche du bout-rimé que du document légal, ce texte est jugé recevable, en l'absence d'autre disposition testamentaire. Pour Élisabeth, c'est le début de presque trois ans de procédure. Les avocats de la famille vont s'attacher à prouver que Mme de La Béraudière n'était qu'une maîtresse parmi bien d'autres, une « intermittente » dans une vie sentimentale dont le seul port d'attache était l'épouse légitime. Pour nourrir leurs dossiers, celle-ci se plonge dans ses archives, à la recherche des innombrables déclarations d'amour d'Henry : « vous savez bien que tout ce que je possède est à vous » (septembre 1909) ; « tout ce que j'ai écrit, je le pense, c'est comme un testament » (5 septembre 1910) ; « je préférerais mourir pour vous laisser jouir de tout ce que je possède » (20 novembre 1921), etc. Pendant ce temps, son défenseur inventorie la pléthorique correspondance des maîtresses du comte Greffulhe.

Le procès, qui se déroule en public à partir du 27 février 1935 devant la première chambre du tribunal de la Seine, est suivi avec passion par la presse, qui fait ses choux gras des détails sordides dévoilés par les plaidoiries. Quelle humiliation, pour Élisabeth, de voir ainsi exposée dans les journaux la misère de sa vie conjugale ; d'apprendre qu'Henry, dans ses lettres à sa maîtresse, l'accablait de sarcasmes et la vouait aux gémonies – « je ne veux plus de cet être maudit » – ; d'entendre expliquer à quel point Elaine appréciait la maîtresse de son père. Toujours

« très grande dame », rapporte un journaliste, elle encaisse sans broncher, et se paie le luxe de l'indulgence : « Qu'il lui soit tout pardonné, parce qu'il a beaucoup aimé. » Les plaideurs des deux parties – le bâtonnier Fourcade et maître Jallu pour la famille Greffulhe, maître Archevêque pour Mme de La Béraudière – s'affrontent en brandissant lettres d'injures et lettres d'amour, à la grande hilarité des chroniqueurs. Confondant le nom propre avec la fonction ecclésiastique, certains journaux en tirent la conclusion que la plaignante est « au mieux avec le clergé »…

Au terme de débats surréalistes, le bon sens et la droiture triompheront. Servie par un avocat habile, plein de tact, de talent et d'humour, la comtesse Greffulhe l'emportera haut la main, en retournant contre elle l'argumentation de la partie adverse. Elle était, sans doute, « la femme la plus trompée de Paris », comme le souligne dans son prêche le défenseur de « la B » ; mais « Mystère », qui se prétendait unique, avait, elle aussi, d'innombrables rivales – et cela jusque dans sa propre maison.

« Je dis, Messieurs que s'il y a "Mystère", c'est là un mystère d'ordre collectif, le mystère d'une raison sociale, le mystère de la maison hantée. Ce n'est pas la personnalité d'une seule femme qu'on vous apporte ici, c'est toute une troupe à l'enseigne de La Béraudière. » Maître Jallu a magistralement réussi à mettre les rieurs de son côté. Mais la leçon psychologique de cette affaire, c'est une journaliste, Marthe Lacloche, qui la tirera : « Peut-être avait-il contre elle quelques légitimes griefs. Mais il en est un, toujours suffisant pour détester une femme, c'est d'avoir eu des torts graves envers elle ! Nous pardonnons rarement à ceux que nous avons fait souffrir et qui ont été la cause de nos remords. »

Le 27 mars, le jugement déboute Mme de La Béraudière de toutes ses demandes. Mais le feuilleton n'est pas terminé : le 19 novembre, la tenace Marie-Thérèse fait appel. Son acharnement judiciaire trouvera sa récompense puisque, contre l'avis de leur mère, Elaine et son mari décident de transiger, et lui accordent 500 000 francs pour qu'elle se taise enfin.

Henry a réussi, bien au-delà de ce qu'il imaginait, à empoisonner *post mortem* la vie de sa famille. Le comte Greffulhe, qui était un homme estimé, « le type du grand seigneur européen, opulent, fastueux, hospitalier » selon Pringué, a déshonoré son image posthume : il est devenu un objet de risée, de plaisanteries égrillardes. Pour Élisabeth, qui tenait tant à honorer sa mémoire, la pilule est amère. « Rien n'est plus éprouvant que de supporter l'écart entre ce que l'on veut paraître pour le public et ce que l'on est en réalité, quand on se retrouve le soir en face de soi-même », lui écrira sa cousine Alice Borghèse. Ce déballage attisera les vieilles haines : Léon Daudet choisira ce moment précis pour reprendre sa campagne de calomnies, en publiant dans *L'Action française* un nouvel article venimeux, intitulé « Le rôle du salon Greffulhe en 1917[3] ». Pire encore, ce procès douloureux, loin de rapprocher la mère et la fille, creusera encore plus le fossé qui les sépare déjà, et laissera entre elles des ressentiments ineffaçables.

Mystère… Quel était le secret de cet étrange surnom ? Selon Élisabeth de Gramont, qui connaissait bien Mme de La Béraudière, ce sont ses amis qui la surnommaient ainsi, en raison de sa distraction. La comtesse Greffulhe trouva une autre réponse à cette question, comme en témoigne cette enveloppe conservée dans ses archives, datée du 19 août 1935, et contenant le texte suivant :

« Apocalypse de Saint Jean chapitre XVII
Verset 4
Et la femme était vêtue de pourpre et d'écarlate et brillante d'or et de pierres précieuses et de perles, tenant en sa main un vase d'or plein de l'abomination et de l'impureté de sa fornication.
Verset 5
Et sur son front, un nom écrit, Mystère. »

Le mystère, c'est le mot, reste entier. On ne sait si Élisabeth raconta tout cela à son cher ami l'abbé Mugnier. Mais, si elle le fit, on peut imaginer qu'il leva les yeux au ciel et lui dit avec son bon sourire : « C'est un grand artiste qui mène le monde ! »

État de guerre

Les visiteurs qui pénètrent dans les vastes salons de la rue d'Astorg, en ce glacial hiver 1941, restent muets de saisissement devant le spectacle incongru qui s'offre à leur vue : au milieu de la noble pièce qui vit passer tant de rois et de grands de ce monde, comme un pied de nez aux boiseries XVIIIᵉ, aux plafonds peints et aux tableaux de maîtres, trône une bizarre petite cahute en bois. On dirait un wagon de chemin de fer : c'est la dernière invention de la comtesse Greffulhe, femme de ressources s'il en fut, pour pouvoir continuer à recevoir ses amis bien au chaud dans la banquise de ses salons[4].

> « J'avais parlé depuis longtemps d'une idée qui eut été une atté-nuation au manque de bois et de charbon, écrit-elle à un ami. Cette idée a pris corps : c'est une petite maison démontable, por-tative, grande comme un compartiment de wagon. Elle vient d'être mise au point et de m'être à moitié offerte pour que j'en aie la primeur. Elle peut contenir six personnes – une table solide s'abaisse – mais on n'est bien que deux l'un en face l'un de l'autre. Le sel de cette invention est qu'on n'a plus besoin de bois ou de charbon, c'est cela qui m'a fait la happer au vol. La dépense de 7 heures du matin à 9 heures du soir est de 3,75 F. C'est un triomphe pour la société d'électricité qui supplie qu'on dépense le moins possible. Alors vous comprenez que dans mes immenses salons glacés – 100 m de Louis XVI sur 3 étages – cette petite maison va me permettre d'habiter les pièces confortablement. Je vous écris en ce moment dans cette petite chaise à porteurs agrandie où on obtient une chaleur douce de 15 à 26° en faisant commu-niquer les fils dans une prise d'électricité lumière quelconque. »

La comtesse Greffulhe a quatre-vingt-un ans. Elle vit à pré-sent sa troisième guerre. Autour d'elle, les témoins de la Belle Époque se font de plus en plus rares. Les rues de Paris, elles aussi, ont bien changé. Fini les équipages et les tombereaux, les hennissements des chevaux, les appels des maraîchers et des marchands ambulants, cette symphonie des cris de Paris si magistralement évoquée par Marcel Proust dans *La Prisonnière* – thèmes populaires qui, hier encore, « orchestraient légèrement l'air matinal [...] en une ouverture pour un jour de fête », comme ils n'avaient cessé de le faire depuis l'époque médiévale. Oubliés, les habits, les jaquettes, les huit-reflets, les chapeaux extravagants fleuris comme des jardins, les corsets, les jupons, les volutes, les rubans, les dentelles... L'uniforme est désormais le complet-veston et le chapeau mou pour les hommes, le strict costume-tailleur et le turban pour les femmes.

En ce terrible hiver de l'Occupation, alors que le thermomètre marque 14 °C en dessous de zéro, Élisabeth a froid, faim, et prend le métro, comme tout le monde. Mais elle est toujours « à la barre » rue d'Astorg. Abandonnant les chambres de maître, où la température est polaire, elle a pris ses quartiers privés dans de petites pièces au second étage de la maison, où un seul poêle permet de chauffer ses appartements et la cuisine attenante.

« Des amis m'écrivent qu'on vous voit dans le métro, toujours la plus belle, la même que vous étiez lors de notre dernière rencontre, l'hiver 38-39. Vous êtes la seule à avoir prévu la catastrophe, l'humiliation de vos deux patries, Belgique et France, la seule femme de votre classe ayant la sincérité d'avouer que, privée de tout, vous ne regrettez pas votre splendeur », lui écrit Jacques-Émile Blanche. Elle n'est pas seule, loin de là : les amis se bousculent pour la visiter dans sa « petite maison de bois ». Elle y « confesse » parfois l'abbé Mugnier. Le lendemain de sa dernière visite, celui-ci lui a écrit une lettre enthousiaste, dictée à sa secrétaire, car il est devenu presque aveugle :

> « Avec émotion j'ai revu ce merveilleux intérieur où j'ai pénétré si souvent seul ou avec des personnages illustres. Vous nous avez montré une véritable miniature, je veux parler de cette chambre isolante faite pour les temps où nous sommes et que les moines du moyen âge vous eussent envié. Après une bonne conversation, voici la Reine qui arrive [*la reine Élisabeth de Belgique*]. Les épreuves ne lui ont pas manqué [...], et je la trouve cependant

gracieuse et presque immatérielle. [...] Et je suis sorti de chez vous en me rappelant ce que vous avez été, ce que vous avez fait pour moi.[...] Art, charité exquise et bonté, c'est tout cela qu'évoque pour moi la rue d'Astorg et j'y ai promené hier mes 88 ans avec la profonde gratitude que je vous dois. »

Pour adoucir les derniers jours de ce vieil ami, qui rendra son âme à Dieu au printemps suivant, Élisabeth a sacrifié d'un cœur léger « la seule chose qui me reste de mes richesses d'antan : c'est-à-dire un seul litre de lait par semaine ». Une fois de plus, on dirait que la guerre lui a redonné une nouvelle jeunesse. Pour cette femme bâtie à chaux et à sable, rien n'est plus galvanisant que les épreuves.

Le choc du procès surmonté, la fin des années 1930 l'a vue se rendre aux réceptions parisiennes, toujours élégante et cha-peautée, avec cette façon inimitable d'adapter les modes passa-gères à son style personnel. Dans un monde où, peu à peu, s'effaçaient les singularités, elle persistait à rester « unique », auréolée de ses larges capelines, enveloppée dans les plis vagues de ses longs vêtements noirs. Son salon, supplanté par celui des Beaumont, n'était peut-être plus le « premier ». Mais il était toujours une sorte d'académie internationale et éclectique du bon goût, de l'art et de l'intelligence. Aux côtés des « anciens » – Anna de Noailles, Henri de Régnier, Paul Valéry, Paul Claudel, Henri Bergson – on y croisait les nouvelles étoiles de la littérature – Paul Morand, François Mauriac, André Maurois, Georges Duhamel... –, des arts – Marie Laurencin, Van Don-gen... –, de la science – Louis et Maurice de Broglie, Irène Joliot-Curie... –, les pionniers emblématiques des nouvelles industries – son gendre Armand de Gramont, Louis Blériot, Louis Renault... – et, bien sûr, d'innombrables ambassadeurs. Dans ses agendas, les souverains d'Europe avaient été remplacés par des personnalités plus exotiques, comme le Maharadjah de Kapurthala, l'empereur d'Éthiopie Hailé Sélassié, le Shah de Perse, Ahmed Pacha, bey de Tunis, le prince Mohammed Ali d'Égypte... Faisant toujours office – avec beaucoup moins de faste qu'autrefois – de reine *in partibus* de la République française, elle s'était liée d'amitié, en particulier, avec madame

Roosevelt, la mère du président des États-Unis – à qui elle avait fait visiter Paris et avec qui elle correspondait régulièrement –, ainsi qu'avec madame Churchill, la mère de Sir Winston.

Les souvenirs cuisants de 1918 l'avaient incitée à prendre du recul avec la politique ; mais elle se passionnait toujours pour le destin de son pays et les relations internationales.

À la déclaration de guerre, Élisabeth assurait à sa sœur Ghislaine qu'elle était bien décidée à rester en dehors de « toutes ces œuvres de l'orteil du soldat, du nez de la veuve et du pouce de l'orphelin qui sont uniquement organisées, non pas pour venir en aide réellement à ceux qu'on prétend aider, mais simplement pour que les femmes désœuvrées puissent s'arroger des titres présidentiels de haute dignité pour lesquels elles demanderont, un peu plus tard, une récompense personnelle ». Mais on ne se refait pas : réfugiée à Biarritz, pendant le premier hiver, elle a créé l'Entraide, œuvre dédiée au secours des réfugiés. Et depuis qu'elle a regagné la rue d'Astorg, en juillet 1941, elle déploie une activité inouïe pour son âge, au service « de l'hospice Greffulhe, de la Société philanthropique, et de diverses œuvres personnelles », comme elle l'explique dans une lettre écrite à l'Administration pour solliciter l'autorisation d'utiliser une voiture mise à sa disposition par l'un de ses neveux. « L'usage du métropolitain, plaide-t-elle, n'est pas un mode de locomotion pratique pour une activité qui réclame de nombreux déplacements quotidiens. »

Cette octogénaire ne craint pas grand-chose, hormis « cet affreux métro », qui, note-t-elle dans son journal intime, « n'est plus abordable sans risquer des accidents qui se renouvellent chaque jour ». Elle est toujours entourée de solliciteurs – « tous les cloportes suspendus à mes basques » –, et s'amuse d'être, pour la première fois, invitée chez Maxim's : « il me fallait deux guerres pour obtenir ce résultat ! » Elle porte beau, comme toujours, et ce n'est qu'à ses proches qu'elle avoue sa profonde tristesse : « Il semble qu'on ait ôté pour nous dans la vie de chaque jour ce qui semblait encore tenter nos esprits ardents et libres », écrit-elle en juin 1942 à Roffredo Caetani, qui est resté son confident. « Dans la rue on n'entend plus que ces mots repoussants : fromage – queue – tickets [...]. La pauvre humanité – si précaire, si désarmée – souffre, et le temps passe, et on pressent que, dans l'ombre le génie du mal rit – d'un rire inextinguible. »

Son prestige et son entregent ne seront pas inutiles pour protéger sa famille et ses biens. En janvier 1943, un inspecteur de police se présente chez Elaine, duchesse de Gramont, pour une « enquête sur son aryanité » ; il l'informe qu'elle a été dénoncée comme ayant un père israélite, et lui enjoint de fournir un certificat de baptême. La préfecture est saisie d'une autre demande de renseignements administratifs concernant, cette fois, la comtesse Greffulhe. Jean Chaigneau, ex-préfet de Seine-et-Marne engagé dans la Résistance, demande aux autorités « d'arrêter toute enquête à son sujet étant donné que personnellement je connais les origines ». Les Greffulhe sont une famille protestante originaire des Cévennes. Faut-il voir dans ces dénonciations absurdes le prolongement odieux des attaques qui poursuivent Élisabeth depuis l'affaire Dreyfus ?

Son gendre Armand, duc de Gramont, dont la mère était née Rothschild, ne sera pas inquiété, semble-t-il. Sans doute bénéficia-t-il d'une protection occulte, en tant que membre de l'Académie des sciences et compte tenu des grands services rendus au pays via ses travaux scientifiques : dès 1940, il a en effet créé, en marge de son activité industrielle, deux laboratoires clandestins où il développe des viseurs pour l'armée française[5].

Bois-Boudran est occupé par les Allemands, mais la présence du colonel comte Mengden, logé par Élisabeth à proximité du château pour s'occuper de son élevage de lévriers, permet de limiter les dégâts : non seulement il parle parfaitement allemand, mais son titre et son grade impressionnent l'occupant. À Paris, ce n'est que dans la toute dernière phase de la guerre que les Allemands s'avisent d'investir la rue d'Astorg : le 19 juin 1944, alors que les Alliés ont débarqué en Normandie, un officier de la *Kommandantur* du *Gross-Paris* se présente avec un ordre de réquisition, considère avec satisfaction les quatre salons, et fait livrer quatre-vingts lits et matelas pour y installer un hôpital. Il est grand temps pour la vieille fée de sortir sa baguette magique, ce qu'elle fait sur-le-champ : « J'ai écrit de suite à un de mes grands amis français. Ce qui a fait aussitôt surgir un caporal allemand parlant parfaitement le français, puis un capitaine. Ils se sont retirés après avoir posé un oukaze que j'ai fait mettre près de la loge du 10, interdisant à toute autre formation d'aborder l'hôtel. J'ai remercié le général par une lettre que lui a remis le capitaine, ce qui m'a valu la visite, deux jours après, du comte von Arnim pour s'assurer de l'exécution rigoureuse de l'oukase. »

Cet obligeant visiteur, le lieutenant comte Dankvart von Arnim, n'est autre que l'aide de camp du général Dietrich von Choltitz, commandant du *Gross-Paris*. Élisabeth ne se doute pas qu'il va contribuer, très exactement deux mois plus tard, à un sauvetage autrement plus capital, en épargnant à Paris la destruction commandée par Hitler. C'est lui qui, en effet, servira d'intermédiaire dans les négociations entre le général allemand et le consul de Suède.

La menace écartée, on a fait remonter de la cave le mobilier signé Jacob, recouvert des précieuses soieries de Philippe de Lasalle, et les fauteuils en tapisseries de Beauvais aux Fables de La Fontaine dessinées par Oudry, qu'avait tant admirés autrefois Marcel Proust.

« Ici nous avons vécu le miracle !... "L'îlot d'Astorg" a été le dernier libéré. Après quelques jours de siège et d'une fusillade de part et d'autre, tout est rentré dans l'ordre. L'arrivée du général de Gaulle, des armées alliées et plus récemment de M. Churchill par les Champs-Élysées a été triomphale. Paris est comme toujours magnifique et a recouvré son calme et son activité. La vie reprend, le métro remarche ainsi que l'électricité et le gaz. En ce qui me concerne, j'ai passé cette pénible période dans le plus grand calme, étant persuadée que rien de fâcheux ne surviendrait rue d'Astorg. Je n'ai pas besoin de vous dire que j'ai retrouvé tous mes amis anglais et américains avec grand plaisir et qu'ils reviennent peu à peu. L'ambassadeur Duff Cooper a beaucoup d'esprit et sa femme, la jolie Diana Manners est toujours ravissante. »

125

La réputation de la comtesse Greffulhe est encore vivace, car elle est parvenue, semble-t-il, jusqu'aux oreilles des jeunes générations de la Résistance : quelques jours après la Libération, les FFI du quartier envoient une délégation rue d'Astorg pour lui demander d'être leur présidente d'honneur. « C'est irrésistible », raconte Élisabeth à Ghislaine. « Je leur ai répondu que je faisais partie d'une organisation qui ne pouvait accepter aucun titre. » Mais deux mois plus tard, avec l'épuration, l'ivresse est retombée : c'est le dégoût qui surnage devant les scènes avilissantes auxquelles, comme tous les Parisiens, elle a assisté – les femmes tondues en public par des « résistants » de la dernière heure : « Dans la haine démasquée, suivie de désir de vengeance, l'envie, le piège, la dénonciation, l'ignoble, osent enfin s'étaler au grand jour... Oh ! L'affreuse humanité ! On ne peut la supporter quand elle jette son masque hideux [...]. Voilà ce qui a contrebalancé la joie immense que la libération aurait pu produire, suivie d'une certitude de stabilité instaurée. »

Être dans le bon camp paraît si simple, *a posteriori*... Mais beaucoup moins évident quand on est emporté dans le courant de l'Histoire. On peut se tromper en toute honnêteté, Élisabeth le sait bien : son admiration pour le Pétain de la Grande Guerre et sa hantise du bolchevisme avaient quelque peu brouillé, au tout début du conflit, son habituelle clairvoyance. Le tout est de savoir reconnaître ses erreurs : lorsqu'elle relit en 1944 les notes qu'elle avait prises à cette époque, elle écrit rageusement au crayon bleu : « Voilà ce qu'on croyait, les événements ont montré qu'on se trompait. Voilà ce que c'est que de juger sans savoir le vrai fond des choses. »

La guerre est finie... Et le monde qui lui succède est encore plus étranger pour la comtesse Greffulhe, qui écrit dans son journal intime, en février 1946 : « La révolution des faits en tous genres a pour principal résultat celui de me replier sur moi-même. Il me semble obligatoire de s'armer contre les dangers comme si on se préparait à une expédition contre une bête menaçante. Je me rends compte de la révolution matérielle créée par le "coche" qui s'est changé en "avion" et par celle qui a changé nos millions en papiers invalables. »

Une volonté inexpugnable

À ce sentiment croissant d'isolement se superposent les tracas d'une guerre intestine. Car Henry mort intestat, c'est Elaine son unique héritière. L'épouse n'a droit qu'aux rentes prévues dans son contrat de mariage : une « rente de survie » de 50 000 francs, et une rente viagère de 150 000 francs. Tout le reste, y compris les hôtels des 8 et 10 rue d'Astorg, est la propriété de sa fille, qui, en principe, peut en disposer comme elle l'entend. Rien, cependant, ne peut décider la vieille comtesse à abandonner sa forteresse. Les feux de la rampe se sont éteints, mais l'actrice refuse obstinément de quitter la scène où elle a remporté tant de succès – sans se soucier des frais colossaux auxquels sa fille et son gendre doivent désormais faire face. Il s'agit d'entretenir, pour une seule occupante, les centaines de mètres carrés d'un bâtiment qui commence à se dégrader sérieusement. Les héritiers doivent acquitter, outre les frais de Bois-Boudran, les impôts locaux – 23 000 francs pour la seule rue d'Astorg –, les assurances, et les gages du personnel, même « réduit » : les deux concierges, le maître d'hôtel Victor, le secrétaire M. Salch, la femme de chambre, la cuisinière, le chauffeur… Un petit monde qu'il faut aussi nourrir et chauffer, ce qui n'est pas une mince affaire en cette période de restrictions. Le duc et la duchesse de Gramont renâclent, parfois un peu sèchement : « La caisse est vide. D'ailleurs la maison de la rue d'Astorg ne sera peut-être plus qu'un amas de pierres avant six mois d'ici, il est donc inutile d'y faire des frais. Il faut que ces plaisanteries finissent. » C'est en vain qu'ils essaient de convaincre leur mère de prendre un parti plus raisonnable : Élisabeth, qui a pourtant toute sa vie prêché à son fastueux époux la lutte contre le gaspillage, ne veut rien entendre. Pour elle, ce mode de vie anachronique est une simple question de survie. Bien peu de chose, en somme, au regard du train de vie de la

...ne Époque, et même de l'effectif « réduit » des 55 employés – une centaine de personnes avec les femmes et les enfants – qui peuplaient encore les deux maisons après la première guerre.

Recluse dans sa tranchée, la mère défend fermement ses positions face à sa fille. Elle ne s'est jamais reconnue dans cette enfant si différente d'elle, cette jeune fille raisonnable et un peu terne, en qui coule le sang prosaïque des Greffulhe. Elaine est devenue une matrone consciencieuse, une dame d'œuvre qui lui rappelle sa belle-mère. Tout cela joint aux non-dits, aux vieilles rancœurs inavouées, à l'âge qui accuse les angles, ne contribue pas à l'harmonie : depuis la mort d'Henry, puis le procès, les relations familiales n'ont cessé de s'envenimer. Élisabeth s'est sentie flouée, mise en tutelle ; elle ne supporte pas de ne pas être totalement maîtresse chez elle. Les échanges de correspondance portent souvent sur de triviales questions de pension qu'elle estime insuffisante, de tableaux qu'elle voudrait récupérer pour les vendre. Mais l'argent n'est que la petite monnaie de l'amour : sous ces fausses querelles, il y a toujours des sentiments que l'on n'a pas exprimés, des rancunes que l'on a enfouies, des silences qu'on a laissés s'installer.

Tandis que sa fille et son gendre alignent en soupirant les comptes fantastiques des charges, réparations, impôts et salaires, elle résiste. C'est à la vie qu'elle s'accroche, en se cramponnant à cette dernière parcelle de pouvoir. « Dans le rêve si court de la longue existence, il ne faut pas remâcher ce qui ne nous a pas été donné. Mais il faut prendre ce qui nous appartient », écrivait-elle à Roffredo, quarante ans plus tôt.

Un témoignage de l'Américaine Mina Curtiss nous dépeint un portrait saisissant de la comtesse Greffulhe rue d'Astorg, dans ces dernières années de sa vie. Traductrice de la correspondance de Proust, l'auteur rêvait de rencontrer le modèle des Guermantes. Aussi est-ce avec une intense curiosité qu'elle répond à l'invitation d'Élisabeth à lui rendre visite, en 1949. À sa grande surprise, les célèbres salons ne sont plus qu'un décor vide :

> « Au fur et à mesure que nous progressions à travers ces immenses salons à colonnades, le rêve tournait au cauchemar. Ils

étaient totalement nus. Pas un seul meuble pour réchauffer la pâle froideur du marbre. Plus rien ne demeurait du décor d'autrefois, à l'exception des plafonds peints – un ciel bleu ponctué de nuages blancs, comme les plafonds des salles à manger du Ritz à Paris et à Londres. Après avoir traversé trois ou quatre de ces salons fantômes, nous parvînmes dans une pièce plus petite – octogonale ou ronde, autant que je me souvienne, vaguement meublée d'une très grande table ronde, de quelques fauteuils et, sur un chevalet, d'un portrait représentant l'abbé Mugnier de trois quarts, dont nous fûmes informées qu'il avait été peint par la comtesse elle-même. »

Un petit ascenseur grinçant mène la visiteuse sur un palier chichement éclairé. On l'introduit dans une pièce minuscule, meublée d'un petit poêle en fonte et d'une petite table. La comtesse Greffulhe est nichée dans une chaise longue, soutenue par de nombreux coussins. Son corps frêle est drapé dans une exquise courtepointe de satin blanc ; elle porte une flamboyante écharpe de soie ; ses mains gantées de coton blanc dévoileront, au moment des adieux, un énorme cabochon d'émeraude. Mais ces reliquats d'une splendeur passée forment un contraste violent avec son affreux chandail de laine verte – « comme en portent les concierges ». Sous les cheveux, devenus d'un blond roussâtre, sous la peau parcheminée, on devine l'ossature admirable du visage. Mais ce qui frappe le plus notre mémorialiste, ce sont les yeux fameux, « pareils aux pétales brun sombre d'une très rare espèce de pensée. Leur beauté, leur profondeur me laissèrent sans voix. Mais il m'apparut très vite que la puissance de sa volonté était supérieure à la résistance de son corps, et que je ne devais pas tarder à en venir au fait ». Après un petit somme de quelques minutes, d'où la vieille dame a émergé « cohérente et pleine de vie », la conversation roule sur Marcel Proust. « Je ne l'aimais pas », affirme Élisabeth sans ambages.

L'œil d'une femme, américaine de surcroît, est plus cruel – mais aussi sans doute plus réaliste – que celui des vieux admirateurs de la comtesse Greffulhe, qui la décrivent, en son grand âge, « d'une exceptionnelle et persuasive beauté de jeune femme ».

Dernière survivante d'un monde englouti

26 août 1951. Élisabeth a eu quatre-vingt-onze ans un mois plus tôt. Elle n'a plus qu'un an à vivre, à peine. Comment pourrait-elle l'imaginer ? Elle se croit éternelle. Certes, la machine corporelle ne répond plus aussi bien qu'autrefois ; elle se sent parfois les jambes lourdes, ou faibles à ne pouvoir la porter. Elle continue cependant à faire des projets, à vivre dans l'espoir du lendemain, à essayer désespérément de se relier aux autres. Les vrais amis sont tous morts, ou presque. Elle est la dernière survivante d'un monde englouti. De tous ceux qu'elle a aimés ou qui l'ont aimée, en dehors de sa fille et de ses sœurs, il ne reste guère que Roffredo, si lointain, reclus en Italie dans sa propriété de Ninfa, mais avec qui elle correspond régulièrement, et qu'elle a revu récemment.

On vient la visiter comme un monument historique, comme un phénomène aussi, car, « dans son automne et son extrême automne, elle est restée belle ». Des chapitres entiers à sa gloire figurent dans les chroniques de ceux qui ont eu le bonheur de l'approcher. Mais la brume commence à monter dans ses souvenirs. Sa mémoire est défaillante, ses pensées deviennent confuses, comme les sons qu'elle entend, car elle est un peu sourde. Elle se sent si seule à présent, elle qui était plus entourée qu'une reine. Si fragile aussi, si vulnérable, elle qui réussissait tout ce qu'elle entreprenait, elle qui tenait dans ses mains « les foudres de Jupiter ». Elle est comme une forme sans ombre.

> « *I am benign in my own company*
> *A shape without a shade, or almost none,*
> *I hum in pure vibration, like a saw…*
> *I live in air ; the long light is my home*[6]… »

Ce poème, *Méditation d'une vieille femme*, pourrait être dédié à la comtesse Greffulhe. Mais la vie, toujours ironique, a voulu qu'il soit, quelques années plus tard, écrit pour une autre qui lui ressemble, Marguerite Caetani, l'épouse de Roffredo.

Autour d'elle, la rumeur du monde s'est à la fois amplifiée et assourdie. Mais elle ne la comprend plus. Elle qui aimait tant à analyser les rouages, tirer les ficelles, a aujourd'hui le sentiment de rester sur le seuil de la vie, d'être étrangère à ce qui l'entoure. Étrangère, comme elle l'est dans sa propre maison, dans le désert des salons vidés de leurs collections, qui forment comme une banquise autour des petites pièces où elle s'est retirée. Elle y vit désormais presque recluse, comme dans un vaste mausolée où elle serait ensevelie vivante. « Elle n'avait jamais voulu quitter l'immense hôtel de la rue d'Astorg, raconte André Maurois, venu lui rendre visite un hiver, et comme il eût été ruineux, en 1950, de chauffer trente chambres et salons, elle vivait dans un petit boudoir, assise dans une bergère près d'un poêle à bois entourée des portraits de sa jeunesse. Le maître d'hôtel octogénaire qui apportait le thé était en pardessus, col relevé, car il avait dû traverser la banquise des salons. [...] Nous passâmes, dans un froid glacial, sur le front de cent fauteuils vêtus de housses. Elle marchait d'un pas ferme, qui est resté celui d'une vraie reine et son rire résonnait comme celui du carillon de Bruges. Quand elle fut près du beau marbre, elle se plaça, non sans coquetterie, près de lui. Les profils coïncidaient. »

Déjà, elle appartient à l'armée des ombres. Seule, dans l'immense vaisseau de la rue d'Astorg qui, lentement, s'enfonce, elle refuse de croire que la mer va l'engloutir. Seule ? Ou plutôt escortée d'une invitée de la dernière heure, qui ne la lâche pas : l'angoisse. Du vivant d'Henry, le tourmenteur était bien identifié, débordant d'énergie, presque amical à force d'être familier. Elle avait appris à le connaître et savait plus ou moins comment s'en protéger. Mais comment se défendre contre cette présence sans visage, cette ombre froide, cette main qui vous étreint la gorge et le plexus ? Les vers de Baudelaire, qu'elle aimait tant dans sa jeunesse, lui reviennent peut-être en mémoire :

« Ange plein de gaieté, connaissez-vous l'angoisse,
La honte, les remords, les sanglots, les ennuis,
Et les vagues terreurs de ces affreuses nuits

Qui compriment le cœur comme un papier qu'on froisse ?
Ange plein de gaieté, connaissez-vous l'angoisse ? »

« Est-ce que je pourrais pour les quelques mois qui me restent à vivre cesser de les vivre dans l'angoisse ? » Ce sont les derniers mots tracés au crayon dans un minuscule petit carnet portant la mention « Élisabeth Greffulhe, 51 ». Tout au long de cette dernière année, elle va chercher du réconfort auprès de ceux qu'elle appelle des « mages ». On ignore l'identité du voyant ou de la voyante qu'elle consulte régulièrement, quasiment chaque semaine, entre l'été 51 et l'été 52. Mais on connaît les questions qu'elle lui pose, et ses réponses : elle a tout noté de sa main, au crayon, d'une grande écriture très ferme, dans un grand cahier vert. Ce document émouvant nous montre une femme qui refuse de se résigner, qui veut continuer à se projeter dans l'avenir, à créer, à organiser, comme elle l'a toujours fait, comme si elle avait toujours vingt ans. Elle s'accroche à de mirifiques projets : créer un prix Nobel français, avec le concours du roi de Suède ; obtenir la Légion d'honneur pour l'un de ses protégés ; publier les poèmes d'Henry ; éditer une revue, etc. On ne devient vieux, dit-on, que lorsque les rêves ont fait place aux regrets. La comtesse Greffulhe n'a jamais renoncé à ses rêves. Le « mage » lui tient des propos de bon sens, lui donne des conseils pour sa santé, tente de la rassurer, tout en restant évasif : « Les choses doivent s'arranger. Tout va s'arranger. Le principal, c'est ton équilibre… calme, du calme cela te fait du bien… Tu auras le dessus sur tout par ton calme principalement… Tu seras contente. »

De tous ses projets, celui qui l'obsède le plus est de publier ses Mémoires, et de les vendre très cher, pour assurer son indépendance financière – et surtout, remporter une dernière victoire. Alors, elle pourrait s'en aller en paix. On le lui a souvent suggéré ; elle a été approchée par des revues françaises et américaines comme *Vogue*, *Paris-Match*, *Life*, et par des éditeurs comme Léa François, qui a publié et préfacé, quelques années plus tôt, un choix de textes de Proust. Le voyant l'encourage, lui faisant miroiter la fortune et la gloire : « Il y a des choses magnifiques, il faut aussi que tu écrives, cela sera très intéressant... Tu auras beaucoup de joies dans tes écrits. Il y a beaucoup de choses qu'on saura par toi. Ces choses seront lues dans le monde entier... Événement heureux au loin. Travail important. Fortune, fortune, fortune !... Il faut une marque de toi. Toi-même. Mettre tes papiers sous une garde. Tu toucheras à la racine de tout... On parlera beaucoup de toi et il le faut. Il le faut. Il le faut... L'étranger peut aider beaucoup. »

Elle qui a fait tant de choses, fréquenté tous ceux qui ont compté à son époque, connu tant de secrets, aidé tant de gens, organisé tant de spectacles et de fêtes que tous disaient inoubliables. Elle qui a fait couler tant d'encre, suscité tant de poèmes, d'éloges, de litanies d'amour ; elle, l'Unique, la Souveraine, comment pourrait-elle se résigner à quitter cette terre sans y laisser sa marque ? Mais il est trop tard. Elle n'a plus la force de soulever le poids de cette vie si longue et si riche, de plonger dans les tréfonds de ses souvenirs. Un voile noir obscurcit sa mémoire. Tout se brouille dans son esprit.

À la recherche de son passé, elle a bien commencé à fouiller dans ses archives monumentales et à réunir quelques documents dans un dossier sur lequel son secrétaire a écrit avec révérence « Mémoires de Madame la Comtesse ». Elle a cherché à se faire aider, comme en témoigne une maigre – et respectueuse – « étude schématique », rédigée par un postulant anonyme à ce rôle de nègre littéraire : « Deux parties d'inégale longueur devraient composer ce livre : la première serait une sorte de préface très longue qui constituerait la part consacrée à la vie de la comtesse. J'ajoute que pour donner à l'ouvrage tout son relief et son intérêt immédiat autant que dans l'Histoire, la publication de photographies et de lettres serait extrêmement souhaitable. » Mais la tâche est impossible : personne, de son vivant, ne peut édifier la statue qu'elle rêve de léguer à la postérité. La « plume » pressentie en est bien consciente, qui conclut ainsi sa note : « Un livre sur la couverture duquel apparaîtrait le nom de Madame la comtesse Greffulhe doit être de tout premier ordre, ou ne pas être du tout »...

L'été s'avance. Sur les conseils conjoints de son médecin, le Dr Krafft, qui la pousse à changer d'air, elle se décide enfin à partir pour la Suisse. « Tu auras quelque chose en Suisse qui te fera beaucoup de bien pour ta santé. » Ce conseil du « mage », daté du 29 juin 1952, est la dernière phrase transcrite sur le cahier vert. Il le fallait, pour que s'accomplisse son destin : c'est là, au bord du lac Léman, qu'elle a son ultime rendez-vous, le 21 août 1952.

Sa mort déclenchera une salve d'hommages posthumes, publiés dans les revues ou demeurés dans le secret de la correspondance : « Elle est morte avec soudaineté, sans souffrir, cessant d'appartenir au monde des vivants comme une artiste qui, ayant tenu la scène durant plus de quatre-vingt-dix années, et n'ayant plus un geste à faire, ni un mot à dire, s'efface et rejoint les ombres invisibles qui l'attendaient derrière le théâtre », écrit le chroniqueur Gérard Bauer, un fervent proustien qui utilisait depuis 1935 le pseudonyme de Guermantes pour signer dans *Le Figaro* son « billet » quotidien.

Vingt ans plus tard, le romancier André David évoque encore son « ombre proustienne » dans *La Revue des Deux Mondes* :

« La dernière image que je retiens de la comtesse Greffulhe est à une garden-party chez les Rothschild qui, eux-mêmes ne possèdent plus cette demeure. Sur la pelouse de l'avenue de Marigny, je la revois très droite sous son chapeau à plumes d'autruche, le cou enroulé dans un voile de tulle, mode de sa jeunesse qu'elle avait adoptée une fois pour toutes, anachronique comme la Grande Mademoiselle ou Sarah Bernhardt mais immortelle comme ces princesses de légende. Elle s'appuyait au bras d'un chevalier servant et demandait à celui-ci de noter sur les pages d'un carnet qu'elle tenait à la main les noms de toutes les personnes qui venaient la saluer afin de relire la liste lorsqu'elle serait chez elle et de penser, me dit-elle, à tout ce que ces noms pourraient lui rappeler. Ses yeux noirs n'avaient pas perdu leur éclat. Plusieurs jeunes hommes et jeunes femmes me prièrent de les nommer à l'héroïne de Proust. Ils ne l'oublieront jamais, j'en suis sûr. Elle avait quatre-vingt-onze ans et devait disparaître quelques semaines plus tard. »

Dans une lettre de condoléances à Ghislaine, une épistolière émue – peut-être une ancienne domestique de la rue d'Astorg – se souvient de ses apparitions, en ajoutant une précision cocasse : « Je la revois toujours avec son grand chapeau et ses gants, entrant dans son salon comme si elle s'envolait... Songez, Madame, que je l'ai vue *une fois* sans chapeau et sans gants, le *3 août 1914.* »

« L'enthousiasme est supérieur à toute connaissance » : Élisabeth avait noté et conservé dans ses archives cette citation du philosophe grec Proclus. Quelques années plus tôt, le jour où il avait fêté son quatre-vingt-sixième anniversaire, son confident l'abbé Mugnier, déjà presque aveugle, avait tracé d'une main tremblante les derniers mots de son *Journal* : « L'enthousiasme a été le meilleur de ma vie. »

Quelle plus belle épitaphe pourrait-on trouver pour la comtesse Greffulhe ?

II

PIONNIÈRE ET CRÉATRICE

« Ceux qui viendront après nous et qui n'auront
pas souffert nous envieront ce drame intense
et multiple, le cinéma qui est notre vie.
Ils ne verront que l'amusement. »

Lettre de l'abbé Mugnier
à la comtesse Greffulhe, 22 septembre 1926.

1

TOUT POUR LA MUSIQUE

Sous la IIIe République, on ne connaît pas l'État-providence : en l'absence de véritables dispositifs publics, le soutien aux artistes, aux scientifiques et aux déshérités dépend largement de l'action des mécènes… aux premiers rangs desquels, dans tous ces domaines, on trouve la comtesse Greffulhe. Avec une originalité de taille : comme elle ne dispose d'aucune fortune personnelle, elle ne peut pas leur apporter de financement direct – si ce n'est en engageant musiciens et comédiens pour se produire à ses fêtes, ou en faisant acheter des tableaux par son mari. Elle doit donc faire preuve d'imagination, et mobiliser l'argent des autres. Plus qu'une mécène *stricto sensu*, elle se fait bénévolement impresario, agent artistique, leveuse de fonds, attachée de presse et de relations publiques – bien avant que ces métiers ne soient répertoriés. Entretenant des relations étroites avec les journalistes, elle leur envoie des fiches documentées sur ses spectacles, appliquant ainsi, avant l'heure, le principe moderne du communiqué de presse.

En cette fin de XIXe siècle, toutes les jeunes filles de la bonne société taquinent plus ou moins le piano. Une fois mariées, avoir une loge à l'Opéra – ou, du moins, paraître dans celles de leurs amies – est un élément incontournable du ministère mondain. Mais chez Élisabeth Greffulhe, la passion de la musique va bien au-delà de ce vernis superficiel : il est inscrit dans les gènes de sa famille paternelle et maternelle. Pianiste hors pair, Marie de Montesquiou lui a communiqué, outre la technique, un amour profond de la musique, qui s'est transformé en un véritable culte à la mémoire de cette mère chérie trop tôt disparue : « Le seul grand et véritable amour de ma vie a été l'harmonie, la musique. Je n'ai jamais aimé qu'à travers elle que j'ai cherchée à travers les épreuves matérialisées. Je n'ai jamais aimé d'elles que ce qui me rappelait Elle. Et je n'ai pris d'elles que ce qui lui ressemblait. Tel un amoureux traverse l'existence avec une image adorée au souvenir de laquelle les circonstances le forcent à sembler se parjurer, mais c'est toujours elle qu'il cherche. »

Si son instrument est le piano, elle possède également l'un des plus célèbres et des plus beaux violons de Stradivarius, orné sur les côtés d'une marqueterie aux motifs de fleurs, raisins et animaux symbolisant la vie éternelle et les promesses du paradis. Cette pièce rare, elle en a peut-être hérité de sa famille paternelle : son grand-père, le « Grand Prince », avait en effet constitué une exceptionnelle collection de violons anciens, qu'il avait prêtés pour l'Exposition universelle de 1878[1].

Pour Élisabeth, de tous les arts, la musique « représente le mieux "l'immédiat" du sentiment ou de la sensation que toute autre manifestation à la portée de nos moyens si réduits ». Toute sa vie, elle aura le sentiment d'appartenir à ce « bataillon sacré » qui, estime-t-elle, « est bien plus international que la "société des nations" puisqu'il crée de suite entre ses membres une solidarité et une compréhension à première vue, plus solide que des liens factices ne reposant sur rien ».

À l'avant-garde des tendances musicales

La création de la Société des grandes auditions musicales de France, en 1890, va lui permettre d'élever cet héritage sacré au rang de sacerdoce. Cette organisation n'a rien d'une association pour dames du monde désœuvrées : Élisabeth et ses amis ont mis en place une structure impressionnante, qui assure à la fois le sérieux de la direction artistique, de l'administration et du financement. Outre son président Charles Gounod, le « comité d'honneur » comporte des noms prestigieux, parmi lesquels Jules Massenet et Léo Delibes, membres de l'Académie des beaux-arts, Ambroise Thomas, directeur du Conservatoire, ou madame Carvalho, artiste lyrique et épouse du directeur de l'Opéra-Comique. À ces musiciens reconnus est adjoint un comité artistique qui regroupe les étoiles montantes de la musique : Gabriel Fauré, qui a participé au projet dès son origine, Vincent d'Indy, César Franck, Ernest Chausson, Emmanuel Chabrier, André Messager ; le chef d'orchestre Camille Chevillard, gendre de Lamoureux ; Charles Vidor, l'organiste de Saint-Sulpice. Le comité d'administration est composé d'amis proches de la comtesse Greffulhe, qui joignent à l'amour de la musique une position éminente dans le monde et une surface financière imposante : le banquier François Hottinguer, trésorier, le prince de Sagan, le grand collectionneur Charles Ephrussi, propriétaire de la *Gazette des beaux-arts* – qui fournit obligeamment un bureau dans ses locaux du 8 rue Favart – et, bien sûr, le prince Edmond de Polignac, qui épousera en 1893 la richissime Winaretta Singer, mécène de tous les jeunes musiciens français. Le financement est assuré par les cotisations des adhérents. Les membres fondateurs s'acquittent de 1 000 francs, ou s'engagent à donner cent francs par an, ce qui leur donne droit à deux places pour la Générale et la Première de chaque représentation. Pour vingt-cinq francs par an, les membres souscripteurs ont droit à une place à chaque Générale. Certains arrondissent généreusement la somme : le président Sadi Carnot donne 3 000 francs ; la comtesse Greffulhe, Winaretta Singer, le baron et la baronne Adolphe de Rothschild, 10 000 francs. La stratégie est efficace : en six mois, Élisabeth parvient à lever 163 000 francs – la moitié de la subvention annuelle accordée par l'État à l'Opéra-Comique, ou 20 % de celle de l'Opéra.

L'organisme est placé sous le signe du « patriotisme artistique » en poursuivant deux objectifs : « donner de grandes auditions d'œuvres musicales complètes d'auteurs anciens ou contemporains », mais aussi « constituer un centre pour les compositeurs français, afin d'assurer à notre pays la primeur de leurs œuvres, trop souvent réservées à l'étranger ». Pour se faire connaître, l'association dispose de relais efficaces, en la personne du dévoué Gaston Calmette, au *Figaro*, et d'une brochette de « dames patronnesses » chargées du bouche à oreille. Afin de garder toute leur liberté de manœuvre, les Grandes auditions ont été créées indépendamment des sociétés musicales existantes – la Société nationale de musique, dédiée exclusivement à la musique française moderne, la Société des Concerts du Conservatoire, qui privilégie la musique classique, les Concerts Colonne ou les Concerts Pasdeloup. Pas de salle attitrée : les représentations auront lieu, selon les saisons, au Châtelet, à l'Opéra-Comique, au théâtre du Château-d'Eau, au Trocadéro ou à l'Opéra.

Après le succès des deux premiers spectacles, *Béatrice et Bénédict* et *Les Troyens* de Berlioz, les suivants connaissent, hélas, un succès plus mitigé : *Israël en Égypte* de Haendel en 1892, puis surtout *Les Deux Avares* de Grétry et *Le Déserteur* de Monsigny, montés ensemble à l'Opéra-Comique l'année suivante, sont accueillis plutôt fraîchement par le public et la critique. Ce dernier programme suscitera une charge en règle dans *La Vie parisienne*, sous la forme humoristique d'un simulacre de jugement condamnant la Société des grandes auditions à prendre désormais le nom de « Société des lapins musicaux, et tous les membres de ladite Société à assister tous les jeudis, durant toute la saison, à la représentation des *Deux Avares* et du *Déserteur* ».

La Société des grandes auditions, par son caractère mondain et très médiatique, s'était fait quelques ennemis dans le monde musical. Elle devait trouver un nouveau souffle : en réalité, cette programmation n'était qu'un « hors-d'œuvre », proposé en attendant de pouvoir réaliser le grand projet que la comtesse Greffulhe mûrissait depuis deux ans : faire découvrir Wagner au public parisien.

Croisade wagnérienne

Dans sa jeunesse, Élisabeth n'a fait qu'effleurer l'œuvre de Wagner, que son père l'avait emmenée entendre à Bruxelles, bien qu'il ne l'aimât guère, et dont les trop rares représentations à Paris déclenchaient systématiquement des cabales et des manifestations violentes dans le public. Initiée par Fauré, elle a été profondément touchée en l'entendant diriger *Siegfried Idyll*. Encouragée par Robert de Montesquiou, autre wagnérien convaincu, elle s'est rendue pour la première fois au festival de Bayreuth en juillet 1891. Son « passage lumineux » s'y est fait remarquer par l'excentricité de ses costumes, qui ont « tué ceux du Sâr Péladan » – le célèbre occultiste, fervent apôtre de Wagner et correspondant assidu de la comtesse[2].

La révélation de *Parsifal* a été totale, quasiment physique : « Je reviens transportée de Bayreuth [...]. Ma Foi s'éveille, se révèle. L'amour déroule ses phases successives au grand jour. Chaque nerf est touché l'un après l'autre, jusqu'au moment où tous à la fois vibrent en plénitude. La douleur y est développée, diluée, le cri y est poussé dans tout son déchirement. »

Conquise par ce qu'elle nomme « cette immense fête des nerfs », Élisabeth a tenté de coopérer avec l'Opéra, qui a bien monté *Lohengrin* en octobre, mais sans son concours. Puis elle a projeté de monter *Tristan et Yseult* en 1893, sans pouvoir réunir les 75 000 francs nécessaires. Elle devra attendre six ans pour atteindre son but. Créé en 1899 au Nouveau Théâtre, en coopération avec les Concerts Lamoureux, sous la direction de Chevillard, *Tristan* est un triomphe : dans la salle comble, 900 spectateurs en délire saluent d'une *standing ovation* la mort des amants maudits.

La croisade wagnérienne se poursuivra avec *Le Crépuscule des dieux*, chanté par Litvinne dans le rôle de Brünnhilde et par les meilleurs artistes de Bayreuth, en mai et juin 1902 au théâtre du Château-d'Eau[3]. Nouveau prodige : le jour de la Première, dans ce quartier populaire de la République, la comtesse Greffulhe parvient à attirer le gratin en grande toilette, mais surtout... le tsar de Russie Nicolas II, qui honore sa loge de son impériale présence. « Vous avez fait une sorte de miracle à force de persévérance, en wagnérisant les Parisiens. Et, comme vous dites, vous leur avez fourni une nouvelle raison de s'admirer eux-mêmes, en admirant Wagner [...]. La présence du tsar, dans votre loge, a été un événement. Il avait l'air d'un échappé des contes fantastiques d'Hoffman », lui écrira, à cette occasion, le critique littéraire Jean Bourdeau.

Pour mener à bien cette entreprise, dont le budget se chiffre en dizaines de milliers de francs, les dons annuels des membres ne suffisaient plus : ceux-ci ont donc été appelés à souscrire des parts de 500 francs pour participer à « un fonds de garantie qui associe les actionnaires au bénéfice et aux pertes en faveur de l'amour de l'Art ». Pari tenu, grâce aux généreux mécènes, comme la baronne de Rothschild : la comtesse Greffulhe s'est transformée en *fund raiser* et organisatrice de grands spectacles. Pire encore, elle fait parler d'elle dans les journaux, transgressant ainsi toutes les règles en vigueur dans son milieu.

Ces succès ne font pas que des heureux dans les salons parisiens, et les détracteurs de l'entreprenante comtesse épanchent leur bile dans leurs journaux intimes. Alfred de Gramont note ainsi : « L'hystérie du snobisme. La comtesse Greffulhe a organisé au théâtre du Château-d'Eau des représentations d'un opéra de Wagner intitulé *Le Crépuscule des dieux*. Cela commence à 7 heures et demie et finit à 1 heure et demie ; on ne peut entrer et sortir que pendant les entractes ; pendant qu'on joue, la salle reste dans l'obscurité. La pièce est tellement ennuyeuse qu'on l'appelle "Le Greffuscule odieux". »

Mélomane plus avertie, sans doute, mais effroyable cancanière, Marguerite de Saint-Marceaux – l'un des modèles de madame Verdurin et de la jeune marquise de Cambremer dans la *Recherche*[4] – hait la comtesse Greffulhe, doublement coupable à ses yeux de lui faire de l'ombre sur le terrain du mécénat et d'être dreyfusarde. Aussi ne se prive-t-elle pas d'éreinter le *Crépuscule* dans son *Journal* : « Toute cette représentation est médiocre et inutile après vingt-cinq ans d'attente. Mais la mode y est, le monde vient, s'ennuie et revient. Mme Greffulhe a donné le mot d'ordre. Cette femme est une oie ! »

Dans le concert de louanges de la critique musicale, certaines notes peu amènes se font également entendre : « Un jour viendra, qui n'est peut-être pas très éloigné, où le public se révoltera contre la tyrannie des snobs et demandera autre chose que des hurlements. » Snobisme : le mot est lâché. Ce que bien des gens ne pardonnent pas à la présidente des Grandes auditions, c'est de jouer de ses relations les plus huppées et les plus fortunées pour faire réussir ce qui lui tient à cœur. Sans doute, beaucoup lui ont emboîté le pas par simple snobisme ; mais la fin justifie les moyens : c'est un public immense qui, grâce à elle, a découvert Wagner. Sans doute, elle joue un rôle, et elle n'est pas insensible à la pluie d'éloges qu'elle suscite. Mais elle sait bien, elle, que c'est à la musique qu'elle doit ses émotions les plus profondes et les plus vraies. Aux premiers accords, quand le rideau s'ouvre et qu'elle disparaît dans l'ombre, « elle écoute en elle et ne sait plus rien ».

Le rêve d'un Bayreuth français

Peu lui importent, donc, ces attaques. Poursuivant sur sa lancée, Élisabeth continue à promouvoir inlassablement les œuvres et les interprètes, en s'associant avec les entrepreneurs de spectacles les plus dynamiques, comme Gabriel Astruc. Avec lui, elle lance ainsi les Saisons italiennes en 1905, puis en 1910 au Châtelet. Elle fait venir les compositeurs les plus célèbres pour diriger leurs œuvres en personne : Mahler pour la *Deuxième symphonie* et Richard Strauss pour la sulfureuse *Salomé*. Cette dernière œuvre lui vaudra un déluge d'articles haineux dans la presse antisémite, qui l'accuse de patronner ainsi « la déliquescence des mœurs »[5]. Peu lui chaut : elle organise un festival Gounod, un festival Berlioz, un festival Beethoven, un festival Grieg ; elle fait découvrir au public français Schönberg, Edward Elgar. Elle crée un concours international de musique pour promouvoir les jeunes compositeurs. Elle exhume Rameau en faisant jouer *Anacréon*, qui n'avait pas été représenté depuis 1754[6]. Elle invite Isadora Duncan, fraîchement débarquée à Paris, à danser pour ses invités rue d'Astorg, et la présente à la princesse de Polignac, qui lancera sa carrière. Elle patronne sur la scène parisienne le Quatuor Capet, si cher à Proust, ainsi que les débuts de Caruso, de Chaliapine et d'Arthur Rubinstein. Dans ses souvenirs de jeunesse, ce dernier raconte comment elle le fit venir à Bois-Boudran en 1904, sur la recommandation d'Astruc, pour l'auditionner en présence de Roffredo Caetani. Après un accueil plutôt froid, le jeune pianiste – il a tout juste dix-sept ans – est invité à « jouer quelque chose » sur un Pleyel désaccordé, et se débrouille pour tapoter la *Polonaise* de Chopin en *la* bémol. Puis, Roffredo lui ayant dit qu'il était un grand admirateur de Wagner, il joue par cœur l'ouverture des *Maîtres chanteurs*. Roffredo, séduit par sa « façon non pianistique d'aborder la musique », commente avec chaleur l'exécution, emportant la conviction d'Élisabeth, qui promet aussitôt au jeune prodige le patronage des Grandes auditions.

Bien sûr, elle se dépense aussi pour faire sortir de l'ombre les musiciens qui sont ses amis, faisant jouer les œuvres de Caetani et de Gabriel Fauré. Ce dernier, dont elle soutient la candidature à l'Institut, n'est pas un ingrat : « Merci d'avoir fait tinter mon nom dans toutes ces vénérables oreilles ! [...] Et moi qui croyais vous aimer autant que je puis aimer ! Et il faut que je vous aime encore davantage ! Je vais sécher !!! »

Partout, toujours, elle ferraille et se bat pour faire partager ses admirations, n'hésitant pas à sermonner les journalistes signataires d'articles trop critiques : « M. Chaliapine est un artiste qui a des dons absolument *supérieurs*, écrit-elle ainsi au *Figaro*. [...] Partout où il paraîtra, il soulèvera l'enthousiasme de la foule, car il produit l'émotion. [...] Une autre fois, avant d'écrire vos 6 dernières lignes, nous causerons d'abord. »

La scène parisienne ne lui suffit pas : Élisabeth rêve d'un cadre plus proche de la nature. Elle le trouvera dans le théâtre antique d'Orange, en participant aux Chorégies en 1905. Au programme : *Les Troyens* de Berlioz, *Mefistofele* de Boito, *Jules César* de Shakespeare, *Œdipe-Roi* de Sophocle. Pour investir ces lieux, Élisabeth a obtenu le concours de la Comédie-Française et de l'Opéra et s'est alliée avec Raoul Gunsbourg, qu'elle connaît de longue date, et qu'elle a aidé à devenir directeur de l'Opéra de Monte-Carlo en 1892 en le recommandant chaudement au tsar Alexandre III de Russie par l'intermédiaire du grand-duc Wladimir[7].

Pour donner corps à ses rêves, elle organise aussi – toujours avec Gunsbourg – de grandes fêtes nocturnes et champêtres, en réussissant invariablement à éviter la pluie *in extremis* : dans l'île du bois de Boulogne en 1902, dans le parc de Versailles en 1908, à Bagatelle en 1909. Seul son projet de fête vénitienne sur le Grand Canal de Louis XIV ne se réalisera jamais – faute de moyens.

Mais la comtesse Greffulhe a toujours un rêve d'avance. Ce rêve, c'est de créer ce qu'elle appelle « un Bayreuth français ». Un lieu mythique où les mélomanes du monde entier viendraient communier dans l'amour de la musique. Une salle où l'orchestre serait caché, souterrain, comme à Bayreuth. Elle a jeté pour cela son dévolu sur l'Opéra de Versailles. En 1871, cette merveille d'architecture a été détachée de l'administration du château pour accueillir en toute hâte l'Assemblée nationale ; depuis 1875, elle est réservée au Sénat. Élisabeth fait montre d'une rare persévérance : dès 1893, elle demande au Bureau du Sénat de lui en accorder la concession, pour faire représenter « des chefs-d'œuvre de l'ancienne musique dramatique française, tels que *Castor et Pollux* de Rameau, *Iphigénie*, *Armide* ». Les choses traînent, mais en 1908, elle revient à la charge ; elle questionne Fauré sur la possibilité de dissimuler la scène, ce qu'il juge impossible ; elle offre même de prendre en charge, via les Grandes auditions, la réfection du théâtre, ce dont la presse se fait écho : « La comtesse Greffulhe a offert de prendre à ses frais la remise en état de cette salle magnifique et ce ne serait pas là une mince dépense. Et l'on attend assez anxieusement, dans le monde des arts, la réponse du Bureau du Sénat qui seule a qualité pour répondre. Le Sénat se rend à Versailles pour examiner la question. »

Pour faire fléchir les sénateurs, elle mobilise toutes ses relations, comme Gustave Le Bon[8], qui lui répond avec son humour habituel :

> « Chère comtesse. Vous les effrayez sûrement car peuvent-ils deviner d'avance les exigences qui sortiront de votre bouillonnante cervelle ? Évidemment, je l'espère du moins, vous respecterez leur

austère vertu, mais quand vous aurez le théâtre, il n'y a que le diable (votre seul véritable ami) qui puisse savoir ce que vous en ferez. Un réceptacle pour sorcières, une usine à vieux décadents, un hospice pour musique franco-germano-tartare ? À leur place vraiment je me méfierais. Les femmes de grand esprit sont toujours un peu toquées (c'est ce qui fait d'ailleurs leur charme). Tâchez de venir vendredi et prévenez-moi. J'espère avoir un sénateur influent mais je le crois inviolable. »

Elle enrôle à sa suite Pierre de Nolhac, le conservateur qui œuvre au sauvetage du château en péril. Antonin Dubost, le président du Sénat, lettré et galant, est tout acquis à l'éblouissante comtesse : mais il faut encore convaincre les questeurs qui disposent de la salle. À l'initiative d'Élisabeth, un grand déjeuner est organisé dans le salon de la Pendule avec toute l'administration du Sénat, le préfet et le maire de Versailles, suivi d'une visite de l'Opéra. Dubost multiplie les prévenances ; chacun s'extasie, approuve, sauf un personnage assez renfrogné, qui semble ruminer des objections : c'est, nous dit Nolhac, qui relate l'épisode dans ses *Mémoires,* « M. Hustin, secrétaire général de la questure, dont je connaissais par expérience l'attachement entêté aux prérogatives de l'Assemblée ».

Le Bon avait deviné juste : le Sénat restera « inviolable ». Toujours en quête d'un nouveau combat, Élisabeth enfourche alors la cause de Gabriel Astruc pour la création d'un « palais philarmonique » moderne et confortable qui manque tant à Paris. Son nom figure sur la liste des comités internationaux de patronage artistique pour le futur Théâtre des Champs-Élysées. Mais d'interminables discussions opposent Astruc au conseil de préfecture de la Seine qui, après lui avoir accordé la concession du terrain avenue Montaigne, remet en cause sa promesse. Vers qui se tourne-t-il alors ? Vers la comtesse Greffulhe, à qui il écrit, en 1908 :

« Ainsi ce travail de cinq années, ces sacrifices matériels formidables que j'ai faits depuis ce temps, tout cela est perdu. Au moment où le capital est souscrit, au moment où j'entre dans le port, tout est perdu. Il faut que vous voyiez M. de Selves, préfet de la Seine, en personne et que vous obteniez aujourd'hui même son concours formel, son appui absolument, envers et contre tout. C'est à ce prix seulement que le théâtre des Champs-Élysées peut être sauvé. »

En l'occurrence, ce concours ne dut pas être suffisant, car le théâtre ne fut inauguré qu'en 1913 ; le projet avait enfin abouti, mais Gabriel Astruc s'était ruiné dans l'affaire.

Si Élisabeth est soutenue par ses nombreux amis, elle ne l'est pas par son mari. Henry assiste, impuissant et furieux, aux innombrables entreprises de son épouse. Il ne décolère pas, jugeant qu'elle déshonore son nom. Orange a mis le feu aux poudres : « Au fond, qu'allez-vous y faire ? Du flambard. Encore et toujours faire parler de vous ! Vous jouez avec le feu, et comme, en tant que femme, vous êtes irresponsable, c'est moi le responsable. Vous vous figurez du prestige et ce n'est que le ridicule. Je ne veux plus voir mon nom dans les journaux, plus ou moins accolé avec des gens de mauvais aloi et de bas étage [...]. Avant d'être entrepreneur d'hôpital ou de musique, n'oubliez pas que vous êtes une femme du monde et que c'est ce public-là, seul, qu'il importe d'écouter ou de ménager. »

Le choc culturel des Ballets russes

Henry n'est pas au bout de ses indignations... Insensible à ses plaidoyers, Élisabeth poursuit son chemin, ouverte à tout ce qui vient d'ailleurs. Grâce à sa rencontre avec Serge de Diaghilev, elle va faire jouer les compositeurs russes inconnus à Paris, et apporter son concours décisif à la création qui, entre toutes, va marquer le début du XXe siècle : les Ballets russes. Là aussi, bizarrement, son nom s'est effacé des mémoires : mais le rôle qu'elle a joué dans cette aventure artistique peut être restitué à travers les documents d'archive.

Nous sommes en 1906. Avec la Triple-Entente, qui rapproche les gouvernements français, anglais et russe, la Russie inspire beaucoup d'intérêt en France. À l'occasion du Salon d'Automne, une exposition d'art russe se tient à Paris au Grand

Palais et rencontre un franc succès. L'organisateur, inconnu du public français, est un élégant jeune Russe de trente-quatre ans à l'œil velouté, dénommé Serge de Diaghilev. Parmi les trois présidents du comité d'organisation figure la comtesse Greffulhe ; le jeune homme ne tardera pas à se lier d'amitié avec elle, ainsi qu'avec Robert de Montesquiou et Jacques-Émile Blanche : « Raffinés, désintéressés, très cultivés, vifs d'esprit ils nous aidèrent à nous implanter solidement à Paris », se souviendra le décorateur Alexandre Benois[9].

C'est par l'intermédiaire de madame de Pourtalès qu'Élisabeth a fait la connaissance de Diaghilev. Reçu rue d'Astorg à sa demande, il ne lui a pas fait forte impression au premier abord : elle a vu en lui « une sorte de jeune snob, ou d'aventurier douteux possédant un don de conversation exceptionnel ». Mais quand il s'est levé pour examiner sa collection de tableaux, avec des commentaires « extraordinairement intéressants », elle a apprécié sa grande culture. Puis il s'est mis au piano, pour jouer des œuvres qu'elle n'avait jamais entendues – elle avait pourtant été la première, dès 1892, à faire découvrir la musique russe aux parisiens, en montant un concert au Trocadéro. « Son jeu était excellent, se souviendra-t-elle plus de trois décennies plus tard, et la musique si nouvelle, si merveilleusement belle, que quand il m'expliqua son intention d'organiser un festival de musique russe, je lui promis immédiatement, sans la moindre hésitation, de faire tout ce qui était en mon pouvoir pour assurer sa réussite. »

En marge de l'exposition, Diaghilev a organisé un premier petit concert russe au Grand Palais, qui a suscité l'enthousiasme. Avec l'appui de la comtesse Greffulhe, il va lancer les Saisons russes qui, chaque année jusqu'à la guerre de 14, vont enchanter et bouleverser Paris. Le 16 avril 1907, *Le Figaro* annonce « un festival de musique russe sous le patronage de la Société des Grandes auditions », avec le soutien du grand-duc Wladimir. L'audacieux Diaghilev propose à l'Opéra cinq concerts « historiques », qui vont ouvrir au public parisien des horizons nouveaux[10]. Au programme : Tchaïkovski, Rimski-Korsakov, Glinka, Borodine, Scriabine, Moussorgski, Rachmaninov et bien d'autres. La première représentation est marquée par un beau scandale : Chaliapine remporte un tel succès dans une scène du *Prince Igor* de Borodine que le chef d'orchestre Arthur Nikisch quitte la fosse furibond, faute de pouvoir enchaîner sur le morceau suivant. « Madame la comtesse Greffulhe a assisté à chaque concert en compagnie de grands-ducs et de grandes-duchesses russes, ce qui donnait beaucoup d'éclat à ces fêtes », commente la presse, qui nous décrit sa « robe de satin blanc souple, recouverte de tulle entièrement pailleté d'or ».

Ce triomphe sera confirmé l'année suivante, avec *Boris Godounov* de Moussorgski, monté à l'Opéra. Toujours dans le comité de patronage en compagnie d'Élisabeth, le grand-duc et la grande-duchesse Wladimir sont venus tout spécialement de Saint-Pétersbourg par le *Nord-Express*. Monté sur scène pour féliciter les artistes après le spectacle, l'altesse leur promet de leur obtenir de son neveu le tsar Nicolas une subvention de 100 000 roubles pour la prochaine saison.

La musique symphonique et l'opéra ont ouvert la voie aux ballets. Tout est en place pour que survienne, l'année suivante, le choc culturel des Ballets russes. Ceux-ci se produisent pour la première fois au théâtre du Châtelet du 18 mai au 18 juin 1909. Au programme : *Le Pavillon d'Armide*, *Cléopâtre*, *Les Sylphides*, *Le Festin*. Jusqu'à la guerre, cette troupe mythique va faire passer sur Paris le grand frisson de la modernité. Finies, les déliquescences fin de siècle ; balayés, les truquages en carton-pâte, les pâles et poussiéreux décors en trompe-l'œil de l'opéra 1900 ; aux orties, la puritaine et noire redingote dont s'affublait encore ce vieux monde usé et affadi. Place à la vie primitive, aux explosions de la couleur, à la violence des rythmes. Les accents sauvages de la musique, les chorégraphies révolution-naires, les bonds prodigieux de Nijinski, qui « s'élève dans les airs et décide de ne pas redescendre », la « beauté absolue » d'Ida Rubinstein, les chatoyants chefs-d'œuvre du génial décorateur et costumier Léon Bakst, venus tout droit de Byzance, renouent avec un monde oublié, un monde vierge, marqué par la joie frénétique de vivre.

« Nous ne sommes pas seulement spectateurs de ces danses, nous y jouons un rôle et c'est pourquoi elles nous bouleversent. Non contents d'assister à leur divine turbulence, nous nous y mêlons, nous confions à leurs rythmes notre cœur qu'ils dévastent », s'enflamme Lucien Daudet, jeune frère de Léon et intime de Marcel Proust. Comment Élisabeth aurait-elle pu rester insensible à cet « art complet », à cette transgression tous azimuts – elle qui a toujours eu des goûts exotiques, elle qui, cinq ans plus tôt, était déjà apparue en idole byzantine sur les marches de la Madeleine ?

Hélas, la mort du grand-duc Wladimir, en février 1909, met fin aux espoirs de subventions impériales ; la troupe des Ballets impériaux, qui a pris son indépendance sous le nom de Ballets russes, vit d'expédients, dans un déficit chronique, et bouche les trous comme elle peut grâce à de riches mécènes – Mme Ephrussi, la princesse Edmond de Polignac, Coco Chanel, Lady Juliet Duff... La comtesse Greffulhe n'a pas de fortune personnelle, mais elle a des idées, et un précieux capital de prestige et de relations, qu'elle met au service des artistes. Dans le milieu musical, tous s'accordent à reconnaître « le magique pouvoir de la présidente des Grandes auditions qui, lorsqu'elle le veut, sait faire jaillir l'or de toutes parts ». Cet apostolat lui vaudra le surnom de « Notre-Dame des Ballets russes », décerné conjointement à l'effervescente et richissime Misia Edwards, future Misia Sert.

Au-delà de son talent pour mobiliser les Crésus, Élisabeth excelle dans l'art de créer des synergies entre les compétences. Elle présente Diaghilev à Gabriel Astruc, qui devient administrateur de ses spectacles à Paris, puis à Raoul Gunsbourg, qui lui ouvre l'Opéra de Monte-Carlo. Elle met Léon Bakst en relation avec un « inventeur des décors lumineux » – sans doute Mariano Fortuny. « Nous travaillons en ce moment à des décors par projection qui devront un jour ou l'autre remplacer l'ancien système », écrit-elle à un ami. Enfin, elle joue à fond le rôle d'« impresario mondain » dans lequel elle est passée maîtresse, soutenant chacune des représentations de sa présence très attendue et y attirant ses innombrables connaissances – dont Proust,

qui assiste dans sa loge à la création des *Sylphides* et de *Cléopâtre*
lors de la première saison des ballets.

La plupart des amis d'Élisabeth et des artistes de l'époque
– Jacques-Émile Blanche, Rodin, Sarah Bernhardt, Cocteau,
Renoir et bien sûr Proust –, se rangent parmi « l'humanité nouvelle, acclamatrice des ballets russes », en qui l'auteur de la
Recherche verra « les grands rénovateurs du goût du théâtre, qui,
dans un art peut-être un peu plus factice que la peinture, firent
une révolution aussi profonde que l'impressionnisme ». Dans
son entourage, cependant, certains fustigent « cette musique de
nègres », comme en témoigne cette lettre affectueusement bourrue de Gustave Le Bon :

> « Chère comtesse,
>
> Pour avoir été voir vos très horribles nègres et pour mon inten-
> tion de vous envoyer la 18ᵉ édition de mon bouquin, vous me
> devez un cadeau. Je le réclame sous la forme de votre photographie
> en dame mal peignée comme hier soir. Étiez ravissante, mais que
> vous avez d'abominables goûts en matière masculine ! Quand vous
> aurez été violée, puis dessinée par un de ces sauvages, vous ne
> l'aurez pas volé ! Bien affectueusement quand même. »

Plus les années passent, et plus les créations sont audacieuses.
Lorsque Nijinski danse *L'Après-midi d'un faune* de Debussy,
même le fidèle Gaston Calmette lui refuse la caution du *Figaro*,
interdisant ses colonnes à Robert Brussel, son chroniqueur habituel : pour lui, c'est un « spectacle pornographique », et Nijinski
figure « un faune incontinent, vil, aux gestes d'une bestialité
érotique et d'une lourde impudeur ». L'année suivante, la création du *Sacre du printemps*, qui inaugure le Théâtre des
Champs-Élysées, provoque un scandale sans précédent. Dans
la salle, sifflets et hurlements couvrent la musique de Stravinsky
au point de troubler la chorégraphie ; assise au premier rang,
la mère de Nijinski, venue tout spécialement de Russie, s'évanouit.
À son tour, la presse se déchaîne contre cette « cacophonie
insupportable ».

Les Ballets russes se produiront dans toute l'Europe – Londres,
Rome, Berlin, Budapest, Vienne –, avant de conquérir l'Amérique

du Sud et les États-Unis, toujours avec le concours actif d'Élisabeth qui les recommande à ses amis outre-Atlantique. L'aventure reprendra avant la fin du conflit avec *Parade*, de Jean Cocteau, se poursuivra pendant les Années folles, et ne finira qu'avec la mort de Diaghilev, en 1929. Ou plutôt, elle ne finira pas, car les Ballets russes auront une profonde influence sur les musiciens français, comme Debussy et Ravel, qui participeront à leurs créations.

Aujourd'hui, Diaghilev a pris rang « parmi les explorateurs qui ont laissé après eux le monde de l'art plus vaste qu'ils ne l'avaient trouvé ». Le soutien que lui apporta, à lui et à tant d'autres, la comtesse Greffulhe, était resté dans l'ombre[11]. Il fallait ici rendre justice à celle que son ami Fauré appelait « Madame ma Fée ».

Les Grandes auditions – qui ne patronnaient plus les Ballets russes depuis 1910 – poursuivirent leurs activités jusqu'à la veille de la guerre, pour faire entendre au public français les œuvres des compositeurs modernes encore inconnus. Les deux derniers concerts, en juin 1913, présentaient des œuvres inédites de Debussy, Dukas, Ravel, Schönberg, Enesco et Bartók. La Société avait agi pendant vingt-quatre ans au service de la musique ; elle comptait encore, à cette date, 780 adhérents.

Méconnu dans son propre pays, le rôle de la comtesse Greffulhe est salué aujourd'hui par des musicologues américains comme James Ross ou Jann Pasler, qui voit en elle « sans doute la plus importante mécène de la musique moderne au tout début du XXᵉ siècle ». « Avec le talent diplomatique hérité de son père, elle a su construire un réseau de coopération et de collaboration. Sans son prestige personnel, ses relations étendues et son art de la diplomatie, la Société des grandes auditions n'aurait jamais duré plus de vingt ans[12]. »

2

LA FÉE DES SCIENCES

Artiste de tempérament, sans aucune formation scientifique, la comtesse Greffulhe manifestait pourtant un intérêt passionné pour les sciences. Rien à voir avec la curiosité d'une mondaine bas-bleu : cet intérêt était plutôt de nature spirituelle, presque mystique. Élisabeth de Gramont l'a très bien senti : « [elle] se mit à attirer des musiciens, des savants, des physiciens, des chimistes, les médecins. Et alors il se passa quelque chose de singulier. Ces hommes de science convoqués à des heures improbables, huit heures et demie ou neuf heures du soir, arrivaient et parlaient devant la comtesse Greffulhe de choses qu'elle ne pouvait comprendre. Ils le savaient, elle aussi, mais les deux interlocuteurs étaient ravis l'un de l'autre par un phénomène plus subtil que celui de la compréhension directe. Il y avait entre le savant et la belle dame un échange heureux, presque mystique. Elle percevait l'étendue et la force des travaux scientifiques qui lui étaient exposés et le savant était baigné du rayonnement de ses yeux et de son sourire. "Vous saviez que le fer lui-même se fatigue ?" me dit-elle sans donner d'autres explications. »

Mais l'attrait d'Élisabeth pour la science n'était pas aussi vague et éthéré que le laissent entendre ces lignes. Elle était aussi et surtout une femme d'action, une surdouée des relations publiques. Et dès lors qu'elle se passionnait pour une cause, elle mettait tout en œuvre pour sa réussite. Le soutien qu'elle apporta à Marie Curie et à Édouard Branly à des moments

155

décisifs est assez caractéristique de ce que fut son engagement au service de la science, totalement oublié aujourd'hui.

Au secours de Marie Curie

En 1903, les Curie ont partagé le prix Nobel de physique avec Henri Becquerel. Pierre Curie a été nommé professeur à la Faculté des sciences. Ils ont pu quitter le hangar sommaire de l'École de physique et de chimie industrielles de Paris où ils effectuaient leurs recherches, pour un nouveau laboratoire, encore très exigu, où Marie Curie est nommée chef de travaux. La comtesse Greffulhe a rencontré les époux Curie par l'intermédiaire de Georges Urbain, directeur de la faculté de physique-chimie à la Sorbonne. Ces savants austères, qui ont voué leur vie à la science, vivent à cent mille lieues de l'univers mondain du gratin parisien. Élisabeth, qui leur a rendu visite dans leur laboratoire, s'intéresse vivement à leurs travaux. Depuis, elle leur témoigne discrètement son amitié et son admiration en leur envoyant de temps à autre des places de concert ou du gibier ; elle leur a même proposé de venir se reposer dans la petite maison des Bouleaux, près de Bois-Boudran.

Le 19 avril 1906, Pierre Curie meurt tragiquement dans un stupide accident de la circulation, quai des Grands-Augustins, écrasé sous les sabots d'un cheval de trait. Nommée professeur à la Sorbonne, où elle est la première femme à enseigner, Marie poursuit seule ses recherches. Elle rêve de créer un grand laboratoire pour étudier la radioactivité et ses applications, non seulement en physique et chimie, mais aussi en biologie et en médecine : un Institut du radium, qui prendrait le nom de Pierre Curie en mémoire de son mari. Mais comment financer ce projet ? Marie Curie est une femme discrète, qui déteste faire parler d'elle. Mais la comtesse Greffulhe décide de relever le défi. En mars 1907, elle monte un dossier pour solliciter l'appui financier de l'industriel et philanthrope américain Andrew Carnegie. Elle ne le connaît pas personnellement, mais ce n'est pas là un obstacle de nature à l'arrêter, d'autant que sa réputation à elle a depuis longtemps franchi l'Atlantique. Elle rédige donc une longue missive, qu'elle fait traduire en anglais, et qu'elle soumet à sa vieille amie Mme Roosevelt, la mère du futur président des États-Unis. Elle joint le plan détaillé du projet de laboratoire, de la main même de Pierre Curie qui le lui avait remis un mois avant sa mort. « Les choses les plus rares sont les idées : je vous en apporte deux », écrit-elle, enthousiaste. En effet, au-delà du laboratoire Curie, pour lequel elle demande 500 000 francs, elle évoque un projet plus vaste, la création d'un institut scientifique international qui fédérerait les savants du monde entier. Partant du principe que « l'État tient rarement ses promesses, sinon jamais », elle fait appel à la générosité du mécène en sollicitant hardiment un million et demi de francs.

À ce stade, le projet semble irréalisable. Élisabeth fait relire son brouillon par son ami Gustave Le Bon, qui ne ménage pas ses railleries, comme le prouvent les commentaires portés en marge du document : « En résumé, projet vague sans but précis et que je demande à Mme G. d'abandonner. » Il souligne le mot « confiance », et commente sans pitié : « Cela m'étonnerait fort que votre confiance soit justifiée. Il faudrait vraiment que ce monsieur ne sache pas quoi faire de son argent ou qu'il ait une imagination extrêmement pauvre pour ne pas mieux employer ses millions. » Le Bon, dont la clairvoyance est parfois en défaut, réitère ses critiques dans plusieurs de ses lettres : il décrète que « le radium ne sera jamais isolé » ; il trouve ce projet « tout à fait exécrable », et ajoute : « J'emploie ce qualificatif uniquement parce que je n'en trouve pas de plus énergique. Nous sommes sursaturés de laboratoires inutiles et vides. »

Ces moqueries ne découragent pas le zèle de la comtesse Greffulhe. La démarche auprès du milliardaire américain ne sera pas vaine, car Carnegie consentira un don important, quoique insuffisant pour financer toute l'opération[1]. Épistolière infatigable, elle semonce Marie Curie pour l'inciter à poursuivre son combat :

« Vous avez ouvert une porte sur toutes les possibilités. Vous n'avez pas à vous excuser de n'avoir pas encore mis ces forces immenses au service de la pratique et de l'utilitarisme ! Il est quelque chose de plus haut, de plus grand, c'est le principe ! Vous devez donc, à mon avis, vaincre la répugnance que vous éprouvez pour le bruit : quand il s'agit d'une idée comme celle d'édifier une œuvre à une grande mémoire, on ne doit pas, comme il est dit dans l'évangile, mettre la lumière sous le boisseau !! »

Le projet avance lentement. Depuis 1904, la comtesse Greffulhe s'est intéressée de près aux négociations menées par Louis Liard, vice-recteur de la Sorbonne, pour acheter un vaste terrain de 30 000 mètres carrés entre la rue Saint-Jacques et la rue d'Ulm, dans l'objectif d'agrandir la Sorbonne et de créer un Institut de physique et chimie. Elle s'est entremise pour faire aboutir cette acquisition, qui a finalement été réalisée. Le terrain est donc disponible. Reste à trouver les fonds pour créer l'Institut du radium. On songe à lever une souscription. Jusqu'au jour où elle imagine *la* solution, l'idée simple, mais soudain évidente, qui va mettre fin à des années d'atermoiement : employer à cet effet la fortune léguée par le financier et mécène Daniel Iffla, dit Osiris, dont l'Institut Pasteur est l'exécuteur testamentaire. Osiris, qui avait racheté la Malmaison et l'avait offerte à l'État, souhaitait que l'on attribue 400 000 francs aux Beaux-Arts, afin d'y créer un musée abritant ses collections. Élisabeth suggère de réorienter plus utilement cette somme en l'affectant à la création de l'Institut Curie.

Il suffisait d'y penser… C'est par l'entremise de son ami Denys Cochin, député de Paris, qu'elle propose cette idée au docteur Roux, directeur de l'Institut Pasteur. Son idée sera retenue : le 15 décembre 1909, le conseil de l'Institut Pasteur décide de construire, à frais communs avec l'Université de Paris, l'Institut du radium, qui donnera naissance, en 1920, à la Fondation Curie puis, un demi-siècle plus tard, à l'Institut Curie[2].

Les archives de l'Institut Pasteur n'ont gardé aucune trace de l'action décisive de la comtesse Greffulhe, dont le nom n'est jamais cité à ce propos. Toute sa correspondance avec Marie Curie, tous les documents relatifs à ses quatre années de démarches dorment aujourd'hui dans un carton du fonds Greffulhe. Parmi eux, une lettre de Denys Cochin à Élisabeth résume bien son action dans cette affaire :

« Chère Madame,

Il y a quatre ans, quand vous aviez l'idée de créer un grand laboratoire pour Monsieur et Madame Curie, j'avais bien peur que le projet ne fût pas réalisable de longtemps. L'Université de Paris faisait de grands efforts pour acquérir des terrains destinés à agrandir la Sorbonne. Et M. Liard refusait de penser pour le moment à autre chose. Vous savez mieux que personne comment les terrains ont été acquis. Et depuis lors pour le laboratoire du Radium, vous avez eu l'idée de mettre l'Institut Pasteur, héritier de la fortune Osiris, à contribution.

Je vous ai promis de défendre cette idée qui me paraissait bien préférable à une souscription vulgaire. L'hommage est plus grand pour Mme Curie et la mémoire de son mari, venant d'un établissement scientifique tel que l'I.P. Le don au profit des recherches sur le radium, si employé pour combattre le cancer, est conforme aux idées de M. Osiris.

Bref, je suis heureux de pouvoir vous dire que l'idée a été examinée, que des négociations sont entamées et sont en bonne voie.

Je suis heureux – quoique rien ne soit terminé encore –, de vous annoncer le succès probable d'une fondation à laquelle vous vous êtes intéressée la première… Et cela par le moyen même que vous avez suggéré à M. Liard et qui a été défendu auprès du docteur Roux. L'I.P. donnera, je crois, 400 000 F.

Je serai toujours heureux d'y avoir contribué pour ma petite part et je vous prie d'agréer, Madame, mes respectueux hommages.

Denys Cochin »

« Quand on a une pensée comme la vôtre, on fait *naître les circonstances* qui doivent permettre la réalisation », écrivait Élisabeth à Pierre Curie. Faire naître les circonstances, explorer toutes les solutions possibles… et ne jamais lâcher l'affaire : c'est là le secret de la « méthode Greffulhe ».

Il faut sauver le savant Branly

À la même époque, la comtesse Greffulhe met ses relations, son entregent et son sens de la diplomatie au service d'une autre grande cause scientifique : celle d'Édouard Branly.

C'est en 1902 qu'elle fait la connaissance du savant, par l'entremise d'Albert de Mun. Branly travaille alors sur la radio-conduction et la télémécanique, ancêtre de la télécommande. Il mène ses recherches dans un singulier local, mis à sa disposition par l'Institut catholique : un ancien dortoir, vétuste et poussiéreux, situé dans le couvent des Carmes, qui fut le théâtre, en 1792, des massacres de septembre. « J'avais entendu parler du Dr Branly professeur à l'Institut catholique », écrira Élisabeth à la fin de sa vie, quand elle tentera de mettre en ordre ses souvenirs. « On m'avait dit qu'il travaillait jour et nuit, que tout son laboratoire était encombré de fils mystérieux, qu'il était très enfermé en lui-même et cherchait des phénomènes qui étaient analogues, me disait-on, à la quête passionnante du fameux docteur Faust. Je partis un jour avec une de mes cousines qui traversait Paris et j'allai simplement à l'Institut catholique, où se trouvait le laboratoire du professeur Branly. Il vint lui-même nous ouvrir la porte. Je me nommai. Je fus tout de suite surprise par sa bonne grâce, par une certaine bonhomie qui semblait souligner l'ironie des choses dans le grand combat de la vie. Étant très ignorante des choses de la science, je fus émerveillée par la simplicité grandiose de ce vrai savant français. »

Émue par le capharnaüm indescriptible et la misère des lieux où il travaille, elle décide de mobiliser ses relations au service de ce grand savant – qu'elle intimide, *dixit* Le Bon, « jusqu'à la sidération ». En 1903, elle lui fait obtenir la moitié du prix Osiris, qu'il partage avec Pierre Curie, puis elle réussit à convaincre Maurice Bunau-Varilla, directeur du *Matin*, d'organiser une démonstration publique de ses travaux. Le 30 juin 1905, au Trocadéro, les cinq mille personnes qui se sont arraché les places disponibles assistent, médusées, à des expériences inouïes : à distance, et sans aucun lien matériel, Branly déclenche le tir d'un pistolet, met en marche et arrête un ventilateur ; allume et éteint une rampe d'ampoules électriques ; soulève et dépose un gros boulet de canon grâce à un électro-aimant, etc.[3]

La comtesse Greffulhe a réussi son pari, faire sortir le savant de l'obscurité où le confinait sa modestie : « J'ai eu la joie de pouvoir mettre en valeur M. Branly, l'inventeur, et de faire connaître ses expériences qui étaient totalement inconnues car il est la modestie même. Aussi est-il tout étonné de voir son nom acclamé et des lettres lui parvenir de tout l'Univers. L'idée même de l'accord des substances à travers l'espace n'est-elle pas incomparablement belle ? »

Elle l'invite en tête à tête à Bois-Boudran, où elle assiste, émerveillée, à une démonstration de télégraphie sans fil entre le salon et la bibliothèque, à cent mètres de distance. « Ce trajet de la bibliothèque au salon se fera un jour, grâce aux ondes hertziennes, sur la terre entière. Les peuples pourront communiquer d'un bout du monde à l'autre et même à travers les mers », lui explique-t-il. Un peu plus tard, en décembre 1905, on rééditera l'expérience de radiotransmission à Bois-Boudran, en transmettant cette fois-ci la voix sur une distance de trois kilomètres. « Ce résultat semble le plus parfait que l'on puisse obtenir », commente la presse. Marcel Proust fera partie des élus conviés à assister à ce prodige.

En 1909, Branly est menacé de ne plus pouvoir poursuivre ses travaux : l'Institut catholique est devenu propriété de l'État, par suite de la loi de séparation de 1905 ; le bail signé à l'origine avec l'archevêché arrive à expiration à la fin de l'année, et l'État ne souhaite pas le reconduire. Aussitôt, la comtesse Greffulhe entre en campagne. Elle alerte son ami Alexandre Millerand – que sa belle-mère considère comme « un farouche révolutionnaire » –, récemment nommé ministre des Travaux publics. Celui-ci prend rendez-vous pour visiter le laboratoire du chercheur, qui en informe aussitôt sa bienfaitrice, avec l'humilité qui le caractérise : « Vous pouvez compter que je ferai mon possible pour être aimable et intelligent, du moins dans la mesure de mes moyens. »

« J'en suis sorti émerveillé, écrit Millerand à Élisabeth. Ou je m'abuse, ou ce que nous avons vu n'est rien auprès de ce que nous réserve la suite des applications qui seront dues au génie de M. Branly. L'homme est d'ailleurs aussi sympathique

que le savant est admirable. Je lui ai dit combien je vous suis reconnaissant de m'avoir permis de constater de mes yeux ces merveilles. » Millerand intervient auprès d'Aristide Briand, président du Conseil, et le bail est finalement signé. Branly manifestera sa reconnaissance à sa bienfaitrice en ces termes : « Mes remerciements les plus sincères pour un résultat qui me touche tant et que seule votre diplomatie a rendu possible. Si les arts vous doivent beaucoup, la science et les savants ne peuvent oublier le sympathique intérêt que vous leur portez. »

Les amitiés royales qu'entretient la comtesse Greffulhe lui sont également fort utiles pour honorer ses amis scientifiques. Par son entremise, Branly sera nommé membre associé de l'Académie royale de Belgique en 1910 ; présenté par ses soins au roi de Suède et de Norvège Oscar II, le grand chimiste Marcellin Berthelot sera le premier étranger à se voir attribuer la médaille norvégienne du mérite *Til Belœing*[4].

Une curiosité en quête de sens

Ce tournant du siècle, bouillonnant d'inventions toutes plus stupéfiantes les unes que les autres, est particulièrement propice à la curiosité « tous azimuts » de notre infatigable comtesse. Dans ses archives personnelles ou dans les comptes rendus de journaux, on en relève de très nombreux exemples : en 1890, elle assiste à une autopsie, dont elle rédige un récit détaillé de trois pages ; en 1892, elle fait une longue visite à l'Institut Pasteur, sous la conduite de Denys Cochin, au cours de laquelle Louis Pasteur – qui persiste à l'appeler « Mademoiselle » – procède en sa présence à l'inoculation, fort douloureuse, de 140 enragés. Citons encore une démonstration de microscope à laquelle elle prend part à l'hôpital Broca ; une matinée scientifique qu'elle organise pour ses amis ; ou une visite au laboratoire du physicien Georges Claude, découvreur de l'air liquide, à l'issue de laquelle elle note : « Vu le "Niol", nouveau gaz air liquide, entendu théories qui bouleverseront tout le système actuel des forces de l'univers. » Elle s'intéresse également à l'astronomie : « J'étudie en ce moment, savez-vous quoi ? L'astronomie ! Cette science est admirable et je m'y plonge avec une volupté "sidérale". La comparaison victorieuse des splendides agissements de ces astres avec notre faiblesse est comme une consolation à opposer à la balance des ennuis. Cette étude souligne leur petitesse et nous fait les considérer à leur juste place. » Ne reculant devant rien, elle se penche sur les recherches d'Einstein – essayant de comprendre, avec l'aide de son ami Painlevé, « comment la lumière se propage à travers les espaces stellaires » –, et s'intéresse aux expériences de François Dussaud sur la lumière froide.

Elle suit des cours au Collège de France. Entre les deux guerres, elle songe même à entreprendre des études de médecine ! En 1921, elle apprend le morse pour pouvoir écouter la toute nouvelle TSF, qui n'émet pas encore en langage clair[5]. Cette curiosité se prolongera jusqu'à la fin de sa vie, dans les domaines les plus divers. Ses archives montrent qu'elle s'intéresse de près à la pénicilline, qui apparaît en France après la Seconde Guerre mondiale, ainsi qu'à la bombe atomique. « Les discussions sur la bombe atomique m'intéressent toujours prodigieusement : heureusement que les savants de chez nous que j'ai vus successivement ces temps-ci – Joliot-Curie, mon neveu Broglie… – rêvent de transformer la nocivité de la bombe atomique en bienfaits pour l'humanité », écrit-elle en 1944. À quatre-vingt-dix ans, deux ans avant sa mort, elle se tient toujours au courant de l'actualité scientifique : « Ici on ne parle plus de la bombe atomique, il n'est plus question que de celle à l'hydrogène », écrit-elle de Genève. Elle se passionne pour les nouveaux matériaux plastiques qui font leur apparition dans la vie quotidienne, comme les pointes Bic. « L'avenir est au plastique ! » déclare-t-elle à ses petits-enfants.

Pour satisfaire cet insatiable appétit, Gustave Le Bon constitue une précieuse ressource, car il fédère autour de lui un réseau d'intellectuels se réunissant chaque semaine à ses « déjeuners du mercredi », et, le dernier vendredi de chaque mois, aux « banquets des XX ». Élisabeth est invitée permanente à ce qu'il nomme « ces modestes agapes de vieux savants hargneux », qui rassemblent un choix éclectique de personnalités et où l'on croise Henri et Raymond Poincaré, Paul Valéry, Camille Saint-Saëns, Marie Bonaparte, etc. Le Bon l'aide ainsi à entrer en relation avec des penseurs de haut vol, comme le philosophe Henri Bergson ou l'archéologue Sir William Ramsay, « premier savant de l'Angleterre »[6].

Sa force de persuasion est telle qu'elle parvient à faire sortir de leur tanière les savants les plus rétifs aux mondanités. Le Bon, par principe, refuse toutes ses invitations, sans prendre de gants : « Votre idée bizarre d'aller un jour causer à Bois-Boudran doit être oubliée. » « Je ne sors pas, je ne dîne pas, je ne vais jamais écouter les conférences, je ne fais rien du tout. » Mais il finit par rendre les armes : « Madame, ce que les femmes veulent, les philosophes sont condamnés à le vouloir. Je violerai donc toutes mes habitudes puisque vous l'exigez. Voulez-vous avoir la bonté de me dire : 1 quel train je dois prendre. 2 si dans cette réception il faut endosser un habit. »

Réunir chez elle Marcellin Berthelot, Pierre et Marie Curie et Henri Becquerel pour un dîner en l'honneur de Sir William Crookes est un exploit qu'elle seule est capable d'accomplir. Ce soir-là, il y a fort à parier que la conversation à table ne roula pas uniquement sur les travaux de physique et de chimie, mais également sur les phénomènes paranormaux, qui passionnent la comtesse et nombre de ses amis, et dont William Crookes est un grand spécialiste[7].

« Il s'agit de savoir, quand on a une grande idée, si on gagne ou si on perd du temps – avec qui on le perd et avec qui on le gagne. Je prétends avoir les idées, excusez-moi de l'outrecuidance de dire que c'est ce qu'il y a de plus rare, mais j'ai toujours saisi ce fait que j'ai l'instinct du moment présent, des nécessités de l'heure. » Voilà, de la main de la comtesse Greffulhe, un assez bon résumé de son talent de catalyseur.

3

CONSCIENCE SOCIALE ET FÉMINISME : UNE LONGUEUR D'AVANCE

Le « prisme enchanté » au travers duquel nous voyons aujourd'hui la France prospère et insouciante de la Belle Époque tend à nous faire oublier qu'elle n'était pas belle pour tout le monde. Avec l'avènement de l'électricité et de la mécanisation, la France vit sa deuxième révolution industrielle. Le prodigieux développement de l'industrie depuis le Second Empire a engendré son cortège de misères si bien décrites par Zola. Dans les quartiers populaires, où l'on compte un « assommoir » tous les cinquante mètres, ouvriers et artisans à domicile vivent dans de sombres taudis mal aérés, et sans tout-à-l'égout. Les salaires sont bas – trois ou quatre francs par jour, et moins encore pour une femme ou un enfant. Les premiers syndicats ont fait leur apparition, avec la création de la CGT en 1895 ; mais il n'existe ni limitation, ni contrôle de la durée du travail ; la loi de 1902, qui tente de la réglementer, n'est pas appliquée. Depuis les années 1880, ponctuées par les attentats anarchistes, la tension sociale ne cesse de croître, marquée par des grèves sanglantes. Les cortèges hurlants réclamant des droits et non des aumônes sont dispersés par des charges de cavalerie, voire par la mitraille. Ministre de l'Intérieur, puis président du Conseil durant trois ans, entre 1906 et 1909, Clemenceau, que l'on surnomme « le briseur de grèves », s'attache pourtant à jeter les bases d'une véritable politique sociale, en créant le ministère du Travail et en instaurant le repos hebdomadaire ; mais celui-ci qui ne deviendra réalité qu'après la guerre de 14.

« Le "social", quelle petite, quelle pauvre place il tenait ! se souvient l'historien et mémorialiste Robert Burnand. Il y avait bien le socialisme qui s'en réclamait à grand bruit, mais voici longtemps que l'un, souvent, va sans l'autre. Nous étions trop heureux, en France, pour penser à ceux qui ne l'étaient pas. La politique dominait, avec son faux éclat, son clinquant, ses illusions, ses mensonges. Les Français trouvaient à se déchirer entre eux un plaisir dont ils ne se lassaient pas : dans leurs querelles, ils se renvoyaient comme des balles les plus beaux mots qui soient : tolérance, justice, charité, mais ils ne cherchaient qu'à en accabler leurs adversaires, sans en extraire la vertu. [...] Sauf à quelques apôtres, le devoir social apparaît comme le plus maussade des devoirs. »

Vu de notre XXIe siècle où la solidarité, organisée par l'État, n'est plus une option, mais une obligation qui s'impose à tous, on a du mal à imaginer aujourd'hui le rôle que jouaient auprès des déshérités, au tournant du siècle dernier, les familles fortunées, et en particulier l'aristocratie – non seulement en assurant, en l'absence de tout système de retraite, les vieux jours de leurs domestiques, mais aussi en créant de multiples institutions charitables qui palliaient les carences de l'État, et en lançant des souscriptions publiques pour les causes les plus urgentes. Un exemple parmi bien d'autres : en 1894, quand les enfants des bas quartiers meurent du croup par centaines, ce n'est pas l'État qui finance une campagne de vaccination, mais les lecteurs du *Figaro*... en tête desquels la comtesse Greffulhe. Les riches familles juives, comme les Rothschild, dont la générosité s'exerce bien au-delà de nos frontières, emploient plusieurs salariés à temps plein pour gérer leurs œuvres. La bienfaisance est souvent l'apanage des femmes, plus sensibles à la misère – comme la marquise de Boisgelin qui exige de son mari qu'il lui remette une somme identique à celle qu'il consacre à l'entretien de son équipage de chasse à courre, afin qu'elle puisse la distribuer à ses « pauvres ». Mais beaucoup d'hommes s'en préoccupent également, comme le prince de Chimay, père d'Élisabeth, ou le prince Auguste d'Arenberg, son beau-frère, à propos duquel Jacques-Émile Blanche nous rappelle que « les vagabonds de

Paris lui doivent des asiles de nuit, les soupes populaires et une série d'œuvres d'assistance dont l'État n'avait jamais conçu le projet. Ce sont en somme des particuliers qui dotèrent Paris d'hôpitaux salubres, de dispensaires, d'ouvroirs de quartier. Il semble que plus les gouvernements se sont réclamés de leur amour du peuple moins ils se soient souciés de son bien-être[1] ».

Une vision contemporaine de la solidarité

C'est dans ce contexte que s'inscrit l'action de la comtesse Greffulhe. Marquée par une éducation qui lui a inculqué un profond sens des responsabilités, Élisabeth ne s'est jamais affranchie du « devoir social » : « Mes "grandes entreprises", comme vous les appelez, écrit-elle à son mari, n'ont qu'un but : celui que tout être humain a tant qu'il vit c'est-à-dire être utile. Servir : "*Dienen*" comme le dit génialement Wagner dans *Parsifal*. » Qu'il s'agisse d'art, de science ou de charité, cette obsession d'être utile domine et explique son action inlassable.

Servir à quelque chose en ce bas monde, oui… mais en suivant son propre chemin. Dans les premiers temps de son mariage, Élisabeth a essayé consciencieusement de se limiter aux « bonnes œuvres » comme l'entendaient les Greffulhe. La famille, en effet, finance nombre d'institutions charitables, au premier rang desquelles la Société philanthropique et l'hospice Greffulhe. Les châtelains de Bois-Boudran assument les frais des deux écoles tenues par des sœurs : l'école Greffulhe de Nangis, et celle de Fontenailles – village dont la famille entretient également l'église. Élisabeth donne du travail aux femmes seules chargées de famille, emploie sept femmes du pays à la confection de vêtements pour les nécessiteux, organise des soupes populaires. À Paris, elle répond personnellement aux innombrables demandes de secours qui affluent en permanence, via l'Office central des œuvres de bienfaisance. Elles sont si nombreuses qu'il faut avoir recours au tri effectué par l'Office, qui recale impitoyablement, après une enquête de moralité, les cas jugés « peu intéressants » dans des « Notes de renseignement confidentielles » aussi sèches qu'explicites, comme celle-ci : « Est un quémandeur que nous connaissons depuis janvier 1880. [...] travaille le moins possible. Sa femme [...] n'a d'autre occupation que de solliciter des secours à domicile ou par lettre. » Ou encore : « Ce ménage irrégulier est peu intéressant. » Cependant, parmi les centaines de notes conservées dans les archives, on trouve beaucoup de « misère en habit noir » ou de « situation digne d'intérêt » – sans compter les lettres à faire pleurer les pierres, qui lui sont adressées directement : « Depuis longtemps déjà j'entends dire que vous sacrifiez plusieurs centaines de milliers de francs à soulager les pauvres de Paris... » ; sous la plume lyrique de poètes affamés, certaines ont l'accent d'une prière à la Sainte Vierge : « Si, le premier, j'ai imploré votre bonté, Madame la Comtesse c'est que la gloire de vos charitables œuvres m'est depuis longtemps connue, comme aussi l'indulgence professée par votre grande âme seigneuriale à l'égard de ceux de l'Art maltraités par le sort. »

Très vite, Élisabeth a senti qu'elle n'était pas taillée pour devenir une dame patronnesse comme les autres. Elle a l'esprit trop large et trop créatif pour se contenter de cette forme de charité utilitaire, qui doit s'exercer selon des codes bien précis : n'aider que les pauvres d'une moralité irréprochable, à l'exclusion de ceux qui vivent en concubinage ou n'ont pas de religion ; fournir le nécessaire et non le superflu – comme la marquise d'Armaillé, qui ne tricote pour ses pauvres que des vêtements de couleur grisâtre[2]. Elle sait bien, comme Voltaire, que le superflu est une chose très nécessaire. « Ce n'est pas étonnant qu'on n'aime pas les Greffulhe ici, ils ne se montrent jamais, ils ne donnent que de l'argent », écrit-elle à sa mère. L'argent sec, c'est l'aumône, l'humiliation, voir la rancœur du bénéficiaire. Chez elle, la charité n'est pas une posture, une simple façon de se donner bonne conscience : elle vient du cœur, et c'est ce qui fait toute la différence. « Ce n'est pas l'argent que nous sentions dans vos bienfaits, mais votre cœur, voilà pourquoi ça nous a été toujours si agréable sans jamais être humiliant. Merci ! » lui écrira, bien des années plus tard, un réfugié russe reconnaissant.

Son « âme seigneuriale » héritée des Montesquiou et des princes de Chimay ne peut se contenter de ces revêches bonnes œuvres. Elle porte en elle trop d'enthousiasme, de curiosité et de joie de vivre pour accepter, comme tant de femmes de son milieu, de se limiter à un paternalisme étroit, ou de macérer dans le sacrifice, comme cette pénitente de l'abbé Mugnier qui « fait fondre ses bijoux en clé de tabernacle[3] ». Elle aime plaire et elle a besoin d'être utile. Les deux ne sont pas inconciliables, et elle le prouve. Elle n'est pas née pour souffrir : elle aime la vie, et possède au plus haut point l'art de mêler l'utile à l'agréable, de réaliser la synthèse entre frivolité et idéalisme ; sur ce sujet, elle a même élaboré une théorie fort sensée :

> « N'essayez pas de vous guérir de ce que vous appelez frivolité, le tourbillon mondain a du bon parfois et il faut de la diversité. Je prétends qu'il nous faut un peu de tout, parce que nous sommes un peu de tout. Notre rôle ne doit pas être de nous priver des choses qui nous amusent, nous étourdissent ou qui même simplement nous obligent à nous reposer de la pensée. Notre rôle consiste à cultiver en nous *beaucoup* de nos facultés et de nos qualités et aussi tout ce que nous avons de mieux. Mais il faut aussi entretenir nos petits défauts dans de petits jardinets. Ce qui est fâcheux, c'est quand on donne des terrains trop grands à ses petits défauts qui de suite profitent de la permission et s'étalent insolemment, devenant de suite de grands défauts. *Limiter* n'est pas renoncer. Rien ne doit être absolu dans la vie, la grande loi étant la relativité de toutes choses. »

Devoir peut rimer avec art : cet avis est partagé par l'abbé Mugnier, qui déplore que l'archevêché lui interdise d'aller à l'Opéra, et lui écrit : « Certaines personnes s'imaginent, bien à tort, que la charité n'a qu'une forme. C'est faire l'aumône à l'humanité que de l'emporter sur les ailes de la musique et de la poésie. Tous les génies sont des bienfaiteurs. »

Nous avons vu comment elle avait su joindre l'art à la charité en mettant sur pied son premier concert : elle continuera ainsi jusqu'à son grand âge, en attribuant à des œuvres charitables les bénéfices tirés des multiples concerts, expositions, pièces de théâtre et fêtes qu'elle organise. Des œuvres comme l'Assistance par le travail ou les Pauvres honteux – tout un programme… –, les victimes des inondations, et, bien sûr, les réfugiés, veuves, orphelins et blessés de guerre, bénéficieront ainsi non seulement de sa générosité personnelle, mais encore des fonds substantiels qu'elle excelle à lever autour d'elle[4].

« *Améliorez le sort de la femme. Tout est là.* »

En ce tout début du XXe siècle, la place des femmes dans la société est encore régie – à quelques aménagements de détail près – par un Code civil hérité de Napoléon, datant de 1804. La femme est un être irresponsable, subalterne, au même titre que les enfants et les aliénés. Lorsqu'elle se marie, elle passe de la tutelle de son père à celle de son époux. Même si elle dispose de quelque fortune personnelle, elle n'a aucune indépendance financière : sous le régime de la communauté, qui est le plus répandu, le mari administre seul et sans contrôle les biens de son épouse. Dans les classes populaires, les femmes qui gagnent leur vie ont un salaire horaire jusqu'à deux fois inférieur à celui des hommes, et ont dû attendre 1907 pour pouvoir en disposer légalement. En cas d'adultère avéré, la femme peut encourir une peine d'emprisonnement de trois mois à deux ans. Mais le mari infidèle, lui, risque tout au plus une amende, de 2 000 francs au maximum – et uniquement s'il entretient sa maîtresse au foyer conjugal. Pas de châtiment, non plus, pour les « vils séducteurs » : la recherche de paternité est interdite. Le divorce, certes, est autorisé depuis 1884 : mais dans le milieu où vit la comtesse Greffulhe, une femme divorcée est mise au ban de la société. Rester vieille fille est un état quasiment honteux, à moins de parvenir à se faire une position honorable – sans pour autant travailler, bien sûr, ce qui serait considéré comme une déchéance[5]. Autant dire qu'elles sont rares à réussir ce tour de force – ce que fera cependant Ghislaine de Caraman-Chimay, en devenant dame d'honneur de la reine Élisabeth de Belgique. Pour conquérir son indépendance, reste le veuvage… à condition que l'époux vous ait couchée sur son testament, ou que vous possédiez des biens propres : dans ce cas, cet état enviable devient, selon le mot du duc de La Force, « le bâton de maréchal de la femme ».

Fin 1909, la comtesse Greffulhe décide de fonder, au 185 rue de Charonne, une « École ménagère populaire », en s'associant avec Mlle Gahéry, qui dirige depuis quinze ans à cette adresse l'Union familiale. L'idée est de former des professeurs, qui dispenseront à leur tour leur enseignement auprès des femmes de la classe ouvrière. Ce projet d'essaimage est ambitieux, puisqu'il vise, à terme, « à s'étendre peu à peu dans toute la France, mais encore dans tous les autres pays ». Dans un premier temps, il faut trouver 16 000 francs pour la construction et 150 000 francs pour les frais de fonctionnement. Rien de plus facile pour Élisabeth : elle organise au Trocadéro un gala Caruso, annonce l'événement dans le *Figaro* du 19 avril 1910, et sollicite tous ses amis pour qu'ils prennent des loges : l'occasion de faire d'une pierre deux coups, en lançant sur la scène parisienne un jeune ténor plein d'avenir et en levant des fonds pour son œuvre.

Pour boucler son financement, elle prend sa plume, et écrit aux plus riches de ses amies, en leur expliquant l'objectif qu'elle poursuit : « En élevant la femme aux connaissances de sa propre défense, en la dirigeant vers la vie pratique : cuisine, tenue de maison, mutualités, etc. En lui faisant connaître les dangers et les moyens de protection qu'elle a à sa disposition, on créera pour elle un puissant élément de défense au point de vue social. On lui apprendra à compter sur elle-même, sur son travail, on lui donnera une responsabilité. » Ce projet va beaucoup plus loin que les diverses œuvres au profit des femmes auxquelles elle donne son patronage – comme l'Œuvre des Arrivantes aux gares pour lutter contre la traite des blanches, ou l'association Mimi Pinson, créée à l'initiative de Gustave Charpentier pour permettre aux filles laborieuses et sans le sou de se rendre à la comédie.

L'école de la rue de Charonne, qui fait l'objet d'un long article dans *Le Gaulois* intitulé « Une œuvre de formation sociale pour faire une bonne ménagère », a été conçue par Élisabeth sur le principe des écoles que son père avait créées dans les villes minières de Belgique quand il était gouverneur du Hainaut. Le prince de Chimay mettait ainsi en pratique une conviction profonde : « Vous voulez l'amélioration du sort des classes pauvres ? Améliorez le sort de la femme. Tout est là[6]. »

Mais le projet ne se limite pas à doter les femmes, comme l'expose *Le Gaulois,* de « qualités domestiques » qui apporteront la prospérité dans leur ménage. Derrière l'objectif affiché d'éduquer de parfaites ménagères, au-delà de la préoccupation d'ordre purement économique qui motivait son père, la comtesse Greffulhe poursuit un but – ou un rêve ? – beaucoup plus audacieux, qui apparaîtrait comme subversif à la gent masculine si elle le dévoilait ouvertement : celui d'une véritable défense des droits des femmes, d'une étonnante modernité.

Son intérêt pour la cause féminine ne date pas d'hier : ses archives attestent, en effet, qu'elle a connu Rosa Bonheur – qui vivait alors en Seine-et-Marne – et correspondait avec cette apôtre du féminisme : on y trouve plusieurs lettres de celle-ci, entre 1895 et 1899, remerciant la comtesse Greffulhe de ses visites et de ses envois de gibier. Elle est particulièrement bien placée pour connaître l'état de servitude, de dépendance totale vis-à-vis de leur mari, auquel sont réduites ses contemporaines, toutes classes confondues – même si sa « cage » à elle est une cage dorée. Henry dépense volontiers des fortunes pour les réceptions ou les toilettes de son épouse. Mais pour le reste, pour ce qui lui tient le plus à cœur, c'est à force de ténacité et d'ingéniosité qu'elle a réussi à conquérir une relative indépendance. Sa vie est un combat toujours renouvelé pour réussir à préserver cet espace de liberté, sans cesse remis en question par les caprices de son lunatique époux.

Une féministe méconnue

Élisabeth a donc beaucoup réfléchi à la question, comme nous le révèle un document manuscrit intitulé *Mon étude sur les droits à donner aux femmes,* conservé dans ses archives. Rédigé vers 1904, il a été enrichi par la suite d'annotations qui laissent penser qu'elle songea à une publication. On pourra lire en annexe quelques extraits de ce texte, qui nous livre d'intéressantes réflexions.

Sans se réclamer de l'égalité des sexes, qui ne lui paraît « ni possible, ni désirable » car la femme, pour rester fidèle à sa nature, « doit rester *autre* », elle juge « révoltante » l'inégalité de traitement dont sont victimes les femmes vis-à-vis de la loi. Elle plaide pour l'égalité des droits civiques et économiques – « le droit de suffrage commercial et l'éligibilité commerciale, le droit de tester, d'être en justice, l'accession à toutes les professions libérales » – sans toutefois aller jusqu'à réclamer l'égalité totale des droits politiques. Elle fait montre d'un réalisme et d'un libéralisme d'une étonnante modernité, en affirmant que « l'égalité économique ne se résout pas par des lois. [...] Toute intervention légale qui tendrait à protéger la femme pour le travail lui ferait tort parce qu'on la rechercherait moins ». Si la femme raisonne souvent mal, c'est, juge-t-elle, la faute à « l'atavisme, l'éducation et surtout le rôle que l'homme la force à jouer ». Sur le droit des femmes à disposer de leur vie et de leur corps, elle avance des idées révolutionnaires pour son époque et son milieu, en abordant les thèmes tabous de « l'avortement et l'adultère ». Elle dénonce l'archaïsme de la loi si clémente pour les maris, l'impunité des « séducteurs », et réclame à ce sujet « des modifications indispensables à introduire dans notre législation, si on veut qu'elle réponde à la conscience moderne ». L'autorisation légale de la recherche de la paternité, telle qu'elle est pratiquée en Angleterre, lui paraît une solution plus efficace pour sauver les nouveau-nés de la mort et de l'abandon que la répression aveugle de ce qui est, à cette époque, « un crime punissable par le bagne ». Bientôt, juge-t-elle, les femmes s'émanciperont de « la tyrannie du mariage », de l'obéissance et des maris imposés, qu'elle compare à « de vieux instruments de torture désaffectés ». Mais en attendant, les femmes du monde, comme celles du peuple, en sont victimes, malgré les possibilités ouvertes par la légalisation du divorce : « La loi leur dit "choisissez" et la religion, qui les empêche de profiter de la clef que le divorce leur donne, leur dit : *"Perpétuité"* », conclut-elle. Elle est bien placée pour le savoir... Ce texte étonnant, dont certains passages reflètent sa douloureuse expérience conjugale, confirme bien la pertinence de cette appréciation portée sur elle par Élisabeth de Gramont : « Ses jugements, toujours empreints d'une grande élégance d'âme, ne s'arrêtent pas à la morale étroite qui condamne seulement les ébats sexuels ».

Ces convictions si hardies, la comtesse Greffulhe ne les partage qu'avec ses sœurs ou amis proches. Son Altesse Impériale le grand-duc Wladimir est du nombre : ayant reçu de lui un ouvrage sur Mme Tallien, son arrière-grand-mère, elle lui répond en ces termes :

> « Nous avons à Chimay des lettres d'elle qui jettent un jour nouveau sur son caractère moral et sur ses grandes qualités mises un peu trop au second plan. Si elle avait été un homme on n'aurait parlé que de ses vertus. On voit bien que ce ne sont pas les femmes qui ont fait les lois ou les opinions et qu'elles n'ont pas décrété la différence qui fait qu'une joyeuse peccadille devient tout à coup un abominable crime suivant le sexe de la personne qui s'en délecte ! La grande Catherine me semble avoir relégué ces "distinguo" là où cela lui a plu de les envoyer ! Mais je n'ose relire ma lettre tant cette morale me paraît hardie. »

La Première Guerre mondiale, qui a conduit par nécessité les femmes à prendre des responsabilités qu'elles n'auraient jamais imaginées auparavant, marquera le début de leur émancipation. À cette époque, un journaliste du *Gaulois* a l'idée d'interviewer sur ce thème la comtesse Greffulhe. Les propos qu'elle lui tient – sous couvert d'anonymat – sont moins audacieux que ses notes personnelles. Mais ils témoignent toujours d'une singulière modernité chez une femme qui a largement dépassé la cinquantaine :

> « Croyez-vous que la femme ait eu dans la société moderne avant le début des hostilités le rôle qui aurait dû lui revenir par ses qualités d'intelligence et de cœur ? Moi je ne le crois pas. Remarquez que je suis loin d'être féministe. Je pense tout simplement que la femme n'était pas considérée à sa juste valeur,

qu'on aurait pu en tirer meilleur parti, qu'elle aurait mérité une place qu'on s'obstinait à lui refuser. Or, cette place, la guerre la lui a donnée. [...]

On est tout naturellement porté à supposer que c'est uniquement par besoin que la femme se fait valoir pendant la guerre : besoin pour elle de gagner sa vie, pour la France d'avoir recours à l'activité féminine. Eh bien on se trompe. C'est d'abord sous l'influence de sa volonté et de sa conscience que la femme française a donné tout son dévouement, tout son savoir et toute sa force à son pays. Dans les soins aux blessés, elle est admirable ; dans les services où elle remplace les hommes mobilisés, elle se fait apprécier au-dessus de tout ce qu'il était permis d'espérer ; dans les affaires qu'elle a été forcée d'aborder, elle a montré une intelligence remarquable. Elle a donc rendu de vrais et réels services, et c'est dans un esprit de justice, autant que de reconnaissance, qu'on lui gardera, après la guerre, les places et dignités qu'elle a conquises. »

À la fin de l'interview, le chroniqueur hasarde l'éternel refrain concernant « les soins du ménage ». Elle se garde bien de le contredire de front : « Le foyer, affirme-t-elle en préambule, c'est la grande préoccupation et la grande œuvre de la femme [...] Mais il faut voir les choses comme elles sont, sans exagération ni d'un côté ni de l'autre. Le ménage, le foyer, même s'il y a des enfants, n'absorbe pas tout entière l'activité féminine. » Dans cet entretien, qui s'étend sur plusieurs colonnes, Élisabeth récuse à plusieurs reprises le qualificatif de féministe : « Je vous répète que je ne suis pas le moins du monde féministe. Il faut que la femme s'occupe selon ses forces et selon les caractéristiques de son esprit et de son tempérament. Seulement, il faut qu'elle donne tout ce qu'elle peut donner, qu'elle ne gaspille pas ses forces en pure perte. »

Derrière ces déclarations très mesurées perce le souci de respecter le langage « politiquement correct » en vigueur à l'époque. La comtesse Greffulhe a beau avoir conquis une grande liberté d'action, elle ne peut se permettre de heurter de front la sensibilité masculine des lecteurs du *Gaulois* – et en particulier celle de son époux au cas où il percerait son anonymat[7].

Première victime de ce qu'elle dénonce si prudemment, ce n'est pas au bien-pensant *Gaulois* qu'elle a recours pour se documenter sur la question, mais à la presse socialiste, comme l'indique cet article de *L'Humanité* daté de 1919 classé dans ses archives, qui détaille les rigueurs du code Napoléon, et conclut : « La France se place au tout dernier rang des pays civilisés pour l'émancipation de la femme. [...] Cet état de servage, que les mœurs adoucissent assez généralement et dont les hommes honnêtes n'abusent pas, met les femmes à la merci des individus sans conscience. »

Se reconnaîtrait-elle dans le portrait de cette femme asservie ? On comprend mieux pourquoi son ami Gustave Le Bon lui reproche affectueusement de se « saturer de socialisme »...

4

LA « REINE CONCILIATRICE
DE LA IIIᵉ RÉPUBLIQUE »

« Inclassable » est le mot qui s'impose quand on cherche à qualifier les convictions de la comtesse Greffulhe en matière de religion et de politique. « Ses opinions ne s'embarrassent jamais des usages ni des conventions : en politique elle est éclectique et en religion elle est du siècle où nous vivons, c'est-à-dire que, malgré l'exemple de parents très catholiques et très convaincus, elle n'a pu mettre cette croyance au diapason des leurs. Cela ne l'empêche pas d'être profondément honnête, et je suis convaincu qu'elle le restera, parce qu'elle a par-dessus tout, le respect d'elle-même. » Encore une fois, son ami Henri de Breteuil a vu juste. Élisabeth est croyante, sans aucun doute. Mais sa foi ne s'enferme pas dans la stricte observance des rites qui prévaut, par exemple, dans sa belle-famille. Elle se caractérise par sa tolérance et sa largeur de vues.

« Je suis vieux jeu, écrit-elle à Le Bon, ce farouche anticlérical, car je respecte encore certains emblèmes : lesquels, quoique démodés et avilis, représentent l'indéracinable illusion de la pauvre nature humaine. Chacun met cette illusion sur un emblème différent. Chacun a son hochet et le fou a sa marotte et tout cela est respectable parce que la croyance a de la grandeur. Qu'importe ce qui la représente ? Vous-même, cher Ironique, vous l'avez : car c'est croire encore que de ne pas savoir. Douter, c'est croire. »

« Il m'apparaît clairement que je suis un amalgame de païenne et de chrétienne, si bien fondues et soudées ensemble que je ne pourrais pas déterminer en moi quel est le point précis de la

177

soudure. Je suis l'une et l'autre, mais je suis les deux, et pas l'une sans l'autre. J'ai besoin de la foi, et je crois à la prière. »

Le sentiment religieux, elle ne l'éprouve pas dans les églises, mais dans l'art et dans la nature : « Je vous mènerai dans une forêt païenne où les arbres ont le dessin religieux des mains jointes pour la prière », écrit-elle à Gabriele d'Annunzio. Elle a l'esprit trop libre et trop large pour s'enfermer dans les diktats du clergé, tout comme son cher abbé Mugnier, qui note dans son *Journal* : « Harpagon règne dans la sacristie [...] ; aucun renouvellement, nulle réforme, un piétinement sur place. L'égoïsme, l'avarice, l'accaparement des âmes, la légèreté, le succès injustifié, la bêtise des dévots, la vulgarité décorée, voilà ce que je vois ici, depuis l'an de grâce 1880. »

Bien avant que ne soit votée la loi de séparation des Églises et de l'État en 1905, le clairvoyant abbé se désolait de la rupture entre le clergé et la République :

« Oh comme l'idéal est absent, fugitif, proscrit ! [...] Oh ! Je suis plus que jamais désolé de l'incroyable rupture qui s'est faite entre les républicains intelligents et nous. Pourquoi n'avons-nous pas tenté de nous rapprocher de ces hommes si admirablement doués, qui se déclarent aujourd'hui par la parole ou par la plume, nos irréconciliables ennemis ? »

Cette opinion reflète parfaitement la position de la comtesse Greffulhe, qui fréquente et reçoit des hommes politiques de tous bords, fait peu de cas des critiques et des préjugés du gratin, et fait passer ses idées et son idéal avant ses intérêts.

« *La République, voilà l'idéal.*
Les républicains, voilà la réalité. »

Dès le début des années 1880, les lettres d'Élisabeth à sa mère témoignent de l'intérêt qu'elle porte à la politique, ainsi que d'une étonnante indépendance d'esprit pour une jeune femme de vingt ans, dans une belle-famille aussi accaparante que conservatrice :

« Hier j'ai été à la Chambre avec les Breteuil et Robert. Cela m'a beaucoup intéressée de voir Gambetta et toutes ces terribles sommités dont on parle tant. Gambetta, calme, impartial, les tenant tous dans sa main. Clemenceau descendant les gradins et s'élançant contre la tribune comme un tigre sauvage pour réfuter une loi ».

Dans son entourage, le plus souvent monarchiste par tradition, on est volontiers hostile par principe à la République, et cette hostilité ne fait que croître à mesure que celle-ci affirme son anticléricalisme. Mais les conservateurs sont profondément divisés. La mort sans héritier du comte de Chambord en 1883, en sonnant le glas du légitimisme, n'a cependant pas créé d'union sacrée autour du duc d'Orléans en exil, qui se révèle être un piètre et peu sympathique prétendant au trône. Quant à ses partisans, ils ne valent guère mieux, si l'on en croit Alfred de Gramont, qui fait partie de son « service d'honneur » et se déclare « écœuré par la bêtise incommensurable du parti royaliste en politique, par les jalousies, les médisances, les calomnies, les coups de Jarnac qui y règnent en maître, encore maintenant, exactement comme au siècle dernier pendant l'émigration. On dirait vraiment que, depuis cette époque, le parti royaliste a été pétrifié et momifié ».

Pas davantage de perspective du côté des bonapartistes depuis la mort du prince impérial en 1879. Les républicains, eux, semblent bien réunis autour de quelques grands principes hérités de la Révolution – droits de l'homme, prépondérance du Parlement, laïcité, promesses de progrès social, patriotisme – mais ils se signalent également par leurs divisions et leurs fluctuations. Au centre, celles-ci sont encore accrues par la ligne de fracture entre laïcité et catholicisme. Seuls ceux qui se situent à gauche de l'échiquier sont cimentés par leur anticléricalisme et leur programme social, même si ce dernier ne se concrétise guère dans les faits. Bref, les trois grandes familles politiques sont en réalité des agglomérats de tendances hétéroclites. Les conservateurs rancissent, les républicains modérés tergiversent et flottent au gré des opportunités, et les radicaux, qui se disent socialistes, « bouffent du curé » : ainsi peut-on résumer, de manière très schématique, un paysage politique d'une extrême complexité, qui, depuis l'école laïque, gratuite et obligatoire instaurée par Jules Ferry, a accouché de plus de discours, de querelles et de rodomontades que de réels progrès sociaux.

Peu d'horizons enthousiasmants, donc, en ce crépuscule du XIXᵉ siècle : « Le scepticisme parisien atteint des degrés admirables – personne ne croit à rien, n'a foi en rien, n'aime rien – cela ne se fait plus », déplore Élisabeth. Henry Greffulhe ne croit guère à l'avenir politique de la famille d'Orléans, en dépit de son amitié pour le duc d'Aumale et de la tradition monarchiste familiale – son père et son grand-père ont siégé à la Chambre des pairs. Durant son unique mandat de député, il a voté avec la gauche républicaine sur les questions économiques, et avec les indépendants conservateurs contre la laïcisation des écoles – symptôme de la fracture religieuse qui divise les partis. Très rapidement, ce velléitaire s'est cru victime d'une cabale, et s'est lassé de la « sale politique », abandonnant tout espoir de voir rassemblés, dans un improbable groupe de centre, conservateurs monarchistes, bonapartistes et républicains modérés : « Je n'en peux plus. Je ne vais plus à la Chambre parce que je ne sais plus comment voter sans mécontenter la droite et la gauche. » Son intérêt pour la politique à l'échelle nationale ne se traduira plus désormais que par des boutades – « Si j'étais jeune je me ferais socialiste pour ne pas être crétin » – ou des lamentations : « Les pierrots politiques sont bien volages et comme ils n'ont ni convictions désintéressées ni principes récalcitrants, l'escamotage leur coûte peu. Et qui est dindonné ? Le Naïf. »

La comtesse partage le scepticisme de son époux : « La République, voilà l'idéal. Les républicains, voilà la réalité. » L'idéal, elle le sait, est inatteignable ; mais le découragement n'est pas dans sa nature. Sans esprit partisan, elle reste ouverte à toutes les possibilités, comme en témoigne cette lettre écrite en septembre 1894 à son ami Galliffet, à propos du président Casimir-Perier. « "Tant qu'à faire", comme disent les enfants du peuple, celui-là vaut mieux qu'un autre. Ces convictions ne m'ont pas empêchée d'écrire au duc d'Orléans une lettre programme qui

le fera certainement arriver s'il l'exécute point par point. [...]
Je suis toujours pour ceux qui réussissent et qui remplissent le
mieux la place qui leur est confiée. » Cette formule résume bien
son état d'esprit.

« Le salon politique et diplomatique le plus brillant de tout Paris »

Pour Élisabeth, qui s'intéresse passionnément à la vie politique de son pays, la seule voie d'action possible est d'utiliser
sa position mondaine, son art de recevoir, son carnet d'adresses,
son talent pour créer des passerelles entre les hommes auxquels
elle croit : elle sera, selon le mot de l'écrivain et diplomate
argentin Enrique Larreta, « une reine conciliatrice entre
l'ancienne noblesse et la troisième République ». Elle est animée
par un idéal ; elle possède la largeur d'esprit et la hauteur de
vue qui la place au-dessus des querelles politiciennes ; elle a le
pragmatisme et l'instinct qui la poussent à se méfier des idées
préconçues, à faire confiance aux hommes plus qu'aux dogmes,
à déceler derrière les masques, les apparences et les catégories
les personnalités véritablement sincères, porteuses de convictions
profondes. Elle va donc, comme elle l'a fait pour les arts et les
sciences, essayer de servir de trait d'union entre les hommes
politiques intelligents et de bonne volonté, et leur offrir dans
ses salons un terrain neutre où l'on peut discuter sans s'affronter. Un lieu d'échanges aussi incontournable que discret où
aiment à se retrouver, en compagnie des artistes, les personnalités les plus diverses de la vie politique et diplomatique françaises. Non sans résultat, si l'on en croit les souvenirs d'un
contemporain : « La comtesse Greffulhe me montra, attenant à
son salon, le petit cabinet où elle enferma le prince de Galles,
futur Édouard VII, avec Delcassé et d'où sortit l'Entente cordiale. »
Toute dévouée à la cause de la Belgique, elle s'efforce, durant
la Grande Guerre, de servir d'intermédiaire au service de la
paix : témoin l'entrevue qu'elle organise rue d'Astorg entre la

reine Élisabeth de Belgique et Aristide Briand, prélude à une rencontre avec l'Allemand Fritz von der Lancken en Suisse – à laquelle Briand renoncera *in extremis*, de crainte de se faire accuser de pacifisme[1]. En 1919, un ministre radical du gouvernement Clemenceau écrit à la comtesse Greffulhe :

« N'a pas qui veut un salon politique et diplomatique. Le vôtre était le plus suivi, le plus complet, le plus brillant de tout Paris. [...]

J'espère bien que vous allez nous revenir et rouvrir l'hiver prochain vos salons.

Depuis qu'ils sont fermés, depuis que vous avez abandonné la capitale, j'ai le sentiment d'un grand vide. Il faudra le combler, je vous assure. Vous le devez à vos amis, et à vous-même.

Diplomates et politiques vont avoir à se lier de plus en plus au cours des années qui viennent ; Paris va devenir le centre de la politique mondiale, les hommes publics et les diplomates devront entretenir des relations de plus en plus étroites. Où se rencontreront-ils ?

Problème ?

Vous l'aviez résolu, avec quel tact, avec quel éclectisme et avec quel sentiment des nuances !

Je souris au spectacle de ce qui m'est offert ailleurs et des efforts qu'on fait ici et là pour vous imiter sans y réussir. C'est qu'il faut pour réussir une foule de qualités spéciales que jusqu'ici vous m'apparaissez comme étant seule à avoir[2]. »

Il est difficile d'apprécier avec précision l'influence du salon Greffulhe. Mais on peut penser, d'après les témoignages qui précèdent, que ce terrain d'échanges informels qu'offrit Élisabeth aux politiques, diplomates et souverains de son époque eut quelque utilité.

« *L'Oracle* » de Léon Blum

Cette ouverture d'esprit, ce mépris affiché du qu'en dira-t-on, ce syncrétisme qui fait l'originalité de la comtesse Greffulhe et de son salon, Proust s'en est directement inspiré dans la *Recherche* pour décrire l'audace légendaire de la duchesse de

Guermantes. Comme la belle Oriane, Élisabeth choque bien souvent son entourage :

« Mme la comtesse Greffulhe, écrit un journaliste, a l'esprit trop averti pour négliger le prestige des opinions libérales. Oui, la fille des Caraman-Chimay et la mère de la jeune duchesse de Guiche émet hardiment certaines théories généreuses – qui désolent ses satellites. L'un d'eux me le confiait hier avec accablement, de la voix étranglée qu'on prend pour parler dans une chambre mortuaire : "Croyez-vous ? Des opinions libérales !" "C'est impossible." "Ne m'en parlez pas ! Cette femme m'épouvante… Elle ose trop… elle ose tout !" »

Mais la similitude s'arrête là : bien différente de la futile duchesse, Élisabeth a pour objectif de servir son idéal de conciliation et d'être utile à son pays, de contribuer activement à transformer les idées et les goûts, quitte à braver s'il le faut les foudres de son seigneur et maître. « La comtesse Greffulhe se veut une propagandiste. » La prééminence mondaine si savamment entretenue par la duchesse de Guermantes n'est pour elle qu'un effet collatéral.

Il serait fastidieux ici d'énumérer le nombre impressionnant de personnalités politiques et diplomatiques avec qui la comtesse Greffulhe fut en relation, et souvent liée par une admiration et une amitié réciproques. Quelques exemples suffisent à illustrer son éclectisme en la matière.

Bien que catholique convaincue et pratiquante, elle ne partage pas l'intransigeance de son milieu envers les radicaux en guerre avec le clergé : ainsi, en décembre 1906, alors que le Gouvernement, en application de la loi votée un an plus tôt, procède à des expulsions et réquisitions, elle convie rue d'Astorg l'élite mondaine et intellectuelle parisienne en lui réservant un invité surprise : Aristide Briand, socialiste indépendant, alors ministre des Cultes et de l'Instruction publique[3]. Initiateur de cette loi de séparation, Briand, à la différence du « petit père Combes », est partisan d'une laïcité sans excès ; Élisabeth rêve de réconcilier les points de vue – à la fureur de Léon Daudet.

Profondément patriote et appartenant à une famille qui a tout à perdre de l'instauration de l'impôt sur le revenu, elle apprécie et reçoit cependant, pendant la première guerre, le radical Joseph Caillaux, pacifiste et instigateur dudit impôt – toujours à la fureur de Daudet.

Sa grande amitié pour le député catholique conservateur Denys Cochin ne l'empêche pas d'avoir des amis farouchement anticléricaux, comme « l'électron libre » Gustave Le Bon ou le député Jules Roche. Ce dernier est, lui aussi, en adoration devant la belle comtesse, avec qui il entretient une correspondance assidue, signant ses lettres « Th. Ph. S. » – *Thea philo se*, ce qui signifie « Déesse, je t'aime » en grec. On peut donc supposer que c'est sous l'influence d'Élisabeth qu'il prendra la parole à la Chambre pour s'opposer à la loi de séparation des Églises et de l'État[4].

Avec la guerre de 14, les cartes sont battues encore plus vigoureusement ; les barrières tombent, et le mélange des genres s'accentue, jusqu'à en devenir presque burlesque. À Bordeaux, au sein du gouvernement Viviani dit « d'Union sacrée », on voit ainsi Marcel Sembat et Jules Guesde – ce barbu chevelu au regard sévère derrière ses petites lunettes à la Trotsky, qui incarne la ligne dure du militantisme ouvrier – s'intéresser de très près aux initiatives « couturières » de la comtesse Greffulhe pour fournir aux soldats des uniformes mieux adaptés à la vie dans les tranchées ; au modèle qu'elle a dessiné, ils ajoutent « une modification encore plus pratique pour les manches ».

À Bordeaux aussi, durant la guerre, Élisabeth a fait la connaissance de Clemenceau. Le « Tigre », qu'elle juge « inattendrissable », a déployé cependant en sa faveur de « jolies manières de grand seigneur », des compliments discrets et des regards enveloppants. Ils se sont appréciés et reconnus au premier coup d'œil, l'indomptable homme d'État et l'indomptable comtesse qui écrivait, quelques années plus tôt : « Il faut combattre et vous savez que j'aime la lutte au couteau ; mais pacifique : celle qui s'exerce dans le domaine de la raison et non sur les champs de bataille – celle où les morts sont représentés par les imbéciles et les blessés par les moins valants. Celle où l'esprit le plus élevé est victorieux par la grandeur de la vérité dans la hauteur de cœur qui la proclame. »

Elle professera pour lui, sa vie durant, la plus grande admiration : « Je trouve Clemenceau le plus grand des hommes de notre temps. Il a rempli son mandat avec l'envergure de son caractère de fer. » Elle se réjouit, en 1917, de son accession à la présidence du Conseil, et, la guerre finie, se refuse à croire que le « Père la Victoire » puisse se retirer de la vie politique : « Clemenceau restera comme un des plus curieux caractères de l'histoire de l'humanité. C'est lui, et lui seul qui joue la partie, la conduit, mène les événements… Clemenceau est de la race des plus grands dominateurs [...]. Aussi non seulement je ne crois pas à la retraite bien sage qui est annoncée… Je crois à une suprême élévation plébiscitée par le pays[5]. » Henry, lui, plus clairvoyant, avait ainsi commenté avec un humour laconique son arrivée au Gouvernement : « Voilà Clemenceau, ni clément ni sot, qui vient au pouvoir. [...] Son règne sera bref ; il a mis le pied dans la fourmilière : et les fourmis ne tarderont pas à lui mettre les leurs quelque part… »

Plus tard, la comtesse Greffulhe ne cachera pas son admiration pour le socialiste Léon Blum, le président du Conseil du Front populaire. Elle appréciait depuis longtemps en lui le critique littéraire intelligent, dont elle lisait les articles dans la *Revue blanche*, aux côtés de ceux de Marcel Proust, dans les années 1890. Elle a admiré son habileté à résoudre la crise sociale en 1936, puis son courage politique face au parti communiste. Après la guerre de 40, alors qu'il dirige le Gouvernement provisoire chargé de mettre en place la Constitution et les institutions de la IVᵉ République, elle converse longuement avec lui lors d'un déjeuner à l'ambassade de Belgique, puis lui écrit : « L'avenir ouvrira les yeux de ceux qui ont momentanément méconnu le rôle primordial, cohérent, plein de sagesse et d'éminent patriotisme que votre parti a joué pour le plus grand bien de l'équilibre des institutions de la France, de ses intérêts vitaux et de son rayonnement dans le monde. » De son côté, il l'appelle « l'Oracle », et lui affirme qu'il suit ses conseils et qu'elle lui porte bonheur[6].

Oracle, il semble qu'elle le fut parfois, par exemple quand elle disait de Guillaume II, avant la guerre de 14 : « C'est un histrion et un commis-voyageur qui voudrait être un Lohengrin américain. Il est en carton-pâte, rien n'est solide en lui, hors sa vanité. Il périra de sa grandiloquence qui le mènera plus loin qu'il ne souhaite ; il sombrera dans le ridicule un jour, mais je crains que cela ne coûte très cher à l'Europe et à tout le monde. »

Car la politique internationale a toujours intéressé la comtesse Greffulhe. De son ami Gabriel Hanotaux, à l'époque où il est ministre des Affaires étrangères, elle reçoit chaque semaine les comptes rendus du ministère, ainsi que de courtes notes sur la situation des pays les plus exotiques. Sa sœur Ghislaine, que ses fonctions auprès de la reine Élisabeth de Belgique amènent à voyager et rencontrer beaucoup de monde, partage cette passion. Durant la Seconde Guerre mondiale, ces deux octogénaires dissertent des événements avec, parfois, une étonnante clairvoyance : « Lisez *Quatre ans avec Hitler* (*sic*) d'Henderson[7], écrit Ghislaine en 1940, c'est ce que j'ai lu de plus saisissant, véridique et consternant. Le personnage effroyable de Hitler y apparaît dans toute son horreur ! Comment a-t-on pu le laisser "grandir" !! Quelle méconnaissance des réalités !! Lisez ce livre sans plus tarder on n'a besoin de rien d'autre pour comprendre le drame que nous vivons. »

Après l'invasion de la Pologne par l'Allemagne et l'URSS en 1939, Élisabeth, réfugiée à Chatel-Guyon, écrit à l'un de ses correspondants :

> « Le monde entier sait maintenant à qui incombe la responsabilité du criminel qui a déchaîné, au nom de l'Allemagne, le crime contre l'Europe et contre l'ordre moral. Ce fait seul a une portée immense. Portée considérable, car tous les neutres vont comprendre qu'ils doivent se ranger à nos côtés – non plus pour défendre notre liberté, mais pour défendre la leur. Et, comme je l'écris à Mme Roosevelt, mère du Président, qui a pour moi une grande affection – elle montrera ma lettre à son fils – il s'agit de constituer une croisade 1939 composée de tous les grands et petits pays du monde, et de tous ceux qui veulent lutter contre le bolchevisme, conserver leur liberté et réhabiliter l'honneur. Cette croisade doit se faire contre le seul Hitler et déchaîner contre lui la révolution en Allemagne. »

Dès le début du conflit, elle appelle de ses vœux l'entrée en guerre des États-Unis : « À mon avis, mon seul espoir serait dans l'action de l'Amérique. » « Mme Greffulhe, en plus de la rapidité de son intelligence active, possédait un certain sens divinatoire qui m'a toujours surpris », commentera le mémorialiste Pringué.

Mais le sens divinatoire peut être émoussé par le grand âge. L'instinct qui guide Élisabeth est parfois trompeur. Ainsi, dans les années trente, elle a donné son amitié à Pierre Laval, qu'elle appelle « cher grand ami » ; celui-ci, il est vrai, n'est à l'époque qu'un homme politique en vue, réputé pour son pacifisme, un socialiste plusieurs fois ministre, promulgateur de la première loi sur les assurances sociales. Après la défaite de 40, elle fera, comme beaucoup de Français, confiance à Pétain, le vainqueur de Verdun. Elle est alors âgée de quatre-vingts ans ; mais c'est avec une grande honnêteté et une fougue dignes d'une femme beaucoup plus jeune qu'elle reviendra, quelques années plus tard, sur ses jugements passés : « J'ai été poire, dupe, victime trop confiante. [...] En revenant sur ce que j'ai cru en voyant la France écrasée en 1940, je m'accable de reproches, de mépris pour un jugement aussi erroné. »

Une « dilettante » très professionnelle

Pour reconstituer tout ce qui précède, j'ai dû patiemment assembler les morceaux d'un gigantesque puzzle disséminés dans les cartons d'archives. Vestiges d'une longue vie à l'activité inlassable et multiforme, ces archives reflètent le paradoxe du personnage : elles sont *inclassables* au sens propre, comme la comtesse Greffulhe l'était au figuré. Elles sont *déroutantes*, en raison même de leur prolixité qui multiplie les chemins de traverse, brouille les repères, dissimule l'essentiel sous l'accessoire. Elles sont à l'image d'une femme qui s'est surexposée, multipliée au point d'être effacée, soustraite des mémoires après sa mort. Paradoxalement, la trace qu'elle a laissée est inversement proportionnelle à la diversité de son action. À la place considérable qu'elle occupait de son vivant s'est substitué le trou noir de l'oubli. Son activité surabondante a nui à sa visibilité, et l'a fait classer dans la catégorie des dilettantes.

Sa position mondaine l'a sans doute desservie auprès des historiens, qui ne se sont pas donné la peine de chercher au-delà des apparences, et se sont contentés de la ranger dans la case « Guermantes » – signalée, certes, par son bon goût, mais aussi par sa futilité. Nombre de ses amis la considéraient, eux aussi, comme une « touche-à-tout », trop éclectique pour être vraiment sérieuse. Ils la jugeaient ainsi « remarquablement douée à tous les points de vue », mais lui reprochaient de disperser son énergie : « Elle s'attaque à trop de choses à la fois : un jour c'est la musique, un autre c'est la peinture, un troisième la sculpture, etc., et elle ne réussit pas là où elle le devrait, parce qu'elle n'a ni assez de suite dans les idées ni assez de persévérance. » Gustave Le Bon exprimait la même opinion, à sa manière abrupte : « Vous seriez devenue une femme fort remarquable si vous aviez concentré vos bouillonnements cérébraux au lieu de les épancher sur 150 000 individus et 900 000 sujets. » Dispersée, la comtesse Greffulhe l'était sans doute. Mais dilettante, voire ! Personne ne pouvait imaginer la somme de travail et l'organisation sans faille qu'exigeaient ses activités artistiques et charitables, menées de front, entre ses multiples voyages, avec une vie sociale intense entre Paris et Bois-Boudran.

Ses archives conservent la trace de la logistique quasi militaire exigée par son double train de maison. Elle veillait, par exemple, à ce qu'il y ait un tableau de service pour chaque domestique, avec son emploi du temps de la journée ; elle s'occupait de leur recrutement, de leur formation, négociait leurs gages ; elle leur fournissait des instructions écrites, très détaillées, concernant les réceptions, l'hébergement des invités, les conduites à la gare, etc.

Ses agendas étaient soigneusement classés par année dans un coffre en bois. La liste de ses « correspondants habituels » – au nombre de 506 –, était répertoriée dans un grand registre noir. En face de chaque nom figuraient des consignes pour son secrétariat sur la façon personnalisée de rédiger chaque correspondance, depuis la formule d'appel – Monsieur, Madame, Cher ami, Cher Maître et ami, etc. – jusqu'à la formule de politesse – meilleurs sentiments, sentiments affectueux, etc. –, sans oublier la signature – CCG, Caraman-Chimay Greffulhe, Élisabeth... Perfectionniste, elle laissait également à ses secrétaires des modèles de lettres pour leur permettre d'expédier de façon autonome les « affaires courantes », dans toutes les éventualités : accuser réception d'un courrier ; annoncer une visite que l'on fera, le résultat ou le succès d'une démarche ; demander le concours d'un artiste célèbre, d'un orateur ; décliner une invitation à un dîner, un concert, une représentation ; regrets de ne pouvoir intervenir, de ne pas participer à une œuvre ; félicitations – plus moins développées – pour un avancement, une décoration, etc. ; demandes d'autorisation de visiter un établissement public ; demandes d'entretien ; recommandations diverses ; refus de donner une photographie ou de la reproduire dans la presse ; refus à une demande d'emploi, à des sollicitations ; regrets du départ d'un ambassadeur, d'un ministre, d'un officier, d'un personnage important ; remerciements, etc. Sans oublier, bien sûr, les invitations en tous genres – chasse, dîner, garden-party, soirée intime ou raout – à adresser avec la formule *ad hoc* en fonction du destinataire, de son titre et de leur degré d'intimité : un prince, une reine, un membre du Gouvernement, un député, un ami cher, une simple relation...

La comtesse Greffulhe était à elle seule, avec l'aide de quelques secrétaires, patronne de PME, responsable des ressources humaines, bureau de bienfaisance, entreprise de spectacles, impresario, agence diplomatique, cabinet de relations publiques. Ses journées ne ressemblaient en aucune façon à cette futile « Journée de la Parisienne », vouée tout entière aux essayages, tasses de thé et autres promenades au Bois, que décrivaient complaisamment les chroniqueurs de presse. Dispersée, oui. Dilettante, non !

III

LES SECRETS D'UNE FASCINATION

> « Et comme le désir vient toujours
> d'un prestige préalable... »
> Marcel Proust, *Albertine disparue*

1

DES ORIGINES MYTHOLOGIQUES

Élisabeth de Caraman-Chimay n'a que seize ans, et déjà l'écrivain Octave Feuillet, qui la rencontre à l'occasion d'un dîner avec ses parents, est séduit par « la jeune princesse qui ouvrait les yeux étonnés d'une dimension énorme – et une grande bouche rieuse, épanouie et pure comme une fleur du matin. Avec cela une telle masse de cheveux que sa tête en est penchée comme sous un fardeau trop lourd. Fine comme l'ambre, plus intelligente que fine, de vrais yeux de génie, éclatants et profonds, avec un rire de bergère, voilà cette princesse. La mère, encore jolie, la couve des yeux avec cette gravité tendre qu'elle a. Elle est austère et romanesque, et sa fille est son roman ». Derrière le charme de cette toute jeune fille, c'est tout un roman que perçoivent déjà les premiers de ses admirateurs : celui de ses origines familiales quasiment mythologiques.

Son état civil au grand complet est Élisabeth de Riquet de Caraman-Chimay. Une série de patronymes qui s'emboîtent comme des poupées russes, et évoquent une histoire haute en couleurs. À l'origine, il y a Pierre-Paul Riquet, ingénieur toulousain d'origine italienne qui conçut et réalisa le canal du Midi dans les années 1660, en y investissant ses fonds propres ; puis son fils, anobli par Louis XIV ; à la génération suivante, on trouve Victor-Maurice de Riquet, comte de Caraman, ami de Marie-Antoinette, inspirateur du hameau de la reine à Versailles, qui émigra en Belgique à la Révolution ; et enfin François Joseph, arrière-grand-père d'Élisabeth, qui, en 1804, hérita d'un oncle le titre des Chimay, devenant ainsi le seizième prince de Chimay. Caraman-Chimay. Chimay, chimères... Du côté Caraman, Élisabeth descend d'une famille de bâtisseurs et de guerriers. Quant à Chimay, c'est une dynastie de seigneurs du Saint-Empire remontant au XIe siècle – mécènes, musiciens et mélomanes.

Arrière-petite-fille de madame Tallien et de Napoléon Ier

Mais il y a encore mieux, dans l'histoire plus récente de la famille : le sang vénérable des Caraman-Chimay a été rajeuni par trois histoires d'amour, enrichi d'un sang neuf, bouillant, qui a conquis lui-même sa gloire. Voici l'histoire : à trente-trois ans, l'arrière-grand-père d'Élisabeth, François Joseph de Caraman, était tombé fou amoureux d'une femme séduisante à la réputation sulfureuse, la « citoyenne Tallien », née Terezia Cabarrus. Terezia, riche héritière espagnole descendante d'une lignée de marins et négociants internationaux, avait été élevée en France ; jeune marquise de Fontenay, elle avait vu sa vie basculer à la Révolution. Emprisonnée, sur le point de comparaître devant le Tribunal révolutionnaire et d'être guillotinée, elle put faire passer à son amant Tallien ce mot : « Je meurs d'appartenir à un lâche ». Ce fut le déclic qui encouragea Tallien à fomenter contre Robespierre le coup d'État du 9 Thermidor. Des centaines de personnes eurent la vie sauve *in extremis*, ce qui valut à Terezia le surnom de « Notre-Dame de Thermidor ». Tallien, épousé par reconnaissance, fut bientôt dédaigné au profit de Barras et du banquier Ouvrard, dont elle devint la maîtresse. Reconvertie en « Merveilleuse », l'ex-déesse de la Raison, amie intime de Joséphine de Beauharnais, qui exhibait volontiers sa triomphante nudité à peine recouverte de gaze transparente, fut l'une des reines du Directoire et du Consulat, avant d'être éloignée des Tuileries par Napoléon qu'elle avait jadis dédaigné. S'étant découvert une vocation de protectrice des arts, elle pouvait tout, osait tout, obtenait tout. Chacun célébrait sa beauté et sa grande générosité.

Elle était encore souverainement belle lorsque le jeune comte de Caraman l'avait demandée en mariage, au désespoir de sa famille. Quelques mois plus tard, la mort du prince de Chimay les avait faits prince et princesse, dotés d'un fief magnifique, d'un château de conte de fées et d'une immense fortune.

À la génération suivante, la féerie allait recommencer, avec une nouvelle histoire d'amour. Leur fils aîné Joseph – le grand-père d'Élisabeth – tomba amoureux de la belle Émilie de Pellapra, veuve du comte de Brigode, et la demanda en mariage. Or, la jeune femme n'était autre que la fille naturelle de Napoléon Ier, fruit des amours adultères de l'Empereur avec Émilie Leroy, fille d'un libraire de Lyon, épouse légitime du receveur général Louis de Pellapra. Élisabeth avait donc pour arrière-grand-mère Notre-Dame de Thermidor, et pour arrière-grand-père – par la main gauche – l'Aigle en personne.

Émilie, morte en 1871, quand sa petite-fille Élisabeth avait dix ans, se souvenait d'avoir assisté, avec sa mère, à la revue des Fédérés, pendant les Cent Jours. D'une fenêtre des Tuileries dominant le Carrousel, elle avait vu son père, monté sur un cheval blanc, passer sous les acclamations devant le front des troupes. Elle possédait les romanesques témoignages de cette passion dont elle était issue : la cocarde détachée du chapeau que portait l'Empereur à la bataille d'Austerlitz ; son mouchoir de batiste et son flacon de sels ; l'extraordinaire médaillon peint par Jacquet en 1810, dont elle affirmait que c'était le seul portrait pour lequel il avait accepté de poser, et la seule image de lui qui fût ressemblante ; le magnifique bracelet d'or rouge, jaune et vert aux motifs guerriers, donné à sa mère par l'Empereur à son retour de l'île d'Elbe ; le diamant solitaire rapporté pour elle de Sainte-Hélène par Las Cases ; enfin, une rose séchée dans une enveloppe portant l'inscription « Malmaison 1815 », souvenir du dernier entretien des deux amants au bord de l'abîme, après la défaite de Waterloo. Sans doute Élisabeth, petite fille, avait-elle touché ces reliques, pieusement conservées, après la mort de la princesse de Chimay, par sa fille Valentine[1].

En tout cas, dans la famille, personne n'en doutait : Joseph et ses enfants descendaient en droite ligne du Soleil, qui les éclaboussait encore de ses rayons.

Comme ses frères et sœurs, Élisabeth est fière de cette ascendance – peu orthodoxe sans doute – mais ô combien flamboyante, tellement plus excitante que les corrects *pedigrees* du prude faubourg Saint-Germain. Même la généalogie prestigieuse de sa mère, Marie de Montesquiou-Fézensac, dont la lignée remonte jusqu'aux Mérovingiens par les ducs d'Aquitaine, fait un peu pâle figure à côté de tels ancêtres. Cependant, clin d'œil de l'Histoire, la famille Montesquiou a également un lien avec l'Empereur : Marie est en effet la petite-fille de « Maman Quiou », la gouvernante du roi de Rome ; elle a hérité de la robe de baptême de l'Aiglon, dans laquelle tous ses enfants ont été baptisés, et elle joue encore au piano pour ses enfants la valse que sa grand-mère avait composée pour faire danser le petit prince[2].

Caraman-Chimay, c'est le rêve, l'émotion, l'aventure, le grand frisson de l'Histoire en marche : Élisabeth descend des dieux de l'Olympe. Bien qu'elle soit officiellement de nationalité belge, sa filiation l'enracine en France, la fait participer presque personnellement aux soubresauts les plus violents et les plus exaltants d'une Histoire finalement si proche, dont seules deux générations la séparent. Sous cette terne IIIᵉ République, dans ce milieu si « convenable » qui est le sien, quelle secrète joie de savoir que, dans ses veines, circule le sang chaud de Napoléon et de la volcanique Terezia ; de penser qu'elle a hérité, peut-être, des pouvoirs magiques de ces demi-dieux.

Ces origines sont bien connues des contemporains de la comtesse Greffulhe, et participent sans aucun doute à la fascination qu'elle exerce sur eux. Elles forment autour d'elle comme une auréole héroïque qui stimule l'imagination. Témoin le texte qu'écrivit peu après sa mort son grand admirateur André Germain :

« Ses origines – il faut l'ajouter – si elles étaient très aristocratiques d'un certain côté, se trouvaient aussi être, d'un autre côté, semi-divines. Car ses veines charriaient un sang aussi fabuleux que celui dont étaient faits les enfants de Léda et du Cygne. Il y avait, à la fois, dans ce sang, la magique vertu qui avait fait apparaître aux Parisiens Mme Tallien comme la plus belle des femmes, et le filtre plus puissant grâce auquel Napoléon avait ensorcelé les Français devenus ses sujets. Comment s'étonner qu'elle fût une prodigieuse et toujours riante créature, elle qui descendait à la fois des rois mérovingiens, de Notre-Dame de Thermidor et du nouveau Charlemagne au visage de César que Notre-Dame avait sacré ?

Admettons que la royauté de la duchesse Guermantes, uniquement basée sur de vieux parchemins, eût été plus timide. La souveraine aisance avec laquelle la comtesse Greffulhe se mouvait parmi les rois et les génies avait des motifs plus larges et des sources plus enchantées. Si elle charmait irrésistiblement les poètes, les musiciens, et les princes, c'est qu'en elle se manifestait, antique et rajeunie, une sorte de libre et fascinante principauté. »

Marcel Proust, nous le verrons, fut, lui aussi, sensible à cette légende, qui joua un rôle décisif dans la genèse de son œuvre.

2

« L'ARCHANGE AUX YEUX MAGNIFIQUES »

Au-delà de ce « roman familial », quel était le secret de la séduction irrésistible de la comtesse Greffulhe ? Mis à part un portrait particulièrement réussi, la réponse n'est pas dans les images qui nous sont parvenues. Si l'on en croit ses admirateurs, cette beauté peu classique demandait à être vue « par corps », comme disent les chasseurs, et en mouvement. C'est à Henri de Breteuil, qui la connut dans sa prime jeunesse, tout au début de son mariage, que nous devons le portrait sans doute le plus objectif :

> « Au physique, ceux qui la voient passer avec sa jolie taille, son élégante tournure, sa silhouette à nulle autre pareille, se retournent étonnés et se disent qu'elle semble ne pas marcher sur terre. En effet, sa démarche donne une idée de celle que l'imagination prête aux déesses. Sa figure n'est pas très régulière, ses traits ne sont pas irréprochables, mais de grands yeux noir profond, doux et souriants, un peu trop grands peut-être, et une rangée de petites dents éclatantes sur des gencives rouges, empêchent de remarquer ce qui pourrait être plus parfait. Un long cou flexible et gracieux porte ce visage expressif qu'encadrent des mèches noires toujours révoltées.
>
> Et, en voyant cet ensemble aussi joli que bizarre, on pense à la fois aux bohèmes de l'Orient et aux princesses de conte de fées. »

Cette description élogieuse mais, chose rare, point dithyrambique, nous indique tous les éléments qui composent le charme d'Élisabeth.

...eau lys qui regardez avec vos pistils noirs »

Les yeux sont sans aucun doute son atout maître. Tous les témoins s'accordent pour célébrer ses « yeux inspirés », « allumés comme des pierreries », « plus veloutés que la toilette », « le dard sombre de ses yeux sauvages et olympiens », « l'idole aux grands yeux noirs – tristes ces yeux comme un bijou le deuil », cet « archange aux yeux magnifiques », « cette éloquence du regard qui ne permet pas de réplique ».

Robert de Montesquiou vante « le regard étincelant de celle qu'on suivrait jusqu'aux portes de la tombe » et l'immortalise dans un sonnet aux accents baudelairiens : « Beau lys qui regardez avec vos pistils noirs ». Lord Lytton, ambassadeur de Grande-Bretagne à Paris, lui murmure un soir à l'oreille, dans le salon de Bois-Boudran : « Décidément, ce soir, les yeux ne sont pas supportables ! » Pour sa belle-sœur Louise de L'Aigle, ces yeux « sont des agents provocateurs et battent la grosse caisse, attirant sur votre beauté de nombreux regards de convoitise ». Pour son vieil ami bourru et ronchon Gustave Le Bon, elle « possède des yeux flamboyants qui allument des feux qu'elle éteint rarement car elle n'est amoureuse que du diplodocus ».

Les laudateurs sont unanimes à célébrer ce fameux regard, dans un registre qui varie de l'élégie à l'ironie : mais c'est Marcel Proust, génial observateur, qui nous livre sur ce thème la vision la plus subtile, dans un texte inédit dont nous reparlerons plus longuement dans la dernière partie de cet ouvrage : « Ses yeux merveilleux changent d'aspect à toute minute [...] ils sont "autres", mais restent toujours "eux". » À travers l'analyse proustienne, tout s'éclaire : le principal attrait de ces yeux, c'est leur mobilité de l'extérieur vers l'intérieur, reflétant non seulement l'attention qu'Élisabeth porte aux autres, mais aussi les émotions qui la traversent. Leur magnétisme tient au mystère, à la faille intime qu'ils laissent entrevoir. Ce qui captive, c'est l'énigme que l'on pressent derrière ces yeux indéchiffrables. C'est aussi ce qui explique pourquoi la beauté de la comtesse Greffulhe ne nous apparaît pas toujours évidente aujourd'hui, sur nombre de ses portraits, et surtout sur ses photographies, qui ne parviennent pas à nous restituer l'éclat et la profondeur de ces miroirs de l'âme.

« Elle est "Belle du flamboiement des yeux fixés sur elle" », a noté Proust, citant Victor Hugo. C'est, en effet, dans le regard des autres qu'Élisabeth a pu mesurer très tôt son pouvoir.

« Quand je suis regardée par beaucoup de monde, je sais que mes yeux prennent une certaine lourdeur et leur éclat devient incroyable. Ils changent tout à coup de destination. Je les manie avec précaution comme des armes dangereuses avec lesquels un amateur jouerait. Je n'ose regarder que dans le vague, car je les sens trop expressifs. Il me semble me servir de deux hameçons noirs[1]. » Elle ne manquera pas d'user de cette arme de persuasion pour faire aboutir les projets qui lui tiennent à cœur.

Après les yeux, ce sont le sourire, le rire, la gaieté de la comtesse Greffulhe qui reviennent comme un leitmotiv dans les litanies à sa louange. « Le second trait particulièrement frappant de ce visage, c'est le sourire [...] absolument idéal ; les dents étant merveilleuses, sa bouche dessinée à l'antique, ce sourire est ce qu'on peut voir de plus adorable. » Le sourire annonce « ce rire unique qui n'emprunte aucun appui au dehors et prend en lui-même sa source, jeu elfique, âme et plaisir d'un vase parfait qui rebondit sans cesse contre les paroles claires et sonnantes de l'albâtre illuminé ».

« Le rire de Mme Greffulhe s'égrène comme le carillon de Bruges » : on a beaucoup cité cette phrase de Proust, rapportée par son biographe George Painter, dont on ne trouve cependant nulle trace dans sa correspondance. Mais il est certain que l'auteur de la *Recherche* admirait ce rire, qu'il décrit si bien dans le texte inédit déjà cité : « Elle reste un moment indécise comme hésitant devant la propre fusée de son rire, qui tout d'un coup jaillit délicieusement, jetant et égrenant sans compter. » Et, de tous ses thuriféraires, il est le seul à mentionner « sa voix si particulière qui semble par moments patiner sur les mots ».

Ce rire n'était pas feint : il venait du cœur. Il était l'expression de sa faculté d'émerveillement et d'enthousiasme, comme de son bonheur de plaire : « Comme son cousin, la scintillante et rayonnante comtesse Greffulhe s'étonnait avec joie d'être elle-même. Mais, tandis que, chez le cousin Montesquiou, ce légitime émerveillement prenait quelque chose d'agressif et de figé, il demeurait, chez elle, jeune et jaillissant et se communiquait aux autres avec un élan de source, avec une fluide générosité de rivière emportant dans sa course les rêves de son glacier natal et les fleurs arrachées à ses rives. »

Si l'on en croit tous ceux qui l'ont bien connue, Élisabeth était d'une nature allègre et pleine d'humour : « Personne, enfin, n'est plus gai », dit d'elle Henri de Breteuil. Les formules percutantes, qui témoignent de son sens du cocasse et de l'auto-dérision, pullulent dans sa correspondance avec ses intimes. Elle accepte de fort bonne grâce de se faire taquiner par ses amis, comme ce vieux misogyne de Gustave Le Bon, qui prend un grand plaisir à mettre en boîte sa « toujours infiniment spirituelle et très chère comtesse ». Faire jaillir son rire par un bon mot est un privilège recherché, que Proust apprécie grandement : « Elle a ri si joliment que j'aurais voulu le lui redire dix fois de suite. » Ce rire jaillissant est d'autant plus inattendu et précieux qu'il contraste avec la profondeur souvent mélancolique du regard : c'est pourquoi André Germain parle de « sa mystérieuse gaieté ».

À ces attraits du visage s'ajoute la lourde chevelure auburn – vue par ses admirateurs tantôt noire, tantôt rousse – qu'elle a l'art de remonter vaporeusement pour laisser voir ses petites oreilles parfaites, et d'orner de perles, papillons et autres fantaisies. « Il faut avoir le respect de la nuque », disait son coiffeur. On a oublié aujourd'hui l'attrait que pouvait susciter une femme vue de dos – et c'est précisément sous cet angle que le peintre Helleu préférait dessiner la comtesse, son modèle préféré.

Le port d'une déesse

Mais tout cela serait peu de chose sans la démarche, la silhouette, le port de tête que tous s'accordent à admirer : « De proportions si harmonieuses que, grande, sans l'être autant qu'elle le paraissait, mais possédant cet art inné de porter haut la tête qui fait que, devant celles qui en sont douées, les non-privilégiées baissent le front, elle avançait dans un nuage de tulle comme poussée par le souffle du printemps. » Même ce ronchon d'Edmond de Goncourt, peu enclin à se laisser séduire, voit en elle « quelque chose d'une apparition, d'un séduisant fantôme[2] ». Mémorialistes et correspondants célèbrent à l'envi « le col long et quelque chose d'élégamment héraldique dans sa sveltesse », « l'elfe dont les pieds semblaient des ailes », « sa sveltesse ailée, sa haute nuque de déesse ». Tout le monde, jusqu'au vieux médecin de famille, le docteur Denis, qui vient l'ausculter à Bois-Boudran :

> « — Je voudrais engraisser un tout petit peu, docteur, lui demande sa patiente.
> Lui, reculant de deux pas et joignant les mains :
> — Oh ! Madame ! Je me reprocherais éternellement de changer une ligne à ce que je vois ! »

La comtesse Greffulhe est si difficile à décrire par les mots que ses adulateurs ont toujours recours à la métaphore pour exprimer leur admiration. Les plus respectueux la comparent à une idole, un ange, un archange, une princesse, une fée ou, de préférence, à une déesse de l'Olympe – à Vénus, ou, plus souvent à Diane, sa déesse fétiche, dont elle a fait son emblème depuis qu'un admirateur lui a légué le célèbre buste de marbre blanc de Diane par Houdon, qui trône désormais à la place d'honneur dans les salons de la rue d'Astorg[3].

Dans le registre botanique, c'est le lys qu'on lui attribue, avec plus ou moins de bonheur d'expression. On peut s'interroger sur le sens de cette déclaration du duc d'Aumale : « C'est un lys qui deviendrait une liane », et préférer le « beau lys d'argent » de Montesquiou, ou ce charmant vers d'Elaine : « La comtesse des mille beautés [...] à l'air d'un dieu changé en lys fier et seul ». Là aussi, Élisabeth fera sien ce symbole, comme en témoigne la célèbre robe aux lys, dans laquelle elle fut photographiée par Nadar, et qui fait aujourd'hui partie des collections du musée Galliera.

Les plus imaginatifs ont recours aux images atmosphériques : « un nuage flottant sur les ternes lueurs d'un soleil couchant ». D'autres préfèrent le registre animalier : on la décrit « rapide comme un chevreuil », « un cygne dans l'égouttement d'une cascade au clair de lune ». Proust voit en elle « un grand oiseau d'or prêt à s'éployer », métaphore qu'il appliquera également dans la *Recherche* à la duchesse de Guermantes.

Dans leur exaltation, les plus fervents n'hésitent pas à faire feu de tout bois – végétal, animal, minéral, météorologique… « La comtesse Greffulhe apparaissait comme une fleur et s'avançait comme un cygne. Ses yeux [...] n'étaient pas de terrifiants éclairs : ils étaient plutôt des pierreries doucement aveuglantes. »

Cygne, biche, chevreuil, gazelle : le point commun de tous ces animaux est d'avoir un long cou et, cygne excepté, de doux yeux. Certaines descriptions ne manquent pas de sel : Montesquiou, qui s'exclamait volontiers « Elle a de si belles entrées ! », décrit ainsi son arrivée dans un salon : « Elle arrivait avec l'élégante vivacité, en même temps que la délicate majesté d'une gazelle, qui aurait rencontré une pièce de velours noir et qui la traînerait après soi, avec une grâce infinie. »

Quant à Pringué, il se risque à nous peindre un bien étrange animal : « Coiffée de ses chapeaux, aigrettes, fleurs, tulles et plumes, elle traversa toute l'Europe de sa démarche de déesse, balançant sa taille souple, élancée, ses yeux de gazelle illuminant sa ravissante tête de Diane posée sur un col-de-cygne, enroulé de mousseline, et qu'emprisonnait un quadruple rang de perles d'un Orient éblouissant. »

Plutôt grande – un mètre soixante-huit, selon sa carte d'identité[4] – et mince, Élisabeth Greffulhe l'était, en effet, et l'est restée jusqu'à la fin. Le secret de sa grâce réside, à coup sûr, dans l'attitude et le mouvement. Cela ne se perçoit pas sur les photos, mais saute aux yeux sur deux courtes scènes filmées en 1900, qui la montrent sur un balcon rue d'Astorg, l'une posant en robe du soir, et l'autre lisant un journal avec sa fille Elaine. Sur ces images, elle apparaît étonnamment jeune, avec un visage très expressif d'où émanent tendresse, gaieté, spontanéité. Elle est *vivante*, tout simplement.

Profils perdus...

Ces films sont des documents rares. Ceux qui essayent de fixer pour la postérité le portrait de la belle comtesse n'ont pas la tâche facile : elle se prête mal à une représentation figée, sur la toile comme sous l'objectif des premiers photographes. On comprend pourquoi elle n'était pas satisfaite de la plupart de ses portraits, pourquoi elle détestait donner sa photographie : ces clichés, même signés du talentueux Nadar, ne nous restituent pour la plupart qu'une silhouette pétrifiée dans une robe invraisemblable, des traits qui paraissent lourds, une figure souvent maussade, des yeux tristes. Sans le rire, le regard, le mouvement, ne nous restent que des dépouilles.

« Élisabeth Greffulhe a été applaudie, acclamée, photographiée ; les lignes de son sourire, de son cou et de sa robe mirent en œuvre des mines de plomb, de la glaise, des burins, des pinceaux... » note Élisabeth de Gramont. C'est vrai, mais retrouver la piste de ces œuvres relève parfois de l'enquête policière.

Entre 1883 et 1900, Paul Nadar, dit « Nadar le jeune », réalisa plusieurs photographies de la comtesse Greffulhe – notamment celle, que Proust rêvait de posséder, sur laquelle elle pose dans son étonnante « robe aux lys », ainsi qu'un impressionnant portrait d'Henry, terrifiant Barbe-Bleue aux yeux fixes de hibou. Passionnée par toutes les nouveautés techniques, scientifiques et artistiques, Élisabeth prit quelques leçons avec lui et réalisa même un autoportrait dans la « robe aux lys ». Une photo en pied d'un auteur anonyme, conservée dans le fonds du musée d'Orsay, la montre de trois quarts droit, statufiée dans une attitude hautaine très « vaincre ou mourir », la poitrine conquérante et la bouche amère. Mais le plus intéressant de tous ces clichés est dû à Otto Wegener, dit Otto. Grâce à un travail sur le négatif, l'artiste a réussi à représenter deux Élisabeth, l'une en blanc de profil, l'autre en noir de trois quarts, à demi cachée par la première. Chose étrange, leurs yeux sont fermés. Cette image hautement symbolique resta exposée dans ses appartements jusqu'à sa mort. Elle est aujourd'hui au Metropolitan Museum de New York. En revanche, on ignore ce qu'est devenue la photo que Montesquiou admirait tant et qu'il avait baptisée « L'Épaule d'une Grand-Mère »[5].

En cette fin de siècle, la sculpture était un art en vogue pour immortaliser les femmes en vue. La comtesse Greffulhe aurait été sculptée par Falguière, mais aurait jeté la tête, qui lui déplaisait, pour ne garder que le moulage de ses épaules. Ce qui est certain, c'est qu'un buste d'elle fut réalisé par Franceschi en 1880, à la demande d'Henry. On ne sait ce qu'il est devenu, mais on connaît en détail, grâce aux archives, les circonstances fort amusantes de son élaboration. Le sculpteur se souvenait d'une œuvre de Carpeaux représentant Eugénie Fiocre, première danseuse à l'Opéra de Paris, et souhaitait pouvoir s'inspirer de son port de tête. Par chance, Mlle Fiocre avait été la maîtresse d'Henry, et son buste gisait au grenier, « où sont entassés tous les membres, mains, pieds, photographies des "disparues" », raconte avec humour Élisabeth à sa mère. On fait descendre l'objet, et les deux époux se rendent chez Franceschi après le dîner pour le lui apporter. Mais il est absent : le mari, la femme et la maîtresse en effigie se promèneront donc ensemble toute la soirée. Les séances de pose commencent, à l'indignation de la belle-mère, qui réprouve cet exhibitionnisme : « Le Buste continue de semer l'effroi ici et quand on en parle un silence glacial s'établit comme si un crime avait été commis ; pendant ce temps-là il devient vraiment magnifique. » L'œuvre enfin achevée, la comparaison s'impose : « La pose du cou est la même. Nous les avons mis l'un à côté de l'autre, c'est risible de voir cette figure canaille à côté de la mienne si fière, elle a l'air de mendier et moi de repousser les hommages. Vous voyez d'ici toute la scène… » Jugement partisan car Eugénie Fiocre, exposée aujourd'hui au musée d'Orsay, n'a nullement l'air de « mendier », mais arbore, bien au contraire, un air mutin fort spirituel et un regard assez pénétrant.

Pour ajouter à l'anecdote, il faut signaler que le même Franceschi réalisa un buste de la comtesse de Meffray, qui était la maîtresse d'Henry à cette époque. Sur cette œuvre, détenue dans une collection particulière, le cou, la position de la tête légèrement tournée vers la droite, le décolleté de la robe qui laisse voir les épaules nues sont directement inspirés de Carpeaux. On peut donc en déduire que le comte Greffulhe, avec ses nombreuses conquêtes, était un commanditaire fort apprécié des artistes de son temps...

Si Marie de Montesquiou avait vécu plus longtemps, nous aurions sans doute des confidences analogues sur les circonstances dans lesquelles furent peints les nombreux portraits d'Élisabeth, dont la plupart sont aujourd'hui introuvables. Des portraits ou esquisses exécutés par Carolus-Duran, Antonio de La Gandara, Gustave Jacquet, Jacques-Émile Blanche, Lami, Aimé Morot ou Fernand Khnopff, on ne trouve plus trace que dans la correspondance, ou dans les évocations de Robert de Montesquiou, qui commente certains d'entre eux dans *La Divine Comtesse*[6].

... et portraits retrouvés

À l'exception de quelques photographies, les portraits de la comtesse Greffulhe sont conservés dans des collections particulières et n'ont, pour la plupart, jamais été exposés. La toile signée Philip de László, qui figure en couverture, est la plus saisissante. László, le plus talentueux des portraitistes mondains de son époque, était un grand ami de la famille Gramont et avait enseigné la peinture au duc de Guiche. La toile a été peinte en 1909, alors que le modèle, à quarante-neuf ans, était au sommet de son rayonnement et traversait la période la plus heureuse de sa vie. Seule de toutes celles qu'elle a inspirées, cette œuvre reflète véritablement la personnalité d'Élisabeth Greffulhe. Dans la vague impétueuse des cheveux, la bouche close, discrètement impérieuse, le regard en biais des yeux noirs, on peut lire la passion, le triomphe et la mélancolie. Chacun, disait László, « a le visage qu'il tourne vers le monde, mais derrière ce masque, se cache un ego intérieur jalousement gardé qui garde les espoirs et les terreurs, les aspirations et les limites, et qui constitue l'atmosphère de sa personnalité ». Dans ce portrait, il a magnifiquement capté ce « quelque chose qui différencie tout être humain de son semblable », cette « révélation momentanée du moi intérieur »[7].

De tous les portraitistes de la comtesse Greffulhe, Paul-César Helleu fut sans aucun doute le plus prolifique. Ami de Marcel Proust, qui en fit l'un des modèles d'Elstir dans la *Recherche*, et auteur de l'émouvante eau-forte qui représente l'écrivain sur son lit de mort, Helleu était surtout peintre du mouvement et des évocations vaporeuses, privilégiant le pastel et l'aquarelle. L'élégante comtesse constituait donc pour lui un modèle de choix.

Élisabeth avait découvert ce jeune artiste en 1889, et lui avait acheté ses premiers dessins pour 3 000 francs – la somme la plus considérable qu'il ait jamais touchée jusqu'alors. En 1891, elle mit à sa disposition la propriété des Bouleaux, voisine de Bois-Boudran. Pendant ce séjour, nous dit Montesquiou, le peintre réalisa quelques études de paons. Mais surtout, il ne lâcha pas son hôtesse d'une semelle et fit d'elle une centaine d'esquisses, à toute heure de la journée et dans toutes les attitudes – à sa toilette, à son balcon, lisant, et même dans le train. En apprenant la chose, Ghislaine, qui, de son côté, travaillait d'arrache-pied la peinture, se désolait : « L'idée qu'Helleu fait des croquis de vous me met mal à mon aise. Il me les vole et pendant que je travaille péniblement pour acquérir assez de talent pour ne pas vous ennuyer inutilement [...]. »

« Helleu m'entretient d'une centaine de croquis qu'il a faits dans un séjour à Bois-Boudran, de la comtesse Greffulhe, croquis dans toutes les attitudes et montrant la charmante femme du lever au coucher, croquis qu'il avait demandé un jour, pour les exposer, et qui lui ont été refusés parce qu'il y avait des croquis trop intimes, que la femme était montrée trop dans son déshabillé », écrit Edmond de Goncourt dans son *Journal*.

La plupart de ces dessins sont en effet restés ensevelis dans le mystère des collections particulières, le plus souvent sans mention de leur modèle. J'ai eu la chance d'en admirer quelques dizaines, représentant la comtesse Greffulhe, et parfois sa fille. Élisabeth y est le plus souvent vue de dos – un angle qui, visiblement, fascinait l'artiste –, ou assise dans des attitudes songeuses, et signalée par la mention « ctesse » tracée de la main du peintre. Non signés pour la plupart, ils dorment dans un carton. Que sont devenus les autres ? Un entretien d'Helleu, datant de 1904, nous donne quelques indications : « J'avais vingt-trois ans quand j'exposai pour la première fois... Je gagnais ma vie comme je pouvais. J'étais décorateur chez Deck. Je peignis beaucoup alors des intérieurs de Versailles, des intérieurs de cathédrales, quand un jour Tissot me conseilla de faire des pointes sèches. Je venais de prendre à Bois-Boudran une centaine de croquis de la comtesse Greffulhe, croquis à la mine de plomb, qui n'ont jamais été exposés. Je livre quelques pointes sèches à un marchand de la rue Lafitte et presque aussitôt Goncourt en achète trente-deux. Les Anglais là-dessus s'enthousiasment, Whistler surtout, et la princesse de Galles s'inscrit au premier rang des collectionneuses. » La comtesse Greffulhe fut bien, selon le mot de Montesquiou, « le plus mystérieux des modèles » d'Helleu[8].

« Il y a des jours où l'on est un monstre, et c'est ces jours-là que l'on vous peint ! » se désolait Élisabeth : l'âme du modèle, en effet, échappait à la plupart des portraitistes. Une remarque fort intéressante de Gustave Le Bon sur la physionomie de sa belle amie pourrait expliquer pourquoi elle fut si difficile à saisir : « Puisque vous fréquentez les fantômes, demandez leur donc pourquoi votre physionomie est féroce de face et angélique de profil. Polypsychisme sûrement. J'en suis également atteint, ayant trois âmes que je ne n'ai jamais pu accorder, ce qui m'a fait accoucher de cette maxime lapidaire quoique pas très neuve peut-être : « notre pire ennemi est nous-même. »

Son adorateur et correspondant assidu Pedro de Carvalho ne s'y était pas trompé, lui non plus, qui lui écrivait :

« Le "lion" ne peut pas servir de modèle à des croûteurs, de la même manière qu'il ne peut s'habiller comme tout le monde. D'autre part personne ne fera rien de bien de vous parce qu'avant tout il faut vous sentir et que ce n'est pas un brasseur de toiles qui aura ce don-là. Ce pauvre Hébert avait déjà une piteuse figure, ne parlons pas du précédent. Il ne manque plus que d'entendre que vous portez des chapeaux cloches et des robes en toile de voile luisante pour que je commence à croire que la fin du monde est proche. »

Les admirateurs de la comtesse Greffulhe ne pouvaient imaginer que sa beauté disparût un jour des mémoires : « J'aime à me représenter une salle, notable entre toutes, en un Louvre futur, où le visiteur captivé sentira converger sur soi l'émouvante fascination des yeux impérissables. » Le vœu de Montesquiou ne sera pas exaucé, pas plus que la prédiction du *Figaro* : « Elle dessinera sa silhouette incomparable dans les mémoires et les musées de l'avenir car déjà, en beaucoup d'œuvres précieuses, son effigie mystérieuse est inscrite. » Ironie de l'Histoire, la comtesse Greffulhe, dont la vie fut pourtant si exposée à l'admiration publique, appartient aujourd'hui presque tout entière aux collectionneurs privés.

3

LA STRATÉGIE DU PRESTIGE

Cette capacité à subjuguer tous ceux qui l'approchaient, il semble qu'Élisabeth l'ait possédée dès l'enfance. Elle l'exerçait sur ses parents, et notamment sa mère, qui lui vouait une admiration sans bornes – « Elle m'adorait tandis que les autres ne comptaient pas ». Mais surtout sur ses frères et sœurs qu'elle tyrannisait sans merci, s'appropriant leurs jouets et leur faisant avaler de la compote de limaces dans les assiettes à guirlandes de sa petite dînette. Certains passages d'un livre de souvenirs qu'elle projetait d'écrire constituent sur ce point une étonnante confession sur la véritable stratégie de domination que, toute jeune encore, elle avait mise au point en « divinisant » son chien Molly : « J'avais inculqué à mes frères et sœurs pour ce chien des considérations qu'on aurait eues pour un dieu. [...] La formule de "toucher à Molly" équivalait à toucher des reliques consacrées. »

Cette séduction, innocente tant qu'elle était limitée au cercle de famille, prit une autre dimension dès qu'elle fit sa première et timide « entrée dans le monde ». Elle n'avait que quatorze ans et demi lorsqu'elle reçut, lors de son premier bal à Mons, une déclaration d'amour enflammée d'un officier français. Ressentis par elle comme un viol symbolique, ces mots prononcés par un homme qu'elle considérait avec répulsion comme un « vieux monsieur » lui causèrent un véritable choc nerveux : « Je me sentis tout à coup devenir plus pâle que la mort, et je fus saisie d'un tremblement nerveux en même temps que je me

211

sentais une grande dignité, et la petite qui, trois heures avant, était entrée dans cette salle souriante et se retournant pour voir si sa robe traînait, était maintenant une femme forte de sa dignité et armée d'un regard méprisant. »

Ce pouvoir n'avait pas échappé à sa mère, qui lui répétait volontiers : « Tu as quelque chose de si particulier en toi qui ne ressemble à rien. Il ne faut pas le perdre. » Marie avait souvent alerté son « Petit » sur la nécessité de cultiver son prestige, et l'abreuvait régulièrement de conseils épistolaires : « Mais surtout qu'il ne perde pas son grand air le Petit ! Dans une loge au spectacle, qu'il ait toujours une tenue plutôt sévère – tout en étant aimable cela n'empêche pas. On voit et on juge quelle femme on voit rien qu'à son entrée dans une loge et si on l'entend parler trop haut c'est fini. » Élisabeth avait bien assimilé la leçon : « Si vous étiez ici vous me diriez bien de ne pas perdre mon prestige », écrivait-elle à sa mère peu après son mariage.

L'art de se mettre en scène

À mesure que ses adorateurs se faisaient plus pressants, que sa réputation se propageait à travers les gazettes, et que s'accentuait la douloureuse divergence entre ses succès publics et sa vie intime privée d'amour, rendue plus odieuse encore par la mort de sa mère, Élisabeth prit conscience des armes qu'elle avait à sa disposition. Elle devint actrice de son prestige, se mettant elle-même en scène avec un art consommé. On trouve dans ses archives un *Aperçu sur le prestige*, sous forme de brouillon copieusement raturé, puis en partie recopié en belle écriture par son secrétaire. En haut, sur deux colonnes, elle a noté, à gauche : « Qualité. Simplicité. Grandeur. » Et à droite : « Préparation. Résolution. Masque. » Ce document – portant en marge la mention « à travailler » – est intéressant malgré son style parfois confus et laborieux.

« La comparaison est l'idée différente qu'éveille en l'esprit une double mise en présence. Le prestige est le résultat de cette comparaison récidivée. [...] Il y a deux sortes de prestiges : celui qui naît de la qualité, celui qui naît d'une volonté. Quand la qualité vient s'ajouter à la volonté il produit des êtres rares qui demeurent exquis et exceptionnels. [...] C'est un fluide qui se combine du sujet et de l'impression gratuite et forcée de l'interlocuteur : c'est une pesée où le vaincu crie sa défaite à haute voix à qui en est l'objet, à lui-même et à la foule.

Ce sont parfois ceux qui détestent le plus l'idole qui fabriquent la plus grande quantité de ce fluide car ils l'augmentent de tout ce que leur haine leur inspire [...]. Le prestige [...] est destiné à agir sur les personnes à qui il doit être inspiré. Leur esprit frappé de fanatisme transforme et transpose les actes naturels en actes surnaturels. Prestige est "réalité imaginée". »

La comtesse Greffulhe réfléchissait donc sur l'ascendant qu'elle exerçait, ainsi que sur la haine qu'elle inspirait, notamment aux maîtresses de son mari. Elle s'efforçait d'enrichir la « qualité » par la « volonté », en conjuguant l'élégance de ses toilettes et la rareté de ses apparitions. Elle s'affublait sciemment d'un masque, dont elle n'était aucunement dupe. Un autre texte d'elle, mieux formulé et intitulé *De l'influence du non-dévoilé*, précise : « Ce qui crée le prestige, c'est le mystère ! Une chose qu'on ne pénètre pas complètement, qui contient, qui *détient* de l'inconnu [...] Combien elle sait donner, celle qui ne dit pas tout ! »

Si elle avait consenti à lire Proust, elle aurait constaté qu'il était arrivé à la même conclusion dans la *Recherche* : « Le prestige, qui doit être imaginaire pour être efficace. » « Notre personnalité sociale est une création de la pensée des autres. Même l'acte si simple que nous appelons "voir une personne que nous connaissons" est en partie un acte intellectuel. Nous remplissons l'apparence physique de l'être que nous voyons de toutes les notions que nous avons sur lui et dans l'aspect total que nous nous représentons, ces notions ont certainement la plus grande part. » Elle avait, intuitivement, compris le principe du *désir triangulaire*, « désir qui transfigure son objet », qui s'incarnera si magistralement dans la création proustienne. Mais ce qu'elle ne pouvait deviner, c'est que le secret de sa séduction provenait pour l'essentiel de ce qu'elle ne contrôlait pas, de ce qui s'échappait, malgré elle, dans ses yeux, dans son rire, dans sa démarche, et qui nourrissait l'imagination de ses admirateurs : sa sensibilité d'artiste, son idéalisme, sa liberté d'esprit, sa sincérité. Un naturel, une fraîcheur, en quelque sorte, perceptible sous les toilettes les plus sophistiquées, et qui détonnait vivement dans un milieu souvent cruel, superficiel et prisonnier des convenances. Cela n'avait pas échappé à Edmond de Polignac, qui lui écrivait : « Ceux qui vous entourent devinent en vous, quelque philistins qu'ils soient, cette exposition publique permanente de votre monde caché, et mal dissimulé. »

« Elle viendra à son heure »

Tout ce qui est rare est cher : la rareté de ses apparitions dans les salons était donc, elle aussi, un élément clé dans la stratégie du prestige de la comtesse Greffulhe. « On ne la rencontre pas plus que l'archevêque de Paris, elle ne va que là où elle préside. Telle Salammbô, elle ne se montre à la foule qu'en haut de marches ou entourée de Rois s'il y en a, d'ambassadeurs ou de ministres. »

Rare, et toujours en retard : son arrivée, toujours tardive, et donc toujours espérée, ajoute au charme de ses apparitions. Si l'exactitude est la politesse des rois, cette formule ne s'applique pas à la « reine Élisabeth », dont les retards sont toujours pardonnés, car, nous dit Ferdinand Bac, « nul Parisien n'eût voulu se priver du plaisir de la voir arriver, si tard, et pourtant si triomphante ». Même Robert de Montesquiou, pourtant pointilleux sur la question, et qui se brouille avec jubilation avec ses amis au moindre manquement de leur part, a pour elle toutes les indulgences. « On savait que, par un pacte tacite et mystérieux, la belle cousine jouissait – si j'ose dire – d'une impunité pour tous les retards *pittoresques* dont elle se rendait coupable. » Ainsi, raconte Bac, « quand le grand-duc Wladimir vient au Pavillon des Muses chez Montesquiou, celui-ci fait fermer les portes derrière Son Altesse Impériale. "On n'attend pas

Mme Greffulhe. Elle viendra à son heure." Son fauteuil, au premier rang, reste vide. » Une heure ou deux plus tard, la comtesse fait enfin son entrée « de sa démarche ailée, bouleversant le silence religieux de l'assistance, fauteuils, chaises et petits bancs, pour prendre possession du siège doré ». « Dites-moi, est-ce qu'elle le fait exprès ? Elle n'a peut-être pas de pendule… » demande, avec une feinte naïveté, l'altesse, qui la connaît fort bien.

Rare, et fugitive, enfin : quand elle consent à se rendre à une invitation et qu'elle n'arrive pas en retard, elle repart tôt, parfois après quelques minutes : « Quand elle passait, rapide comme un chevreuil, dans un salon illuminé, ceux qui ne l'avaient pas aperçue couraient : "Où est-elle ? L'avez-vous vue ?" » Nous avons là, incontestablement, l'image de la princesse de Guermantes : « Si alors passait la princesse de Guermantes, belle et légère comme Diane, laissant traîner derrière elle un manteau incomparable, faisant se détourner toutes les têtes et suivie par tous les yeux ».

Imposée à l'origine par un mari jaloux qui exige qu'elle soit rentrée avant minuit, cette fugacité qui confine à l'évanescence devient bien vite une habitude qui entretient sa légende. À cet égard, le récit que nous fait Albert Flament, dans *Le Bal du Pré-Catelan,* de sa brève apparition lors d'une réception à l'ambassade de Russie est un véritable morceau d'anthologie[1]. Pour accéder aux vastes salons, deux escaliers à découvert se rejoignent sur un palier. Accoudé à la balustrade qui les surplombe, Flament observe les invités qui montent les degrés. Soudain, une silhouette attire son attention :

> « Le col était élancé, le dos admirable. Et, derrière la tête, un rang de perles tombant des cheveux noués en torsades se balançait jusqu'à la taille où l'extrémité se trouvait fixée. Le mouvement qu'imprimait à ce collier la montée régulière, la beauté du bras, le long gant souple, l'éventail replié, la façon de gravir eussent transporté Véronèse et Tiepolo. Je voyais une déesse ; je reconnus à l'instant Mme Greffulhe.
> Dans l'embrasure de la porte du premier salon, faisant face à l'escalier, des invités commençaient d'apercevoir, à leur tour,

l'arrière-petite-fille de Mme Tallien émergeant avec grâce. Alors qu'on lui frayait passage, son nom courut bientôt sur les lèvres.

Après avoir échangé avec l'ambassadeur et la princesse Ouroussoff quelques phrases prévues, souri du beau regard noir à bien des saluts, je la vis comme fondre dans la lumière et les scintillements, le long fil de perles se balançant de la nuque à la taille, entre les habits noirs et les épaules nues.

Il me semblait ne plus avoir rien à attendre de la fête. Et, tandis que courait son nom et s'enflait le souffle de curiosité qu'elle avait déchaîné, je m'engageai bientôt dans l'escalier, le long duquel j'avais suivi des yeux son arrivée. Mais, avant que j'eusse descendu moins de six marches, paraissait Mme Greffulhe, en face de moi, sur le palier opposé. Je m'arrêtai. N'étais-je point le jouet d'une hallucination ? Tandis qu'à travers les salles du premier étage illuminé volait son nom et qu'un courant se formait pour l'atteindre, déjà elle désertait. Et je la comparais à l'instant à l'étoile du soir, qui semble, au crépuscule, radieuse et solitaire, fuir le champ brillanté du ciel. »

Une éternité de beauté ?

Comme toutes les femmes, la comtesse Greffulhe redoutait secrètement le jour où son âge se lirait sur son visage :

> « Ô cruel désir d'écrire sur ma figure vous ne me faites pas grâce. Faut-il que je perde l'habitude de plaire ? D'être aimée ? [...] Le miroir n'est pas un ami fidèle, il n'aime que la jeunesse et la beauté. Alors, combien est douce toute sa franchise ! Mais les visages, s'ils sont flétris, mais les cœurs, s'ils sont déchirés, trouveront ses reflets inexorables. »

Le miroir tient une grande place dans sa vie et ses écrits. Dans sa jeunesse, elle y a guetté avec inquiétude les signes inexorables du temps. Et puis, il a bien fallu se résigner : les années finissent toujours par marquer la peau des femmes. Dans son très grand âge, elle ne fit pas exception. Mais il lui restait l'allure, la souplesse, la démarche, et surtout l'élégance. Grande marcheuse, adepte du yoga, elle sut préserver, presque jusqu'au bout, une étonnante forme physique. Grâce à celle-ci, jointe aux artifices des éternels voiles et tulles, elle semblait miraculeusement épargnée par le temps.

4 juin 1935. « La radieuse comtesse Greffulhe reçoit », annonce un journal. « Étonnante souveraine de la capitale, la comtesse Greffulhe a si parfaitement séduit les années qu'elles se sont refusées à signer sur son livre les heures d'un éphémère passage. » Élisabeth a soixante-quinze ans.

16 mai 1939. On marie à l'église Sainte-Clotilde Henri de Gramont, l'un des jumeaux d'Elaine. Comme à son propre mariage, puis à celui de sa fille, tous les regards admiratifs convergent vers Élisabeth Greffulhe, grand-mère du marié. « Madame Greffulhe, cette fois, plus svelte que jamais, dans une nuée de tulle "pensée", [...] la main ramenant contre elle le nuage, sous un immense chapeau incliné de même nuance, la tête mobile rompant la ligne du corps, les yeux célèbres, voyant tout, et le sourire s'adressant à tous, mais comme d'abord à soi-même, à l'intérieur de soi : qui peindrait, qui décrirait cette nouvelle apparition, non pas tant dans ce qu'elle est que dans ce qu'elle suggère, ce qu'elle répand d'indéfinissable, d'inégalable ? » Elle a presque quatre-vingts ans.

1940. L'abbé Mugnier retrouve Élisabeth réfugiée à Biarritz et écrit à propos d'elle à Ferdinand Bac : « Le marbre de Paros, la sérénité faite femme. »

26 juillet 1941. En pleine guerre, nouveau mariage à Sainte-Clotilde, de l'autre jumeau, Jean. Une fois de plus, c'est Élisabeth qui tient la vedette à la sortie de l'église. « Il n'est question que de la beauté, de la jeunesse de celle que je n'ose appeler grand-mère, si élégante à la somptueuse cérémonie religieuse », écrit Jacques-Émile Blanche au duc de Gramont, père du marié. André Germain, qui ne l'a pas vue depuis dix ans, la retrouve inchangée : « Superbe comme un principe, inflexible comme une lance. » Il s'extasie en reconnaissant « sa souplesse souveraine », « une nuque éblouissante de jeunesse », « ses beaux traits, sans injure », « les belles lignes de son corps », « cette affirmation de joie et de jeunesse que ne sait atteindre le cruel Archer ». Elle vient de fêter son quatre-vingt-unième anniversaire.

Octobre 1948. La comtesse Greffulhe est encore célébrée dans les journaux : « À force de maintenir son énergie à la hauteur de l'idée qu'elle se fait de la vie, elle a su conserver derrière ses traits l'apparence d'une extraordinaire jeunesse. Je n'ai jamais vu une femme avoir 20 ans à ce point-là. »

1951. Germain note, après une visite rue d'Astorg : « La comtesse Greffulhe, elle, dresse devant nos yeux stupéfaits une admirable silhouette de jeune femme, et si elle se penche dans son salon pour éclairer un de ses tableaux, son geste est d'une telle souplesse et d'une si incomparable grâce qu'on voudrait se mettre à genoux. » Elle a quatre-vingt-onze ans, et mourra l'année suivante.

Élisabeth avait décidé de faire d'elle-même un chef-d'œuvre, et elle y a pleinement réussi... de son vivant. Son prestige, « réalité imaginée », est resté intact tant que survécurent ceux qui l'avaient connue. Ils la croyaient immortelle. Son règne, disaient-ils, n'aurait pas de fin. Comment auraient-ils pu imaginer que seule la littérature la sauverait de l'oubli ?

4

À LA RECHERCHE DES TOILETTES DE LÉGENDE

Dans la stratégie du prestige de la comtesse Greffulhe, les toilettes jouaient un rôle essentiel. Les rares exemplaires du fonds Galliera que l'on peut encore admirer aujourd'hui à l'occasion d'expositions nous fascinent par la richesse de leurs coloris et de leurs matières[1]. Mais figées sur des mannequins, elles ne peuvent donner qu'une lointaine idée de ces robes « qu'on ne saurait décrire, parce que chez elle l'attitude empêche de jamais savoir comment est la robe ». Pourtant, que d'encre n'ont-elles pas fait couler, à l'époque, commentées par les journalistes mondains, dessinées dans les revues de mode, avant d'être sublimées par le verbe proustien dans bien des passages de la *Recherche*.

Des fantaisies magnifiques et princières

Les chroniqueurs nous les décrivent dans leurs moindres détails. Toilette du matin, pour se promener au bois : « tailleur noir, à longue redingote très ajustée à brandebourgs noirs, petit col en lingerie, grand chapeau de feutre avec de grosses ailes ». Toilette d'après-midi, pour figurer dans les tribunes du grand *steeple-chase* de Paris : « robe de tulle héliotrope recouverte de gaze de la même nuance, manches en tulle crêpe héliotrope ». Toilette de mariage, pour assister, à Bruxelles, à l'union de sa cousine Madeleine de Caraman-Chimay avec le premier chambellan de l'empereur d'Autriche-Hongrie : « robe princesse en brocard (*sic*) mauve, avec de longues palmes blanc d'argent, tissées dans l'étoffe ; étole faite d'un seul renard noir, traînant à terre ; toque en tulle mauve encadrant la figure : un vrai chef-d'œuvre. » Toilette princière pour recevoir rue d'Astorg sa majesté le roi Oscar II de Suède, « dans un splendide fourreau de soie blanche, un rang d'énormes perles au cou et une étoile de diamants au milieu du front ».

Les plus imaginatifs de ces plumitifs ne se contentent pas de ces précisions « couturières » : ils mettent en scène la robe, contribuant ainsi à renforcer le fameux prestige :

> « Madame la comtesse Greffulhe a vraiment des fantaisies magnifiques et princières. Vous vous imaginez que la petite bagatelle de fête qui nous fut donnée sous le nom de fête de Bagatelle n'a été inspirée que par l'amour le plus pur des arts chorégraphiques et mélodieux ! Vous êtes bien loin du compte.
>
> Mme Greffulhe, qui est grande et belle et majestueuse, comme vous savez, rêvait depuis longtemps d'une robe couleur de la Lune, toute d'argent et de satin blanc. Elle la fit faire ce printemps ; elle fut parfaitement réussie ; elle unissait toute la grâce antique du péplum à l'héroïque somptuosité de la tunique des druidesses. Elle était admirable : elle l'était trop ; elle était impossible à porter, même à Boisboudran (*sic*).
>
> C'était une robe à laquelle il fallait à la fois un éclairage d'étoiles, un fond de verdure, le premier plan de l'embarquement pour Cythère, le second plan d'un drame de Wagner, une escorte de bacchantes ivres et le son du cor, le soir au fond des bois. [...] »

Voiles et sortilèges

Simple échantillon d'une abondante littérature journalistique qui pourrait remplir des volumes, ces descriptions nous montrent la nette prédilection d'Élisabeth pour les tissus vaporeux – gaze et tulle – et les couleurs évanescentes – mauve, blanc, argent, rose. Des goûts bien propres à entretenir sa légende de fée... et à entretenir l'adoration – pas toujours chaste – de ses amoureux. En ce siècle de la vertu corsetée, de la « pudibonderie retrouvée », Élisabeth ose s'affranchir des diktats de la mode : elle trouve des subterfuges pour faire deviner un corps qu'il est interdit de dévoiler.

Ce texte de sa main conservé dans ses archives, destiné sans doute à l'un de ses innombrables projets avortés de roman, nous en dit long sur ce fantasme du tulle – qui rime si bien avec « Greffulhe ».

> « À cette époque de l'année, elle avait comme des envies de faire venir les choses des pays lointains. La gaze la tourmentait : elle en rêvait une qui viendrait de l'Inde, qui ferait autour de son corps des lignes de neige, qui se draperait seule, suivant ses mouvements, en des plis tristes et longs comme l'abandon du saule vers la terre, avec toute la lourdeur de l'affaissement des choses légères. »

Artisan de son propre prestige, elle veut être unique : chacune de ses toilettes est une création originale sortie de son imagination et de son crayon et conçue pour une parfaite adaptation aux circonstances. Robert de Montesquiou, qui joua le rôle de Pygmalion auprès de sa belle cousine en l'accompagnant chez les couturiers, était mieux placé que quiconque pour en parler :

> « Elle se faisait montrer, chez les couturiers en renom, tout ce qui était en vogue ; puis, quand elle devenait certaine que fut épuisé le nombre des élucubrations fâcheusement vantées, elle levait la séance, en jetant aux faiseurs, persuadés de son édification et convaincus de leur maîtrise, cette déconcertante conclusion : "Faites-moi tout ce que vous voudrez… Qui ne soit pas ça !"
>
> Il en résultait des combinaisons parfois un peu abracadabrantes ; mais d'autres, où sa fantaisie intervenait avec ingéniosité et avec goût, certains jours avec magnificence. Je l'ai vue dans une robe tout entière en perles, surpassant ainsi la femme de Caligula [...]. Je l'ai vue dans une robe de velours aurore, près de laquelle des émeraudes étaient vraiment, comme Mme Castiglione l'écrit, "la pierre qui dit merci" ; mais ce merci-là, c'était les assistants qui le proféraient. Elle mit un manteau, dans la composition duquel étaient entrées cent mille plumes d'oiseaux à reflets. Et quand elle parut, on crut voir entrer un lophophore inouï, au visage de femme. Je lui vis aussi un manchon en plumes de jais, qui semblait lui abriter les mains avec des turquoises duveteuses. Une autre

fois, faute d'un ajustement qui lui plût dans la minute, elle fit épingler sur elle une pièce de soie changeante, d'un vert mélangé de violet, qui, lui ayant donné l'apparence d'une Loreley, ne trouva personne pour en disconvenir. »

Pour servir son image, Élisabeth a toutes les audaces : ses vêtements, « elle les préfère bizarres plutôt que semblables à d'autres. C'est au Louvre qu'elle s'inspire et particulièrement ses coiffures et ses chapeaux sont souvent copiés des plus belles créations des vieux maîtres. Mais quelle que soit l'étrangeté de sa fantaisie, quelque excentrique soit ce qu'elle porte, elle n'abdique jamais sa distinction suprême ». On trouve en effet dans ses archives quelques croquis assez bien troussés. Mais j'y ai cherché en vain, hélas, l'album d'aquarelles que mentionne l'un de ses hagiographes : « La comtesse a eu l'idée de faire faire de ses costumes les plus réussis – ils le sont tous – le sujet d'autant d'aquarelles, qui formeront un album unique. Les toilettes du matin et celles du soir, les costumes de chasse, de bains, de déguisements, tout y trouvera place, à condition que ce soit hors pair. »

Dans les coulisses de l'exploit

Souvent insolite, toujours spectaculaire, la mise de la comtesse Greffulhe est cependant le fruit d'une organisation sans faille. Ainsi, quand elle part en voyage, elle ne laisse rien au hasard, comme en témoigne cette note pittoresque, illustrée de croquis, sans doute destinée à sa femme de chambre :

> « 1900. Voyage (période ailesque).
> Enivrée – redevenue *la* Moi.
> Grand chapeau nécessaire – léger, auréolesque – cheval de combat. Voiles d'été – les choisir avant départ – clairs – les trop opaques asphyxient lorsqu'ils sont en soie. En avoir de 9 épaisseurs différentes – clairs – un peu plus épais – épais.
> On les met ainsi. 4 centimètres piqués avec épingles anglaises d'un seul coup. On épingle d'abord le bas au cou, puis au milieu de la tête, puis sur le chapeau.

Emporter 50 mètres de chaque roulés sur un rouleau (on les plie toujours, c'est affreux).
Il faut <u>2</u> chapeaux noirs
1 bleu marine
1 blanc crème
1 fantaisie
1 toque de voyage. »

La stratégie du prestige fonctionne pleinement. Le seul à désapprouver la belle excentrique est Henry, qui lui écrit : « Je me demanderai toujours sans pouvoir le comprendre comment une personne au-dessus de la moyenne intellectuelle et physique peut avoir la vue aussi basse pour se ridiculiser en s'habillant tout de travers. [...] C'est dur de voir mon nom accompagné de haillons grotesques et d'horipeaux (*sic*) carnavalesques. » Ce que le comte Greffulhe ne supporte pas, c'est de voir son nom étalé dans les journaux. En effet, les rumeurs les plus folles nourrissent les colonnes des gazettes : « On nous racontait dernièrement que la toilette du dîner que la châtelaine portait à Bois-Boudran, le jour de la visite du roi du Portugal, atteignait la somme fantastique de 35 000 F. Les couturiers ne peuvent cependant se disputer l'honneur d'habiller cette grande dame, car elle fait exécuter ses robes d'après ses idées et dans un atelier attaché à sa maison. »

Nulle trace, dans les archives, d'un tel atelier privé. Mais la légende sera tenace, puisque Albert Flament, dans un article écrit après sa mort, affirmera « ne l'avoir jamais entendue prononcer le nom d'un couturier ». Les collections du musée Galliera apportent cependant un démenti à ce mythe : les robes, manteaux, capes, vestes, corsages, gilets, étoles, chapeaux, manchons, jupons, chaussures – plus de cent soixante pièces au total – portent bien, pour la plupart, la griffe d'un couturier. Cette garde-robe audacieuse, d'un goût très particulier, constitue un fonds d'exception : « Dans nos collections, c'est l'équivalent du département Égypte au Louvre », dit volontiers Olivier Saillard.

Avant la guerre de 14, la plupart des vêtements sont griffés Worth. C'est le cas, en particulier, de la célèbre robe byzantine[2] que la comtesse Greffulhe portait au mariage d'Elaine, et de la

« robe aux lys », de 1896, dans laquelle elle fut photographiée par Nadar – une spectaculaire robe du soir en velours noir et soie, brodée de perles et incrustée de grands lys blancs. Modifiée par la suite, cette robe comportait, à l'origine, une large berthe qui se rabattait sur l'épaule en aile de chauve-souris – animal emblématique de Robert de Montesquiou. De Worth, également, la robe qu'admira Marcel Proust lors d'une fête donnée par Montesquiou dans son pavillon de Versailles, et qu'il décrivit le lendemain dans *Le Gaulois*. De Worth toujours, et de la même époque, une étonnante *tea gown* en tissu d'ameublement, aux immenses motifs en velours ciselé bleu sur fond de satin vert – une couleur qu'elle aime beaucoup, car elle met en valeur ses cheveux auburn. C'est Worth, enfin, qui, en 1904, transforma en somptueuse cape du soir le caftan de Boukhara, cadeau du tsar de Russie, en le garnissant d'une dentelle d'or et d'un collet de mousseline noire[3].

Vers 1907, les femmes commencent à abandonner le corset et sont enfin délivrées des robes à taille étranglée, de ces affreuses « tournures » qui leur donnaient une silhouette en forme de S. À partir de 1912, on voit apparaître dans la garde-robe de la comtesse Greffulhe la griffe de Fortuny, puis celle de Babani, sur des vêtements fluides – robes d'intérieur, vestes kimono, manteaux du soir en velours, soie brochée, voile de soie, imprimés à motifs orientaux d'une beauté à faire damner les saintes. Ces « robes de Fortuny, fidèlement antiques mais puissamment originales », évocatrices de « la Venise tout encombrée d'Orient », qui fascinèrent tant Marcel Proust, ne pouvaient que séduire la comtesse Greffulhe qui aimait tant à faire figure d'idole venue d'ailleurs.

Dans les années 1920, les robes se simplifient encore : en soie, satin, jersey de soie uni, blanc ou plus souvent noir, relevées par un manteau en lamé argent, elles sont signées Jenny – remplacée par Jeanne Lanvin dans les années 1930 – et l'on voit apparaître pour la première fois des fibres artificielles.

Peu d'accessoires figurent dans le fonds Greffulhe de Galliera, mais on peut quand même y admirer un étonnant manchon en plumes – sans doute celui évoqué par Montesquiou – et des escarpins d'un extrême raffinement, en soie brochée de fil d'or, ou rose *shocking* – comment ne pas penser aux souliers rouges d'Oriane de Guermantes ?

Terrasses, volières et jardins...

Rares aussi sont les chapeaux qui sont parvenus jusqu'à nous ; ils se limitent à quelques créations de Catherine Reboux, rue de la Paix : capelines de paille et de velours, étonnante coiffure en daim et plumes de paradis noir... Mais des coiffures si célèbres et si exubérantes qu'elle imaginait elle-même et faisait exécuter par une obscure modiste, rien n'a survécu. Point d'images, non plus, d'Élisabeth « coiffée de terrasses, volières et jardins ». Seules demeurent, outre quelques rares photographies prises à la fin de sa vie, les évocations que nous ont laissées les chroniqueurs : « Une entrée sensationnelle. Le fameux grand chapeau dont on n'a jamais pu savoir la modiste et qui a une calotte volumineuse, des bords gonflés, un chapeau de travestissement Louis XVI, de deuil. Les femmes qui ne la connaissent pas chuchotent, celles qui n'ont que peu de sentiment artistique s'effarent de ce chapeau placé sur la nuque et qui fait roue autour de la tête. »

Aucune trace, donc, des créations personnelles de la comtesse Greffulhe, de sa manière inimitable « de coiffer son oiseau de paradis » qu'admirait tant Proust. Son chic n'appartenait qu'à elle, et nombre de ses contemporaines cherchèrent en vain à l'imiter, réussissant tout juste à se parer d'un « plumet de corbillard verticalement dressé dans les cheveux[4] ». Disparues, elles aussi, les inventions qui faisaient d'elle « l'initiatrice de ces innombrables petites modes qui signifient tellement pour les gens à la mode », inventant, par exemple, « une nouvelle méthode d'utiliser les bijoux », célébrée jusque dans les journaux d'outre-Atlantique : « Dernièrement, c'était Mme Greffulhe qui avait attaché une enfilade de perles dans ses cheveux et les faisait descendre jusqu'à la taille, les entourait sur la hanche droite et les rattachait à gauche sur la taille. »

En matière de toilettes, Élisabeth ne se contentait pas de ses innovations personnelles : elle n'hésitait pas, si elle le jugeait bon, à bousculer convenances et traditions. C'est ainsi qu'en 1906, elle imagina de sacrifier ses chers chapeaux sur l'autel de l'art. Pas question, à l'époque, pour une femme du monde, de sortir en public tête nue. Mais au théâtre ou à l'Opéra, ces immenses coiffures, dont les proportions étaient devenues gigantesques, formaient un écran pour les spectateurs mâles, assis comme il se doit derrière la gent féminine. Qu'à cela ne tienne : la comtesse Greffulhe, qui n'était pas à une croisade près, créa la Ligue des petits chapeaux, où elle enrôla le préfet de police M. Lépine et la direction de *L'Écho de Paris*. Le journal organisa un référendum dans les principaux théâtres de la capitale, appelant les spectateurs à voter sur les questions suivantes :

1 Êtes-vous pour le maintien du *statu quo* ? – tolérance du grand chapeau.
2 Préférez-vous le « petit chapeau » de théâtre ?
3 Êtes-vous pour la suppression complète du chapeau ?

Pour donner l'exemple, elle organisa rue d'Astorg une exposition de petits chapeaux confectionnés par elle-même et ses amies. Les œuvres, classées par un jury, furent vendues au bénéfice de la Société Philanthropique. Avec un grand succès, puisque sa propre création – une « capote ornée de fleurs de nacre, torsade de tulle beige et plumes » – se vendit à trente exemplaires. Éphémère succès, qui deviendra bientôt éternel : le « tout petit chapeau », devenu le sujet de conversation du Tout-Paris, coiffera, quelques années plus tard, la duchesse de Guermantes.

Une élégance intemporelle

« Quand les années passèrent, nous raconte Pringué, Mme Greffulhe eut la sagesse de ne pas trop changer ses modes, en donnant à sa prestance un caractère de personnalité exquise. Tout en se conformant dans une certaine limite à un vague goût du jour, elle sut garder par sa tenue, sa manière de se vêtir, une originalité majestueuse qui s'harmonisait avec sa splendeur dont elle lui assurait la pérennité. » Il est certain qu'elle possédait « le sentiment le plus distinctif du luxe, sans qu'il parût jamais rien devoir à la mode, ni à l'argent ». Elle était trop indépendante, trop soucieuse d'être unique, pour se contenter d'être suiveuse. « Elle n'a pas suivi les modes, elle était faite pour les créer. Nous l'avons toujours vue avec ces grands chapeaux, ces nœuds de tulle, tout cet ensemble qui l'apparentait aux plus belles figures de l'école anglaise. Elle demeurait fidèle à son type. »

Jusqu'à la fin de sa vie, en effet, les comptes rendus des journaux nous la décrivent auréolée de ses éternels et immenses chapeaux. La dernière photo connue, prise chez Dior par Willy Maywald en 1952, quelques mois ou semaines avant sa mort, nous la montre, tel un fantôme, coiffée d'une vaste capeline noire en forme de papillon, le cou enroulé d'une longue écharpe blanche qui tranche sur les plis vagues du manteau noir.

5

AMIS FIDÈLES : GALERIE DE PORTRAITS

Sous ce prestige si soigneusement entretenu à grand renfort de toilettes spectaculaires se cachaient une authentique générosité, un charisme qui, seuls, expliquent que la comtesse Greffulhe ait eu tant d'amis fidèles. La « déesse » tant célébrée, admirée comme une œuvre d'art, n'était, fort heureusement pour elle, pas seule sur son piédestal. La mise en scène de sa personne, avec la part de narcissisme qui lui était inévitablement liée, était une façon d'exercer son empire sur ceux qui servaient ses multiples projets – et aussi, nous le verrons plus loin, une stratégie de survie pour exister face à son impérieux et indifférent époux. Mais dans l'intimité, elle comptait, outre la foule de ses adorateurs, nombre d'amis véritables. Pour ressusciter la comtesse Greffulhe dans sa pleine dimension, il m'a paru nécessaire d'exhumer quelques-uns de ces amis formant sa « garde rapprochée », choisis parmi les plus attachants.

Ghislaine, l'amie-sœur

Très peu de femmes parmi les intimes d'Élisabeth : la plupart d'entre elles, qu'elle appelle « les vitrioleuses[1] », regardent son existence comme une injure personnelle.

Après la mort de sa chère Constance de Breteuil, ses seules vraies amies ont été ses deux sœurs : Ghislaine, comtesse de Caraman-Chimay, et Geneviève, épouse de Charley de Tinan.

Elles n'abandonneront jamais leurs surnoms d'enfant, Guigui, Minet ; pour elles, Bebeth restera toujours « la Grande », comme au temps où elle confisquait leurs jouets. La mort de leur mère, lorsque Geneviève n'avait que quatorze ans, les a rapprochées à jamais. Cette alliance est si forte qu'on les a surnommées « la trinité des sœurs ». Elles s'écrivent très souvent, parfois quotidiennement : la correspondance de « la trinité » occupe huit cartons dans les archives. Ces documents contiennent de nombreux passages écrits en langage codé, voire partiellement en sténo ; il arrive que les sœurs se désignent par des numéros – 1, 2, 3. Pour les tiers, elles utilisent souvent des surnoms, des signes sténographiques ou, pour les hommes, des initiales précédées d'un article féminin, comme « la R ».

Au sein de cette trinité, Élisabeth et Ghislaine sont les piliers les plus solides. Elles sont grandes, Geneviève est petite ; elle est leur protégée, leur « chaton ». Elles lui ont aussi décerné le surnom de « Petite Vitesse », parce qu'elle a des préoccupations plus terre à terre que les leurs, et parfois du mal à les suivre dans leurs vies trépidantes. Durant la Seconde Guerre mondiale, elle constitue leur base arrière et leur donnera souvent asile dans sa petite maison du boulevard Magenta, à Fontainebleau, toute proche de la forêt. Empêtrée dans les soucis matériels que lui causent la carrière chaotique et la santé de son mari, le général de Tinan, Geneviève envie parfois Élisabeth de vivre « à l'ombre d'un égoïste en fleurs ». Ses lettres nous tracent en pointillé le portrait d'une femme au franc-parler, réaliste, libre d'esprit, pleine d'humour, et sans illusions sur les dessous de la comédie humaine : « Tous ces gens [...] savent combien nous nous sentons plus près des classes inférieures (soi-disant), notre horreur pour ce qu'on appelle "le Monde", cette tarte de bouse de vache sur laquelle on met du sucre. »

Ghislaine ne s'est jamais mariée. Elle avait vingt-trois ans à la mort de sa mère, et c'est elle qui dut subir les tracas quotidiens : soutenir le train de maison de son père, ministre des Affaires étrangères de Belgique, malgré les difficultés financières de la famille, encore aggravées par les frasques répétées de Jo, le fils aîné ; payer les fournisseurs méfiants qui désormais présentaient leurs notes dès le lendemain ; trouver une gouvernante pour ses jeunes frères et sœur ; faire des prouesses pour s'habiller élégamment avec les robes qu'Élisabeth lui envoyait, mais qu'il fallait élargir et raccourcir... et enfin affronter le calamiteux remariage de leur père. À cette époque, elle se mettait toujours au second plan, n'ayant qu'une idée en tête : marier Minet dès que possible. Élisabeth avait cependant chassé pour son compte d'innombrables prétendants, ce qui n'était pas chose aisée car elle avait une maigre dot et un physique un peu ingrat. Ghislaine avait semblé jouer le jeu un certain temps, plaisantant sa sœur sur son « idée fixe », sa « tête perdue de mariage », et considérant le problème avec un réalisme désabusé : « C'est désolant d'avoir tout un troupeau à placer comme nous. » Avec humour, elle désignait la cible du moment, dans le langage de la vénerie, sous le nom de « la bête » – « la nouvelle bête de chasse », « la belle bête », ou « la bête ingrate » lorsque le prétendant se défilait. « Nos bêtes prennent toutes l'eau » ; « ce sont quand même des bêtes à chagrin, ces bêtes-là », se désespérait-elle, dans les moments de découragement. Elle se résignait à l'idée, pour faire plaisir à Bebeth : « Je suis désolée de peser lourdement sur vous et je serais soulagée d'être marié pour vous libérer. » « Je suppose qu'il faut le faire, quoique l'idée m'en soit horrible. » Elle prétendait qu'elle dirait « oui » les yeux fermés à celui que sa sœur lui proposerait, tant elle avait confiance en elle : « je vous crois infaillible à jamais ». Mais mise au pied du mur, elle prenait la fuite : « Je dis toujours que j'épouserais le premier venu et quand il se présente quelque chose de réel, je vois combien j'aurais de la peine à épouser quelqu'un qui ne me plairait pas. » « Ces choses me font si peur. » Elle résista donc avec une rare ténacité à ses inlassables entreprises matrimoniales. Il faut dire que l'exemple de la vie conjugale d'Élisabeth n'était guère de nature à l'encourager.

Ghislaine avait du caractère. Elle avait reçu, comme sa sœur, une instruction beaucoup plus poussée que la plupart de leurs congénères ; elle parlait l'anglais, l'espagnol et l'italien, traduisait Dante, lisait beaucoup, et était plus attirée par la peinture que par la musique. Profondément indépendante, elle ne craignait pas le célibat, cet état maudit de « vieille fille » que l'on agitait comme un épouvantail devant les jeunes filles de l'époque pour les convaincre de se sacrifier sur l'autel du mariage.

Le seul homme dont elle tomba amoureuse n'était pas pour elle : c'était le prince Victor Napoléon[2], chef de la Maison impériale en exil à Bruxelles depuis 1886 – un très bel homme à la moustache conquérante et au regard profond. L'arrière-petite-fille de l'Empereur épousant son petit-neveu, quelle union romantique ! Ils y songèrent sans doute, et devinrent amis intimes ; mais le prince était avant tout prétendant… au trône, et se devait d'épouser une femme non seulement titrée, mais aussi convenablement dotée. Il lui préféra donc la princesse Clémentine de Belgique, et Ghislaine poussa l'abnégation jusqu'à s'entremettre pour faciliter leur mariage. Puis elle se réfugia dans sa grande passion, le dessin et le pastel, qu'elle étudiait avec acharnement avec le portraitiste Wauters – au point que l'*Almanach de Gotha* informa ses lecteurs qu'elle l'avait épousé en 1887 !

Sa vie prend une nouvelle dimension le jour où elle accepte, après plusieurs refus et moult tergiversations, de sacrifier sa chère liberté pour devenir dame d'honneur de la reine Élisabeth de Belgique, née duchesse en Bavière. Bien décidée à refuser cet honneur si contraignant, elle lui a demandé audience pour exposer ses raisons ; mais elle est si touchée par la personnalité de la jeune reine et émue par sa solitude qu'elle change d'avis : « La reine est un personnage de conte de fées, écrit-elle à Élisabeth, ayant ce côté mystérieux et poétique du roi de Bavière, avec de l'originalité et de l'imprévu et un esprit ouvert à tous sans la moindre petitesse de cœur ou de pensée. Elle est des nôtres jusque dans sa façon d'éprouver matériellement. Elle *sent* les livres, aime l'odeur des crayons etc. Tu vois d'ici quelles affinités avec nous. » Ce sera le début d'une longue amitié, qui durera jusqu'à la mort, avec celle qu'elle nomme dans sa correspondance « Laka »[3].

La famille royale de Belgique est devenue la deuxième famille de Ghislaine, et la reine, une quatrième sœur adoptée par la « trinité ». Tout les réunit : la reine des Belges est musicienne, sculpteur et mécène, passionnée par la peinture, la photographie, les sciences, aimant à s'entourer d'écrivains et d'artistes. Ghislaine et ses sœurs partagent son intimité, ses joies et ses peines. Ses peines surtout, durant la Première Guerre mondiale, lorsque le « roi chevalier » et la « reine infirmière » refusent de quitter la Belgique neutre et cependant envahie, et demeurent stoïquement sous les bombes à La Panne. Cette guerre renforce puissamment les liens des trois sœurs avec leur seconde patrie ; leur action au sein de l'Union pour la Belgique leur vaudra d'être qualifiées de « messagères admirables de la Belgique en France et de la France en Belgique, occupées toutes les trois, comme les princesses d'un conte de fées, à tisser les fils d'or et de soie du rapprochement entre Bruxelles et Paris ».

Ghislaine accompagne partout la reine, dans son château de Laeken comme dans ses voyages privés ou officiels ; entre les deux guerres, elle parcourt ainsi l'Amérique du Sud ; en Égypte, elle figure parmi les premiers visiteurs de la tombe de Toutankhamon que vient de découvrir Carter. « Lord Carnavon n'y *tient plus* tant on l'ennuie, écrit-elle à Élisabeth. Il n'aspire qu'au moment où il aura *renfermé son Pharaon pour un an !* Il pourra, lui, alors revivre ! M. Carter aussi attend cet instant avec impatience car leur vie tous les deux consiste depuis des mois à se battre contre les journalistes et les visiteurs. Ils sont comme deux dogues défendant l'entrée de la tombe. »

À la cour de Belgique, Ghislaine a été surnommée « Mazarin » – en raison de sa clairvoyance. Ouverte aux idées nouvelles, elle a rédigé un plan de réforme des structures de l'État, que le jeune roi Léopold III, successeur de son père tué accidentellement en montagne, ne consentira jamais à lire. Mais tout le monde ne l'aime pas, car elle a le verbe haut, la formule lapidaire et ne cache pas ses ferveurs politiques. Pendant la guerre de 40, qu'elle passe entre Fontainebleau, chez Geneviève, et le château de Laeken, près de la reine, elle souffre comme cette dernière des prises de position du jeune roi, qui aboutiront à son abdication[4] : elle admire Churchill, et a très tôt détecté « le pouvoir diabolique de Hitler ». Mais elle est tenue par le devoir de réserve, et se contente de citer Racine :

« Adieu, Seigneur, régnez : je ne vous verrai plus. »

Ghislaine vieillissante n'a plus rien de commun avec la timide et naïve jeune fille, éperdue d'admiration pour sa sœur aînée qui guidait ses premiers pas dans le monde. À la fin de sa vie, elle est devenue une sorte de grenadier en jupons, une formidable personne à la carrure massive et à l'aspect sévère. Peu à peu, les rôles se sont inversés : c'est elle qui veille sur sa sœur, lui donne des conseils pour sa santé, la protège et la morigène.

« J'ai passé quelques jours en Belgique et dîné avec la comtesse Ghislaine, dame austère de pensée rigide et que j'ai dû scandaliser quelque peu. J'ai pourtant essayé de prendre l'aspect d'un homme très vertueux », écrit Gustave Le Bon à Élisabeth. Son ami Pedro de Carvalho est du même avis, qui la voit difficile à émouvoir, « autoritaire, et exclusive dans ses idées fausses ou vraies », et qui ajoute : « Caractère complètement contraire au vôtre. Je me trouve devant elle comme ces deux pièces à entaille, dont les courbes ne se combinent pas ensemble. »

Ghislaine mourra chez sa sœur à Fontainebleau en 1955, le jour de Noël, comme sa mère. Destin paradoxal : cette femme au caractère bien trempé fut sa vie durant « l'éternelle suivante », vivant dans le sillage de deux reines fantômes, sans rien abdiquer de sa forte personnalité et de son indépendance d'esprit. Elle qui se plaignait d'être plus sollicitée qu'un ministre a disparu des mémoires encore plus complètement que la comtesse Greffulhe. Elle qui a passé une partie de sa vie à peindre avec acharnement tant de portraits, plus personne ne sait à quoi elle ressemblait[5].

À la recherche de « l'Ami vrai »

Tout comme la duchesse de Guermantes, la comtesse Greffulhe est le plus souvent entourée d'hommes. Mais la plupart l'aiment trop pour lui donner une véritable amitié, celle que Byron appelait « l'amour sans ailes ». C'est pourquoi elle manifeste une prédilection pour les hommes plus âgés, supposés inoffensifs qui, tout en lui manifestant une adoration évidente, ne prétendent pas l'emporter sur les ailes de leurs désirs. Passé soixante ans, ils sont « tout à fait dans ses âges », comme le soulignent ses sœurs. « J'ai toujours remarqué avec peine que pour vous plaire ou pour faire venir un sourire sur votre jolie figure il fallait avoir dépassé la soixantaine ou au moins porter les cheveux blancs », lui écrit un jour l'un de ses trop jeunes admirateurs. Pour elle, c'est la seule façon d'échapper à la jalousie d'Henry. Les plus jeunes en sont réduits à lui faire leur cour par voie épistolaire.

Ses correspondants sont innombrables, de tous âges et de toute sorte, depuis les plus en vue, comme le président Paul Deschanel, jusqu'aux plus obscurs, sans oublier les admirateurs anonymes. Jeunes ou vieux, leurs lettres reflètent toute la gamme des sentiments, depuis l'admiration respectueuse jusqu'aux désirs fort explicites, en passant par toutes les nuances de l'amitié plus ou moins amoureuse[6]. Cette adoration perpétuelle est parfois pesante : Élisabeth rêve de « l'Ami vrai » ; le portrait qu'elle en trace dans l'un de ses essais littéraires est celui de sa mère trop tôt disparue, l'anti-portrait d'Henry et de tous ceux qu'elle doit tenir à distance :

> « L'ami vrai est celui qui a pour vous l'affection désintéressée d'une mère. [...]
> L'ami vrai vous aime ! Vous êtes choisi ! Il admire votre personnalité. Il est heureux de la voir en valeur.
> S'il donne un conseil on sent qu'il n'y entre aucun parti pris que celui de votre intérêt. Il excuse vos défauts, quitte à vous en prévenir doucement si vous l'y autorisez. [...]
> On sent toute la douceur d'un pareil attachement, lequel est basé sur le respect, la confiance, et presque de l'amour, mais dégagé de tout ce qui pourrait atténuer le respect. [...]
> L'ami vrai ne pénètre dans l'intimité que pas à pas autant que vous le lui permettez. Il ne volera rien qui ne lui soit donné. [...]

Qu'il est bon de pouvoir communiquer avec sécurité, sans jouer de comédie. »

L'abbé Mugnier : « si peu de gens peuvent percer nos murailles »

De tous ses amis, celui qui répond le mieux à cette définition idéale est sans doute l'abbé Mugnier. Le portrait qu'elle a réalisé de lui montre qu'elle le connaissait bien : sous son toupet de cheveux gris en bataille, vibrant de ses admirations et de ses colères, elle a su rendre le regard d'extralucide, bienveillant et sarcastique tout à la fois, conférant à l'abbé une expression que Ghislaine juge « un peu diabolique ».

Tout la séduit chez l'abbé Mugnier, notamment son amour de la musique – il est un wagnérien de la première heure –, son idéalisme, sa largeur d'esprit, son enthousiasme que rien ne décourage. Elle aime en lui sa capacité presque enfantine à s'émerveiller et à s'indigner, traits de caractère qui, chez les cœurs purs, vont presque toujours de pair, comme les deux faces d'une médaille.

Certains, bien à tort, voient en Mugnier un abbé mondain, parce qu'il est devenu, presque par hasard, « le confesseur des dentelles, des brocarts et des éventails ». Rien n'est plus éloigné de la vérité : il affirme volontiers qu'il ne s'est fait prêtre que pour pardonner ; il absout tout dans sa bienveillance chrétienne. Il est bien placé pour percevoir, sous les falbalas, la réalité du milieu « étroit et triste au-delà de tout ce qu'on peut rêver » dans lequel évoluent les femmes du monde. Il tente avec miséricorde d'apaiser les scrupules et les chagrins des brebis qui assiègent son confessionnal, « sorte de terrier où la curiosité, l'indiscrétion, le verbiage, la niaiserie se disputent les consciences de quelques femmes hystériques, scrupuleuses, bavardes, désœuvrées, le dessous du panier », écrit-il dans son *Journal*. Au sortir des longues heures passées dans ce malodorant terrier, il se plonge comme dans un bain de jouvence dans les salons ; vêtu de sa vieille soutane élimée et tachée, chaussé de ses gros souliers de paysan, il y côtoie avec ravissement le gotha mondain, littéraire et artistique, sans jamais rien perdre de sa fraîcheur presque naïve d'enfant de la campagne. Ses belles amies, dont il est la mascotte, aiment à le taquiner pour provoquer ses célèbres bons mots : au cours d'un dîner au Ritz, il répond ainsi à l'une d'elle, qui lui demande de l'accompagner aux Folies-Bergères : « Non, demain, je confesse, ce sont mes Folies-Brebis. »

Proust, présent à ce dîner, a beaucoup de sympathie pour l'abbé, qui le lui rend bien. En sa présence, il reste souvent silencieux, dégustant le « parfum », le « piquant » de sa conversation pleine d'humour, qu'il cite volontiers dans sa correspondance. Ils partagent le même amour des fleurs, dissertant ensemble « du bouton-d'or et du coucou ». Après sa mort, c'est l'abbé qui viendra, comme Marcel l'avait souhaité, prier à son chevet[7].

Il n'y a aucune mesquinerie chez l'abbé Mugnier, mais au contraire une audace qui frise parfois l'inconscience : sa liberté de pensée, faisant fi de tout calcul et de toute prudence, lui vaudra les foudres de l'archevêché. Au moment de sa disgrâce, lorsqu'il est démis de son poste de vicaire à Sainte-Clotilde, Élisabeth remue ciel et terre, avec son ami le député Denys Cochin, pour tenter d'adoucir sa hiérarchie. Son exil loin du faubourg Saint-Germain, comme aumônier des Sœurs de Saint-Joseph de Cluny, sera, paradoxalement, sa délivrance.

Les dizaines de lettres conservées dans les archives nous montrent que cet ami très cher fut pour la comtesse Greffulhe un incomparable soutien spirituel. Elle l'invite souvent rue d'Astorg ou à Bois-Boudran, où ils font en tête à tête de longues promenades. Elle le convie également au spectacle, ce qu'il ne peut accepter sans l'accord écrit de sa hiérarchie. Elle lui a même envoyé sa photographie, rare privilège qu'elle n'accorde pratiquement à personne et qu'elle refusera toujours à Proust. Rue Méchain, dans le petit salon de l'abbé, encombré de livres et de paperasses, celle-ci est exposée en bonne place, parmi les effigies de Goethe, Wagner, Shakespeare et Chateaubriand.

Pour lui, comme pour elle, l'art est une religion ; il exprime souvent cette conviction dans les lettres qu'il lui adresse : « L'art est un sacerdoce que je distingue à peine de l'autre. » Cette lettre de vœux, écrite le 1ᵉʳ janvier 1915, est particulièrement émouvante :

> « Madame la comtesse.
>
> L'Histoire s'écrit en lettres de fer et de feu. Il y a des choses horribles, sublimes, mais rien de médiocre. Je veux aussi que toute banalité soit exclue de mes vœux. Continuez votre haute mission de paix et de charité. La guerre finie, vous redeviendrez la providence des artistes. Si l'humanité s'adonnait aux arts davantage, elle ne se détruirait pas elle-même. Il nous faudra plus de musiciens, de peintres, de poètes que par le passé, et la protection rayonnante que vous exercez sur tous aidera puissamment à notre résurrection.
>
> A. Mugnier. »

Mugnier n'ignore rien de la douloureuse vie privée d'Élisabeth, et personne ne trouve comme lui les mots qui apaisent :

> « Il y a des circonstances où les âmes sont très présentes les unes aux autres sans parole et sans écriture. J'ai préféré parler à Dieu de vos difficultés, de votre avenir et je l'ai fait avec un cœur qui n'a pas épuisé toute sa gratitude. C'est un grand artiste qui mène le monde. Parfois, comme Michel-Ange, il maltraite ses marbres, mais ils n'en reproduiront que mieux l'idéal qu'il porte en lui. Votre patience, votre générosité, votre élévation morale auront bientôt leur récompense. Comprendre et pardonner, n'est-ce pas la grande formule humaine et divine ? On vous admire, et votre horreur de la lutte et votre sérénité sont une leçon de choses qui profitera à plus d'un. Notre souffrance sert aux autres – qu'elle soit deux fois bénie. »

Ce grand mélancolique, ce révolté, cet écorché vif, ce visionnaire lucide recèle pourtant au fond de lui un indéracinable optimisme, ancré dans son amour de l'humanité et dans sa foi profonde. En 1920, il commente ainsi le départ de Clemenceau, qui s'est retiré de la vie politique : « Le monde est en travail. Les révolutions du passé n'étaient que des ébauches de celle qui se prépare. L'avenir sera-t-il grand ou médiocre ? Il sera grand, car Dieu ne peut pas déchoir. »

La comtesse Greffulhe est sensible, bien évidemment, à l'admiration sans faille que le cher abbé lui exprime constamment : « Vous êtes faite pour soutenir toutes les causes : celle du beau, celle du bien. Le bien, n'est-il pas le beau vécu ? » « Soyez heureuse d'avoir établi votre âme sur les sommets et de convier le monde à vous y rejoindre. » « Vous êtes si courageuse, vous vous êtes créé de tels alibis qui sont la science, les arts, la pensée des hommes de génie, tout un sanctuaire intérieur que le monde ne soupçonne pas ! C'est ce que l'Évangile appelle "avoir en soi le royaume de Dieu". Gardez-le et qu'il s'accroisse encore de ces consolations qui paraissent secondaires, et dont on a tant besoin, parce qu'on vit aussi de superflu. » « Pour moi, je ne médirai pas d'un temps où j'ai eu l'honneur et la joie de rencontrer une âme comme la vôtre. »

Cette admiration, elle la lui rend bien, comme en témoigne cette petite note de sa main destinée à l'un de ses amis : « Abbé Mugnier. Aumônier de Saint-Joseph de Cluny. Large, bienfaisant, génial dans les élans de son cœur chaleureux et dans ses réactions d'émotion. C'est lui qui a converti Huysmans et un des seuls prêtres à mon avis qui puisse aborder une conversation avec des hommes éminents. Très savant lui-même, sans petitesse, morale inattaquable, très large d'esprit, adorant la musique, très artiste. »

À la mort de l'abbé Mugnier, en mars 1944, Ghislaine écrivit à sa sœur : « C'était un esprit chevaleresque et il a dû faire beaucoup plus de bien par sa largeur de vue que tant de prêtres intransigeants et inhumains qui éloignent de la religion. Il était pour toi un ami et un admirateur de qualité, sachant apprécier les vraies valeurs, chose si rare, si peu de gens peuvent percer nos murailles ! »

Si l'abbé Mugnier était « l'Ami vrai » pour la comtesse Greffulhe, on peut penser qu'elle-même répondait au portrait de ce qu'aurait été pour lui l'épouse idéale, esquissé dans un passage resté inédit de son *Journal* : « Mon idéal eût été cet exquis mélange d'enthousiasme et de mélancolie, cette double faculté de jouir et de souffrir. J'aurais voulu ma femme lettrée et sans pédantisme, artiste sans profession, éclatante de vie, émue facilement, indulgente à l'excès, large dans ses vues, plus éprise, en matière de religion, de l'esprit que de la lettre. »

Edmond de Polignac, prince de la musique

Le prince Edmond de Polignac occupe, lui aussi, une place à part dans le cœur d'Élisabeth. De vingt-six ans son aîné, il a « l'âge canonique » requis pour n'être pas considéré par Henry comme un vil séducteur en puissance. Fils cadet du calamiteux ministre de Charles X, petit-fils de la belle Gabrielle, amie préférée de Marie-Antoinette, chevaleresque et intransigeant sur l'honneur, il semble sorti tout droit de l'Ancien Régime : il est surtout un compositeur de talent, et un homme d'une étonnante modernité. Marcel Proust, qui le surnomme affectueusement « le serpent à sonate », écrira de lui après sa mort : « Pour ceux qui se rappellent combien les idées du prince de Polignac – non seulement en littérature et en art, mais même en politique – étaient avancées, en avance sur celles mêmes des plus avancés jeunes gens, c'est presque un miracle de penser qu'il était le fils du ministre réactionnaire de Charles X, qui signa les fameuses Ordonnances [...]. Peu à peu le feu spirituel qui habitait le prince Edmond de Polignac sculpta sa figure à la ressemblance de sa pensée. Mais son masque était resté celui de son lignage, antérieur à son âme individuelle. Son corps et sa face ressemblaient à un donjon désaffecté qu'on aurait aménagé en bibliothèque. » La même métaphore, appliquée dans la *Recherche* à Robert de Saint-Loup, nous montre que Polignac contribua à son portrait.

Spirituel, fantasque, original et profondément bon, ce prince musicien est, pour Élisabeth, le plus charmant compagnon des premiers étés à Dieppe – « toujours emmitouflé, toujours frileux, toujours enthousiaste » comme le décrit leur ami commun Fauré. Dans ses lettres à sa mère, Bebeth n'en finit pas de chanter les louanges de son « prince » : « Polignac a une imagination du diable et des bouffées de jeunesse qui ne s'accordent pas avec son vieux crâne rose thé, mais il est si charmant, si plein de race, si spirituel et naïf avec son scepticisme. [...] il dégoûte des autres, on les trouve stupides et nuls après avoir causé avec lui. [...] Il est féroce pour la banalité, il se retrouve en pays connu avec moi. Nous nous comprenons à demi-mot [...].On se retrouve *"at home"* avec lui, il est vraiment de notre famille... » On dit Polignac peu intéressé par les femmes. Cependant, ses lettres et poèmes conservés dans les archives prouvent qu'il n'était pas insensible au charme de la belle comtesse, et à ses « fort jolies toilettes qui vous griffent le cœur ».

Durant leurs séjours à Dieppe, Polignac lui griffonne des petits mots – « Merci, merci d'être si belle ! » Il lui écrit d'illisibles « petits bleus », des lettres délicieuses et brouillonnes, qu'il commence par « Chère Ma-Dame (des Pensées) », et qu'il signe « Votre toujours inféodé » : « À quand ? Plus jamais peut-être ? – dites-vous ; non, non, nous deux sommes enchaînés à l'impassible "Toujours". » Il compose pour elle des vers mélancoliques aux accents verlainiens – « Je suis un fainéant qui guette vos yeux noirs. » Il lui donne des extraits de son journal intime : « Il me semble avoir pressenti quelqu'un qui parle ma langue. Je me figure que nous sommes parmi ce monde les deux seuls, les deux qui doivent se rencontrer rarement [...] Ô vous que j'ai trouvé face à face en musique, à certains carrefours harmoniques ou mélodiques, les mêmes où, jouant devant d'autres, je me trouvais seul, près d'auditeurs fermés, impassibles. »

Plus étonnant encore, l'amour qu'il lui porte ne semble pas totalement désincarné, si l'on en juge par ces lignes, écrites dans son journal un certain 19 août : « J'ai eu tous les soirs dans ma pensée le spectacle horrible, décevant de leur bonheur, cette bouillante créature livrant son corps aux grossières caresses du mari avec lequel j'avais ri toute la soirée. Est-ce donc là tout ce que je puisse tirer de cette vie en commun. Voici donc ce que me donne cette vie du monde. »

Polignac a presque soixante ans lorsqu'il se résout à se marier. Robert de Montesquiou et Élisabeth ont la riche idée – c'est le mot – de lui présenter Winaretta Singer, héritière américaine de l'inventeur des célèbres machines à coudre : les Caraman-Chimay connaissent bien cette famille, qui louait autrefois le premier étage de leur hôtel du quai Malaquais. Winaretta a trente ans de moins qu'Edmond ; elle est très mélomane, colossalement riche et adepte de Lesbos. Polignac charge Élisabeth de présenter sa demande, en mettant bien les choses au point : « Il est bien entendu que, dans ce projet, il ne faut pas qu'elle s'attende à un mariage autre que blanc. C'est-à-dire que je garderai ma chambre, elle aura la sienne, mais nos intérêts artistiques s'aideront mutuellement et j'espère pouvoir la rendre très heureuse par l'admiration que nous avons tous les deux pour le grand Art. »

Cette chaste union « de la lyre et de la machine à coudre », selon le mot de Mme Blanche, la mère du peintre, tiendra largement ses promesses. Pendant les sept années que durera ce mariage jusqu'à la mort d'Edmond, en 1901, « Winnie » et son mari seront les meilleurs amis du monde. En les faisant se rencontrer, la comtesse Greffulhe a fait bien mieux que d'assurer leur bonheur : cette alliance de la fortune et du talent sera en effet à l'origine du salon musical le plus recherché de la Belle Époque. Le généreux mécénat artistique de la princesse de Polignac bénéficiera à tous les jeunes musiciens de ce début de siècle, et son œuvre perdure encore aujourd'hui à travers la fondation Singer-Polignac[8].

Sagan, Massa, ou la comédie de salon

Ghislaine, comme sa sœur, raffole de Polignac et s'amuse de son adoration pour elle : « Il finira par s'habiller en berger et s'adonner à la vie pastorale pour traire en faveur de l'objet aimé comme M. Vieuxbois, lui écrit-elle, pastichant Töpffer. Il trairait avec une élégance incomparable, l'autre prince serait saucé à chaque tour comme le rival. »

« L'autre prince », c'est Boson de Talleyrand-Périgord, prince de Sagan, connu pour être l'homme le plus élégant de son temps. Ce dandy fascine Proust, qui le citera à plusieurs reprises dans la *Recherche*, et qui s'inspirera de son prénom archaïque en prénommant « Basin » le duc de Guermantes. Grand coureur de jupons, Sagan est le rival du comte Greffulhe auprès des actrices du Français : celui-ci le trouvera un jour en train de prendre un bain de pieds chez leur maîtresse commune, Jeanne Pierson. Son culte pour Élisabeth doit rester officiellement platonique. Les télégrammes qu'il lui adresse témoignent donc d'une admiration respectueuse, tout comme ses lettres... en apparence : car celles-ci recèlent entre les lignes des propos beaucoup moins convenables, tracés à l'encre sympathique.

Les archives de la comtesse Greffulhe recèlent également une abondante correspondance du marquis de Massa, l'un des plus spirituels de ses adorateurs[9]. Il a surnommé Sagan « le Merle blanc », et la régale volontiers de potins à son sujet. Avec sa barbiche en pointe, ce vieil officier de cavalerie, lui aussi infatigable séducteur, mérite bien le surnom d'Aramis que lui ont décerné ses amis. Fils cadet d'une famille de la noblesse d'Empire, assez âgé pour ne pas inquiéter Henry – il est né en 1831 –, président du Cercle de l'Union, dit « l'Épatant », Philippe de Massa a été l'une des grandes figures de la cour de Napoléon III, chargé par l'impératrice Eugénie de composer des divertissements théâtraux. Il écrit de charmantes saynètes qui sont jouées à Bois-Boudran, dans lesquelles il réserve à Élisabeth des rôles sur mesure. Il lui trousse à l'occasion des vers de mirliton, dans lesquels il la taquine sur la diversité de ses adeptes :

« La Déesse a planté sa tente symbolique
Devant une pelouse au gazon bien fauché
Et reçoit là, l'été, l'hommage panaché
Du culte protestant, sémite et catholique. »

Leurs relations sont placées sous le signe d'une éternelle comédie de salon. Il affiche pour sa belle amie un « culte féodal », se déclare son « sujet le plus fidèle », son « chambellan de service », son « bibliothécaire ordinaire », son « prosterné serviteur ». Il la nomme « Dominam Meam », « votre Majesté », « la Divinité », et affecte de lui parler à la troisième personne : « Je me suis offert le téléphone dans mon lit pour mes étrennes. Quand Madame me sonnera, je ne serai plus obligé de descendre le matin en chemise dans le cabinet du cercle. »

Elle ne se lasse pas de ce culte célébré avec tant d'esprit, de cette dévotion qui la flatte sans jamais être pesante : « La monarchie, c'était la résurrection d'une autre cour que la vôtre, donc je ne veux pas en entendre parler. Je ne vous vois pas, révérence parler, faire la révérence à Mme la comtesse de Paris qui aurait l'air de votre femme de chambre. »

Le dernier rêve de Lord Lytton

« En amour, disait Oscar Wilde, les jeunes veulent être fidèles et ne le peuvent pas. Les vieillards veulent être infidèles et ne le peuvent pas davantage. » Courtiser l'inaccessible comtesse Greffulhe est flatteur et stimulant pour nombre de vieux galants sur le retour ; la plupart se satisfont pleinement de ce marivaudage épistolaire, qui présente l'avantage d'être sans danger. Ce n'est pas le cas de Robert, *earl of* Lytton[10]. Depuis 1887, Lytton est ambassadeur d'Angleterre à Paris, membre du Très Honorable Conseil privé de Sa Majesté après avoir été vice-gouverneur des Indes. Père de sept enfants, il a trente ans de plus qu'Élisabeth. Pourtant, il l'aime comme un jeune homme, et ne s'en cache pas. Pendant ses séjours à Dieppe, il lui fait une cour aussi assidue que pressante : « Je me sens très triste aujourd'hui. Oh ma chérie, ma chérie ! Les jours où je ne vous vois pas, où je n'entends pas parler de vous, où je ne sais ni où vous êtes ni ce que vous faites sont des jours sombres pour moi. » Passionné de spiritisme, il lui fait présent d'une admirable pierre, gravée d'étranges caractères. Sa passion, qui n'a rien de platonique, ne résistera pas à la distance qu'elle lui impose : « Comme vous m'avez à la fois dit et montré que vos sentiments pour moi étaient limités à un intérêt purement intellectuel, je dois vous avouer que j'ai surestimé ma capacité à poursuivre nos relations dans ces conditions. » Elle commentera, un peu amère, dans son *Journal* : « Il l'aimait. Elle est restée vertueuse. Il ne l'aime plus. Moralité : aimons-nous les uns les autres. »

Lytton l'aimait encore : s'il renonça à la voir, il ne cessa jamais de lui écrire. Mais c'est après sa mort que lui parviendront ses dernières lettres, trouvées dans ses papiers après qu'il eut été terrassé par un caillot de sang au cœur – un cœur sans doute trop vieux pour son âme et son tempérament fougueux. La plus belle de ces lettres posthumes, il l'avait fait imprimer, et elle la classa dans ses archives ; ce texte, sans doute le plus saisissant portrait que l'on ait tracé de la comtesse Greffulhe, mérite d'être cité ici intégralement :

« Madame,

Je vous écris pour vous parler d'une vision qui m'a hanté à tel point que les détails les plus minutieux me paraissent plus réels et plus près de moi que ces sales rues de Londres, où tout a l'air si triste ce Dimanche soir.

Elle me montre une jeune femme dans un grand fauteuil, tenant à la main un tout petit livre.

Elle est dame et même reine jusqu'au bout des ongles quoique, Dieu soit loué, elle soit très femme aussi, tout en ne ressemblant pas aux *autres femmes*, pas plus qu'une princesse dans un conte de fées, ne ressemble aux princesses qu'on voit tous les jours.

Elle a ce soir une sorte de demi-toilette exquise toute de rose tendue, dont je ne préciserai pas davantage la nuance exacte pour ne pas laisser égarer mes chastes pensées parmi les nymphes émues – ou émotionnantes !

Les draperies flottantes et diaphanes de ce ravissant costume – tout en dessinant, on dirait affectueusement, les beaux contours de sa forme svelte et gracieuse, l'enveloppent dans une douce et vague transparence si *atmosphérique,* qu'elle a l'air d'un nuage flottant sur les ternes lueurs d'un soleil couchant, dont les derniers rayons déjà presque effacés auraient légèrement rosé tous ses blancheurs.

Des pans onduleux de ce nuage sort par moments un petit pied chaussé d'un soulier rose dans un bas de soie rose ; ce petit pied mignon – sort et rentre – apparaît et disparaît dans son nuage comme une colombe attachée à la personne d'une déesse invisible ! – une déesse dont elle est la petite sentinelle, lui apportant de temps à autre des nouvelles de ce bas monde et peut-être les prières des mortels.

Je dois ajouter pour mieux indiquer la physionomie de ce petit pied, que c'est un petit pied très intelligent, car vous aurez sans doute remarqué, Madame, que l'intelligence féminine ne réside pas seulement dans la figure des femmes, elle est distribuée dans tous les détails de leur personne – Il y a des mains de femmes et des pieds de femmes qui n'ont pas d'autre défaut que de manquer d'intelligence : mais ce défaut est capital !

La propriétaire de ce petit pied a la tête penchée en arrière – rêveuse – et ses grands yeux bruns – yeux étranges, profonds, énigmatiques ont le regard lointain d'une biche qui s'arrête dans la forêt, et écoute effarouchée, un écho dont elle seule a le secret et qui vient de si loin !

Une biche qui ne serait chez elle que dans la forêt, transformée par quelque baguette magique en une princesse qui ne serait tout à fait chez elle que dans le monde des princesses.

Sa taille, sa marche, ses allures, son regard – toujours infiniment gracieux, ont pourtant les changements d'expression subits, surprenants – et tant soit peu énigmatiques qui font le charme et le mystère des créatures sauvages. – La Dame de ma vision tient à la main un petit livre dont la reliure de luxe est digne de la main qui le tient – Cette femme qui est toute faite de poésie, qui est elle-même un poëme – me dit qu'elle ne croit pas bien lire la poésie !! Anathème ! Je jure par Neptune, par Amphitrite et par tous les dieux marins, par toutes les vagues de cette mer que ses grands yeux ont si souvent sondées – par tous les cailloux de cette plage que ses petits pieds ont si souvent foulés, qu'elle lit bien... si bien que par elle la prose devient poésie et la poésie musique.

Que le petit démon moqueur qui se niche parfois dans les coins de sa belle bouche pour cette fois lui suggère de ne pas se moquer de l'esquisse rapide, fixée, inachevée de la vision qui hanta les rêves de

R. EARL OF LYTTON

Londres dimanche soir,
4 août 1890 »

Cher Pedro...

Pour clore cette galerie de portraits des amis-amoureux de la comtesse Greffulhe – limitée à quelques exemples significatifs – voici, après tant de vieillards, un jeune gentilhomme portugais, Pedro de Carvalho e Vasconcellos. Élisabeth l'a rencontré à la fin de l'été 1901, à Lucerne où il soigne la tuberculose qui l'emportera quelques années plus tard. Sur la photographie qu'elle a conservée dans ses archives, il apparaît jeune et conquérant ; avec ses yeux caressants en amande, sa moustache en « cornes de buffle », sa courte barbe noire reposant sur un haut faux col d'une blancheur éclatante, il évoque un gentilhomme de la Renaissance espagnole, le *Chevalier à la main sur la poitrine* du Greco. Et c'est un peu ce qu'il est, un gentilhomme de la Renaissance égaré en ce début du XXe siècle – fougueux, raffiné, cultivé, éclectique. Toujours plein de panache malgré la maladie qui le ronge, il vit au ralenti, promenant dans les pays chauds sa carcasse phtisique – il pèse soixante kilos –, à la recherche de soleil et d'air pur pour ses poumons, alternant les séjours à Davos et à Rome, avec, de loin en loin, une incursion à Paris ou, plus rarement, au Portugal, où il a hérité de son père un siège à la Chambre des pairs.

Il voit rarement Élisabeth : mais la correspondance constitue entre eux un fil qui ne se rompra qu'avec la mort. On compte dans les archives plus de deux cent cinquante lettres de Pedro, qui s'échelonnent d'octobre 1901 à la guerre de 14. Écrites dans un style élégant, un français presque parfait ponctué parfois de touchantes maladresses, elles dessinent le portrait vivant d'un jeune homme débordant de tendresse, de finesse et d'esprit. Elles permettent de reconstituer l'histoire d'une longue amitié – amitié maternelle de la part d'Élisabeth, amoureuse de la part de Pedro.

À l'évidence, il est fou d'elle, mais sans jamais être importun grâce à son humour et sa capacité d'autodérision. De temps en temps, un cri de douleur lui échappe : « Moi seul je brûlais, vous, vous êtes de pierre ! [...] La sagesse, mon Dieu quel joli mot quand on ne peut pas ! Mais moi je ne veux pas savoir cela, je veux brûler ! Qu'importe ce qui est sage, qu'importe de souffrir. J'aime, voilà tout, et j'ai tout dit ! » Mais le plus souvent, il est d'une irrésistible drôlerie. Les autres femmes ne sont, dit-il, que « des jupons qui se tiennent droits », « des animaux en jupons à usages variés qui peuvent plus ou moins

figurer dans le jardin zoologique de l'humanité ». Il l'appelle
« le Lion », « la plus belle, la plus charmante, la plus délicieuse
amie qu'un être mortel puisse jamais rêver sur terre », « charmante dame qui a le filtre de la vie et de la mort », « celle à
qui je confie toute mon âme ». Il lui envoie des pastiches signés
« Bonaparte », adressés à « la citoyenne Tallien ». Il la remercie
de la « lumière » qu'elle a apportée dans sa vie, et lui attribue
des vertus miraculeuses lorsque sa santé semble s'améliorer.
Quand elle tarde trop à lui répondre, il la traite de « charmante
dame sans cœur et sans reproche, de « terrible donna », de
« Madame au cœur de marbre » ou de Récamier – « Mme Récamier n'écrivait jamais ! » Ses reproches ne sont jamais culpabi-
lisants, mais légers comme des caresses : la lettre charmante,
qu'il lui adresse en 1909, après un silence particulièrement long,
dressant d'elle ce portrait en demi-teinte, prouve qu'il la connaît
fort bien :

> « Pour que vous puissiez la reconnaître, je vous donnerai le
> signalement de cette dame introuvable. Jolie, oui, plus que jolie
> même, la beauté qui ne se définit pas, celle qui peut être sentie
> si on a des organes pour la sentir. Bonne, sans l'avouer (n'avouez
> jamais !), intelligente, du charme, dont le moule n'existe plus ! Des
> défauts, oui ! Coquette par intuition, taquine par principe, cruelle
> par volonté. N'étant pas tout le monde, aucune autre personne
> ne lui ressemble. Faites bien attention, l'esprit malin me dit qu'elle
> n'est plus la même... Si vous la trouvez habillée comme tout le
> monde, ne vous laissez pas tromper. Si elle parle de choses qu'elle
> ne sent pas, ne vous laissez pas éblouir. Finalement si ce n'est pas
> elle, percez l'enveloppe fragile, illusion de la vue, et tâchez de trou-
> ver son essence : seulement alors prévenez-moi qu'elle existe
> encore. J'ai confiance en vous, il me faut deux yeux de lynx dans
> une telle recherche, j'en connais deux seuls, ce sont les vôtres... »

On trouve, en marge de l'une de ces lettres, ce commentaire
écrit de la main d'Élisabeth : « Intéressant. Charmant. Atten-
drissant. Nature d'un raffinement exquis. Mais fragile. À ménager (souligné trois fois) par pitié. » Elle lui envoie des journaux,
des livres, des chocolats. Il lui parle d'histoire, de littérature,
des concerts et des pièces de théâtre auxquels il a assisté, des

tableaux qu'il a admirés ; il lui commente à sa façon comique
la politique internationale et la fin de la monarchie portugaise.
Et surtout, il la régale avec verve de tous les potins concernant
leurs amis et connaissances communs, qu'il croise lors de ses
fréquents séjours à Rome : le prince et la princesse Borghèse[11],
Gladys Deacon et, surtout, Roffredo Caetani. Il a cette élégance
désinvolte, cette pudeur résignée de ceux qui se savent condamnés, mais mettent un point d'honneur à ne jamais se plaindre :
« Si la mort doit venir, je la voudrais, pourvu que vous soyez
là et que vous me regardiez. »

La mort est venue, mais Élisabeth n'était pas là : entre-temps,
la guerre avait éclaté, elle était tout entière à ses œuvres. Prit-
elle seulement le temps de pleurer en recevant le télégramme
qui la lui annonçait, en date du 26 janvier 1915 ? En même
temps que don Pedro s'était éteinte la Belle Époque, la période
la plus lumineuse de la vie de la comtesse Greffulhe. Cher
Pedro… Durant cette décennie où elle était plus vivante que
jamais, il descendait doucement vers les rivages de l'au-delà.
Pendant toutes ces années de quasi-bonheur, il l'a accompagnée
comme une ombre amie. Sa voix apparaît comme un écho très
doux, une ligne mélodique souterraine, soutenant en contrepoint l'harmonie tumultueuse de ces belles et cruelles années.

6

TROIS DEMEURES MYTHIQUES

Comme la duchesse de Guermantes, la comtesse Greffulhe s'incarnait dans des lieux, devenus mythiques pour ses admirateurs – « Cette villa, cette baignoire, où Mme de Guermantes transvasait sa vie, ne me semblaient pas des lieux moins féeriques que ses appartements. » Il est donc juste de leur faire ici une place, et de pénétrer dans les coulisses de ces demeures de légende aujourd'hui disparues.

Après le mariage d'Élisabeth, les chères maisons de son enfance ont été peu à peu reléguées dans le sanctuaire de sa mémoire. L'hôtel du quai Malaquais avec son poétique jardin, vendu à l'École des beaux-arts en 1883, est toujours vivant dans ses rêves. Le fabuleux château de Chimay[1], lui, est resté dans la famille. Mais sans Mimi, il a perdu son âme, et elle n'a plus de raisons d'y retourner. Pour satisfaire son inlassable curiosité, elle rêve de voyager, d'habiter à l'étranger comme elle l'a fait avec ses parents dans sa petite enfance : mais elle appartient désormais « à une famille où on croit les gens perdus quand ils s'aventurent à 4 km au-delà de chez eux ». Ses voyages, trop rares à ses yeux, trop fréquents à ceux de son casanier époux, elle les fera sans lui, au prix d'une lutte toujours renouvelée pour les lui faire accepter. Ses royaumes, ce sont désormais Bois-Boudran, l'hôtel de la rue d'Astorg, et la villa La Case à Dieppe. Le règne de Mammon a succédé à celui d'Athéna. Les signes extérieurs de richesse ont remplacé le chant de l'Histoire.

Bois-Boudran, ou la folie des grandeurs

Le château de Bois-Boudran, où Henry Greffulhe s'efforça de cloîtrer sa jeune épouse au retour d'une brève lune de miel, n'avait rien d'un château de contes de fées ; rien, à la vérité, qui soit propre à séduire une âme éprise de beauté. « Le château ressemble à une caserne, ou à une maison anglaise », écrivait Élisabeth à sa mère à son arrivée.

Pour découvrir les lieux d'un œil impartial, suivons les pas du peintre Jacques-Émile Blanche, qui s'y rendit entre les deux guerres. Le domaine est situé à soixante-dix kilomètres de Paris. Les invités arrivent par train de la gare de l'Est jusqu'à Nangis, où les attend un break. « Voici la grille, des bois, des champs qu'on laboure, d'autres bois, des maisons de garde comme dans nos forêts domaniales, puis un étang, des fermes, des sortes de hameaux çà et là, d'épaisses futaies, encore une maison de garde, des granges, des communs énormes, écuries, hangars, paddocks, chenil. Un mur hérissé de culs de bouteilles entoure les potagers, les serres pour les fleurs du château, car il n'y a pas de jardin. Le parc, c'est cette immensité close, sans horizon, sans perspective, d'une indicible tristesse. Au lieu d'un château, nous avons devant nous trois corps de bâtiment séparés. »

L'aile gauche abrite notamment les bureaux et le personnel administratif – un régisseur et huit secrétaires – car le domaine est une véritable entreprise, qui dispose de son télégraphe, de son bureau de poste, et même d'un médecin attaché au château. Au milieu, un corps de logis en moellons dont la façade treillagée est couverte de lierre : c'est le bâtiment d'origine, qui « avait dû être un simple rendez-vous de chasse en 1820 ou 30 ». Les valets de pied en livrée chargés d'introduire les visiteurs contrastent avec la simplicité des lieux : un vestibule orné de trophées de chasse et de gravures anglaises, un petit salon au mobilier Louis-Philippe sans prétention, « un très "bon chic" d'autrefois ». Mais cette impression de simplicité s'évanouit lorsque le peintre pénètre dans le pavillon dédié aux fêtes. À l'intérieur, on lui fait les honneurs du théâtre : « Tout en or, balustrades, pilastres, galeries, loges, tribune pour les musiciens, festons et astragales, girandoles, lustres de cristal : le style prix de Rome, République, Charles Garnier, Opéra, casino. » Il découvre aussi la vaste salle à manger, qui offre des perfectionnements inouïs : du sous-sol, lui explique le maître d'hôtel, peut surgir une table toute dressée pour cent couverts, comme au théâtre. À la vue de ce luxe insensé, le chroniqueur reste sans voix : « C'était donc là l'œuvre de Mammon ? »

Lorsque Blanche visita Bois-Boudran, le temps de sa splendeur était passé, et sans doute ne restait-il plus grand-chose du parc. Car Henry Greffulhe ne s'était pas contenté d'édifier cette aile monumentale : pour aménager les jardins, il avait fait appel à Wasuke Hata[2], un paysagiste japonais, qui s'était rendu célèbre en France pour avoir créé le jardin japonais du Trocadéro lors de l'Exposition universelle de 1889. L'idée, bien sûr, venait d'Élisabeth, conseillée par le japonisant Robert de Montesquiou.

Après la mort de Charles Greffulhe, en 1888, tout a changé, en effet, à Bois-Boudran. Henry a des goûts fastueux, et les moyens de les satisfaire. Élisabeth possède à un plus haut degré l'art de recevoir et d'organiser des fêtes grandioses. À lui l'argent, à elle le talent : le paradis des chasses intimes, réservé aux seuls habitués, s'est donc transformé en une gigantesque machine propre à éblouir non seulement le gratin parisien, mais aussi tout le gotha d'Europe, Russie comprise. Dès 1890, le comte Greffulhe a conçu de vastes desseins : « Je crois que nous ne pourrons rien faire de grand rue d'Astorg. Il faut donc le faire à la campagne, c'est plus aimable comme hospitalité et plus chic d'avoir son Chantilly avec [...] de grands espaces et beaucoup de place pour les invités, le théâtre et la musique. Je vous vois circuler comme une fée au milieu de tout cela. » Conseillé par Ernest Sanson, architecte en vogue – qui concevra notamment le Palais Rose de Boni de Castellane –, il a donc ajouté une aile droite à la mesure de sa folie des grandeurs. Bien plus qu'une aile : un château à lui seul, construit en brique et pierre, deux fois plus haut que les autres bâtiments qu'il écrase de sa masse. Théâtre, salon, salle à manger, escalier monumental, appartements d'invités... tout est de vastes proportions et bénéficie, comme le reste du château et l'hôtel de la rue d'Astorg, de cette surprenante innovation, que beaucoup refusent encore : l'éclairage électrique. C'est le grand-duc Wladimir de Russie qui a inauguré en 1891 la salle à manger.

Elle est loin l'époque où Élisabeth, jeune et timide épousée, passait ses soirées à jouer au mistigri avec sa pieuse belle-mère. Après la mort de son mari, celle-ci a bien tenté un ultime combat d'arrière-garde : « Je demande à Élisabeth de ne pas y attirer la cour et la ville [...]. La seule recommandation que vous devriez faire c'est que votre monde ne traite pas Bois-Boudran en pays conquis. » Mais après ces vains efforts, elle a définitivement rendu les armes : « Je ne voudrais jamais faire partie d'une telle société et je renonce à Bois-Boudran à mon grand regret. » « Décidément, trop d'or ne vous fait faire que des bêtises jusqu'au jour où il vous fait faire des infamies. » Henry et Élisabeth sont donc restés maîtres des lieux.

À chacun son territoire : Henry, c'est la chasse. La chasse à courre, qui ne reprendra pas après la guerre de 14, mais surtout la chasse à tir. Les « tirés » de Bois-Boudran sont célèbres dans l'Europe entière. Trois générations de chasseurs s'y sont succédé pour en faire l'une des terres les plus giboyeuses de France, grâce à l'élevage intensif du petit gibier. Avec l'adjudication de la forêt domaniale voisine, on y chasse sur plus de 6 700 hectares, en plaine, au bois, dans les marécages et sur les étangs. Cerfs, chevreuils, sangliers, faisans, perdreaux, lapins, gibier d'eau constituent des tableaux de chasse légendaires, auxquels contribuent les meilleurs fusils d'Europe, attirés là non seulement par la quantité, mais par la qualité exceptionnelle de ces battues, qui exigent des tireurs émérites. Plus que les chiffres du tableau, ce qui fait la réputation des grandes chasses, c'est la difficulté du tir sur des oiseaux qui volent très haut. Et, sur ce plan, Bois-Boudran rivalise sans difficulté avec les paradis cynégétiques, célèbres à l'époque, de Vaux-le-Vicomte, Voisins, Offémont, Ferrières ou Vallière[3].

Être convié à ces battues est un honneur fort convoité, d'autant plus qu'on y côtoie tous les souverains d'Europe aux côtés des princes d'Orléans : le comte de Paris, intarissable sur la chasse au loup, le petit duc d'Orléans, qui a la fâcheuse réputation de tirer à bout portant et s'est illustré à Chantilly en « salant » un rabatteur. La famille royale de Russie est, elle aussi, fort bien représentée, avec le grand-duc Wladimir – un habitué, que l'on invite également aux « chasses intimes » – ou le grand-duc Nicolas. Pour les personnalités de marque, on affrète un train spécial, qui s'arrête à la gare de Grandpuits.

« Les battues de Bois-Boudran étaient fameuses dans l'Europe entière. On y tuait, en une seule journée, quinze cents faisans qui, forcés de s'enfuir d'un plateau sur un autre, volaient à vingt ou trente mètres au-dessus de la tête des chasseurs postés dans la vallée », raconte le duc de La Force. Ce fait est illustré par un film étonnant tourné à Bois-Boudran en 1913 : on y voit le roi Alphonse XIII, assisté de deux chargeurs en uniforme, genoux en terre à ses côtés, tirant à jet continu à grande hauteur, tandis que les oiseaux morts pleuvent autour de lui. L'opérateur, visiblement fasciné par la scène, a suivi pendant de longues minutes l'étonnant ballet auquel se livrent les trois hommes. L'œil fixe, presque hagard, braqué vers le ciel, la lippe pendante sur son menton prognathe, le jeune roi tire deux coups, lance son fusil vers la main levée d'un chargeur à genoux, en attrape au vol un second, tandis que l'autre chargeur, impassible et concentré, en recharge un troisième, aussitôt lancé, attrapé, relancé, etc. Grâce à ce stupéfiant exercice de jonglerie, le tireur réussit l'exploit de tirer dix coups en quinze secondes, sans jamais détourner son regard du ciel. Un peu plus loin sur la ligne, une dizaine d'autres chasseurs en font autant – à une moindre cadence, car ils n'ont qu'un seul chargeur. Pendant les rares pauses, le roi se masse le doigt, visiblement malmené par l'usage intensif de la gâchette. Les dernières images nous montrent l'arrivée d'une foule de rabatteurs en blouse blanche, tenant dans chaque main des poignées de volatiles, puis le tableau impressionnant de centaines de cadavres à plume alignés sur le sol[4].

Parmi les têtes couronnées, une seule manquera à l'appel : le tsar Nicolas II de Russie. En 1896, Élisabeth fait pourtant, pour le recevoir, des plans grandioses : « Je vois d'ici une merveilleuse chasse, un train spécial, un dîner merveilleux, un feu d'artifice digne de Louis XIV. » Un projet onéreux mais qui, pense-t-elle, pourrait servir la carrière politique ou diplomatique qu'elle rêve de voir poursuivre à son mari. Mais le projet n'aboutira jamais ; ils devront se contenter de monarques de moindre importance, ainsi que des notabilités de la République, qui ne boudent pas ces chasses royales : le président Félix Faure, le ministre des Affaires étrangères Gabriel Hanotaux, le général de Galliffet, le ministre de l'Agriculture Jean Dupuy – grâce auquel Henry sera fait chevalier, puis officier de la Légion d'honneur – et bien d'autres, dont l'énumération serait ici fastidieuse.

La comtesse Greffulhe, bien qu'elle ait pris Diane comme emblème, déteste la chasse ; mais désormais, sa belle-mère n'est plus là pour l'obliger à assister aux battues – ce qu'elle ne fait que de temps en temps, lorsque sa présence y est requise pour rendre hommage à quelque prince ou souverain. Son territoire, c'est le salon, la salle à manger où elle préside les grands dîners ; et le théâtre où elle fait venir de Paris musiciens et acteurs du Français pour des représentations et des concerts où l'on joue les œuvres de ses « protégés » – Fauré, Saint-Saëns, Caetani – et parfois des impromptus écrits par elle-même.

Sous son règne, Bois-Boudran n'est plus réservé aux seuls chasseurs : elle y convie à ses fêtes ses amis de toutes catégories, qu'ils soient musiciens, peintres, écrivains, scientifiques, hommes politiques, diplomates – sans oublier l'abbé Mugnier, pour qui elle réussit parfois le tour de force d'obtenir une autorisation spéciale du curé de Sainte-Clotilde. Elle n'hésite pas à donner libre cours à sa fantaisie pour distraire ses convives d'une façon fort peu orthodoxe, qui fait la joie des échotiers mondains : « À Bois-Boudran, l'autre dimanche, Madame la comtesse Greffulhe recevait quelques intimes. On était parti à neuf heures du matin, on ne revenait qu'après le dîner. Comment amuser pendant onze heures consécutives ces intellectuels ou ces désœuvrés des deux sexes en mal de plaisir ? Impossible de manger, de disserter ou de médire toute la journée… On improvisa des charades d'une fantaisie folle… On épingla ses amis au jeu des petits papiers… Puis, distraction bien rabelaisienne, chacun des hôtes du château fut chargé de conduire… une bête de son choix : veau, vache, oie, coq dindon. Et ce n'était pas un ordinaire spectacle de voir un secrétaire d'ambassade d'une grande puissance, armé d'une redingote et tubé d'un chapeau haut de forme, menant solennellement au bout de sa ficelle la plus belle oie du poulailler. »

Henry Greffulhe avait rêvé d'ensevelir son épouse à Bois-Boudran parmi quelques chasseurs bourrus, loin des séductions du monde et des regards des hommes. Mais elle avait retourné la situation à son avantage, et fait de sa prison un royaume. Outre la chasse et les concerts, se souvient avec émotion Pringué, « les serres d'orchidées, d'œillets géants, les qualités du chef, la somptuosité des fêtes qui s'y donnaient rendaient les séjours à Bois-Boudran une sorte de paradis terrestre ».

On aimerait rester sur cette vision paradisiaque. Mais l'historien se doit de diversifier ses sources, et ne peut passer sous silence un témoignage qui donne une version beaucoup moins idyllique de l'envers du décor. Bois-Boudran, on l'a vu, est une véritable entreprise, qui emploie un nombreux personnel et fait vivre des dizaines de familles dans le pays. Mais des voix s'élèvent parfois pour critiquer la brutalité avec laquelle le maître des lieux règne sans partage sur ses terres. Leur porte-parole est un dénommé A. Vernant, imprimeur et libraire à Provins, qui publia à partir de 1892, sous le pseudonyme de Père Gérôme, une série d'articles virulents dans le journal républicain *Le Briard* : « Dans le pays, on appelle M. Greffulhe : le Comte, tout court ; Bois-Boudran, château du comte : la Maison. Et ces deux mots, le Comte et la Maison reviennent à chaque instant dans les propos des gens et semblent, puissants et mystérieux, peser sur ces humbles comme une énorme obsession. La Maison fait partie de leur existence et y tient la plus large place. J'imagine qu'il devait en être ainsi au Moyen Âge chez les pauvres serfs qui vivaient groupés autour du château féodal. » Se faisant, dit-il, l'écho des plaintes des petits cultivateurs, l'auteur nous dépeint M. Levasseur, le régisseur de Bois-Boudran, surnommé « la Grande Moustache », faisant régner la terreur sur le pays avec son armée de gardes-chasses, réprimant sans pitié le braconnage, et tentant d'empêcher les paysans de chasser sur leurs propres terres. Ne mâchant pas ses mots, il dénonce « la Maison Greffulhe foulant à pleins pieds la loi, le droit, l'humanité, la raison », « l'asservissement complet de toute une population vis-à-vis d'un homme ; des misérables qui vivent sur une terre en friche qu'il leur est défendu de cultiver pour assurer leur vie, la dépossession forcée, érigée en principe, des familles autochtones des biens qu'elles avaient de temps immémorial ; le désert où il y avait des hameaux prospères ; la mort où il y avait la vie ; la terre nourrice du genre humain, ravalée de par la volonté d'un homme au rang de terre à gibier ; pour l'agrément d'un seul, stérilisée systématiquement ; l'abus inouï fait par un citoyen d'une fortune immense dont il n'a jamais gagné un traître liard ».

Difficile de démêler, dans ce réquisitoire, la part de la réalité et du fantasme. Contentons-nous de constater que, dans ses diatribes, l'auteur passe sous silence l'activité du comte Greffulhe, vice-président puis président des comices agricoles, qui s'attache à promouvoir les nouvelles techniques de culture ; et que sa seule allusion à l'activité philanthropique de sa famille est assortie d'un jugement désobligeant : « cette maison Greffulhe si large, si grande, si généreuse, mais surtout en apparence et en façade, pour la galerie et la réclame ».

L'intérêt de ces documents est de nous indiquer que les relations entre les Greffulhe et leur environnement sont bien différentes des liens de confiance et d'amitié qui unissent, par exemple, les princes de Chimay avec les habitants de leur village. Mais les Chimay sont des aristocrates et les Greffulhe, des ploutocrates – en dépit des efforts d'Élisabeth qui, seule de la famille, semble douée d'une empathie et d'une générosité venues du cœur.

Si Bois-Boudran avait traversé la guerre de 14 sans trop de dommages autres que « collatéraux », sa gloire n'y survécut pas. Pour le domaine, ce fut le début d'une longue agonie, qui allait durer encore près d'un demi-siècle. Les chasses reprirent après guerre, mais sur un moins grand pied, avec des tableaux moins spectaculaires et un personnel plus restreint – économies aux-quelles s'ajoutaient des recettes produites par la vente du gibier et des animaux d'élevage excédentaires.

Élisabeth, « la pauvre Grande enchaînée », comme l'appelait sa sœur Ghislaine, avait fini par s'attacher à ce domaine qu'Henry répugnait de plus en plus à quitter. « Je ne vis plus que dans ces bois », disait-elle aux amis qui venaient lui rendre visite, « mais je ne m'ennuie jamais : j'ai tant de souvenirs... » Elle les recevait sans façons, « en tailleur de *homespun*, jupe courte, jersey de tricot, et chaussée de brodequins et de guêtres crottées, un béret cachant ses frisons mousseux ». Mais ils s'exta-siaient toujours : « ses yeux ! Ces yeux, cette démarche ! » Le temps des grandes fêtes et des princes russes était passé. Pendant ses longs mois solitaires, la maîtresse des lieux pastellisait, en méditant sur son destin. C'est aux grands barzoïs de son élevage qu'elle vouait désormais tous ses soins ; leurs silhouettes aristo-cratiques l'accompagnaient dans ses longues promenades, et, dans leurs yeux fidèles, elle lisait l'amour exclusif et l'admiration dont elle avait tant besoin.

Après la mort d'Henry, en 1932, la propriété fut de moins en moins habitée, de moins en moins entretenue. Elle fut occupée par les Allemands, puis utilisée temporairement à la Libération pour héberger des enfants. Pour la comtesse Greffulhe octogénaire, elle était devenue comme une terre étrangère, souillée par des intrus qui avaient profané ses « chers souvenirs ». Après sa mort, suivie, moins de six ans plus tard, par celle de sa fille, le château demeura encore quelque temps dans la famille. Dans les années 1960, on dut se résoudre à démolir la gigantesque aile droite, en très mauvais état et impossible à entretenir. De son décor fastueux, seules ont survécu les boiseries Régence du grand salon d'apparat : démontées en 1954, elles avaient déjà pris le chemin du Texas, où elles font aujourd'hui la fierté de l'hôtel La Colombe d'or, à Houston.

Mais des images d'archives nous montrent encore la vieille Delaunay-Belleville, prestigieux reliquat d'une époque révolue, remontant la grande allée du parc de Bois-Boudran jusqu'au corps de logis principal. Un *travelling* avant nous fait pénétrer

259

dans les vastes salons intacts : boiseries encadrant des scènes de chasse, courses de lévriers, paysages ; fauteuils, consoles et bureaux XVIIIe, paravents chinois et cartels, profondes bergères, tables juponnées chargées de photographies… L'image d'un luxe discret, confortable et raffiné.

Aujourd'hui, tout a disparu ; vendu, le château existe toujours, mais passablement dénaturé, transformé un temps en complexe hôtelier avec golf et domaine de chasse, puis racheté après faillite par un particulier. Le nom de Bois-Boudran ne brille plus aujourd'hui dans le monde que pour les amateurs de cuisine, notamment anglo-saxons, qui apprécient encore la sauce Bois-Boudran créée par le chef des Greffulhe[5].

L'hôtel de la rue d'Astorg : anatomie d'un lieu mythique

Dans le gratin, on l'appelle « le Vatican », car c'est de là que sont émises toutes les « bulles », lancées toutes les tendances qu'on s'efforcera de suivre, créés tous les événements artistiques et mondains qui alimenteront les conversations. Rue d'Astorg, la famille occupe « une véritable cité aristocratique » : un fief, un bastion, un îlot de prospérité sereine, sous la forme de quatre hôtels « séparés par des cours et de beaux jardins aux pelouses toujours vertes et où les arbres envoyaient, depuis Louis-Philippe, leur reflet de vieux parc par les fenêtres ».

Comme à Bois-Boudran, Élisabeth n'est pas arrivée rue d'Astorg en pays conquis, loin de là. Tout d'abord, il a fallu vivre sous le même toit – vaste, il est vrai – que ses beaux-parents, au n° 10 de la rue d'Astorg. Elle a dû endurer la discipline de fer de cette vie en communauté, rythmée par les horaires de « BM », qui se lève à six heures du matin pour entendre la messe à la Madeleine, avant de commencer, ainsi sanctifiée, dès huit heures et demie, sa « tournée » des domiciles de la famille : au 8, chez son beau-frère Henri et au 12, chez sa fille Louise de L'Aigle, reliés au n° 10 par une galerie couverte ; au 20 rue de la Ville-l'Évêque, chez sa fille Jeanne d'Arenberg[6].

La jeune mariée a dû comparaître devant les faces-à-main suspicieux des dames d'œuvres dans le salon de sa belle-mère, qui ouvre ses portes tous les après-midi. Elle a dû sacrifier au rite immuable des visites. Elle a dû se plier au sacro-saint dîner qui réunit les trois familles, chaque soir, à sept heures et demie précises. À la mort de l'oncle Henri, en 1881, la petite vicomtesse acquiert un peu de liberté, puisque le jeune couple peut s'installer au n° 8. Henry, pour fêter l'événement, a acheté pour cent mille francs un mobilier de salon signé Jacob, recouvert d'une très belle tapisserie de Beauvais.

Peu à peu, comme à Bois-Boudran, Élisabeth va affirmer son règne, qui s'étendra, après la mort de sa belle-mère en 1911, sur le n° 10. Les archives nous livrent un plan du n° 10 rue d'Astorg, qui montre, sur une cinquantaine de mètres de profondeur, une enfilade de six salons ouvrant sur un vaste jardin, flanqués de deux salles à manger, d'un fumoir, d'un boudoir, d'un « salon d'entrée ». On accède au jardin par un large perron donnant sur le salon en rotonde. Au premier étage, les chambres de M. le comte et de Mme la comtesse, la bibliothèque, un autre boudoir, une galerie, une grande terrasse. Trente pièces au total, sans compter les chambres de domestiques sous les combles. « Pas assez grand », peut-être, en tout cas aux yeux d'Henry, pour donner de ces bals somptueux comme font, en leurs hôtels, la princesse de Sagan ou la comtesse de Chabrillan. Aucun bal de ce genre n'est mentionné rue d'Astorg par les mémorialistes : pour ses grandes réceptions, Élisabeth préfère des cadres plus champêtres.

Si l'hôtel de la rue d'Astorg est devenu un lieu mythique pour le gratin parisien, c'est qu'il est, de l'aveu même d'Élisabeth, « une forteresse inaccessible excepté pour un petit nombre d'amis ». Rue d'Astorg, elle donne des dîners, des concerts intimes pour lancer les jeunes musiciens, des matinées, des goûters, souvent en l'honneur d'un savant, d'un artiste, d'un homme politique ou d'un souverain de passage à Paris – ces derniers étant reçus, même dans l'intimité, « d'après le cérémonial traditionnel, par quatre valets de pied, portant des candélabres allumés et marchant à reculons ».

Henry assiste rarement à ces réunions. « Pour lui tous ces personnages n'étaient que des voyous célèbres », raconte Enrique Larreta, qui ajoute une anecdote savoureuse : un dîner est donné rue d'Astorg en l'honneur de Barthou, président du Conseil et ministre la Guerre. Parmi les invités, Edmond Rostand, Gabriele D'Annunzio, Jules Lemaître, Gaston Calmette et Anna de Noailles, qui s'est fait longuement attendre. « Je me souviens qu'avant le moment de passer à table, deux coups brusques retentirent au plafond. Mme Greffulhe ne parut pas se troubler. Nous baissâmes la voix. Rostand me glisse à l'oreille : "C'est sûrement M. Greffulhe qui revient de la chasse. Ce sont ses chaussures. Il se met au lit. À la bonne heure !" »

Mais quand il s'agit de recevoir un souverain régnant, le maître des lieux s'investit personnellement, comme en témoigne cet amusant récit d'André Maurois. Le prince de Galles, nous l'avons vu, était un familier de la rue d'Astorg et de Bois-Boudran – Henry et lui, tous deux chasseurs enragés, avaient même tiré ensemble des faisans dans le parc privé de la reine Victoria, chose défendue. En 1907, quand il revint à Paris après son couronnement, le protocole lui interdisait, en principe, de visiter de simples particuliers. Il exprima cependant le désir de « venir rendre hommage à la royauté de Madame Greffulhe, et fit annoncer par l'ambassade qu'il se rendrait rue d'Astorg après le déjeuner ». Après le déjeuner ? Cette annonce plongea Henry dans la plus grande agitation. Que pourrait-on lui offrir ? Mais rien, puisqu'il aura très bien déjeuné à l'ambassade, jugea Élisabeth avec bon sens. Sans tenir compte de son avis, Henry, raconte Maurois, fit « dresser un buffet royal : toutes les viandes, toutes les volailles, tous les pâtés. Le roi, qui sortait de table, fut effrayé par ce spectacle pantagruélique et, ne voulant pas tout refuser, dit par courtoisie : "Je prendrais bien une tasse de café." Hélas, c'était la seule chose à laquelle on n'eût pas pensé. Il ne restait plus de café dans la maison. Pour ne pas faire attendre sa Majesté, on dut courir chez le concierge. Par bonheur, il restait à celui-ci un fond de cafetière et ce fut ce café, réchauffé, que but Édouard VII ».

On a peu de descriptions réalistes des salons de la rue d'Astorg à cette époque, si ce n'est quelques textes où le dithyrambe nuit à la précision, comme cet article de Pringué, nostalgique de « ce palais qui paraît un conte de fées caché dans la solitude profonde de ses secrets jardins, tandis que sur les murs accrochés, les plus beaux Fragonard, les Greuze étonnants, les Nattier fantastiques, font procession de splendeur à travers le dédale sans fin des salons aux boiseries de rêverie ». Les témoins de l'époque se souviennent de fenêtres ouvrant sur un merveilleux jardin, véritable oasis « avec ses pelouses veloutées, ses beaux arbres qui lui donnaient l'air d'un parc en plein Paris », de « grandes enfilades de pièces d'apparat », d'immenses salons à colonnades, de boiseries dorées, de pièces éclairées *a giorno* par l'électricité que les Greffulhe, précurseurs, ont fait installer très tôt. Mais ce qui les frappe surtout, ce sont les meubles et les tableaux : « On m'a fait monter dans un grand salon aux boiseries dorées, égayé par un admirable meuble de Beauvais, aux bouquets de fleurs les plus papillotantes sur un fond crème, un meuble au nombre incroyable de fauteuils, de chaises, de grands canapés, de délicieux petits canapés pour tête-à-tête », note Edmond de Goncourt en 1891. Beaucoup plus tard, un autre visiteur raconte : « Un pastel de Degas faisait face à un paysage d'Utrillo. La salle à manger racontait les *Fables* de La Fontaine sur des tapisseries de Beauvais dont le cartonnier était Oudry. » Proust, nous le verrons, fut, lui aussi, fortement impressionné par l'hôtel de la rue d'Astorg, qui figure nommément dans ses *Cahiers*, et qui nourrit de nombreux passages de la *Recherche*.

La collection du comte Greffulhe était, en effet, proprement fabuleuse. Une partie lui venait de son oncle Henri, qui lui avait transmis cette passion dès son plus jeune âge. L'oncle avait été guidé dans ses achats par le comte d'Armaillé, beau-frère de Charles Greffulhe et grand ami de Sir Richard Wallace, qu'il avait également conseillé pour acquérir les plus belles pièces du XVIIIe siècle : cet ensemble avait donc une parenté très nette avec celui qui, depuis 1897, constituait à Londres un musée unique au monde : la Wallace Collection. Devenu fin connaisseur,

Henry avait poursuivi ses acquisitions avec l'aide de Georges Hoentschel. Architecte décorateur renommé, membre comme lui du Jockey Club, ami de Proust et de Rodin et grand amateur d'impressionnistes, celui-ci n'avait cependant pas réussi à lui faire partager ses goûts pour la peinture « moderne ». À l'exception de quelques tableaux que lui avait fait acheter Élisabeth, Henry avait rassemblé des chefs-d'œuvre presque exclusivement XVIIᵉ et XVIIIᵉ, parmi lesquels *La Petite Dormeuse* de Greuze, quelques objets ayant appartenu à Marie-Antoinette, et de nombreux tableaux des plus grands maîtres : Van Dyck, Paulus Potter, Ruysdaël, Jan Steen, Van der Heyden, Quentin de La Tour, Hobbema, Mme Vigée Le Brun, Nattier, Teniers, Watteau, Isabey, Ingres, Boldini, Canaletto, Guardi, Meissonnier... Le mobilier, Louis XVI pour l'essentiel, comportait des pièces exceptionnelles : meubles de Boulle, statues de Falconet, bronzes de Gouthière, pendules, appliques, candélabres, torchères, porcelaine chinoise, etc. Plus secrète était la bibliothèque, cachée aux yeux de tous car elle contenait nombre d'ouvrages licencieux, parmi lesquels *Gamiani ou « Deux nuits d'excès »* d'Alfred de Musset, ainsi que des gravures érotiques représentant les amours des maréchaux d'Empire.

L'essentiel de la collection Greffulhe fut vendu chez Sotheby's à Londres en juillet 1937, pour payer les colossaux droits de succession. Quant à l'Enfer libertin, il échappa de peu aux velléités pyromanes de la pieuse Elaine, et fut dispersé à Drouot, en décembre de la même année, par la galerie Jean Charpentier.

Avec la Seconde Guerre mondiale, un hiver éternel descendit sur la rue d'Astorg. C'étaient désormais des cours aux pavés verdis, des pièces presque nues que traversaient les derniers visiteurs, guidés par un maître d'hôtel chenu et emmitouflé jusqu'à la petite cabane insolite, plantée au milieu d'un immense salon aux boiseries XVIIIᵉ, où la vieille dame se réfugiait pour avoir un peu de chaleur. Les robinets exquisément ciselés des baignoires ne délivraient plus d'eau, la tuyauterie ayant éclaté avec le gel. Mais la maîtresse des lieux, immuable, campait toujours sur le théâtre de ses triomphes passés.

Les enchères de 1937, en pleine récession, n'avaient pas produit les résultats espérés, nombre de pièces n'ayant pas atteint leur prix de réserve. Après la mort de la comtesse Greffulhe, le reste des collections fut dispersé en 1956, au cours d'une vente qui ne dura pas moins de trois jours. Vendus, eux aussi, les hôtels des n° 8 et 10 de la rue d'Astorg, sur l'emplacement desquels Groupama a construit un immeuble de bureaux. Elle avait résisté jusqu'à la fin. Si l'on en croit ses descendants, sa fille Elaine essaya en vain d'empêcher la destruction de l'hôtel et la disparition de cet îlot de verdure, en affirmant avec aplomb aux acquéreurs : « votre projet est impossible car Louis XVI est enterré dans le jardin »...

Dieppe, ou la liberté retrouvée

Enfin, il y a Dieppe : une station balnéaire très appréciée des Parisiens depuis que la duchesse de Berry, sous la Restauration, y a lancé la mode des bains de mer. Depuis la naissance d'Elaine, Élisabeth y séjourne chaque été – d'abord dans une maison de location, puis dans la villa La Case, que son beau-père a acquise en 1887 pour lui en faire cadeau. Bon et généreux sous ses dehors un peu pusillanimes, Charles Greffulhe, inquiet de sa santé et de son état dépressif après la mort de sa mère, a voulu lui procurer un refuge. Cela n'a pas été sans mal, car « BM », soutenue par son gendre Auguste d'Arenberg, a bataillé ferme contre ce projet, craignant que sa bru n'en profite pour s'émanciper en y recevant, loin de la surveillance familiale, une « société d'hommes ». C'est exactement ce qu'elle fera : Dieppe sera son espace de liberté. La lettre que la jeune femme adresse à son mari, son « cher Petit », le lendemain du jour où elle a investi les lieux, est d'une spontanéité presque enfantine :

> « L'Autre est dans un grand château bien beau, bien meublé, il ne sait s'il reconnaîtra personne désormais. Toute l'entrée est entourée de roses blanches et de chèvrefeuille, c'est merveilleux de

vue. On se croirait dans un vieux château meublé confortablement. Ma chambre est ravissante, je me crois une châtelaine de ma fenêtre. En ce moment je ne vois que l'immensité de la mer. [...] Je n'ai jamais été si bien nulle part. [...] Je me sentais rajeunie par cette mer que j'aime tant et ce château que j'ai rêvé d'habiter. [...] Maintenant que je vous ai décrit le charme, il faut aussi que je vous dise ce que je crains. Il ne faut pas se le dissimuler, nous sommes "à la campagne" il faut dix minutes pour la poste, au moins 20 à pied. On n'entend rien du tout, cela vous déplaira. Pas de tramway, pas de piétons ni de voitures. Allez-vous y rester 2 jours ? [...] Nous tous logés, il reste 4 chambres de maître et 9 de domestiques à donner. Nous avons vu les écuries qui sont parfaites. Julien va rajouter un box pour les poneys à côté de la serre. Adieu mon chéri, si tu étais comme je le rêve nous serions les plus heureux sur la terre. »

Élisabeth a trouvé son paradis, avec la présence apaisante de la mer, qui se substitue à la mère qu'elle a perdue. De toutes ses maisons, La Case est la seule où elle s'est sentie d'emblée chez elle. Cette vaste bâtisse anglo-normande hérissée de clochetons, qui nous paraîtrait gigantesque aujourd'hui, est à ses yeux une chaumière, une miniature de château. Dans les premiers temps, elle a reçu surtout sa famille à Dieppe : ses sœurs chéries et son frère Jo, quand elle cherchait à le marier, puis après son mariage avec la terrible Clara Ward ; mais celle-ci s'est révélée capable « de faire battre les montagnes », et il semble qu'Henry n'ait pas résisté à lui faire une cour très poussée. Ces séjours sont aussi l'occasion de se rapprocher de la petite Elaine : « Ce matin nous avons déjeuné ensemble pour la première fois de sa vie, elle a mangé 40 crevettes et le tout assez proprement. » La « famille » inclut aussi, au début, les vieux amis d'Henry, en particulier Henri de Breteuil et sa femme Constance, qui est devenue une confidente très proche. Élisabeth apprécie beaucoup Breteuil, qui fourmille d'idées pour se distraire. Ils dessinent ensemble, mais « il passe son temps à me faire en caricature de gendarme », écrit-elle à sa mère. Pour la peinture, elle préfère la compagnie de l'aquarelliste Eugène Lami, qu'elle appelle avec désinvolture « le père Lami » : à quatre-vingt-quatre ans, ce « charmant vieillard », qui immortalisa dans sa jeunesse les élégances du Second Empire, s'amuse à faire d'elle « des croquis ravissants ».

Constance mourra de phtisie – tuberculose – en juillet 1886, sans avoir connu la villa La Case. Peu à peu Dieppe va devenir le rendez-vous des amis choisis, qui ne sont pas ceux d'Henry. Pour respecter les convenances, aucun invité mâle et célibataire ne devrait, en principe, séjourner sous le même toit que l'hôtesse en l'absence de son époux. Mais une exception est faite pour « ce cher Polignac », avec qui elle passe en tête à tête « des journées charmantes » à faire de la musique, et qui « n'en revient pas de la bizarrerie de cette situation ».

Élisabeth est très entourée dans cette villégiature : elle y fréquente, dans un contexte beaucoup plus détendu qu'à Paris, une société très diversifiée, qui va du prince à l'artiste. Les princes d'Orléans viennent en voisins du château d'Eu : « on peut voir en se promenant sur la plage le duc de Chartres en manches de chemise et la duchesse en corset ». Ce dernier, qu'ils invitent de temps en temps à dîner, regarde son hôtesse « avec des yeux bienveillants », ce qui désole Henry. Quant à son frère le prince de Joinville, il s'amuse à la dessiner dans l'eau, surplombée par « une main gigantesque qui est celle d'Henry ». Sur ces rivages, elle côtoie également, comme à Paris, les futurs modèles de la *Recherche du temps perdu* – Mme Standish, née Noailles, qui prêtera quelques-unes de ses toilettes à la duchesse de Guermantes ; ou Mme Lemaire, qui loue pour la saison, au peintre Jacques-Émile Blanche, une villa avec un grand atelier, et y recevra son grand ami le « petit Marcel » tout un mois, en août 1895. Blanche, lui aussi, vient souvent de sa propriété voisine d'Offranville, et fait d'Élisabeth une esquisse au pastel « qui a beaucoup de succès ».

Pour la cohorte des amoureux de la comtesse, ce séjour estival est une aubaine que l'on ne saurait laisser passer. Le prince de Sagan lui laisse des petits billets : « À quelle heure voulez-vous que nous montions à bicyclette ? » ; Charles Ephrussi apprécie en esthète sa démarche aérienne quand elle descend de la falaise ; le futur président Paul Deschanel, encore simple député, gardera un souvenir inoubliable de leurs promenades matinales ;

quant à l'ambassadeur d'Angleterre, Robert Lytton, il est trop épris pour accepter son invitation à La Case. Pour garder les distances imposées, il préfère s'installer à l'hôtel, en lui donnant cette explication laconique : « Je crois que vous savez pourquoi. »

Rien d'étonnant, donc, à ce qu'Henry déteste Dieppe. La promiscuité, le côté informel de l'existence que l'on mène dans ces villégiatures terrifient ce grand jaloux. Ce terrien n'est pas ici dans son élément : sous ses pieds, il n'aime que sentir la terre grasse de Bois-Boudran ou le pavé de Paris. Là-bas, au moins sa femme est sous contrôle ; elle sort peu, et toujours conduite par un cocher, accompagnée d'un groom. Mais ici, on va à pied, on conduit soi-même sa voiture attelée de poneys, on monte à cheval au manège, on fait des promenades en mer, on organise des parties de campagne, on joue de la musique, on peint sur la falaise, on retrouve ses amis au casino... Horreur, on monte même à bicyclette et, surtout, on se baigne dans la mer ! Alors, Henry « geint et se plaint », suit sa femme à la trace dans toute la ville et essaie en vain d'attirer l'attention : « Henry est toujours enrhumé. Il se soigne comme une vieille fille. Tout le monde se moque de lui. » « Il est désœuvré comme une grosse mouche malade et bourdonnante qui vient lourdement se taper contre vous. »

Bientôt, il ne viendra plus qu'en courant d'air. Comme toujours, il trouve son salut dans la fuite. Mais sa femme prend la chose avec humour et philosophie : « Henry est revenu dimanche de son voyage à Paris, tout innocent. » En réalité, ces absences sont plutôt un soulagement : « Je me demande si j'aurai encore la force de supporter Henry à Dieppe si je ne mets pas une interruption », écrit-elle à sa sœur Ghislaine.

Habitué à régner partout en maître, le comte Greffulhe ne supporte pas cette impression d'être un invité parmi d'autres, de ne pas maîtriser l'emploi du temps des journées. Sur les conseils de sa femme, qui n'a pas renoncé à ses ambitions politiques par procuration, il a bien essayé de présenter sa candidature dans la circonscription aux élections législatives de 1898. Mais l'affaire s'est mal terminée : accusé par la presse d'avoir tenté d'acheter ses électeurs, il a dû abandonner. Dieppe lui a laissé de mauvais souvenirs ; au fil des ans, il désertera quasiment ces rivages : il préfère passer ses étés dans les villes d'eaux, comme Royat, où il soigne les excès de champagne, gibier, pâtés et autres victuailles commis pendant l'année.

Pour Élisabeth, qui s'émancipe chaque jour davantage, La Case est donc devenue synonyme de liberté. Elaine, adolescente, accompagne son père en cure et se charge de transmettre ses consignes : « Papa est de bonne humeur quoiqu'il répète sans cesse qu'il faut que tu sois revenue le 20 août de Dieppe sans quoi il fera des scènes tout le reste de l'année !! Quelle délicieuse perspective ! » Mais les injonctions d'Henry sont souvent vaines : fatiguée du joug de son seigneur et maître, l'épouse de moins en moins soumise tente chaque année de repousser la date fatidique du retour à Bois-Boudran. En septembre, Henry est bien trop occupé par l'ouverture de la chasse pour risquer de débarquer à l'improviste : elle en profite pour inviter Montesquiou, ainsi que ses amis musiciens et peintres, qu'Henry surnomme avec mépris « les Japonais » en raison de leur goût marqué pour l'Orient. Ensemble, on se livre sans contraintes aux joies de la peinture sur le motif, sous l'œil de Jacques-Émile Blanche : « Sur la falaise, du côté de La Case, ces dames dessinent : un cours d'amateurs en plein air. Helleu, Walter Sickert, Montesquiou, Gabriel Fauré, Edmond de Polignac encapuchonné, les regardent. »

« La vie, c'est un citron, écrivait Élisabeth à sa mère, il faut presser ce qu'il y a de bon et laisser le reste. Quand c'est un peu bon c'est un péché véniel et quand c'est tout à fait bon c'est un péché mortel. » Il ne semble pas qu'elle ait accompli le plus « mortel » des péchés pendant ces jours heureux ; mais elle sera néanmoins chassée impitoyablement de ce paradis terrestre. En effet, la villa La Case va devenir l'enjeu d'une « ténébreuse affaire », l'un de ces feuilletons tragi-comiques dont madame de La Béraudière a le secret. Les faits peuvent être ainsi reconstitués d'après la correspondance : à partir de 1910, le comte Greffulhe entreprend de contester à sa femme la propriété de cette maison. Elle se souvient parfaitement que son beau-père lui a fait don de la villa : mais elle ne s'est jamais souciée de demander un acte de donation officiel ; elle doit donc s'incliner, et le fait avec élégance et détachement : « Je renonce du reste bien volontiers à la croire à moi puisqu'il n'y a eu aucune preuve. »

Henry est, à l'évidence, aiguillonné en sous-main par sa maîtresse, car, après la guerre, celle-ci investit la villa La Case avec ses enfants, y vit ouvertement avec son amant et y reçoit ses amis. Les pièces du procès de 1935 sont explicites à ce sujet : « Mme de La Béraudière allait tous les ans à la villa La Case à Dieppe de 1915 à 1921. Elle avait deux domestiques à sa disposition, Estelle et Victor. Elle a même sous-loué la villa pendant une saison. »

La Case sera finalement vendue en 1926, et Élisabeth touchera la moitié du prix de la vente, dont elle exigera « le remploi pour qu'Henry profite des revenus ». L'acquéreur n'était autre que... Mme de La Béraudière, qui revendit la villa en 1935, l'année du procès, comme en témoigne une lettre d'Elaine : « 1er août 1935. Hôtel Métropole, Dieppe. Chère petite maman chérie, je vis ici au milieu de nos souvenirs. Tu devrais revenir voir La Case ! Il y a une forêt autour. Figure-toi que notre adversaire arrive ici le 12 août pour revendre La Case !!! » Plus rien ne reste aujourd'hui de la maison, bombardée en 1944 comme beaucoup d'édifices de Dieppe. Plus rien, hormis des cartes postales et une toile de Claude Monet, intitulée *La Falaise à Dieppe,* qui montre de loin l'imposante bâtisse perchée sur la falaise[7].

« Il y a comme un sort qui m'empêche de rien posséder sur la terre », écrivait la comtesse Greffulhe à son mari. Ce n'est pas le moindre paradoxe de son existence : elle qui menait une vie fastueuse ne possédait rien en propre et ne fut jamais, dans ses trois demeures, qu'une souveraine de passage. Des trois décors qu'elle marqua de son empreinte, seul subsiste le souvenir.

IV

SOUS LE MASQUE

> « Il faut masquer son moi. Ceux qui croient
> le connaître ne connaissent que leur reflet.
> Qui a jamais vu son visage sans voile ? »
>
> Journal de la comtesse Greffulhe,
> 31 décembre 1895

1

HENRY, OU LE « TROU NOIR »

« Comme je suis touché de cette tendre affection qui vous a fait me confier la plus parfaite des filles pour lui permettre de devenir la plus adorable des femmes. [...] C'est la personnification de l'idéal et je me demande à chaque instant comment il peut se faire que j'aie mérité un bonheur semblable. J'espère que je m'en montrerai digne et vous savez au moins que si je ne peux pas mieux faire ce ne sera pas faute de faire de mon mieux. » Dans cette lettre d'Henry Greffulhe à son beau-père, écrite deux jours après son mariage, la dernière phrase semble ironiquement prophétique. Il n'a pas la moindre intention de changer quoi que ce soit à sa vie de célibataire et, déjà, il s'en absout par avance.

Le « fiancé idéal »

Comment peut-on expliquer que Marie, cette mère aimante et attentive, ait pu engager sa fille dans ce piège infernal ? Elle souhaitait son bonheur plus que tout au monde. Et c'est pourtant elle qui l'a jetée dans les bras de cet homme, ou plutôt sous son joug. Pour comprendre ce qui nous apparaît inexplicable aujourd'hui, il suffit de se replacer dans le contexte. Le prince et la princesse de Caraman-Chimay formaient un couple idéal, cimenté par leur commun amour de la musique. Leur vie, pourtant, n'avait pas été facile : aux yeux du monde, ils

273

étaient auréolés d'un nom illustre et d'un château démesuré ; mais la réalité quotidienne de Mimi et de « Jo » était faite de soucis plus prosaïques : des grossesses à répétition – six enfants, alors qu'elle se serait volontiers contentée de trois – ; des déménagements successifs au rythme d'une carrière diplomatique prestigieuse, certes, mais quasiment point rémunérée, du moins dans les débuts, quand Joseph était simple secrétaire d'ambassade à Rome ou à Saint-Pétersbourg ; de sombres querelles familiales autour du titre de prince de Chimay ; la question pécuniaire, enfin, récurrente et jamais résolue. Toutes ces tracasseries, cependant, n'avaient pas réussi à assombrir un bonheur intérieur sans nuage. Aristocrate jusqu'au bout de ses doigts de pianiste, Marie était l'équanimité personnifiée. Elle avait pour principe que l'on doit toujours faire bonne figure, ne pas se laisser abattre par les questions terre à terre et ne jamais se laisser aller « à ses nerfs ». Mais cette existence de lutte perpétuelle l'avait sans doute minée bien plus qu'elle ne l'admettait, au point de quitter ce monde, à bout de forces, à cinquante ans seulement. En réalité, elle l'avait déjà quitté bien avant de rendre son dernier soupir : son mari lui reprochait parfois de vivre comme si elle était déjà dans l'autre monde. Elle savait qu'elle allait partir ; avant l'heure fatale, elle voulait assurer le meilleur pour sa fille chérie, qui n'avait pour dot que ses beaux yeux.

C'est sans doute pour cela qu'elle s'est enthousiasmée pour Henry Greffulhe, ce parti inespéré, objet de la convoitise de toutes les mères du gratin. Le charme du jeune homme a fait le reste – et Dieu sait qu'il pouvait être séduisant quand il s'en donnait la peine. Malgré son instinct si sûr pour jauger les êtres, elle a été aveuglée, comme tant d'autres, par le déploiement de ses séductions. Comment aurait-elle pu imaginer, elle si éprise d'idéal et de beauté, elle qui vivait dans la sphère spirituelle et qui avait façonné sa fille à son image, qu'elle la poussait ainsi dans un piège mortifère ?

La première rencontre a eu lieu, à l'insu d'Élisabeth, selon un scénario courant à l'époque, que l'on pourrait appeler le « repérage », ou « l'évaluation de la pouliche ». Vendeuse bénévole à un comptoir lors d'une vente de charité, elle a vu un monsieur blond et barbu se dresser devant elle, lui tendre un billet de cent francs pour acheter une canne, et se retirer après l'avoir rapidement jaugée du regard. Envoyé là par sa mère, qui souhaitait consolider le prestige de la famille Greffulhe par une alliance avec un nom digne des La Rochefoucauld, Henry a été séduit. Dès lors, le sort de la jeune fille était fixé. Lors de leur première entrevue officielle, au mois de juin, lors d'un goûter champêtre à Sèvres, elle a bien essayé de se montrer sous son pire jour, au physique comme au moral. Mais comment résister, quand on a tout juste dix-huit ans, à cette présence masculine massive et débonnaire, presque royale, qui s'impose à vous ? Comment ne pas céder aux sortilèges de cette voix, aussi chaude que sa main quand elle frôle la sienne en tournant les partitions de *Faust* et de *Don Juan* qu'ils chantent en duo, seuls dans le salon vert du cher quai Malaquais ? Comment rester insensible à ses déclarations d'amour sous la lune, dans le jardin où pleure le bassin ? Élisabeth a trop lu Musset : il est Perdican, elle est Camille. Ses parents la voient heureuse et elle se voit par leurs yeux. Tout le monde l'envie et la félicite. Le regard des autres efface son regard intérieur ; les louanges ont fait taire la sourde petite voix qui la supplie de refuser ce mariage insensé.

Un fiancé idéal pendant quatre mois, un mari presque idéal pendant quinze jours. C'est tout ce que la vie accordera à cette jeune fille qui ne voit le bonheur que « dans l'union intime de deux pensées », comme elle l'avait vu chez ses parents, comme elle l'avait connu auprès de sa mère.

On s'est beaucoup interrogé sur elle en voyant son mari la délaisser et tous les hommes soupirer en vain à ses pieds. On l'a soupçonnée de n'avoir nul goût pour céder aux passions qu'elle suscitait. Sa correspondance avec sa mère, durant ses premières années de mariage, nous montre clairement qu'il n'en était rien : « Comprenez à ces exclamations de joie que les murs de Jéricho sont tombés etc. etc. Je pourrais encore parler sur ce point pendant longtemps tellement je suis heureuse de cette grande victoire. » Au tout début, les querelles et les crises de jalousie des jeunes mariés sont toujours suivies d'ardentes effusions : « Réconciliation. Résultat cela attise plus que cela n'éteint. Voilà le fruit d'une expérience. J'ai une vraie passion pour lui, voilà ce que cela amène, ces petits jeux. » Mais cette passion ne résistera pas longtemps aux grossières infidélités de l'époux. Au bout de quelques années, la porte d'Élisabeth sera close : « Comment a-t-on pu faire un devoir des plus tendres caresses et un droit des plus doux témoignages de l'amour ? C'est le désir mutuel qui est le droit. La nature n'en connaît point d'autre », écrit-elle dans son *Journal*. Elle ne répondra pas au vœu d'Henry d'avoir un « petit boy » qui assurerait la postérité de son nom. De son côté, celui-ci, ayant par ailleurs un véritable harem à sa disposition, ne se souciera plus guère de franchir cette porte – tout comme le duc de Guermantes, dans la *Recherche*, ne franchit jamais celle de sa femme, et l'avoue étourdiment à Swann dans la fameuse scène tragi-comique qui se termine par l'épisode des « souliers rouges ».

De l'enfant gâté au pervers narcissique

Curieusement, dès les premiers temps de leur mariage, Élisabeth a décerné à Henry le tendre sobriquet de « Petit », et il en a fait autant à son égard. Ce barbu tonitruant est son « cher Petit », son « pauvre Petit »... Petit, il l'était, au sens propre du terme : celui que l'on a souvent présenté comme un colosse avait à peine la taille de sa femme – c'est pourquoi il ne se faisait jamais peindre ou photographier en pied[1]. Mais surtout, elle avait sans doute déjà deviné, sous la figure de Jupiter tonnant, le petit garçon mal élevé et perpétuellement insatisfait, l'enfant gâté qu'il était en réalité.

L'évidence saute aux yeux lorsqu'on lit le *Journal de mariage* d'Élisabeth et sa correspondance avec sa mère : Henry est exactement comme un enfant à qui l'on vient de donner un nouveau jouet, tiraillé entre la fierté de le montrer pour faire bisquer ses petits camarades et le désir de le cacher, de peur qu'on ne le lui vole : « Henry regarde tout de suite tous les yeux pour

voir si on me trouve belle. » « Il est dans ses moments d'inquiétude et tâche de me faire renoncer au monde et à ses pompes.
Les bals. C'est bête. De valser. Je suis trop intelligente pour
aimer ce sot amusement. Non, il n'y a que la vie privée, c'est
là le vrai bonheur... Trois minutes après... Bebeth soignez-
vous bien pour Paris. Il faut que tout le monde dise etc. etc. »
Que le jouet ait une âme et des aspirations personnelles ne lui
traverse pas l'esprit. Et sa jeune femme n'est pas encore de taille
à se défendre contre cet époux manipulateur : « Constance [...]
me dit que cela ne sert de rien de se laisser mener et qu'on
ne vous en tient pas le moindre compte. Si au lieu de me laisser
victimer comme une pauvre brebis je disais "je veux", je crois
qu'on n'en aurait que plus de respect. »

On n'a pas encore étudié, à cette époque, ce que les psychologues appellent aujourd'hui les pervers narcissiques ou
manipulateurs. Henry Greffulhe est qualifié par son entourage
d'« enfant gâté », et il est le premier à le reconnaître dans ses
souvenirs d'enfance : « Doué d'un besoin d'activité prodigieux,
d'une exubérance peu commune, j'avais en quelque sorte des
besoins de circulation irrésistibles. Je ne connaissais pas la fatigue
et ne tenais pas en place et, il faut bien le dire, pour mon
excuse, je ne fus jamais détourné de mes vagabondages par la
plus légère observation. Tout ce que je faisais était bien, tout
ce que je disais était parfait et jamais enfant gâté ne fut plus
adulé, flatté, je dirais même poussé à s'amuser. » Fils aîné,
unique fils, né comme un don du ciel le jour de Noël, dans
une famille où seul comptait le Fils, l'Héritier, le réceptacle du
patrimoine familial : depuis sa plus tendre enfance, Henry n'a
jamais rencontré d'obstacle à ses désirs. « Quel malheur que je
n'aie pas été un garçon, écrit Louise de L'Aigle à sa belle-sœur ;
n'étant plus unique il aurait été moins gâté et c'est là la vraie
cause de tout. »

Libre de toute contrainte, disposant d'une fortune colossale
pour satisfaire ses passions, l'enfant-roi est donc devenu, bien
naturellement, un jeune homme tout entier adonné à la poursuite de ses plaisirs, uniquement occupé à enrichir ses tableaux
de chasse, cynégétiques ou galants ; à posséder les plus beaux

et les plus grands chevaux – des paires d'immenses *steppers* de Hanovre, à la robe identique, qu'il fait venir spécialement d'Allemagne, toujours par trois pour en avoir un de secours – ; à collectionner les plus belles femmes dans ses « écuries de cœur », les plus beaux meubles et objets d'art dans ses salons.

Dès leur arrivée à Bois-Boudran, après une courte lune de miel, Élisabeth a commencé à soupçonner la vraie nature de l'homme qu'elle a épousé. Dans son *Journal* ou ses lettres à Mimi, elle décrit des symptômes révélateurs : les yeux qui deviennent d'une fixité inquiétante, les colères effroyables déclenchées pour les motifs les plus futiles ; l'indifférence soudaine, surtout, qui, en une fraction de seconde, transforme le complice en étranger. Peu à peu, elle apprend à déchiffrer les signes avant-coureurs de ces transformations à vue qui métamorphosent l'époux amoureux en monstre courroucé : « Un mot change le visage souriant qui prend une expression terrible. Les lèvres s'amincissent, les yeux étincellent malgré eux, les narines se gonflent, la respiration devient courte. Cette subite colère qui a démasqué le monstre est due à l'influence du moral sur le physique. » « C'est Faust tout d'un coup à la demi-clarté, qui exhale des paroles d'amour, incohérentes, sauvages, poétiques. Trois minutes après, on parle lapins. Il y a autant de personnages dans Henry qu'il y a de minutes dans la journée », écrit-elle à sa mère, un mois seulement après son mariage.

Quelques mois plus tard, elle semble avoir pris son parti de cet étrange comportement dont elle constate le retour régulier, et elle en parle comme d'une maladie chronique : « Je sens que le temps de la métamorphose approche. Mon prince charmant ! Et on ne sait jamais à quel moment la méchanceté va jeter le charme. C'est cela qui est inquiétant. » À peine sortie de l'enfance, elle a quitté le cocon familial pour enchaîner son existence à un homme qu'elle connaît à peine, à une famille d'une nature totalement opposée à la sienne, avec son mélange de matérialisme obtus et de piété étroite ; pour survivre, elle n'a pas d'autre choix que de s'adapter, de continuer à croire à la possibilité du bonheur. Lorsque l'on plonge dans ses archives, on ne peut qu'éprouver de la compassion pour cette petite fille courageuse, ce vaillant petit soldat qu'elle s'efforce d'être. Elle essaie, de tout son cœur, de jouer le jeu, de faire bonne figure, de devenir ce qu'on attend d'elle. Mais elle se sent seule, vulnérable, étrangère. Un cygne égaré parmi les canards.

Six semaines après leur mariage, Henry a repris ses habitudes de célibataire et ses maîtresses. Sa jeune épouse préférerait fermer les yeux, mais les lettres anonymes l'obligent rapidement à regarder la vérité en face. « Votre mari le conte de Greffulhe est un saligot et un vieux fout degoutant tous les jours il rencontre dans un rendez-vous de chasse deux sales putins (*sic*) » : tel est le ton des missives qu'elle recevra sa vie durant. Elles ne lui font grâce d'aucun détail et lui donnent même les adresses des appartements que son mari loue à l'année pour ses conquêtes. Son infortune n'est un secret pour personne : tous les jours, ce don Juan fait la tournée de son « harem » ; les chevaux de son équipage s'arrêtent d'eux-mêmes devant les portes cochères des élues, auxquelles un domestique, affecté uniquement à cette tâche, apporte tous les jours des bourriches, du gibier et de somptueux bouquets d'orchidées issus des serres de Bois-Boudran.

Aucun secours n'est à espérer de sa belle-famille : Henry est l'idole de ses parents, qu'il manipule avec un art consommé depuis sa plus tendre enfance. Félicité exhorte sa bru à « se courber sous le joug conjugal » et préfère blâmer ses sorties à bicyclette – « un moyen d'être encore moins chez soi » – que les incartades de son fils. En dehors de sa sœur Ghislaine, qui fait de longs séjours auprès d'elle pour essayer de la sortir de la dépression dans les années qui suivent la mort de leur mère, personne ne mesure l'infinie tristesse de la vie d'Élisabeth : « Depuis que je vois la vie qu'elle menait, écrit Ghislaine à Geneviève de Tinan, je ne m'étonne plus qu'elle soit tombée malade. C'est d'une tristesse affreuse. [...] Cette vie a épuisé la pauvre Bebeth. C'est bien triste à son âge de n'avoir aucune distraction, de ne jamais sortir et de n'entendre que des tristesses. » « Si Bebeth n'était pas ce qu'elle est, je ne resterais pas une minute. C'est un ennui perpétuel qui casse bras et jambes. »

Rien d'étonnant donc si, à trente-deux ans, persuadée qu'elle va mourir, Élisabeth écrit dans ses carnets ces pages déchirantes :

« Mort atroce que celle des cœurs, ils sont là étendus, livides – et on ne les enterre pas. Comédie jouée – abomination – violation de ce qui était sacré – le baiser cache le poignard – il suffit que tu m'aimes pour que je te déteste, et toi que j'aime tu m'as en horreur, mon baiser te dégoûterait. Pour quel châtiment, Ô, Dieu, avez-vous créé l'amour torturant. Pour quelques-uns seulement, les autres sont heureux, ils sont libertins, ils ne pensent pas, vivent sans analyse, meurent sans savoir. Ils n'aiment qu'eux-mêmes, se plaignent sans comprendre. Ô angoisse torturante des êtres sensibles mal organisés pour traverser la vie douloureuse. »

L'homme au double visage

Être trompée « à l'heure et à la course » est le sort largement partagé par les épouses du gratin à cette époque. Elles l'acceptent – elles n'ont guère le choix – et s'arrangent une vie de leur côté. La comtesse Greffulhe est particulièrement experte en la matière, et, à force de persévérance, a réussi à conquérir une véritable indépendance. Mais Henry, s'il est fier de ses succès qui flattent sa vanité, ne supporte pas qu'elle échappe à son emprise. Il veut à la fois être libre et indispensable. Pour cet égocentrique forcené, les femmes doivent être « une propriété d'agrément [...] suaves, sereines et charmantes [...], ne s'éloignant jamais du nid, qui est comme pour nous le refuge du salut ». Il revendique « cette liberté qui permet certaines contradictions toujours sincères dans le moment où elles s'énoncent ». Pour lui, la femme idéale doit « être ensemble la volière, tout en étant la liberté ». Puisqu'elle ne se laisse pas mettre en cage, Élisabeth est donc soumise à une double forme de harcèlement : au quotidien, Henry lui prodigue scènes et injures devant témoins, tracasseries mesquines, crises de jalousie, chantages de santé, plaintes sur tous les sujets ; mais dès qu'elle s'éloigne, il change de visage : l'époux infidèle et violent fait place à l'amoureux éperdu. Chaque fois qu'ils sont séparés, fût-ce pour quelques heures ; à chaque date anniversaire, jour de l'an ou fête carillonnée, après chaque querelle, ou, tout simplement, quand le remord le prend, il lui écrit compulsivement. On reste confondu à la lecture de cette correspondance fluviale, qui dévoile un total dédoublement de personnalité. À travers des centaines de lettres et de poèmes, Henry déroule toutes les ficelles de la séduction, emprunte tous les registres de la persuasion, depuis la flatterie la plus flagorneuse jusqu'à l'humilité la plus servile.

Il y a le registre de l'adulation, en vers ou en prose, en français ou en latin, pour lequel il mobilise toutes ses ressources élégiaques : « *Te deam laudamus omnis terra veneratur...* En sa gloire éternelle, beauté qui traversa d'un sillon d'or mon ciel silencieux [...] *Hosanna in excelsis Élisabeth dea !* »

Dans le registre du « pauvre Petit », l'Ogre se transforme en enfant sans défense, le Barbe-Bleue en Cendrillon : « Vous êtes le poteau indicateur de la route heureuse. » « Je souffre de ma médiocrité. » « Je suis une pauvre machine dont vous êtes le grand ressort. Restez, mon amour. J'ai tant besoin de vous, pour vivre et paraître. » Le « pauvre Petit » ne supporte pas d'être seul. Quand sa femme est en voyage, ou tout simplement partie pour la journée, son absence provoque des affres de jalousie et lui inspire des pages pathétiques : « Chaque heure d'éloignement me tourmente et m'inquiète... Je dois souffrir de sentir autour de vous des influences cérébrales qui prennent, qui volent une part de vous. »

L'autojustification est un autre de ses registres favoris : « Je conviens que je suis un type tout à fait particulier, difficile à bien connaître et surtout à comprendre – insupportable enfin. Mais si on a la patience de chercher au fond de mes mille défauts, j'ai une qualité, celle de vous aimer plus que tout au monde [...]. Mon imagination fragile a pu conduire l'enfant gâté à faire l'école buissonnière par curiosité, par oisiveté, par faiblesse. Mais le cœur, l'âme, tout ce qu'il y a de bon (et il y a quelque chose) dans votre Petit est resté à sa Bebeth. Je vous aime, mon amour, de toutes les façons. »

Tout ceci entraîne bien évidemment des protestations d'amour éternel : « Ma chérie, quand j'aurai cessé de vivre, dites-vous que je vous ai aimée comme je n'ai jamais su le dire ni le prouver ; que, dans le moment même où j'écris ces lignes, chaque battement de mon cœur est pour vous. » Et le chantage aux sentiments en découle tout naturellement : « Vous me faites de la peine et du mal, ce qui est pire... » « Jamais vous n'avez pris la peine d'étudier ma nature si attachante, si simplement remarquable. »

Pour ficeler plus sûrement sa proie, il entretient savamment le mythe de l'Henry secret, connu de sa seule épouse : « Je ne me suis jamais révélé à personne et chacun ne connaît de moi qu'un des multiples autres Henry, qui ne sont que des falsifications de mon vrai moi. Partout et toujours j'ai joué des comédies. Mais je ne suis moi-même qu'avec une seule personne, c'est vous. » Enfin, quand il est à court d'arguments, il fait donner le registre « seule au-dessus de toutes », un grand classique qui synthétise brillamment tous les thèmes précédents : « Vous êtes la première femme du monde. Vous êtes la seule. » « Le vide que votre absence fait autour de moi est la plus cruelle vengeance que vous puissiez exercer contre toutes ces petites coudes au corps, bouche de travers, coulées dans le même moule, collantes comme des limaçons et crampons comme des clous de montagnards. Vous grandissez, vous ennoblissez c'est tout ce que vous regardez et je vous jure que je n'aime que vous au monde de la façon dont je vous aime. »

Ces lettres sont autant de lassos qui ont pour fonction de ligoter la victime à distance, par les mots. On sait aujourd'hui que cette stratégie de « douche écossaise émotionnelle » est typique des manipulateurs.

Le manipulateur manipulé

Les années passant, les passions s'affaiblissant, ce climat conjugal orageux aurait peut-être fini par s'apaiser si Henry n'avait rencontré, à cinquante-sept ans, Marie-Thérèse de La Béraudière, qui allait lui damer le pion en fait de perversion manipulatrice. Aux yeux d'Élisabeth et de ses sœurs, celle-ci, de façon bien compréhensible, est une horrible mégère. Elles ne se privent pas de lui décerner les sobriquets les plus désobligeants : le Diable, la baronne de Feuchères, la Reine des pieuvres, la personne de la famille des Brochets, la Brocheton (son nom de jeune fille), la B, ou la Barbe, en raison de son système pileux fort productif.

Les choses, pourtant, ne sont pas si simples. Quand Henry rencontre, en 1905, celle qui a été, dit-on, la maîtresse de Boni de Castellane, il est sur la pente déclinante de sa vie. On ne connaît pas de portrait d'elle : certains témoins de son époque, comme Élisabeth de Gramont, lui accordent du charme, à défaut d'une véritable beauté : « Singulière et ondoyante, elle est parmi les femmes de Paris l'une des plus attachantes et des plus rares. [...] Fière et simple, elle se paye le grand luxe d'être bonne, de se moquer du snobisme et de la médisance. Entourée de ses nombreux amis qu'elle divertit et sert avec une grande finesse de cœur, elle possède le don de l'adaptation immédiate. » Entre Henry et sa maîtresse, il ne s'agit plus uniquement de désir physique : le pouvoir qu'elle exerce sur lui est d'un autre ordre. Il partage en effet avec elle ses deux grandes passions : la chasse et les objets d'art. Les habitués, qui la côtoient toutes les semaines aux battues de la Grande Commune, prennent grand soin de ne pas être à portée de son tir : elle a, comme on dit, « le plomb vague ». Mais elle est, en revanche, sans aucun doute, une remarquable connaisseuse en objets d'arts. À la différence d'Henry, qui se laisse volontiers rouler par les marchands bien renseignés sur son énorme fortune, Marie-Thérèse déjoue tous les pièges, et possède le talent rare de découvrir des chefs-d'œuvre ignorés : « Avec ses yeux, elle perce le fond des magasins d'antiquaires, découvre le vrai Titien sous le Tintoretto faux et un Greco dans une chapelle poussiéreuse du Poitou. » Comme Boni, elle pratique activement le commerce d'antiquités en tant qu'intermédiaire, n'hésitant pas à prélever ses commissions sur les achats qu'elle conseille à son amant. Sa collection, qui fera l'objet d'une vente aux États-Unis en 1930, comporte des tableaux de Vélasquez, Goya, Le Greco, Brueghel, des gravures, sculptures et autres objets d'art du XVIIIᵉ siècle.

Mme de La Béraudière n'est pas seulement une collection-
neuse. Elle est aussi, semble-t-il, une manipulatrice de grand
talent, en laquelle Henry va trouver son maître. À travers la
correspondance conservée dans les archives du comte Greffulhe,
elle apparaît comme un personnage assez trouble. Son style
emberlificoté, alternant violence et pleurnicherie, laisse transpa-
raître une personnalité à la fois fragile et machiavélique – ce
qui va souvent de pair – et une jalousie incontrôlée envers
l'épouse légitime, à qui elle décerne sans vergogne des qualifi-
catifs grossièrement désobligeants. Elle seule réussira à percer
la cuirasse d'égoïste forcené du comte Greffulhe, à exister à ses
yeux – au point de lui empoisonner l'existence, lui qui ne supporte pas « d'être embêté par les autres » !

Rien n'est plus douloureux, on l'imagine, que l'existence d'un
manipulateur manipulé. Et de cette douleur, c'est, tout naturellement, sur Élisabeth qu'instinctivement il se venge, char-
geant comme un taureau affolé sous les banderilles. Henry n'est
pas par nature un homme méchant ni mesquin : il est juste
égocentrique et inconscient. Mais l'influence de sa maîtresse va
mettre au jour ce qu'il y a de pire en lui. Car Marie-Thérèse,
une fois divorcée, rêve de devenir comtesse Greffulhe, et tout
lui est bon pour éliminer l'épouse légitime.

Cette influence apparaît clairement dans la correspondance
qu'Henry entretient avec Catherine de La Faulotte. Celle-ci
– peut-être une ancienne maîtresse – est sa confidente ; dans
ses lettres, que nous connaissons par les doubles conservés dans
les archives, il s'épanche librement auprès de celle qu'il appelle
plaisamment « le grand chef des boxes dont vous connaissez les
détours ». Il se plaint amèrement de « la Principale » – Marie-
Thérèse – et ne cache pas qu'elle lui fait du chantage : « On
m'envoie des pilules toutes dorées à avaler, c'est toujours les
mêmes manigances – mais j'ai consulté des avocats qui m'ont
dit que j'étais de fer et elle de terre... à terre, et que je n'avais
pas à m'inquiéter de ces menaces à dormir debout, que tout
cela était du chiqué. » Il se lamente de « traîner la gigue comme
un vieil invalide », de souffrir de douleurs névralgiques, de son
mal de dos surtout – et comment n'en aurait-il pas « plein le

dos » ? Il gémit sans fin sur son sort : « Tout cela est insupportable et je voudrais bien une trêve car je suis éreinté, courbaturé de ces sottes ou canailles. Je n'en peux plus et il se pourrait que je n'en veuille plus. » Il a quelques brefs éclairs de lucidité, aussitôt voilés par ses éternelles pleurnicheries d'enfant : « Évidemment j'ai joué avec le feu toute ma vie et mon cœur récolte les battements que je mérite. Mais aussi pourquoi diable m'a-t-on fait un cœur comme cela. »

Ce qu'Henry ignore, c'est que sa confidente est aussi une amie de sa femme, qu'elle fait office d'agent double, et correspond régulièrement avec elle – en l'adjurant de brûler ses lettres. À Élisabeth, Mme de La Faulotte décrit un Henry « affolé, traqué », dérouté par des ruses diaboliques, totalement soumis à l'influence dominatrice et abaissante d'une femme qui poursuit « des voies ténébreuses » : « Il ne semble pas se rendre compte de la situation pitoyable dans laquelle il se trouve. Gardé par cette horrible femme, sous son influence totale qu'il subit complètement. » Élisabeth a une autre alliée, en la personne de sa belle-sœur Louise de l'Aigle. Dans sa correspondance, Louise parle de son frère comme d'un grand malade, un vieillard triste et fatigué, pâle, tassé, marchant difficilement, ses derniers cheveux achevant de blanchir ; elle décrit sa maîtresse comme une « terrible femme » qui joue sa dernière partie, employant tour à tour la tendresse, la menace, les scènes, sortant successivement le grand jeu du sentiment, du désintéressement, de la jalousie, une femme « trop forte pour ne pas profiter de votre absence pour vous démolir ». De guerre lasse, les deux alliées d'Élisabeth finiront par convaincre Henry de rencontrer un prêtre qui seul, pensent-elles, pourrait l'exorciser de celle qu'elles nomment le Diable.

L'influence de Mme de La Béraudière se traduit, pour Élisabeth, par un enfer quotidien, dont les archives nous livrent le détail, et que nous nous contenterons d'évoquer. Henry lui reproche la moindre de ses dépenses, alors qu'il engloutit des fortunes pour ses maîtresses, et en particulier « la Principale ». Aiguillonné par les propos venimeux de Marie-Thérèse, qui se plaint à longueur de lettres des « divines comédies » d'Élisabeth et des « affronts » qu'elle lui fait subir, il lui restreint l'espace dans sa propre maison, l'obligeant à se confiner dans sa chambre en lui refusant rue d'Astorg le bureau dont elle a tant besoin. Il songe même à la chasser de sa chambre pour y installer sa maîtresse. Il va jusqu'à lui écrire des lettres « anonymes » fort bien imitées, qu'il truffe à dessein de fautes d'orthographe grossières et signe de noms fantaisistes – mais sans penser à changer son papier, ses enveloppes et le trait caractéristique de sa signature. Il n'hésite pas à lui faire des scènes devant les domestiques comme devant ses amis, en joignant parfois le geste à la parole. Les pires moments de ce calvaire seront atteints lorsque Mme de La Béraudière, pour attiser la fureur d'Henry, se servira de Léon Daudet comme « d'un instrument de torture pour [la] tuer ».

Au fil des ans, les extravagances du comte Greffulhe trompé par sa vieille maîtresse finissent par devenir la risée des gens bien informés, qui les évoqueront plus tard dans leurs souvenirs. « On parle du comte G..., bonhomme moliéresque, coléreux, ridicule majestueux, tyrannique et berné ; le monde entier est au courant de sa liaison avec la comtesse de B... et des farces qu'elle lui fait. Pour l'occuper, elle envoie la concierge lui tenir compagnie, et Cocteau arrivant un jour trouve le comte en train de lire la *Légende des siècles* à la pipelette », écrit Morand. Fasciné par Henry, qu'il fréquente assidûment, Cocteau colportera en outre dans ses Mémoires quelques ragots d'office, ainsi que ce mot cruel : « Ma femme, c'est la Vénus de Mélo. »

Ces gens bien informés sont entrés en relation avec le comte Greffulhe par l'entremise de Mme de La Béraudière. Parmi eux figure en bonne place... Marcel Proust, qui, nous le verrons plus loin, y trouvera une source d'inspiration pour décrire la déchéance du duc de Guermantes, déclassé par la fréquentation de sa maîtresse Mme de Forcheville.

Un homme de lettres...
au sens postal du mot

La comtesse Greffulhe, qui est pourtant sans illusions, ne découvrira toute l'ampleur de son infortune qu'après la mort d'Henry, lorsque le procès intenté par Marie-Thérèse de La Béraudière conduira à un vaste déballage public. Ses avocats ont plongé à cette occasion dans trois malles remplies de lettres – simple résidu d'une correspondance beaucoup plus abondante reçue par Henry de ses maîtresses, et dont l'essentiel a été brûlé, au moment de son décès, par son secrétaire Jules Cordier.

« Le comte Greffulhe n'a jamais laissé passer une journée sans écrire une douzaine de lettres d'amour », expose maître Jallu, l'avocat de la famille, devant l'assistance médusée. « Au point de vue féminin, le comte Greffulhe était un "féodal". Je crois qu'une femme ne l'a jamais approché sans qu'il songe à faire revivre à son endroit les plus anciens droits seigneuriaux. [...] Aussi, Messieurs, si toutes les femmes auxquelles a écrit le comte Greffulhe vous apportaient les lettres reçues par lui, il n'y aurait place dans cette salle d'audience ni pour le public, cela va sans dire, mais ni pour nous, ni pour vous, ni pour le tribunal, ni pour les avocats… Il n'y aurait plus ici que des lettres d'amour ! »

La première malle, la plus grande, contient les lettres écrites par des femmes du monde – dont Jallu tait les noms par discrétion, sans cacher que tous les membres du Jockey Club en connaissent la liste. Avec la seconde, poursuit-il, « nous descendons d'un étage » ; les lettres émanent de jeunes et jolies femmes, qu'Henry avait installées dans leurs meubles, leur promettant parfois le mariage ; parmi elles, la femme de chambre et l'institutrice des enfants de Mme de La Béraudière. Toutes lui adressent des déclarations ferventes et passionnées. Certaines de ces correspondances s'étalent sur trente ans, jusqu'à sa mort. La troisième, enfin, est réservée à celle que l'orateur appelle pudiquement « des femmes de passage ». En inventoriant patiemment le contenu de ces coffres, l'avocat a découvert, rassemblées dans une grande enveloppe, « le serment d'amour éternel et par écrit que le comte Greffulhe faisait signer, invariablement et inexorablement, à toutes les femmes qui l'approchaient. La comtesse de La Béraudière a été obligée de se plier à la règle commune », commente-t-il, avant d'exhiber le document signé Marie-Thérèse, daté de Royat, le 7 août 1909 : « Je jure d'aimer Henry Greffulhe jusqu'à ma mort. » Un exemplaire parmi trois cents, quasiment identiques.

Comme la femme de Barbe-Bleue pénétrant dans la pièce interdite, Élisabeth découvre le donjuanisme véritablement pathologique de son époux. Pour elle, il y a encore pire que le déballage public de ces infidélités « grandioses » : c'est de lire les lettres d'Henry exhibées par Mme de La Béraudière. De s'y voir traitée de « vieille dinde déplumée », de « grue qui se dit présidente des grandes auditions musicales », ou réduite à une seule initiale méprisante : « Ce qui embellit pour moi cette journée, c'est qu'il ne sera pas question de Mme G. » « La G... est arrivée en furie, les cheveux en broussaille, la figure bourgeonnée comme un pommier... Je donnerais beaucoup pour qu'elle se retire définitivement dans une contrebasse ou dans un tambour. » De se voir rayée de sa vie lorsqu'il signe « Ton mari », ou « Ton vrai mari », et s'adresse « à celle qui devrait être déjà, qui sera, j'en ai l'assurance, la comtesse Greffulhe » – lui qui la suppliait de ne pas la quitter chaque fois qu'elle évoquait le divorce.

« Ce curieux personnage se prétendait volontiers homme de lettres mais il l'était surtout, si l'on peut dire, au sens postal du mot », commentera avec humour un journaliste.

Un « vampire énergétique »

« Scènes affreuses. La vie n'est plus tolérable. Menaces, les mêmes : reproche même de ce qu'on mange ! Il faut s'échapper de cet enfer, mais comment ? La mort est le moyen lâche. Il faut que la providence me vienne en aide et me trouve une route nouvelle où je n'aurai plus cet étranglement journalier, humiliant et odieux. Il faut que les êtres amis m'aident. Il faut prier ensemble pour être éclairée, conseillée, ôtée de ce feu. »

C'est une femme de soixante-deux ans, à bout de forces, qui a griffonné une nuit, à quatre heures du matin, ce petit mot au crayon. Élisabeth songeait au suicide, ou, une fois de plus, au divorce, qui serait pour elle comme une mort sociale. Son

*L*a comtesse Greffulhe aimait ce cliché hautement symbolique, signé Otto Wegener (1899), qu'elle conserva chez elle jusqu'à sa mort. Metropolitan Museum

« Il y a des jours où
l'on est un monstre,
et c'est ces jours-là
que l'on vous peint ! », déplorait
Elisabeth. Elle n'aimait pas ce
portrait par Ernest Hébert, qui la
représente en Diane, un croissant
de lune dans les cheveux.

Elaine Greffulhe par
Paul Nadar, à dix-huit
ans (1900). « Je crains
même le bonheur », écrivait cette
jeune fille effacée, énigmatique,
paraissant heureuse de se cacher
dans l'éblouissant sillage
de sa mère.

*H*enry Greffulhe par Paul Nadar en 1881. Dix ans après son mariage, le séduisant jeune homme blond s'est métamorphosé en un « Barbe-Bleue » infidèle et jaloux, au regard fixe d'oiseau de proie. Il fut le principal modèle de Proust pour le duc de Guermantes.

*S*ur ce cliché mélancolique de Nadar, Elaine a environ six ans. Enfant précoce, elle écrit d'étonnants poèmes qui témoignent de son adoration pour sa mère. Elisabeth, en deuil de sa propre mère, semble désespérément ailleurs.

Armand de Gramont, duc de Guiche, par Philip Alexius de László en 1902. Deux ans plus tard, ce jeune homme comblé de tous les dons, grand ami de Marcel Proust qui s'inspirera de lui pour Saint-Loup, épousera Elaine Greffulhe. « Il est un être rare d'intelligence compréhensive, de bonté active et d'honneur », disait de lui l'abbé Mugnier.

Amie de la comtesse Greffulhe, la poétesse Anna de Noailles voyait en elle « une âme qui ne fléchit jamais ». « Les lumières du mystère sont en vous et vous environnent. Il faut qu'on se réfugie en vous ! », lui écrivait-elle.

Roffredo Caetani, prince de Bassiano, fut le grand amour - très probablement platonique - de la comtesse Greffulhe. Pendant dix ans, elle fut la muse et l'impresario de ce jeune compositeur italien de dix ans son cadet, et correspondit avec lui jusqu'à sa mort.

La correspondance d'Elaine enfant avec sa mère était souvent illustrée de petits dessins malicieux, comme celui-ci.

La comtesse Greffulhe en 1945, à 85 ans, avec son gendre le duc de Gramont. « Elle n'a pas suivi les modes, elle était faite pour les créer », disait d'elle Georges de Lauris. Jusqu'à la fin, elle resta fidèle à ses légendaires grands chapeaux.

*A*grandi par Sanson, l'architecte du palais Rose, le château de Bois-Boudran,
en Seine-et-Marne, fut l'un des hauts lieux de la Belle Epoque, le théâtre de fêtes
grandioses et de chasses legendaires auxquelles était convié tout le gotha d'Europe.

*P*endant la Seconde Guerre mondiale, un eternel hiver descendit sur l'hôtel
Greffulhe, rue d'Astorg à Paris. Pour recevoir ses amis au chaud dans
ses immenses salons aux boiseries XVIIIᵉ, Elisabeth y avait fait installer
une cabane demontable, conçue par Rene Prou, décorateur de l'Orient Express

*L*e Château de Chimay, en Belgique, dessin de Marie de Montesquiou, 1874. Ce poétique château où Élisabeth passa une partie de son enfance, alimenta les rêveries de Marcel Proust, contribuant à forger dans son imagination « la race altière des Guermantes ».

*C*laude Monet, *La Falaise à Dieppe*. La villa La Case, à Dieppe, était pour Élisabeth un espace de liberté où elle recevait chaque été ses amis musiciens et peintres. Ce tableau est l'une des rares images évoquant ce paradis perdu, détruit par les bombes en 1944. Kunsthaus, Zürich

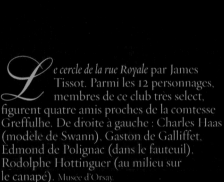

*L*e cercle de la rue Royale par James Tissot. Parmi les 12 personnages, membres de ce club très select, figurent quatre amis proches de la comtesse Greffulhe. De droite à gauche : Charles Haas (modèle de Swann), Gaston de Galliffet, Edmond de Polignac (dans le fauteuil), Rodolphe Hottinguer (au milieu sur le canapé). Musée d'Orsay.

Fête costumée chez la princesse de Sagan, par Eugène Lami (1883). Sur cette aquarelle, acquise par Henry Greffulhe, Élisabeth figure au premier plan, en Reine de la Nuit, au côté de son époux. À Dieppe, elle aimait peindre en compagnie de celui qu'elle appelait familièrement « le père Lami ». Walters Art Museum, Baltimore

Marcel Proust, croqué par son ami Jacques-Émile Blanche en 1891. « Je l'ai à peine connu », disait-elle. C'était faux : le souvenir du « petit Marcel » hanta Élisabeth jusqu'à sa mort. Elle-même joua dans la genèse de la *Recherche* un rôle beaucoup plus important qu'il ne l'admit jamais.

Marcel Proust
1er...

Robert de Montesquiou dans le jardin d'hiver. « L'oncle Robert » - de cinq ans son aîné - avait une affection profonde pour Élisabeth, la fille de sa sœur. Il la conseillait sur ses toilettes, et la présenta à Marcel Proust.

C'est à Élisabeth Greffulhe que l'on doit ce saisissant portrait de l'abbé Mugnier. Une amitié et une admiration réciproque liaient intimement le saint homme, chouchou du *gratin* parisien, à la belle comtesse, avec qui il échangea jusqu'à sa mort une correspondance magnifique. Musée Carnavalet.

Instigateur de l'impôt sur le revenu et pacifiste convaincu, le radical Joseph Caillaux était l'un des fidèles du salon Greffulhe. Lorsqu'il fut condamné pour «intelligence avec l'ennemi» pendant la Première Guerre mondiale, cette amitié valut à Élisabeth d'être violemment attaquée par Léon Daudet dans *L'Action française*.

Amies intimes de la reine Élisabeth de Belgique - dont Ghislaine était la dame d'honneur -, Élisabeth et ses sœurs servirent de trait d'union entre leurs deux patries durant la Grande Guerre.

Entre Paul Doumer (à droite) et sir Austen Chamberlain, ministre britannique des Affaires étrangères (à gauche), la comtesse Greffulhe, 66 ans, préside à la remise du livre d'or franco-britannique, témoignage de reconnaissance de la France à ses Alliés, dont elle a pris l'initiative.

En 1909, les Ballets russes font souffler sur Paris le grand frisson de la modernité. La comtesse Greffulhe joua un rôle clé dans cette aventure culturelle sans précédent, qui ne finira qu'avec la mort de Diaghilev, en 1929. (Ci-dessous : Serge Lifar et Alice Nikitina dans *Apollon Musagète* de Stravinsky (1928).)

« *Peu à peu le feu spirituel qui habitait le prince Edmond de Polignac sculpta sa figure à la ressemblance de sa pensée* », écrivait de lui son ami Proust. Compositeur de talent, Polignac était un ami intime d'Élisabeth, qui fut l'artisan de son mariage avec Winaretta Singer. Leur mécénat artistique perdure aujourd'hui à travers la fondation Singer-Polignac.

Dès 1905, la comtesse Greffulhe confia à Gabriel Astruc — qu'elle surnommait « le Bouddha » — la production des concerts patronnés par son association « la Société des grandes auditions ». Elle le présenta à Diaghilev, et s'associa à son action pour la construction du Théâtre des Champs Élysées.

*L*e « magique pouvoir » de la comtesse Greffulhe fut le sésame qui ouvrit à Serge de Diaghilev toutes les portes du succès dès son arrivée à Paris, depuis la première Saison Russe, en 1907, jusqu'à ses triomphes à Monte-Carlo, en Europe et en Amérique. « Chaque fois que vous vous êtes adressé à moi, vous avez réussi », lui écrivait-elle.

*L*e physicien Édouard Branly, qui découvrit les principes de la radioconduction et de la télémécanique. Élisabeth — qui l'intimidait « jusqu'à la sidération », *dixit* Gustave Le Bon —, se fit la promotrice de ses travaux, lui faisant attribuer le prix Osiris, et intervint auprès du gouvernement pour qu'il puisse conserver son laboratoire à l'Institut catholique.

*É*lisabeth fit la connaissance de Gabriel Fauré par Montesquiou en 1886. Dès lors, il devint un habitué de Dieppe, un ami très cher, et elle ne cessa de promouvoir son œuvre. Sa célèbre *Pavane*, qu'il composa pour elle et lui dédia, constitue un poignant portrait musical de celle qu'il appelait « Madame ma Fée ».

ea gown griffée Worth en velours ciselé bleu foncé sur fond de satin vert (vers 1897).

*C*aftan de Boukhara, cadeau du tsar de Russie, transformé par Worth en cape du soir (1904).

*L*a légendaire garde-robe de la comtesse Greffulhe (plus de 160 pièces) fut léguée par ses descendants au musée Galliera.

*L*a spectaculaire « robe aux lys » de Worth (vers 1896), dans laquelle elle fut photographiée par Nadar, est la plus célèbre des toilettes de la comtesse Greffulhe (velours noir, soie, broderie de perles, incrustations de lys blancs). Selon André Maurois,

*E*n 1891, Paul-César Helleu, jeune peintre alors inconnu, séjourna à Bois-Boudran, et croqua une centaine d'esquisses de son hôtesse, dans toutes les attitudes — souvent vue de dos —, ainsi que de sa fille. Élisabeth refusa qu'elles soient exposées, les trouvant trop intimes. Depuis lors, la plupart d'entre elles, comme celle-ci, n'ont jamais quitté leur carton. Non signées, elles sont identifiées par un « ctesse » tracé au crayon par le peintre.

amie Albertine, comtesse Jean de Montebello, lui a écrit à cette
occasion une très belle lettre : « Je veux vous supplier de ne
pas faire avec vous-même un marché trop absolu. Ne laissez
pas la franchise et la loyauté de votre nature vous dicter des
résolutions extrêmes. [...] Chère Élisabeth, croyez-moi : quand
nous ne pouvons plus affronter les batailles de la vie avec cette
allégresse guerrière de la première jeunesse, il nous faut un autre
courage, un autre héroïsme, une autre énergie, il nous faut supporter, patienter. »

Supporter, patienter : c'est ce qu'elle avait fait toute sa vie.
Elle avait pourtant demandé à un avocat de ses amis d'étudier
en détail la possibilité d'un divorce pour « injure grave » ou
pour adultère. L'homme de loi lui avait expliqué la démarche
à suivre, précisé les rentes auxquelles elle pouvait prétendre
– 12 000 francs, plus 100 000 francs par an. Jamais elle n'avait
eu le courage d'aller jusqu'au bout. Elle était comme prisonnière, liée à Henry comme le pendu à sa corde. Sans doute
ressentait-elle aussi de la pitié pour cet infirme émotionnel, pris
au piège de son incapacité à donner, insensible à tout ce qui
n'était pas son propre plaisir ou sa propre souffrance, quêtant
sans relâche des témoignages d'un amour qu'il s'acharnait à
détruire, comme si cet amour était dangereux, inacceptable.
Comme s'il menaçait son univers virtuel.

Car Henry était une ombre dans un théâtre d'ombres.
Inconnu à lui-même, et séparé des autres par une membrane
infranchissable. Rien ni personne ne pouvait le toucher dura-
blement ; tel un caméléon, il changeait de personnalité au fil
de ses émotions, qui étaient autant de sincérités éphémères. Ce
que nous appelons mensonge n'était pour lui que vérités successives. Il était, selon la belle formule de Jean Cocteau, « un
mensonge qui dit toujours la vérité ». Cet égoïsme admirable,
jamais contrarié, joint à son extraordinaire vitalité, faisait
d'Henry Greffulhe un marteau-pilon écrasant tout autour de
lui, un trou noir absorbant toute énergie. Rien d'étonnant si
Proust, qui pénétrait « aussi profondément que Sénèque dans
les replis de la conscience », fut fasciné par le personnage. Celui-
ci constituerait un cas passionnant pour les psychologues

modernes qui étudient les personnalités « *borderline* » et « trou noir ».

Les archives nous montrent qu'Élisabeth a réfléchi et essayé de se documenter sur ce cas pathologique[2]. Mais elle n'avait pas à sa disposition les manuels qui prolifèrent aujourd'hui dans les rayons des librairies. Elle ne pouvait que décrire les symptômes qu'elle ressentait : « Les fonctionnements vitaux près de moi m'absorbent en m'annulant. Les proximités sont des pompes aspirantes. [...]. Et, comme une personne saignée par toutes ses veines, mes doigts tremblent, et je n'ai plus de consistance tant mes membres sont fébriles sans commandement. » Cette description est caractéristique de ce que ressentent les victimes de ce que l'on nomme aujourd'hui les « vampires énergétiques ». Maurice Barrès disait qu'Henry Greffulhe semblait déplacer plus d'air que les autres ; c'était vrai, mais surtout au sens figuré : il aspirait l'air vital de ceux qui avaient le malheur de vivre trop près de lui.

Pour survivre aux côtés d'une personnalité aussi toxique, Élisabeth avait dû développer, elle aussi, une forme de narcissisme, qui était à la fois sa protection et son arme secrète au service de ses projets. Cependant, elle ne parvint jamais à s'affranchir totalement de son emprise : « Le naufrage s'accomplit par la mort de celui qui était la lumière et la vie », écrivait-elle quatre mois après la mort d'Henry. Cette étrange canonisation du bourreau par sa victime est matérialisée par un étonnant objet, conservé par leurs descendants : un vitrail où la figure méphistophélique du comte Greffulhe, enchâssée dans le plomb, se détache sur fond noir comme un inquiétant Barbe-Bleue. Comment ne pas penser au « vitrail de Gilbert le Mauvais, sire de Guermantes » qui fit tant rêver le narrateur de la *Recherche* ? Ce télescopage de la réalité avec la fiction aurait enchanté Marcel Proust.

Au fond, toute sa vie a été un mensonge, depuis ce 25 septembre 1878 où elle a dit « Oui » à Henry Greffulhe. Ce jour-là, comme elle l'avait pressenti, elle a acquis l'opulence matérielle, mais s'est condamnée à vivre à l'extérieur d'elle-même. Henry s'est révélé l'exact contraire de tout ce que qu'elle aimait, de

tout ce à quoi aspiraient son cœur assoiffé d'amour et d'intimité, son âme éprise d'idéal et de beauté. Pour pouvoir survivre
à ses côtés, elle s'est exposée ; elle a été quêter au-dehors l'appro-
bation, l'admiration, l'amour qu'elle ne trouvait pas auprès de
lui. Elle a raisonné, alors qu'elle était faite pour sentir. Elle a
vécu dans l'apparence, alors qu'elle ne voulait qu'être. Elle s'est
dépensée pour les autres, faute de pouvoir se vouer aux siens.
Elle a caché ses doutes et sa fragilité sous le masque d'une déesse
invulnérable et toujours victorieuse. Cette fable servait à habiller
son âme, tout comme les mètres de tulle habillaient son corps.
Paradoxalement, ces blessures quotidiennes qu'elle acceptait la
protégeaient du danger de vivre et d'aimer. Elle s'exposait aux
regards, mais se dérobait devant le risque d'être elle-même.
Jamais elle n'a admis qu'Henry était un être dangereusement
pathologique, et qu'elle était restée volontairement enchaînée à
lui. Jamais elle n'a voulu voir que le roi était nu. Jusqu'à son
dernier souffle, elle s'est obstinée à poursuivre cette chimère, à
entretenir cette utopie d'un homme qu'elle aurait aimé, qu'elle
aimait encore, qu'elle aimerait toujours.

Elle a vécu dans l'illusion de sa toute-puissance, dans l'enivrement des admirations qu'elle suscitait. Elle a noyé son mal
de vivre dans un océan de projets. Mais cette course effrénée,
si elle la distrayait d'elle-même, ne lui a pas apporté pas la sérénité, car elle ne réalisait pas son unité intérieure. Elle dispersait
à tous les vents des morceaux de son cœur. « Je suis mille personnes différentes », notait-elle dans un moment de lucidité.

Elle a connu la longue agonie des sentiments ; elle s'est
dépouillée peu à peu de ses espérances, comme l'arbre de ses
feuilles ; elle se dissimulait sous la parure de l'Idole ; elle laissait
ses admirateurs se noyer dans le puits sans fond de ses yeux ;
elle était la reine d'un monde d'illusions. Sa fortune, sa position
sociale si enviée, les toilettes toujours plus somptueuses dont
elle aimait à se parer étaient sa tunique de Nessus. Elle dépensait
des prodiges d'imagination pour habiller une petite fille triste.
Qui aurait pu deviner son âme à vif, sous les tulles et les brocarts, derrière la fusée de son rire qui enchantait tant le petit
Proust ? Ce monde où elle brillait comme une étoile était sa

prison ; ses projets, les barreaux qui la séparaient d'elle-même. Elle s'était vouée tout entière au commerce de ses contemporains. Et dans ce commerce, ce qu'elle leur a donné lui était surtout rendu en monnaie de singe. Inlassablement, elle tissait des liens entre les gens ; la communication – avec tous sauf avec elle-même – était devenue sa religion. L'individuel lui était interdit ; elle était vouée aux causes collectives, à l'amour de l'art et de l'humanité. Elle reportait sur les idées nouvelles le sentiment maternel qui lui faisait défaut auprès de son propre enfant. Elle se voyait en accoucheuse de la modernité.

Les fruits amers de ce mensonge si soigneusement occulté, ce fut Elaine qui les récolta. Elaine qui n'a jamais trouvé sa place ici-bas.

2

ELAINE, OU LA VIE EFFACÉE

« Comme tu es drôle de croire encore que tu n'y es pas ! »
Élisabeth est enceinte de près de deux mois, et sa mère s'étonne
de la voir nier sa grossesse. La jeune femme ne veut pas y croire,
car elle n'aime pas cet état. Elle ne ressent rien de ce que Mimi
lui avait prédit : « Tu comprendras ce que c'est que cette petite
existence qui se dédouble en vous, et comme cela vous tient toute
la vie aux entrailles et au cœur. » Elle finira par se rendre à
l'évidence quand l'enfant commencera à bouger, mais avec
l'impression désagréable d'abriter « un arsenal de rats et de souris ».
Son devoir de géniteur dûment rempli, Henry est reparti vers
ses chasses et ses maîtresses, partant à l'aube pour revenir ronfler
près de sa femme à des heures impossibles – quand il revient.
Les premières lettres anonymes ont commencé à arriver. Voici
l'automne, puis l'hiver, qui s'annonce interminable dans les
brouillards de Bois-Boudran. Aux yeux de la famille, Élisabeth
est devenue un vase sacré ; sa belle-mère la barde de médailles
miraculeuses et l'abreuve de conseils hygiéniques, l'invitant à
mener une vie saine, à « se rapprocher autant que possible de la
paysanne ».

La fille sans nom

Mimi, elle aussi, la sermonne : avec une prescience admirable
pour son époque, elle sait toute l'importance de la vie prénatale :

293

« Ce petit sera d'autant plus gentil, plus beau, plus intelligent qu'autant que tu l'auras mis à l'aise. » *Il*, car, bien sûr, on attend un garçon, avec tellement de certitude que Marie l'a déjà nommé et décrit : un enfant brun aux yeux bleus, qui s'appellera Jean. Élisabeth ne veut pas entendre parler d'autre chose : « Si c'est une fille, je ne la verrai pas, vous pourrez l'emporter, maintenant le point d'honneur est trop engagé, il faut que ce soit un garçon. » C'est de l'humour, bien sûr, sur ce ton de légèreté et de dérision courageuse qui caractérise ses lettres à sa mère. Mais quel aveu ! Cette lettre en dit long sur la pression morale qui lui est infligée... même de la part de ses amies, comme Constance de Breteuil, qui lui écrit : « Je n'aime pas les filles en principe. C'est incommode, encombrant, difficile à placer. Je crois qu'un fils est beaucoup plus nécessaire à la mère d'une fille. [...] Croyez-moi et arrangez-vous différemment. »

Aucun prénom de fille n'a donc été prévu : le bébé s'appellera Jean ou X. Élisabeth en a pourtant discuté avec Mimi, en proposant Hélène. Mais celle-ci lui a répondu : « Ce nom est joli mais je n'ai jamais connu que des Hélène peu heureuses, femmes incomprises ou qui croient l'être. Cela me paraît être un nom qui ne réussit à rien. »

C'est une petite fille blonde qui vient au monde le 19 mars 1882 à sept heures vingt du soir ; il faut bien se résoudre à la nommer : Élisabeth reste fidèle à son idée initiale, mais en contournant l'obstacle : ce prénom s'écrira sous sa forme celtique ancienne : Elaine. Ainsi orthographié, il devient unique, ancré dans la légende arthurienne, relié à la poursuite du Graal : la reine Elaine, mère du chevalier Lancelot du Lac, descendante en droite ligne du roi David. Ce que qu'elle ignore, c'est qu'Elaine est souvent désignée dans la légende comme « la Reine aux Grandes Douleurs », et qu'elle y apparaît sous d'autres versions, mais toujours avec un destin tragique – aimant Lancelot d'un amour sans retour, ne pouvant regarder le monde extérieur que par le truchement d'un miroir[1].

Ce qui perce au fil de la correspondance entre Élisabeth et sa mère, au cours des premiers mois qui suivent la naissance, c'est un détachement vaguement amusé – « Elaine est en cours, c'est bien plus gentil, cela ne ressemble plus à un petit paquet » –, voire un ressentiment à peine masqué : elle calcule qu'elle a dû « donner 1080 heures autrement dit 9 mois, sans compter les nuits », pour un rôle bien peu gratifiant : « Elle a cela de charmant qu'elle ne peut pas perdre sa nourrice de vue sans hurler. Je serais capable de la battre quand je pense à cette ingratitude. » Confiée aux mains d'une nourrice, puis d'une *Miss*, élevée sous l'œil scrutateur de BM, sa belle-mère, qui ne ménage pas ses conseils, sa fille lui appartient bien peu. « Elle a les yeux un peu ronds », constate-t-elle avec une pointe de dépit. C'est quand elle se met à parler, assez précocement, qu'elle commence à susciter son intérêt. À deux ans et demi, Élisabeth lui apprend à lire l'alphabet à grand renfort de boules de gomme ; partager ces joies dans leurs lettres quotidiennes constitue une complicité de plus avec sa chère Mimi.

La mort de Marie, quand Elaine n'a pas encore trois ans, viendra fragiliser ce lien qui commençait à se tisser. Comme si Élisabeth, orpheline, ne pouvait plus se sentir vraiment mère. Ce deuil la plonge dans une profonde dépression, dont elle ne réussit à sortir qu'en fuyant autant que possible son envahissante belle-famille. L'éducation d'Elaine est l'occasion pour BM de rabâchages et d'admonestations sans fin, qui offrent une alternative peu séduisante, et tout aussi prosaïque, aux considérations sur l'élevage des perdreaux : l'été, BM recommande à sa bru de soustraire l'enfant à la touffeur malsaine de Paris en l'emmenant au bord de la mer. Puis, une fois laissée telle Ariane sur ces rivages venteux, Élisabeth se voit recommander de « ne pas conduire la petite sur la jetée, l'air est trop fort là pour une enfant aussi jeune, il faut toujours craindre l'existation (*sic*) vers le cerveau que le grand vent pourrait amener ». L'automne revenu, il faut, insiste BM, initier sans retard Elaine aux joies sans pareilles de la chasse, pour « commencer à lui donner ces goûts si bons, si sains à tous les points de vue ». Tout cela est bien fatigant ; la tentation est donc forte d'abandonner sa fille à « l'ennemi », à sa famille paternelle, à qui la pauvre enfant a le tort de ressembler.

Cette lassitude s'incarne dans une photographie d'une infinie tristesse, saisie par l'objectif de Nadar. Sur ce cliché, Elaine doit avoir six ou sept ans. Sa mère la tient à demi couchée sur ses genoux, comme un petit chat. Son bras gauche est posé sur elle, dans un geste vaguement protecteur. Mais ses yeux sont tristes, perdus dans le vague ; sur son visage, on lit qu'elle est *ailleurs*. Dans sa petite figure ronde et sérieuse, presque grave, l'enfant écarquille de gros yeux ronds – des yeux qu'elle a hérités d'Henry et de BM, avec leur long nez. Elle ressemble trop aux *autres*, elle n'est pas tout à fait sienne : tout cela, la petite fille doit le ressentir, avec cette intuition sans faille des enfants ; quelques années plus tard, en pensant faire plaisir à sa mère, elle lui écrira : « Je ne ressemble plus à papa, mes yeux sont devenus presque noirs et mes cheveux aussi. »

L'enfant poète

Pourtant, Elaine est tout sauf banale. Dès qu'elle est en âge de parler, et surtout d'écrire, on voit se manifester en elle le don miraculeux de l'expression poétique. Elle est poète dans sa façon de voir et de sentir le monde autour d'elle. En 1892, Élisabeth fera imprimer ses premiers textes, écrits entre cinq et sept ans, chez un imprimeur de Nangis, sous le titre *Le Livre d'Ambre*[2], avec une superbe reliure en cuir au centre de laquelle est incrusté un morceau d'ambre – sans doute connaît-elle les vertus de cette pierre connue depuis l'Antiquité pour favoriser l'inspiration créatrice. Robert de Montesquiou, parrain de l'enfant, écrit une préface, sous le pseudonyme transparent de Sobrinus – cousin issu de germain en latin – dans le style contourné si reconnaissable qui est le sien, en comparant Elaine à Li Taï Pé, poète chinois de l'époque des Tang.

Les vingt-cinq poèmes en prose que renferme ce volume ne représentent qu'un mince échantillon de l'abondante production d'Elaine, qui jaillira à flot continu tant qu'elle sera à l'âge de l'innocence. Sa verve créatrice s'exprime également dans ses lettres, souvent illustrées de malicieux petits dessins, qui fourmillent de trésors de drôlerie. Elle fait l'admiration presque envieuse de Montesquiou ; mais c'est un autre ami d'Élisabeth qui, plus tard, élucidera le mieux le mystère de ce talent si précoce : « Vous vous demandez, à propos de ces vers, comment se fait-il qu'une enfant, qui ne connaît rien de la vie, a pu comprendre ce qu'elle ignore. Le cœur passionné d'une âme noble et bonne est le produit précieux d'une lente évolution de douleurs, d'amours et d'enthousiasmes à travers des millions de siècles. Tout est dans le cœur et dans le sentiment [...]. Le cœur est le grand révélateur ; il n'a pas besoin d'expérience sous forme de conscience, il reste notre meilleur conseiller jusqu'à la mort comme il fut notre meilleur gouverneur dès l'enfance. »

Si ces textes sont si touchants, c'est en effet parce qu'ils viennent du cœur : cet amour dont la petite fille a tant besoin, elle le déverse à pleins bords sur le petit monde qui l'entoure et sur ses parents. À cinq ans, elle trace ingénument un portrait de sa mère, « Tout de Maman », qui contient ce vers charmant et profond : « Tout le monde la regarde avec beauté. » Élisabeth est son inspiratrice privilégiée ; elle ne se lasse pas de versifier son admiration, avec un esprit pénétrant et un sens de l'humour étonnant :

> « Maman est une rose étrange et solitaire
> Maman est un je-ne-sais-quoi de doux et de ferme
> Une je-ne-sais-quoi de si extraordinaire
> Qu'en y pensant on s'y perd
>
> Elle emberlificote toutes les personnes qu'elle voit
> Elle apaise les gens les plus emportés
> Elle calme les esprits les plus emballés
> Je l'appelle la fée des fées [...]
> Ses rivales (en a-t-elle ?)
> Sont jalouses de cette déesse du ciel
> Et disent, écrasées par cette douce libellule
> "Elle est horrible, la comtesse Greffulhe." »

« À madame la comtesse Greffulhe, étoile filante » : Elaine a mis sa mère sur un piédestal, et son admiration pour elle est d'autant plus intense que sa présence est rare. À l'égard de son père, qu'elle adore, l'enfant fait preuve d'une étonnante perspicacité : à dix ans, elle résume sa souffrance en un petit dessin malhabile, qu'elle envoie à sa mère avec cette légende : « C'est l'amour qui tient nos deux cœurs reliés ensemble et c'est le tien à droite, celui de papa n'existe pas. » Elle a parfaitement saisi la double nature d'Henry, et elle en souffre profondément, comme le montrent ces vers maladroits, écrits à l'âge de douze ans :

« À Papa
À toi, tantôt mouton paisible
À toi, tantôt ogre terrible
À toi rarement charmant
[...]
Tu es le chat qui vous caresse
Pour pouvoir avoir le plaisir (un peu rude)
De réclamer sans cesse
Votre gratitude. »

La forme est puérile, mais le contenu d'une lucidité presque effrayante pour une enfant de cet âge. Sa mère s'émerveille de ce mystère : « La divination lui a été accordée ; les influences qui la protègent l'ont prédestinée. » Mais elle connaît aussi la redoutable prégnance de la famille Greffulhe. Dans une lettre à Robert de Montesquiou, elle évoque ainsi sa petite fille de huit ans : « Elaine qui peut-être maintenant est trop humaine pour parler et qui, sans doute, ne sera dans la suite qu'une forte chasseresse ou honnête ménagère ».

Elaine souffre en voyant se déchirer les deux êtres qu'elle aime le plus au monde. Élisabeth est bouleversée le jour où Henry lui montre une lettre émouvante reçue de leur fille de dix-sept ans.

« Voici la vérité ; je ne veux plus te la cacher plus longtemps : je souffre *cruellement* chaque fois que tu fais de la peine à maman. *Personne* au monde ne sait cela, c'est devant Dieu que je le jure. Elle le sait moins que tout le monde puisque nous n'en parlons *jamais*. [...] Je suis faible, hélas ! puisque je ne suis pas un garçon, mais j'ai en toi une *inébranlable* et *profonde* confiance... Maintenant, je ne veux pas que tu croies, en cette lettre, à une cabale montée... [...] Je te jure, *nul* être humain ne m'a jamais dirigée à t'écrire, *personne* au monde n'a lu cette lettre [...] Je sens très bien que je sors un peu de mon rôle en le faisant, mais il faut me pardonner, j'ai *tant* souffert !!! Je crains même le bonheur ! »

Au lieu de brûler cette lettre comme sa fille l'en suppliait, Henry s'est contenté d'écrire sur l'enveloppe, à l'intention d'Élisabeth : « Je jure sur cette lettre qui m'a fait tant de peine de faire tous mes efforts pour améliorer mon caractère. » On sait ce que valent ces serments. Elaine continuera donc à souffrir en silence entre ses deux amours, accompagnant son père durant ses séjours de cure à Royat, s'efforçant discrètement d'arrondir les angles, jouant les agents doubles pour prévenir les drames : « Ma chère maman mets-toi sur tes gardes, un monsieur est venu de Vichy et raconte en public tout ce que tu fais, bicyclette en tête. De là surviennent des remarques de papa, des blâmes protecteurs etc. etc. »

Malgré sa vie trépidante, la comtesse Greffulhe, semble-t-il, a veillé de près à l'éducation de sa fille, si l'on en juge par cette appréciation de l'abbé Mugnier : « De toutes les œuvres d'art que vous avez entreprises, la formation d'Elaine est la première et la plus réussie – dans tout mon ministère je n'aurai rien vu de plus parfait. » Mais comment exister, entre ces deux parents qui accaparent sur eux toute l'attention ? Quand Elaine commence à fréquenter les réunions mondaines, c'est à peine si on la remarque, effacée, invisible, et paraissant heureuse de se cacher dans l'éblouissant sillage de sa mère. Elle persiste dans son admiration inconditionnelle, comme pour se renier elle-même. Seuls les observateurs attentifs perçoivent un lourd secret derrière la pâle effigie, et la décrivent comme une « jeune fille énigmatique et étrange ».

« *Un mari est un livre qu'on choisit dans l'obscurité* »

Elaine a vingt ans : il est grand temps de songer à la marier. Élisabeth prend plaisir à la compagnie de sa fille, loin du tourbillon parisien ; elle l'emmène en voyage en Allemagne, visite avec elle les musées, et apprend à l'apprécier au cours de ce long tête-à-tête : « C'est amusant, écrit-elle à Henry, de voir avec elle et de suivre pas à pas les développements de cette nature unique, à la fois profonde, pure, simple, grande, incapable d'indroiture et délicieusement enfant... Elle est déroutante de sagesse et de simplicité. Elle ne ressemble à aucune autre jeune fille de son âge. En littérature, en pensée elle est de première force. Son instinct et son sentiment la guident naturellement vers le vrai. »

« Un mari est un livre qu'on choisit dans l'obscurité », a écrit, à dix-sept ans, Elaine dans son petit carnet. Mais sa mère est déterminée à lui épargner les souffrances d'un mariage mal assorti. Elle a décidé lui trouver la perle des maris. Le mariage d'Elaine, unique héritière de la fortune Greffulhe, est une affaire d'importance, dont BM prétend évidemment se mêler : « Une jeune fille ne devrait pas voir de jeunes gens. C'est très détestable. On voit qui on épouse et voilà. » Mais Élisabeth est bien décidée à se battre bec et ongles pour assurer le bonheur de sa fille. La comtesse douairière soutient *mordicus* la candidature d'un « jeune homme très bien, charmant même, instruit, sérieux, servant dans l'armée. J'ignore son grade. Très bonne terre qui porte son nom et une très belle fortune ». Élisabeth, qui a mené son enquête, écrit rageusement en marge de la lettre : « Candidat ! Voilà ce que BM propose ! Les personnes aux premières loges pour le connaître l'ont en horreur ! Méchant, brutal, à idées fixes ! »

Pour être guidée dans son choix, elle a recours aux services de l'obligeant et perspicace abbé Mugnier. Le saint homme est bien introduit dans tous les salons de Paris ; mais surtout, il n'a pas son pareil pour déchiffrer les âmes. Par son entremise, Élisabeth apprend que le prince de Beauvau-Craon demande un an de réflexion. D'un autre, il lui confie : « Il est léger, égoïste, vaniteux, manque de volonté, subit les influences. Il mène une vie paresseuse, se traîne, n'est pas pressé de se marier, redoute la chaîne. »

Le favori d'Élisabeth est Armand de Gramont, duc de Guiche. Ce jeune homme, qui ne songe gère au mariage, ne se soucie pas de fréquenter les réunions mondaines, ayant bien autre chose à faire. Élisabeth a entendu parler de lui pour la première fois, il y a des années, par son amie Constance de Breteuil. L'ayant rencontré lors d'un séjour dans le Béarn, celle-ci lui avait écrit une lettre enthousiaste : « Nous en avons été charmés. Il a fait de fortes études, c'est un petit savant qui ne parle jamais de ce qu'il sait, qui aime les lettres, les arts, les conversations interminables sur la philosophie, l'esthétique, les voyages. Son esprit est une Macédoine où on trouve de tout et il apporte dans la discussion une fougue, une ardeur que nous étions plutôt habitués à voir à des vieillards qu'à des gens de 24 ans. C'est une *trouvaille*. Je vous ferai faire sa connaissance. »

Élisabeth s'est-elle souvenue de cette lettre quand elle a jeté son dévolu sur ce gendre idéal ? Elaine n'avait que quatre ans, à l'époque, et Constance est morte depuis bien longtemps. Une chose est certaine : elle est bien décidée à imposer ce phénix. Armand est adoubé par l'abbé : « Je puis vous assurer qu'il est quelqu'un. » « Ou je suis absolument dénuée de psychologie ou il est un être rare d'intelligence compréhensive, de bonté active et d'honneur. » Mais Henry fait de la résistance : outre ses préjugés antisémites concernant l'origine maternelle du jeune homme, il considère sa fille comme sa propriété personnelle, et a tendance à prendre en grippe quiconque ayant l'audace de lui voler son souffre-douleur, sa dame de compagnie à la patience inlassable. Pour emporter l'assaut final, Élisabeth fait donc « donner la garde », en la personne de leur ami Costa, le comte Costa de Beauregard. Pour lui, pas de doute : Armand doit rallier tous les suffrages : « On le considère comme supérieur à toute sa génération. » Henry finira par rendre les armes.

« *Je crains même le bonheur...* »

Comment être heureuse quand on craint même le bonheur ? Elaine est amoureuse, mais le duc de Guiche n'est pas un romantique. C'est un homme de science rationnel, un tempérament secret qui déteste les épanchements inutiles. Il s'est marié par raison, comme il l'a très honnêtement avoué à l'abbé Mugnier. Il apprécie les grandes qualités de sa femme, et fait preuve d'une parfaite civilité à son égard. Pour le reste, il vit sa vie comme il l'entend : en ce début de siècle, la fidélité n'est pas au programme des maris.

Pour Elaine, qui a tant souffert des humiliations subies par sa mère, c'est particulièrement dur à accepter. Quand elle découvre, après trois ans de mariage, qu'Armand lui est infidèle, elle crie sa douleur dans un poème déchirant, qui dort et qui doit dormir à jamais dans le secret de ses archives. Elle l'aime, elle l'admire. Elle continuera de l'aimer et de l'admirer. Elle s'enfoncera dans la religion. Elle se résignera, bien obligée, à être une simple associée, chargée de l'éducation de leurs cinq enfants, sous la direction lointaine d'un époux très occupé à mener ses recherches scientifiques et son activité industrielle.

Les lettres d'Armand à Elaine évoquent davantage la note de service que la littérature amoureuse. Il les signe sobrement « Gramont », et la gratifie de ses « souvenirs affectueux ». Mais ces missives, pour impersonnelles qu'elles soient, témoignent d'une étonnante modernité et d'une véritable originalité pour son époque et son milieu. Si Armand est un grand seigneur, ce n'est pas tant dans le sens féodal du terme que par sa longueur de vue et le réalisme de sa vision : « Vous devriez faire de vos jeunes des agriculteurs c'est le salut. Les folies somptuaires ont fait leur temps. On ne peut plus gaspiller la terre pour le gibier. » Ou encore : « Il serait sage aux mères qui ont des garçons (avis) de les diriger dès maintenant non vers le monde et ses stupides riens et potins mais vers une carrière qui puisse au besoin rapporter, même un métier ou une aptitude. Un serrurier-menuisier gagne sa vie, électricien, fermier, agriculteur. Chacun peut faire des études brillantes et en plus apprendre la conduite d'une affaire ou d'un métier. »

Mariée, mère de famille, Elaine ne s'est pas pour autant affranchie de son père. Celui-ci, dans les premiers temps, ne se résout pas à l'idée de perdre tout contrôle sur sa fille : « Quel dommage que l'on ne puisse pas vivre dans le rêve de tout parfait égoïste ! [...] Il ne suffit pas de marier une enfant qui se rongeait les ongles pour se figurer que tout est fini. » Il aimerait que son gendre soit plus mondain : « Il faut absolument qu'Armand reçoive bien, il faut qu'il fasse des frais. Il ne faut jamais oublier que la bonne grâce, le joli accueil, sont un signe de race. Il faut être ainsi sans avoir l'air méfiant comme un pivert. » Bientôt, il s'irrite de leur nombreuse progéniture, et vitupère : « Je trouve votre fille bien indiscrète d'accoucher à des heures pareilles ! » Les années passant, enfin, il clame partout son admiration pour cette « directrice d'enfants remarquable » et ses rejetons charmants, gentils, simples, « stylés à l'ancienne ». Otage de sa double loyauté, Elaine louvoie de son mieux entre les deux camps ennemis, reçoit son père et sa maîtresse et séjourne chez eux, tout en s'efforçant de défendre sa mère et en chantant ses louanges à chaque occasion : « Maman était admirable, je ne l'ai jamais vue plus belle. [...] toute la journée, je n'ai cessé de recueillir des compliments par téléphone ou de vive voix. »

Si Elaine avait été heureuse, sans doute Élisabeth aurait-elle connu une vieillesse plus apaisée. Mais Henry a semé les graines de la discorde, et le douloureux procès La Béraudière n'a pas arrangé les choses. Bien après sa mort, l'ombre d'Henry continuera à empoisonner leurs relations, à ensevelir l'amour sous de triviales querelles d'intérêts – toute cette fausse monnaie que l'on échange symboliquement pour cacher les vérités qui feraient trop souffrir. Entre elles, il était trop tard pour restaurer la confiance. Le temps où Elaine accueillait les lettres de sa mère comme des « échappées d'âme » était bien révolu. Tandis qu'Élisabeth s'accrochait aux reliquats d'une gloire évanouie, Elaine s'abîmait dans le Devoir et les dévotions. Elle avait mis ses dons sous le boisseau, et comme renoncé à exister. Épaissie, elle négligeait son aspect physique et son habillement. Elle s'enfonçait dans une modestie sans fond, à la mesure du narcissisme de sa mère. Comme si elle voulait devenir son image inversée. Une photo saisissante, qui les montre ensemble en 1935, alors qu'elles ont respectivement cinquante-trois et soixante-quinze ans, résume tout : on y voit une vieille dame maussade et corpulente, lourdement appuyée sur une canne, vêtue d'une robe informe et coiffée d'un chapeau à l'avenant ; à ses côtés se dresse une élégante et svelte silhouette, droite comme une lance ; dans le visage sans rides, crânement surmonté d'un béret, se dessine un sourire d'une étonnante jeunesse[3]. Vous avez deviné qui est la mère et qui est la fille. Elaine ne survivra à Élisabeth que six années.

3

La quête du Graal

Privée de l'amour dont elle avait tant besoin, la comtesse Greffulhe cherchait autre chose. Quelque chose que ne pouvaient lui donner ni Henry, ni Elaine, ni ses amis, ni même son activité inlassable de mécène : un sens à sa vie. Sa passion pour la science relevait ainsi d'une véritable quête mystique de sens, comme en témoigne une très belle et étonnante lettre adressée en 1902 à Roffredo Caetani :

« Comme vous, j'ai douté. Comme vous, j'ai joué aux jeux les plus dangereux de l'inquisition. J'ai voulu tout voir, tout pénétrer [...]. J'ai voulu savoir ce que nous étions, en quoi nous étions.

Réussissant sans vaincre à me forcer de voir des spectacles dont l'horreur me donna pendant de longs jours une sorte de maladie nerveuse, j'ai pénétré dans les hôpitaux. J'ai vu tous les drames de l'humanité souffrante. Toutes les tortures du corps, toutes les misères physiques et morales les plus atroces. J'y ai saisi l'animal procédé de la naissance, les agonies angoissantes. J'ai voulu qu'on dissèque devant moi deux corps dont l'expression de figure me fait encore frissonner quand j'y pense. J'ai voulu tenir dans mes mains, munies de gants de caoutchouc ! tous les organes qui sont les nôtres. Tout ce en quoi nous sommes faits. Partout, avec rage, j'ai cherché l'âme – le mystère de la vie. Tous ces os, tout ce sang noir, tous ces muscles, toute cette chair – rien ne m'a renseignée... Je sortais de ces séances effroyablement dégoûtée par manque d'habitude, mais sentant obscurément que là n'était pas l'explication de tout, la fin de tout, la raison de tout – que l'esprit qui anime ces rouages et se communique par les yeux – que le sentiment qui crée la pensée sublime – que l'amour qui jette à genoux pour toujours était encore autre chose – autre chose que ce qu'on peut saisir sous le scalpel.

[...] Partout j'ai emporté la certitude de cette parole : "Un peu de science éloigne de Dieu. Beaucoup de science y ramène". »

« Vaillante exploratrice des choses ténébreuses »

Les réponses que la science ne pouvait apporter, il était tentant de les chercher dans les sciences occultes, qui connaissaient une grande vogue à l'époque dans les milieux intellectuels. Tout comme Victor Hugo qu'elle admirait tant, Élisabeth a toujours été intéressée par le spiritisme. Elle y a sans doute été sensibilisée par sa mère : Marie de Montesquiou, si l'on en croit son cousin Robert, possédait un véritable don de double vue. La fréquentation des Esprits était une tradition dans la famille Chimay. Dans le jardin de l'hôtel du quai Malaquais prospérait une vigne que l'on désignait sous le nom poétique de « vigne de l'Esprit ». La légende familiale racontait qu'elle avait été apportée, en pleine nuit, à l'issue d'une séance de tables tournantes au cours de laquelle Émilie de Pellapra, princesse de Chimay, incrédule, avait sommé l'esprit frappeur de donner un signe : aussitôt, la cloche du jardin avait sonné. Le jeune Joseph – le père d'Élisabeth – avait ouvert à un mystérieux inconnu qui lui avait remis, sans explication, un cep de vigne enveloppé dans du papier. Dûment plantée, la vigne, depuis lors, se couvrait chaque année de raisins[1].

Peu après son mariage, la jeune vicomtesse Greffulhe s'est livrée avec ses sœurs au petit jeu très en vogue consistant à faire tourner les tables entre amis. Mais peu à peu, elle a pris la chose très au sérieux. Dans les années 1890, elle correspond assidûment avec des spirites, comme Albert de Rochas et le docteur Poulalion. Les lettres qu'elle échange avec ses sœurs montrent qu'elles se livrent toutes trois à des expériences de télépathie et d'écriture automatique. Tout cela déplaît profondément à sa prosaïque belle-mère : « Ma chère Élisabeth, prenez garde à toutes vos expériences et séances de perdre votre cervelle, il y a beaucoup de choses dans le monde qui sont des mystères qu'il faut accepter sans les vouloir approfondir. »

À cette époque, les frontières entre les disciplines ne sont pas aussi tranchées qu'aujourd'hui, et les savants sont souvent très éclectiques. Pierre et Marie Curie, ainsi qu'Armand de Gramont, éminents scientifiques dont on ne peut mettre en doute la rigueur, assistent avec intérêt aux séances organisées par la comtesse Greffulhe autour d'Eusapia Palladino, une médium italienne qui suscite d'étranges phénomènes : elle « produit » des mains humaines qui apparaissent, disparaissent et viennent à distance s'imprimer dans la terre glaise[2]. Élisabeth convie à ces expériences ses amis les plus divers, parmi lesquels Robert de Montesquiou, Anatole France et l'abbé Mugnier, tout ému de participer à une « chaîne de mains » entre l'écrivain et la belle comtesse. Ces expériences, menées pendant trois ans, s'achèveront en 1908 sur un constat de fraude… à la grande satisfaction du sceptique Le Bon, qui ne s'était pas privé de railler copieusement, avec autant d'humour que de misogynie, la « vaillante exploratrice des choses ténébreuses » pour ses initiatives, « propres tout au plus à désennuyer des dames dont l'âme est sans emploi ». « Ce ne sera pas en réunissant de jeunes dames plus chargées de grâce que de cervelle et quelques académiciens légèrement gâteux que vous éluciderez quoi que ce soit […]. Il n'y a peut-être que les bêtises qui rendent l'homme heureux. Pour les femmes il faut remplacer "peut-être" par "sûrement". » « Non contente de tyranniser les vivants vous cherchez donc à tyranniser les morts puisque vous voulez absolument que les mains des esprits viennent vous pincer ». L'écrivain, qui s'intéresse au sujet, fait son miel de leurs interminables joutes épistolaires : « Vous m'avez appris beaucoup de choses non pas peut-être sur les fantômes, mais au moins sur la genèse de la foi et des croyances c'est-à-dire sur les grands facteurs de l'histoire. » Il finira par produire une étude sur la magie qui, pense-t-il, met fin à la discussion : « J'ai su que la lecture de mon immortel mémoire *Renaissance de la magie*[3] vous avait entièrement convertie. »

Il se trompe : Eusapia a peut-être berné les apprentis sorciers, mais la comtesse Greffulhe a de la suite dans les idées, comme en témoignent ses archives, où figure un dossier de « communications médiumniques » datées de 1919. La même année sera fondé, à son initiative, l'Institut Métapsychique, toujours en activité aujourd'hui. Là encore, aucune trace de son nom dans l'histoire officielle de cet établissement : c'est au fond d'un car ton de ses archives qu'il faut la chercher[4].

Précurseur du New Age ?

Son intérêt pour les phénomènes paranormaux amène tout naturellement la comtesse Greffulhe à s'intéresser, en dépit de son grand âge, aux médecines parallèles, qui commencent à apparaître en France après la Seconde Guerre mondiale. Elle correspond activement avec le Dr Pierre Creuzé, qui lui a envoyé son ouvrage, *La Phytothérapie familiale – Thérapeutique par les plantes*. Élisabeth est l'une des premières Françaises à expérimenter le hatha yoga, qui vient d'être introduit en France par Constant Kerneiz. En 1936, celui-ci a publié un ouvrage intitulé *Le Hatha Yoga ou l'art de vivre selon l'Inde mystérieuse*. Dix ans plus tard, il lui a communiqué son livre et lui enseigne personnellement sa méthode. « Notre manière de vivre tourne le dos à la raison, à l'instinct, à l'hygiène, à cent mille autres choses [...] Sachez que je crois posséder les recettes pour guérir – nouvelle science que Yogui (*sic*) est venu lui-même ici m'inculquer », écrit-elle à l'un de ses amis qui se plaint de ses rhumatismes.

Les techniques du « développement personnel », qui connaissent aujourd'hui une grande vogue, ont fait leur discrète apparition il y a près d'un siècle, entre les deux guerres. Et là encore, on trouve Élisabeth aux avant-postes de ce qui n'est encore qu'une discipline confidentielle, presque occulte. Dans les années 1920, elle correspond avec Henri Durville, magnétiseur, auteur d'un ouvrage intitulé *La Science secrète* et d'un *Cours de magnétisme personnel*[5]. Ayant lu ce manuel, elle l'invite à venir la voir à Bois-Boudran, et lui demande des conseils pour l'aider à « vaincre [sa] timidité » et à faire aboutir les multiples projets qu'elle continue à mener de front. De son enseignement, elle notera cette maxime : « Il ne faut chercher à arriver à rien, il faut essayer d'arriver en soi. »

Dix ans plus tard, en 1934, elle s'inscrit au cours par correspondance de l'Institut Nyssens, en Belgique. Pour préserver son anonymat, elle utilise le pseudonyme de Diane de Villefermoy – du nom de la forêt domaniale proche de Bois-Boudran –, et donne une adresse de complaisance à Bruxelles. « Développer ses facultés personnelles, acquérir la maîtrise de soi, réaliser ses objectifs », tel est le programme du « Cours de Maîtrise » proposé par Nyssens, qui s'articule en une série de « Leçons » : « Continuité », « Évolution », « Autosuggestion », etc. « Ce dernier cours me stupéfie par ses prévisions géniales, écrit-elle à l'auteur. C'est à croire qu'il a été imprimé *pour moi toute seule* tant il est précis comme diagnostic à distance. » L'expérience, cependant, durera à peine six mois : elle n'ira pas au-delà de la troisième leçon. En vain, Paul Nyssens la relance, l'exhorte à pratiquer la pensée positive, « l'autosuggestion volontaire » : « Il est nécessaire de rester fidèle à vos intentions, vos résolutions, de continuer et d'achever ce que vous avez voulu entreprendre. [...] Vous devez développer la confiance en vous-même [...]. Vous n'envisagez pas assez froidement les choses ; et vous ne vous intéressez pas suffisamment à leur côté pratique. » Elle a soixante-quatorze ans, et s'acharne à échafauder des projets aussi vastes qu'irréalistes, sans admettre que sa toute-puissance l'a abandonnée. Se refusant à vieillir, elle est prisonnière de son glorieux passé, qui se reflète encore dans les yeux de ses amis.

Ils auraient été bien étonnés, ses admirateurs qui célébraient son « droit à l'impossible », s'ils avaient su à quel point elle doutait d'elle-même. Et qu'aurait dit son amie Anna de Noailles, qui lui écrivait deux ans plus tôt, à la mort d'Henry : « Je me dis qu'il est bien émouvant d'être ce que vous êtes, une âme qui ne fléchit jamais, agit au milieu de la douleur avec sagesse et tout ce trésor secret qui sont vos lois intérieures, répandues aussi sur vous et dont chacun ressent et s'assimile le haut exemple. [...] Les lumières du mystère sont en vous et vous environnent. Il faut qu'on se réfugie en vous ! » Se réfugier en elle, où elle n'est pas elle-même à l'abri, elle qui écrit dans son journal intime : « Oui, je suis arrivée à ce beau résultat qu'étant adulée, prônée, recherchée, chantée, vantée au-delà des limites, je suis désespérée. » Quelle cruelle ironie – quel piège aussi – que d'inspirer une telle confiance, alors qu'on se défie constamment de soi-même.

« J'aurais voulu être une artiste »

La curiosité jamais assouvie de la comtesse Greffulhe pour tous les domaines inexplorés cherchait sans doute à compenser un désir profond qui ne fut jamais satisfait : être elle-même une artiste. Artiste, elle l'était dans les arts éphémères de composer ses toilettes et son salon, de mettre en scène ses apparitions et d'organiser fêtes et représentations. En musique, elle savait qu'elle ne dépasserait jamais le niveau d'une honnête pianiste amateur. Mais il y avait deux arts auxquels elle pouvait s'exercer en secret, à l'abri des regards : la peinture et la littérature. Elle ne s'en priva pas.

La peinture, et surtout le pastel, qu'elle a appris dans sa jeunesse, constituent son refuge dans les périodes difficiles. Dans les débuts de son mariage, peindre a constitué un puissant dérivatif pour « survivre » dans sa pesante belle-famille : elle travaillait sa technique avec son amie Marguerite O'Connor ; avec les conseils du peintre Jacquet, elle « croquait » les hôtes de Bois-Boudran, comme le général de Galliffet. Puis elle a repris les pinceaux après la mort de sa mère, à la grande admiration de son père et de sa sœur Ghislaine.

Entre les deux guerres, l'organisation de concerts se faisant plus rare, la peinture prend le relais de la musique : elle s'y adonne avec passion, demandant des conseils techniques à son ami Jacques-Émile Blanche. En 1921, sous l'influence de Mme de La Béraudière, Henry lui interdit d'exposer ses miniatures. Mais en 1939, l'exposition de la Société artistique des

310

amateurs « Art & Caritas », en l'hôtel du *Figaro*, répertorie vingt-deux œuvres de la comtesse Greffulhe – pastels, esquisses et surtout miniatures, « traitées avec un sens aigu de la ressemblance » selon la critique. Des portraits de ses proches – sa sœur Ghislaine, le duc de Gramont, la princesse de Chimay – voisinent avec ceux des personnalités les plus diverses, depuis la reine Élisabeth de Belgique jusqu'à J. D. Rockefeller, en passant par Anna de Noailles, Pierre Laval, Alexis Carrel, Jules Roche, Carlos de Beistegui ou M. David-Weill.

Ses descendants ont conservé un certain nombre de ses œuvres, qui démontrent, à défaut de génie, un talent certain. La seule qui soit accessible au public est un très bon portrait de l'abbé Mugnier, le fameux toupet « dressé comme la fumée d'un encensoir », disait Paul Morand. Dans ce pastel, exposé au musée Carnavalet, à quelques pas de son autoportrait, elle a su capter de façon saisissante l'âme bouillonnante de son vieil ami, trop souvent dépeint à tort comme un abbé de salon[6].

Paradoxalement, la forme artistique pour laquelle elle était la moins douée fut peut-être celle à laquelle elle consacra le plus de temps, si l'on en juge par l'abondance de la production littéraire conservée dans ses archives. Élisabeth a beaucoup lu dans sa jeunesse, comme en témoignent ses souvenirs d'enfance et les nombreuses références qui ponctuent sa correspondance avec sa mère. Elle aime et recherche la compagnie des écrivains : Robert de Montesquiou est un sésame pour accéder aux milieux littéraires, et elle ne s'en privera pas. Les archives montrent qu'elle fréquenta, durant sa longue vie, quasiment toutes les gloires littéraires contemporaines[7], depuis Edmond de Goncourt, Anatole France et Guy de Maupassant (nés respectivement sous la Restauration, la monarchie de Juillet et le début du Second Empire) jusqu'à François Mauriac et Paul Morand, qui vécurent jusque dans les années 1970. Certains éprouvent une profonde amitié pour elle, comme Gustave Le Bon, ou Pierre Loti, qui a accepté d'être secrétaire général de l'Union pour la Belgique, et qui lui écrira à la fin de sa vie : « Je voudrais faire mes adieux aux rares personnes qui m'ont inspiré de l'affection, et vous êtes, Madame, au premier rang de celles-là. » Elle apprécie particulièrement Anatole France, célébrité de son époque, auteur vénéré par Proust qui en fit le Bergotte de la *Recherche,* « Anatole France m'a invitée ! Je ne vous cache pas que nous sommes en pleine lune de miel car nous venons de nous découvrir. Il y a longtemps que je l'admirais, aussi cela en fait explosion », écrit-elle à Gustave Le Bon lorsqu'elle fait sa connaissance en 1908. Grande amatrice de poésie, elle admire Maurice Maeterlinck, qu'elle aide à faire jouer *Pelléas et Mélisande,* mais qu'elle n'apprécie guère en tant qu'homme – « C'est un lunatique, un sauvage, un mécontent de lui et des autres perpétuel [...] Maeterlinck n'entend rien à la musique » – et Paul Verlaine, qui n'est guère « fréquentable », mais qu'elle contribuera à sauver de la misère dans les toutes dernières années de sa vie[8].

Derrière cette attirance pour les hommes de lettres se cache un secret désir d'écrire. Mais les fréquenter ne fait pas de vous un écrivain : dans cette vie si riche en succès, la littérature restera un domaine où les efforts acharnés de la comtesse Greffulhe demeurèrent vains. Ses archives recèlent des centaines de pages, depuis les souvenirs d'enfance jusqu'aux romans, essais ou poèmes. Certains textes sont de sa main, ou mis au propre par un secrétaire ; d'autres sont des documents imprimés, parfois des épreuves corrigées. Sa sœur Ghislaine admirait sans discernement ses tentatives de romans d'amour. Robert de Montesquiou essayait de l'aider, annotant ses brouillons, lui distribuant reproches et encouragements, lui conseillant avec pertinence de se mettre à la traduction pour acquérir du métier – conseil qu'il donna également à Marcel Proust... C'est Edmond de Goncourt qui, gentiment, mais fermement, eut l'honnêteté de mettre fin à ses rêves de gloire littéraire.

Goncourt avait raison. Certes, on peut dénicher dans ces archives quelques documents intéressants, si ce n'est par leur forme, toujours un peu approximative, du moins par les idées qu'ils expriment : des textes sur le féminisme, un *Essai d'Esquisse sur vingt motifs,* qui recèle des passages à la fois profonds et drôles, dans une veine de moraliste parfois digne des *Caractères* de La Bruyère. Élisabeth avait également un vrai talent d'épistolière, qui enchantait ses amis proches, comme Constance de Breteuil : « Je vous ai toujours connue écrivant bien, mais cette année vous vous surpassez. J'espère que vous ne négligez pas vos "Mémoires". Écrivez à la hâte, ne polissez rien, c'est le moyen de fixer sur le papier vos idées si originales et si drôles. J'écris aussi beaucoup. Si nous voulons passer à la postérité je crains qu'il ne nous reste que ce moyen-là... » Mais précisément, dès qu'elle pensait à « passer à la postérité », toute sa verve spontanée l'abandonnait. Elle tentait de transposer sa vie et ses états d'âme, s'épanchait sur le papier sans parvenir à sortir d'elle-même ni pouvoir se contraindre à chercher le mot juste. Ses projets de romans, s'ils contenaient parfois des beautés – « des phrases dont je suis jaloux », lui écrivit Goncourt –, n'étaient que de maladroites autofictions.

Demeuré inassouvi, ce désir de créer une œuvre allait trouver une autre voie : à défaut d'être l'artiste, la comtesse Greffulhe sera la muse. Faute d'être la plume ou le pinceau, elle sera l'âme d'un musicien.

4

DEO IGNOTO, OU L'AMOUR IMPOSSIBLE

Don Roffredo Caetani, prince de Bassiano, est l'un des plus fascinants secrets enfouis dans les archives de la comtesse Greffulhe. Pour reconstituer l'histoire de leur relation, connue de leurs seuls intimes, j'ai patiemment tenté d'assembler les morceaux du puzzle, dispersé dans divers cartons : une chemise réunissant quelques dizaines de lettres reçues de lui, des brouillons d'Élisabeth, sa correspondance avec ses proches et avec la famille Caetani, des notes éparses. Autant d'émotions, d'espérances et de renoncements, de tendresse et de larmes, ensevelis dans quelques liasses de papiers griffonnés : « C'est toujours avec un encrier entre les dents, la feuille anxieusement froissée contre un mur, qu'on écrit les choses les plus importantes de sa vie. »

Coup de foudre à Bayreuth

Les circonstances de ce coup de foudre, nous les connaissons en détail par un brouillon de la lettre qu'elle lui écrivit, huit jours après leur rencontre. C'était la fin de l'été 1902, à Bayreuth. Venue comme chaque année célébrer le culte de Wagner, elle avait été invitée à souper chez le grand-duc Ernst-Louis de Hesse, petit-fils de la reine Victoria. Ce joyeux garçon déballait sa vie intime, régalant ses invités du récit de ses démêlés conjugaux. Élisabeth souriait poliment à ses bouffonneries, lorsqu'elle sentit des yeux posés sur elle, comme s'ils la touchaient. Se retournant, elle croisa le regard d'un jeune dieu ; très grand, très beau, très nonchalant ; le front haut, la bouche admirablement dessinée, un peu dédaigneuse, l'œil mélancolique et profond : l'exact portrait de Lamartine[1]. Dans son regard ironique, elle vit comme le reflet de ses propres pensées. Roffredo la raccompagna à pied à l'hôtel tout proche où elle logeait avec Elaine, et où il était également descendu. Tous deux partageaient le sentiment étrange de retrouver quelqu'un connu depuis toujours, de parler enfin « à quelqu'un de vivant de par le monde ».

Ce soir-là, Roffredo n'était pas pour elle un parfait inconnu : deux ans plus tôt, à Venise, elle avait fait la connaissance de son jeune frère, le beau Gelasio. Sa cousine Alice Borghèse, qui connaissait la famille Caetani, lui avait écrit de Saint-Moritz : « Penses-tu qu'il y a à 40 minutes d'ici un de ses frères qui est, dit la renommée, encore plus beau et plus intelligent. Il est enfermé tout seul dans un petit chalet ne communiquant avec le dehors que par le téléphone. Il est très musicien et s'occupe à composer. » Un jeune compositeur enfermé dans une retraite solitaire... Il y avait, déjà, de quoi faire rêver Élisabeth.

Tout contribue à les rapprocher ; leurs histoires familiales et leurs caractères présentent d'étranges similitudes. Roffredo est le second fils d'Onorato Caetani, 14e duc de Sermoneta, et de son épouse anglaise Ada Bootle-Wilbraham. Leur premier dénominateur commun est la musique : tous deux sont nés dans des familles de mélomanes et de musiciens amateurs de très haut niveau, où cette passion se transmet de génération en génération. Franz Liszt, grand ami d'Onorato, est le parrain de Roffredo, et lui a légué le piano sur lequel il compose – le même Franz Liszt qui avait bien connu Marie de Montesquiou, et qui avait fait l'honneur à Élisabeth de venir jouer un soir pour elle, rue d'Astorg, lors de son dernier voyage à Paris, quelques mois avant sa mort. Comme les Chimay, les Caetani sont des patriciens raffinés à l'origine plus que millénaire ; des terriens aussi profondément attachés à leurs racines et à leurs idéaux qu'insoucieux de leur fortune. Seule différence : les Chimay ont élevé leurs enfants dans la foi catholique, tandis que les Caetani, quoique Romains et héritiers d'un duché papal, sont par tradition anticléricaux et libres-penseurs.

Comme Élisabeth, Roffredo est le second d'une famille de six enfants, et occupe une place très particulière dans l'affection de ses parents. Son père, comme le prince de Chimay, a été ministre des Affaires étrangères. Ils sont tous les deux beaux, racés, doués d'un charme auquel nul ne résiste ; mais aussi secrets, distants et follement idéalistes. Ils auraient pu se marier et former un couple de légende… si seulement Roffredo était né vingt ans plus tôt. Car il est de onze ans son cadet.

Long de dix pages, couvert d'ajouts et de ratures, le brouillon de cette première lettre à Roffredo est difficile à déchiffrer et certains passages en sont déchirés. Il commence ainsi :

> « Deo Ignoto
>
> C'est à lui que j'adresse ma réponse – pas à vous qui avez dit le doux mot de "vôtre" que je ne dois pas : – vous le savez : – que je ne *puis pas* accepter.
>
> Cette adresse : Deo Ignoto : renferme un peu ce que j'éprouve d'étrange à parler – comme vous le dites très bien – de *si près* à quelqu'un de vivant de par le monde. Ce que vous me dévoilez de vous-même me semble être ma propre confidence. »

Deo Ignoto, au dieu inconnu. Ces mots sont extraits d'un verset des *Actes des Apôtres* : « À un dieu inconnu ! Ce que vous révérez sans le connaître, c'est ce que je vous annonce. » Dans sa jeunesse, Élisabeth employait ces termes par dérision pour désigner les frasques d'Henry – « le sacrifice au dieu inconnu ». Mais ici, l'expression a retrouvé son sens biblique. Ce coup de foudre est pour elle une expérience quasi mystique. Dans ce texte, écrit avec emportement, elle tente maladroitement d'exprimer le bouillonnement des sentiments contradictoires qui la submergent : « Ce soir-là est la première fois où, sans paroles, j'ai senti avec votre regard la communication exacte […]. » Comme Roffredo, elle a éprouvé, écrit-elle, le « vague pressentiment de l'affinité intense qui porte l'âme à dépasser à notre surprise les limites de notre circonspection habituelle, et qui fait que soudainement deux âmes puissent se trouver si près l'une de l'autre que, frappées d'étonnement, elles ne sachent plus juger de leurs actions ». Elle essaie d'en comprendre la raison : « La profondeur de l'affinité qui ne permet pas d'en mesurer tous les degrés est peut-être l'explication de ce phénomène qui crée en un instant en nous cette sorte de certitude qui contient en puissance toutes les déductions et d'un seul coup renverse tant de barrières. »

Depuis leur rencontre, une semaine auparavant, ils se sont revus souvent. De longs tête-à-tête ont confirmé leur première intuition : ils sont totalement en fusion, irrésistiblement attirés l'un vers l'autre. Mais ils n'en ont pas tiré les mêmes conclusions. Avant de partir pour Lucerne, Élisabeth met les choses au point :

> « La raison ne doit-elle pas toujours demeurer tout entière – la moindre de ses parties lancée dans l'inconnu ne fait-elle pas perdre cet équilibre si nécessaire grâce auquel la vie sociale demeure une machine montée et *réglée par des lois* qu'on peut régir. [...]
> Le mot "faillir" n'est pas exact. Il est trop purement catholique. Un être doué de sensibilité qui tient à rester poupée pour l'étiquette mondaine, qu'elle cultive afin de rester inconnue, doit avoir une morale en harmonie avec son droit à la vie et sa conscience. Le cœur et l'esprit doivent diriger sa conduite – à lui de les mettre d'accord avec ses sentiments si les circonstances de son existence le lui permettent. »

Ces mots sont terribles : elle avoue sans détours que sa vie est un mensonge, et qu'elle en est prisonnière. Les « circonstances de son existence » ne lui permettent pas la moindre défaillance. Tout est dit dans la prolixité brouillonne de cette première lettre. « Le mot d'amitié ne nous a jamais fait l'effet d'être si mal fait. Il faudrait pour ce cas spécial en créer un nouveau », a-t-elle écrit, puis rayé. Car elle sait bien que leur attirance réciproque n'est pas le moins du monde désincarnée : « Entre la chair et l'esprit je crois qu'il y a beaucoup plus d'accord et de coordination qu'on ne pourrait supposer. »

Tristan et Yseult

La comtesse Greffulhe, semble-t-il, n'a pas cédé à sa passion pour Roffredo Caetani – au grand regret de sa sœur Geneviève, toujours rebelle : « Malgré la grande Jal, on aurait été heureux de voir réaliser, par un autre, même momentanément, le bonheur complet de la Grande. Les enlèvements spirituels sont si bien complétés par les autres. Pourquoi les conventions de la civilisation les rendent-ils si difficiles, ou plutôt si dangereux ? » Dans le langage codé des sœurs, « la grande Jal » désigne Henry, le grand jaloux, et Roffredo sera bientôt baptisé « la R ».

Au lieu du « bonheur complet », Élisabeth se contentera de « l'enlèvement spirituel ». Moins romantique que sa jeune sœur, Ghislaine approuve cette réserve : « Daphné se refusant à l'amour éphémère d'Apollon et se changeant en lauriers dont elle se tressera d'immortelles couronnes. Je ne sais si c'est comme cela qu'on doit interpréter cette allégorie, mais c'est comme cela que je la comprends. L'instinct d'Apollon le poussait à courir après toutes les femmes, mais peut-être est-ce la seule qu'il n'a pas eue et qui lui a donné de la gloire dont le souvenir lui sera le plus doux. Pour des êtres comme Apollon et la R. et d'autres, il ne faut pas quitter ses armes enchantées pour venir les combattre avec les mêmes armes que la blanchisseuse du coin qui, à certains points de vue de vulgarité, pourrait avoir un sérieux avantage sur nous ! »

Vue de notre XXIᵉ siècle, cette « vertu » est déconcertante. On soupçonnera la comtesse Greffulhe, bien à tort, d'avoir été une « Récamier », plus intéressée par la séduction que par son accomplissement. Ou bien on l'accusera d'avoir préféré le confort d'une vie fastueuse aux dangers du grand amour. Mais les choses apparaissent beaucoup moins simples quand on les replace dans leur contexte. Quel avenir commun peut-on imaginer à cette époque pour une femme de quarante et un ans – sans fortune personnelle, responsable d'une fille à marier et affligée d'un mari jaloux – et un séduisant prince italien de onze ans son cadet, voué tout entier à la musique, sans autres moyens d'existence que les subsides octroyés par son père ?

319

Depuis vingt-trois ans, Élisabeth est enchaînée à un mari tyrannique, qui la trompe ouvertement, et dont la jalousie est directement proportionnelle à ses propres infidélités, ce qui n'est pas peu dire. Elle sait que la vanité d'Henry ne tolérerait pas la moindre incartade. Elle connaît trop bien ses colères jupitériennes, déclenchées par la moindre broutille, pour ne pas imaginer sa réaction s'il soupçonnait un adultère. En outre, elle est une femme « en vue », cible de tous les regards, suivie à la trace par les gazettes qui commentent le moindre de ses faits et gestes : ligotée par la Renommée autant qu'une altesse royale. Alors, quel avenir pour cet amour ? Des étreintes rares et furtives, l'angoisse d'être découverts, le risque toujours possible d'une grossesse, l'épée de Damoclès du scandale... jusqu'à l'effilochage inévitable de la liaison, et le non moins inévitable mariage de Roffredo. Il a juré, dit-il, de ne jamais se marier, mais il est réputé pour ses nombreuses conquêtes féminines. Élisabeth est trop entière, trop exclusive, trop idéaliste pour se plier à ce régime de clandestinité.

L'amour au grand jour ? La fuite, le divorce ? Certes, il est autorisé en France depuis 1884. Mais Henry est aussi puissant que vindicatif, et la réprobation sociale, tout comme la loi, se montre infiniment plus sévère pour la femme adultère que pour son mari. Certaines femmes ont osé faire ce choix, comme Irène, comtesse de Camondo, qui a quitté Moïse, son vieux et richissime mari, et s'est convertie au catholicisme pour épouser un beau gentilhomme italien sans le sou, le comte Sampieri, bravant sa famille qui l'a déshéritée. Mais ce scénario, qui réduirait Élisabeth aux seules ressources de sa maigre dot, est difficile à envisager, autant pour elle que pour Roffredo, dont la nature indolente et mélancolique est peu portée à la lutte et à la transgression. Car il ne s'agit pas seulement de sa vie, mais du destin de ceux qu'elle aime. Elle se sent responsable de sa famille : le scandale compromettrait les chances d'Elaine de faire un mariage digne d'elle, et l'avenir de Ghislaine, toujours célibataire ; en la laissant sans ressources, il la rendrait incapable d'aider financièrement ses sœurs, ce qu'elle fait depuis la mort de leur mère. En renonçant à Roffredo, elle obéit à un impératif moral qu'elle met au-dessus de tout, et qu'elle lui expose très clairement dans une autre de ses lettres :

> « L'expérience m'a enseigné les deux parts qu'il faut savoir en faire, vu "l'inconfort" des circonstances de la vie et les difficultés de notre unité intime. 1 – Notre devoir social – devoir des hommes vis-à-vis de leurs parents, ascendants, descendants, en un mot, de ceux qui les tiennent. Et ce devoir social envers leur situation – rang, fortune, pays, relations, obligations –, je le considère comme le premier de tous, car il constitue à mes yeux un engagement d'honneur contracté avec la société. [...] 2 – Notre devoir envers nous-mêmes, celui-là demeure dans le sanctuaire du cœur : il est nous, il est à nous ! Chacun, après avoir rempli son devoir social, factice même, fait de préjugés, de comédie, d'étiquette, peut se réfugier dans "la vérité de lui-même", de ce lui-même mal interprété des autres et souvent connu incomplètement de lui, car il n'est souvent *averti que le dernier de ce qui se passe en lui* ! [...] Dans ce domaine est seule la vraie vie de l'âme, que ne lie nul contrat humain. »

À ces beaux raisonnements s'ajoute peut-être une autre raison, plus secrète, qu'elle s'avoue à peine à elle-même : elle ne veut plus souffrir. À dix-huit ans, elle a aimé, ou cru aimer le mari qu'on lui avait donné et qui a fait d'elle une femme. Il lui a juré un amour éternel. Il l'a bafouée sans vergogne. Elle a cru en mourir, et puis elle a trouvé son équilibre, en essayant de se placer « au-dessus de la mêlée », et en se jetant à corps perdu dans l'action. À quarante ans, elle est parvenue à une certaine forme de sérénité. Certes, Roffredo est tout le contraire d'Henry, mais il est, lui aussi, un grand séducteur. Se donner à lui, ce serait s'exposer à des souffrances qu'elle ne veut plus, qu'elle ne peut plus endurer. C'est ce qu'elle exprimait claire-ment dans sa première lettre :

> « Mais n'est-ce pas tout un problème résolu que d'atteindre un sommet de paix – tout au moins d'absence de douleur –, de réussir à enfermer la vie dans le plan d'une conduite cohérente – irré-médiablement arrêtée – et de là pouvoir, à l'abri de l'émotion, y perfectionner sa raison [...]. »

Dans l'un de ses nombreux projets de roman, elle théorisera ainsi cette attitude : « Elle se dit qu'elle ne se donnera jamais sur terre : qu'elle aime mieux ne pas être connue que de pouvoir inspirer "moins". » Le roman de Tolstoï *Anna Karénine* avait été édité en français en 1885. Il est permis d'imaginer qu'Élisabeth l'avait lu : ce destin tragique d'une femme qui s'est laissé entraîner à une « passion coupable » aurait pu être le sien. Elle a préféré s'envelopper de nuages. C'est pourtant bien une passion que la comtesse Greffulhe et Roffredo Caetani vont vivre pendant dix ans. Une passion ignorée de tous, à l'exception de quelques rares confidents, comme ses sœurs, sa cousine Alice Borghèse, ou ce cher Pedro. Leur histoire se déchiffre à travers les lettres qu'ils échangeront leur vie durant : les brouillons raturés et échevelés des longues missives qu'elle lui adresse ; les billets plus rares et plus laconiques de Roffredo, tracés d'une petite écriture élégante et rapide, sur un fin papier bleu-gris, qu'elle conserve avec leurs enveloppes dans un dossier noué d'une faveur rose. Dans sa première lettre, elle lui avait précisé : « Vous pouvez m'écrire de votre écriture. Personne au monde ne lit mes lettres. » Très vite, ils ont inventé des noms de code : lui est Zeus, désigné par la lettre Z. Elle le Sphinx, et signe Sx. Lorsqu'ils emploient ces pseudonymes, ils s'expriment souvent à la troisième personne[2].

En décembre 1902, Roffredo séjourne à Paris, où la comtesse Greffulhe a obtenu que l'on joue ses œuvres. « Ma chérie, je suis contente de savoir que la R. revient, se réjouit Ghislaine. Il servira de chloroforme quoi qu'on en dise. » Après son départ, Élisabeth lui écrit une lettre de seize pages, qui témoigne bien de la profondeur de ses sentiments, et contient le récit d'un rêve révélateur :

> « Dans la monotonie des jours qui succèdent aux jours, aux heures grises qui suivent d'autres heures grises, pendant lesquelles on accomplit le cycle des devoirs sociaux, tout à coup surgissent des secondes où l'être profond entre en une sorte de vibration, alors, l'âme peut être presque saisie de frayeur et de trouble – mais le cœur peut être joyeux, tranquillisé par ce qui l'a rempli et que rien ne peut plus lui ravir, ni la mort, ni la trahison. [...]

Malgré le temps si court où nous l'avons fait tenir, n'avons-n
pas ensemble déjà des vies vécues, *à cause de la signification de nos
êtres*. [...] Il faut que je vous dise mon rêve : on jouait *Tristan et
Ysolde*. J'étais dans ma grande avant-scène de gauche [...]. Mais,
au lieu de Mme Litvinne – ô contraste – il me semblait que mon
"double" jouait le rôle d'Ysolde. Van Dyck qui d'abord m'avait
donné la réplique, était remplacé par une forme, laquelle peu à
peu se superposait à la sienne, indéfinie, et pourtant réalisant
comme jamais il n'avait été réalisé le personnage. Mais jugez des
variantes du rêve : la mer avait avalé la salle et représentait seule
les spectateurs engloutis, accompagnant de sa grandiose harmonie
les rythmes répandus dans les airs. Cent fois, mille fois, se recom-
mençaient d'éternels élans jamais apaisés, jusqu'à ce qu'enfin la
voix angoissée de ma femme de chambre (laquelle n'avait rien de
commun avec celle de Brangaine), interrompît brusquement le
deuxième acte en intervertissant tous les rôles, pour dire qu'il ne
restait plus qu'une heure "moins cinq minutes" pour ne pas manquer le train. »

La muse et le « génie »

Dès qu'elle a lu les partitions de Roffredo Caetani, Élisabeth
a été convaincue de son talent. Un jeune artiste méconnu, héritier de Franz Liszt, boudé dans son pays et très rarement joué
ailleurs : un nouveau cheval de bataille s'offre à elle, grande
prêtresse de la musique à Paris ; elle l'enfourche avec allégresse.
Ils ne peuvent être ni amants ni amis ? Elle sera sa muse. Quelle
exaltation que de pouvoir confondre son amour de la musique
et sa passion pour l'homme, sublimer ses désirs terrestres au
service de l'Art ! Pour compenser ce qu'elle ne peut lui donner,
elle sera pour lui tout le reste : son inspiratrice, son impresario,
son attachée de presse, son directeur artistique.

Quand elle veut, rien n'est impossible. Elle lance l'opération
par un grand dîner à Bois-Boudran, suivi d'un concert où
Caetani figure au programme, aux côtés de Saint-Saëns et de
Gounod. Elle présente Roffredo à Winaretta, princesse de Polignac, qui fait jouer ses œuvres dans ses célèbres soirées musicales.

Le résultat ne se fera pas attendre : entre 1902 et 1905, les œuvres de Roffredo seront programmées à Paris par les Concerts Lamoureux et Colonne, puis à Rome, à Monte-Carlo et à Bruxelles, au Théâtre royal de la Monnaie[3]. Elle le pousse à mettre ses compositions à l'épreuve du grand public, et n'épargne pas sa peine pour obtenir des critiques dans la presse française et internationale. Charles Joly, un journaliste qu'elle appuie activement auprès de son ami Gaston Calmette pour lui faire attribuer la critique musicale du *Figaro*, lui apporte son concours actif et lui rend fidèlement compte des efforts déployés pour faire parler de celui qu'il nomme son « protégé ».

Mais les critiques, hélas, ne sont pas toutes louangeuses : « Je suis, je l'avoue, fort embarrassé pour parler de cette composition. Là où il n'y a rien… » « Passons sur l'audition d'une très insignifiante *Romance* de M. Caetani, longue petite niaiserie d'une parfaite banalité… » « M. Mascagni a cru nous intéresser en offrant la première audition d'un adagio et d'un scherzo d'une *Suite en* si *mineur* de Caetani. Ces deux morceaux, fort courts, doivent être placés dans la catégorie des musiques inutiles ; habilement écrits, instrumentés avec grâce, mais sans aucun coloris, ils n'accusent aucune personnalité. » L'amour aurait-il aveuglé Élisabeth au point de lui faire perdre son sens artistique ? Ou ces commentaires acerbes sont-ils l'expression de l'agacement qu'elle suscite dans le milieu musical par son omniprésence ? Quoi qu'il en soit, elle croit en Roffredo, et rien ne la décourage. Elle analyse la presse à la loupe, et lui envoie de longues recommandations, lui expliquant les erreurs à ne pas commettre en matière de communication. Lorsque le Quatuor Capet, si cher à Marcel Proust, refuse poliment de jouer ses œuvres, elle lui affirme, souveraine : « Cela m'est égal d'être battue par Capet, car j'ai en main les foudres de Jupiter et je sais que je le terrasserai. » Rien ne lui paraît pouvoir échapper à la toute-puissance de sa volonté : dans une autre lettre, elle lui déclare : « Le Sx détient ici dans ses fers, "mené militairement", le factotum des concerts Chev.....d – Chev.....d [Chevillard] n'existe pas comme influence à côté de ce Boudha (*sic*) d'un nouveau genre. » Le factotum qu'elle désigne ainsi avec désinvolture n'est autre que Gabriel Astruc, avec lequel elle collabore étroitement dans le cadre de la Société des grandes auditions[4].

Ce combat pour faire reconnaître à la face du monde le talent « méconnu » se double d'une autre lutte de tous les instants – beaucoup plus difficile – pour sortir Roffredo de sa mélancolie chronique, l'inciter à se mettre au travail, le faire accoucher de son œuvre. Dans cette bataille, Onorato Caetani est le meilleur allié d'Élisabeth. Car la rencontre des deux familles, qui ont tant de points communs, est rapidement venue renforcer les liens entre la muse et son génie. Roffredo a fait la conquête des sœurs et de Charley ; Élisabeth, celle du duc et de la duchesse de Sermoneta : ils la reçoivent à Rome, elle les invite à Bois-Boudran ; elle leur prête sa voiture et son chauffeur quand ils séjournent à Paris, et ils font de même lorsqu'elle vient en Italie. Giovanella, leur fille cadette, est adoptée, elle aussi, par la « trinité des sœurs ». Elle écrit des lettres débordantes d'affection, qu'elle commence par « Chère, chère amie, sœur, ange, fée, rayon de soleil, etc. ».

Mais surtout, Élisabeth se lie d'une profonde amitié avec Onorato, avec qui elle correspondra jusqu'à sa mort. Ils échangent des lettres fleuves, dont le principal thème est l'objet de leur admiration et de leur tourment communs – Roffredo. Le vieux duc de Sermoneta lui a ouvert son cœur, sans rien lui cacher de ses espoirs et de ses doutes : dans l'une de ses premières longues lettres, il lui a retracé l'enfance de son fils bien-aimé ; il y décrivait l'enfant prodige, « né avec la grande musique dans l'âme », qui composait sa première sonate à huit ans, et son premier quatuor pour instruments à cordes à quinze ans. Il lui racontait « la précoce fierté et noblesse de son caractère », son « esprit d'indépendance qu'aucun précepteur ne réussit à dompter », sa virtuosité au piano, remarquée par Sgambati, qui allait devenir son professeur. Il vantait son « dévouement héroïque » pour la musique, à laquelle il avait consacré toute sa jeunesse, « disant vouloir rester inconnu jusqu'à l'âge de cinquante ans pour pouvoir se dédier complètement au travail ». Il confessait enfin ses propres craintes :

« En automne 1899 il cessa complètement de composer. Plus une note n'est sortie de sa plume [...]. Et cependant voilà presque un an que vous vous êtes daignée (*sic*) de vous occuper de ses compositions que vous avez reconnues dignes d'encouragement. Il vous devait, à vous qui, certes, n'avez épargné aucune peine pour le faire sortir des injustes ténèbres où il vivait ; il vous devait à vous, dont l'estime et l'admiration valent un monde, un retour complet vers les nobles enthousiasmes de sa première jeunesse ; vers cette existence idéale de grand artiste pour laquelle j'ai la foi la plus sûre qu'il soit venu au monde. Ce serait très dur pour moi de voir s'alanguir et se transformer en un homme du monde ordinaire ce jeune et sauvage idéaliste, qui vivait seul pour l'art, et qui me semblait avoir encore quelques pensées à prononcer que peut-être Chopin et Wagner n'avaient pas eu le temps de dire.

Vous seule pouvez opérer ce miracle et vous le ferez. »

Grâce à l'activité inlassable de sa muse, on commence à parler en Europe de ce jeune compositeur. Mais ce début de succès ne provoque pas les résultats espérés : devenu un homme à la mode, l'indolent Roffredo ne collabore guère au miracle attendu. Il délaisse partitions et piano au profit des réceptions mondaines de Rome, où il est la cible de toutes les chasseuses de titre, en particulier des riches Américaines : « Le voilà, notre génie, lancé dans ce tourbillon de nullités, entraîné par le boston, l'automobile, les déjeuners, les dîners », ironise son père. « Je crains que désormais l'art ne soit pour lui une distraction, une déviation intellectuelle, agréable pour se reposer des fatigues de l'homme du monde, un moyen pour reprendre de nouvelles forces pour ce qui est vraiment le côté sérieux de la vie : s'amuser, flirter etc. » Roffredo ne compose quasiment plus. Il hésite à abandonner la musique pour la littérature. La seule œuvre qu'il réussit à produire, un *Quatuor pour deux violons, alto et violoncelle op. 12* – la dernière de son catalogue numéroté –, est dédicacée à la comtesse Greffulhe, en 1905. Elle le mérite bien, car elle n'a pas ménagé ses efforts, ni ses conseils techniques. En effet, Élisabeth ne se contente pas d'être le « coach » et l'impresario de Roffredo ; elle analyse ses partitions et lui donne son avis :

« Supprimer complètement le scherzo que vous avez ajouté et qui n'ajoute rien – au contraire – il détruit l'effet. [...] Quand on a écrit les deux premiers mouvements comme ceux que vous avez écrits, on ne lâche pas son œuvre avant qu'elle ne soit *un chef-d'œuvre complet*. Or, à mon avis, le finale n'est pas encore la fin définitive. »

Elle fait aussi office de directeur de conscience auprès de ce grand dépressif. Elle rédige d'interminables épîtres, tandis que lui, « plus muré que la ville d'Ecbatane qui avait pourtant sept murailles », s'avoue incapable « d'écrire une lettre qui contiendrait plus de cent mots », ce qu'il attribue à « une paresse maladive de l'esprit dans ses manifestations extérieures ». Mais lorsqu'il consent enfin à baisser sa garde, il lui dévoile avec sincérité les tréfonds de son âme : « Je suis pris de temps en temps par des accès de dépression qui me jettent dans un état de désespoir si sombre que parfois l'idée de la mort volontaire me sourit. [...] Je sens aussi parfois que ma vie est une chose qui meurt rapidement, où il n'y a plus de vivant que les souvenirs d'un lointain passé – le nôtre. Ce qui m'entoure est plongé dans une indifférence qui semble douce tant elle a l'apparence de m'être maternelle. [...] Les exigences de mon âme sont devenues tellement exagérées que toute vraie satisfaction ne semble de plus en plus irréalisable. » Élisabeth est, selon lui, son seul rempart contre « la vraie solitude » : « Si donc j'arriverai (*sic*) encore à produire quelque chose, cela sera dû à votre influence bienfaisante et seulement à celle-ci. [...] Vous êtes la seule personne au monde à qui je puisse ouvrir mon cœur. » À cette lettre – exceptionnellement longue de seize pages – Élisabeth répond avec une égale prolixité, annonçant en préambule : « Vous avez, je le sens, la certitude qu'en me parlant, vous ne parlez qu'à vous-même. » L'inverse est également vrai : dans la plaidoirie où elle lui détaille pourquoi et comment il doit repousser à tout jamais cette idée du suicide, elle se parle à elle-même ; elle lui explique, une fois de plus, pourquoi leur amour est impossible ; elle lui dévoile les secrets qui l'aident à vivre, toute cette philosophie du « devoir social » et de « l'équilibre » qu'elle a élaborée pour pouvoir exister par elle-même, en dépit de tous les obstacles, dans une vie qu'elle n'a pas choisie.

« Voyez-vous, nous ne sommes pas libres… Rappelez-vous Gulliver que vous avez dû lire quand vous étiez enfant. Vous souvenez-vous de l'image qui le représente chez les nains quand ils l'ont attaché à terre par chacun de ses cheveux : c'est l'image de nos devoirs et de nos affections : chacun d'eux semble un fil ténu, mais l'ensemble nous enchaîne, car cet ensemble constitue pour nous des obligations *supérieures* aux impulsions de notre *égoïsme personnel*.

[...] Il faut pouvoir aller jusqu'aux extrêmes, même jusqu'à briser son cœur afin de mettre entre soi et ce qui occasionne la rupture d'équilibre des obstacles à jamais infranchissables. [...] Les folies intermittentes dont Z. parle s'expliquent parfaitement par la vie forcément artificielle qu'il mène – que tout le monde mène dans notre sphère – et à laquelle il ajoute de la pression continue. Alors vient un moment où on est cerné par la tristesse car il s'établit un trop grand disparate entre le vœu secret d'une âme qui porte en elle un trésor et l'odieux verbiage de la hideuse banalité. Le vide le plus affreux se fait forcément sentir après ces pillages de vie causés par les fausses joies, les faux-semblants, les fausses beautés, les fausses distinctions, les faux esprits, les fausses sincérités et l'absence de toute grandeur et de toute vérité. »

Roffredo est reconnaissant : « Vous êtes et vous serez la force et la consolation de ma vie. » Mais l'artiste en lui reste comme paralysé, toute inspiration tarie. La grande œuvre que la comtesse Greffulhe rêvait de lui voir composer n'a jamais vu le jour, en dépit – ou peut-être, paradoxalement, à cause de tous les efforts qu'elle déployait. Roffredo subissait, depuis son enfance, la pression écrasante de l'admiration et des espoirs de son père. Puis elle avait pris le relais, ou plutôt elle avait ajouté à ce poids celui de son adoration excessive, de ses conseils réitérés, de son activité inlassable pour le mettre dans la lumière. Sans s'en douter, peut-être ses deux mentors avaient-ils acculé le jeune musicien dans l'impasse où sa nature neurasthénique l'entraînait déjà : ils voyaient en lui un génie ; il ne pouvait pas se permettre de les décevoir par une œuvre médiocre. La seule voie de fuite qui lui restait, mis à part le suicide, était celle de la futilité. Ne pas travailler était pour lui le plus sûr moyen de se protéger : il valait mille fois mieux, pour son amour-propre, être soupçonné de paresse que de manque de talent.

Une famille de cœur

Presque chaque été, Élisabeth et ses sœurs s'arrangent pour passer quelques jours avec la famille de Roffredo, à Lucerne, à Pontresina ou ailleurs. Les Caetani sont sa famille de cœur, « la famille des affinités électives ». Ils sont unis par les mêmes idéaux, le même amour de la musique et le même sens de l'humour, qui leur fait partager de mémorables fous rires. Ils se sont reconnus de la même race : celle des idéalistes, qu'elle appelle « les grands oiseaux du large ». « Nous sommes des étoiles plus ou moins brillantes sur le fond sombre de l'humanité », lui écrit Onorato. Objet, selon lui, d'une « adoration collective » dans la famille Caetani, Élisabeth est aussi celui de son adoration particulière. Il l'appelle « la divinité protectrice ». Tout en lui rappelant plaisamment qu'il est « boiteux, à moitié aveugle et très joliment sourd », et en lui répétant qu'il a l'âge d'être son père – il est né en 1842 –, il lui adresse des déclarations enflammées, quoique enveloppées d'intentions paternelles : « Je vous adore. Vous inspirez toujours à mon cœur ce qu'il peut y avoir de plus bon et de plus beau dans l'Humanité. Toujours, quand j'évoque votre image dans les espaces de la fantaisie, l'âme du poète s'allume comme un flambeau dans la nuit de la vieillesse. [...] Si j'étais Zeus et que vous me le consentiez, je vous enlèverais sur mes épaules à travers les flots de l'océan. » Étrangement, il a fait sien ce nom de Zeus qu'Élisabeth a décerné à son fils.

Roffredo habite Rome la plupart du temps, mais ils trouvent cependant le moyen de se voir, plusieurs fois par an, à Paris, à Rome, à Bayreuth ou à Pontresina, dans ces paysages magiques de l'Oberland bernois. « Les brises d'Orient », comme dit Ghislaine, l'amènent à Paris, à l'occasion des concerts où l'on exécute ses œuvres. Il vient aussi à Bois-Boudran : c'est en sa présence qu'Élisabeth y auditionne le tout jeune Arthur Rubinstein, qui l'évoque dans ses Mémoires comme « un jeune homme très grand et très beau ». Il assiste à quelques-uns de ses « triomphes » : le jour du mariage d'Elaine, sur le perron de la Madeleine, il la gratifie ainsi sobrement, à la face du monde, d'une poignée de main dont la froideur sera bientôt compensée par une lettre enflammée. Pour la corbeille de la mariée, il a fait don d'une bonbonnière en argent, et ses parents d'un somptueux nécessaire de voyage en vermeil.

Au printemps 1907, Élisabeth séjourne à Rome pour obtenir la déclaration en nullité du mariage de son frère Jo avec Clara Ward. Ghislaine, à la fois complice et inquiète, la surveille de loin : « Je vous vois à Rome. Tout sera bien si l'AIR est bon. Envoyez-moi une carte postale pour me dire en style télégraphique ce qui est. Quelle douce atmosphère d'orangers et de roses. C'est incomparable [...]. Je vous embrasse tendrement. *Soyez prudente.* » Elle le sera : ni la douceur du printemps romain ni les promenades romantiques parmi les ruines de la Villa Hadriana ne feront, semble-t-il, fléchir la vertu de « la Grande ». Cette sagesse sera saluée à son retour par Ghislaine, la vierge sage : « En effet c'était tentant mais impossible à réaliser. Néanmoins ce sont de bons moments au bord de l'abîme… Pour de certains êtres, on leur donne une sensation nouvelle en ne se donnant pas ! Et on ne leur ajouterait pas grand-chose en le faisant ! »

En 1905, Roffredo avait fait le voyage pour assister aux Chorégies d'Orange. Mais trois ans plus tard, il ne prend pas la peine de venir à la fête qu'Élisabeth a organisée dans le parc de Versailles en pensant tout spécialement à lui. Il s'éloigne irrémédiablement, et elle le sent, comme le montre la lettre mélancolique qu'elle lui écrit à ce propos :

« J'y ai travaillé dans cette pensée et puis naturellement il ne vient pas. Et le jour où il viendra ici très probablement, d'autres années, moi-même je n'y serai plus. Ainsi se fait l'ironie des choses. Mais c'est une faiblesse que de regretter. [...] J'ai le tort de vivre trop dans ma pensée, et mon imagination construit avec violence ce en quoi elle aspire et ce qu'elle redoute [...]. Et ce soir-là, plus près de ce qui a dirigé mes actions par l'esprit, je paraîtrai présente dans le parc. En réalité, ma forme seule y sera [...]. Nul ne saura les forces invisibles qui enchaînent au loin à travers l'espace les essences mystérieuses. [...] Mon ami, combien douce serait la vie si le cœur s'y sentait sûr en ce qu'il aime. Mais les paroles ne se disent pas et on passe sans les avoir entendues. D'ailleurs quand on ne les entend pas c'est qu'elles ne sont plus prononcées.[...]. La pierre de touche d'un vrai sentiment est qu'il acquiert toujours plus de sens au lieu d'en perdre – qu'il devienne un besoin impérieux. Tout le reste ne compte pas. »

Seule une douce tristesse perce dans cette lettre. Ses sentiments plus violents, Élisabeth ne les exprime pas ouvertement : ils restent enfouis au fond d'un carton, dans l'un de ses nombreux projets de roman :

> « De vous j'accepte tout et les choses les plus tristes m'arrivant par votre main si douce me paraissent à la fois la plus cruelle des croix et la plus divine des récompenses. Une chose qui m'effraie, c'est le besoin que j'ai de vous, et qu'à présent, toujours l'absence me semble un vol, tant il m'apparaît que ma vraie existence est d'être mêlée à la vôtre, et que tout ce qui vous prend à moi (en dehors de votre famille, qui est encore moi, tant j'aime chaque individualité et l'esprit exceptionnel de la collectivité) est *injuste*, profondément injuste. Aussi pour combattre cet instinct si déraisonnable vu les circonstances j'ai tout fait pour m'en arracher. J'ai même dans les périodes de grande souffrance souhaité d'arriver à voir ou à savoir quelque chose qui me détachât de cette "possession" de mon âme, car les sens sont si faibles, si émotifs. »

Presque miraculeusement, le comte Greffulhe reste aveugle, inconscient de ces liens qui se sont noués sous son nez. Pourtant, il ne peut ignorer l'existence de Roffredo et de sa famille, puisqu'il les reçoit chez lui : mais Élisabeth l'a présenté comme un lointain cousin, et sans doute l'a-t-il catalogué dans la case « amitiés musicales », ce qui, à ses yeux, le rend aussi inoffensif qu'un vieillard.

Hypatie, ou le point culminant

Élisabeth cherchait depuis longtemps à attirer Roffredo plus longuement à Paris, où il trouverait, espérait-elle, une atmosphère propice à la création : « Paris est incandescent – une émulation qui vous manque probablement là-bas. » Au printemps 1909, elle parvient enfin à le décider : il séjourne quelques mois dans un charmant petit appartement qu'elle lui a déniché rue d'Artois, à deux pas de la rue d'Astorg. Cette année-là, elle pense voir enfin l'aboutissement de ses efforts : au mois de mars, la *Suite en si mineur* de Caetani est jouée par les deux cents musiciens de Colonne dans l'immense salle du Châtelet – l'une des plus grandes salles de concert de Paris. Roffredo s'est remis à l'ouvrage. Pour concilier musique et littérature, il compose un opéra, dont il voudrait écrire lui-même le livret. Déjà, autrefois, il avait travaillé en vain, durant plus d'un an, sur le livret d'une *Iphigénie* qui n'avait jamais vu le jour. Élisabeth lui suggère de s'attaquer plutôt au personnage d'Hypatie[5]. Elle est fascinée par cette « héroïne idéale » de l'Antiquité, célèbre pour sa beauté, son charisme et ses géniales intuitions scientifiques. Pour aider Roffredo à se documenter, elle le présente au latiniste et helléniste Louis Havet. Elle participe de près à son travail, dont elle rend compte régulièrement à Onorato : « Moi j'explique, je traduis, j'approuve ou je désapprouve, je souligne... » Entre deux séances de travail, ils improvisent des déjeuners rue d'Artois, avec Minet et Charley. Le poulet à la broche, « cuit aux derniers systèmes des feux de gaz et d'électricité », est surtout assaisonné de fous rires, et suivi d'un infect café confectionné de ses blanches mains ; Roffredo entasse les piles d'assiettes sales derrière un paravent ; ils jouent à la vie de bohème.

La comtesse Greffulhe vit, à cette époque, dans l'effervescence des Ballets russes, qui se préparent dans un Châtelet entièrement rénové pour la circonstance. Pour le « ballet astronomique et mystique » d'*Hypatie*, elle rêve déjà aux possibilités offertes par les nouvelles techniques de projection lumineuse dont elle a eu la démonstration : « Que de paysages et de temples merveilleux on pourra imaginer quand il ne s'agira plus de cette hideuse peinture qui coûte très cher et qui donne toujours des effets de fer-blanc ! » Elle a convaincu Roffredo d'assister avec elle à la Saison russe, et les Ballets ont produit sur lui l'effet escompté : « Celui de Cléopâtre l'a charmé par une sorte de sauvagerie instinctive venant en partie de la race. Il l'a trouvé très instructif. [...] Grâce à des ruses de "peau-rouge", je suis arrivée à ce que Roffredo voie ce que je voulais [...]. Avec lui il faut avoir la main légère qu'Alexandre devait certaine-ment avoir pour diriger Bucéphale. » Cette « main légère », elle ne l'a pas toujours : quand Roffredo est loin, c'est une emprise parfois tyrannique qu'elle exerce sur lui par lettres interposées :

> « Je me sens envers vous comme Dieu envers Moïse. Chaque fois que Moïse veut faire mieux que de suivre à la lettre ce que lui dicte Jéhovah, il est puni. [...] La céleste amitié que l'on nomme amour [...] a cela de caractéristique que son caractère est exclusif. C'est même à cette marque qu'on la reconnaît. »

Elle a réussi à intéresser à ce projet un vieux savant de ses amis, le Dr Henri Favre[6], qu'elle a surnommé « le vieux mage » ; ensemble, ils vont visiter l'Observatoire. Cet étrange personnage – médecin féru d'astrologie et d'alchimie, qui fut l'intime de George Sand et de Dumas fils – s'exprime comme l'Oracle de Delphes, en termes parfois obscurs, que sa fille et collaboratrice se charge de traduire. Les archives Greffulhe contiennent trois épais recueils de notes reliées en cahiers, dans lesquels Élisabeth a consigné les « conversations » et « formules » du Dr Favre, et surtout ses notes et recherches relatives à Hypatie. Le sabéisme, les écoles d'Alexandrie, Pythagore et la doctrine des nombres, les gnostiques, les mythes platoniciens… La première version du livret d'*Hypatie*, un texte dactylographié de seize pages soigneusement conservé dans deux enveloppes fermées, figure également dans ce carton.

En ce printemps 1909, *Hypatie* occupe toutes les pensées d'Élisabeth. Sans doute s'identifie-t-elle à l'héroïne, rêve-t-elle de voir sa passion s'incarner dans une œuvre à quatre mains, fruit de sa communion spirituelle avec le compositeur. Au même moment, elle préside dans sa loge au triomphe des Ballets russes, et prépare sa grande fête de Bagatelle. Tout lui paraît

333

possible. Avec Roffredo, elle vit enfin ce qui ressemble à une intimité heureuse, la seule qu'elle ait connue depuis qu'elle a quitté le cocon familial de sa jeunesse.

Roffredo l'a séduite, comme un miroir d'elle-même, par sa fragilité, sa sensibilité exacerbée d'artiste, son idéalisme. Puis elle a découvert qu'il était un grand neurasthénique, un velléitaire, un incorrigible pessimiste. Elle vit ainsi entre deux hommes, l'un trop proche et l'autre trop lointain, de natures totalement opposées, et qui ignorent tout l'un de l'autre, bien qu'ils s'abreuvent tous deux à la même source. Henry, envahissant, exigeant, tonitruant, péremptoire, violent, hyperactif ; Roffredo, fuyant, indolent, mélancolique, découragé, tendre, hypersensible. Chacun à sa façon, égocentrique et insaisissable. Mais alors qu'Henry est un « trou noir » qui se nourrit de son énergie, l'oblige à vivre dans le mensonge et la peur, Roffredo, malgré ses insuffisances, est le moteur de son existence. Même son absence est une présence de tous les instants.

Les années les plus brillantes et les plus heureuses de la comtesse Greffulhe se situent au mitan de son existence, entre quarante et cinquante ans. Si l'on met en regard sa vie publique et sa vie privée en ce début du XXe siècle, on voit apparaître une correspondance évidente. Pendant cette décennie de bonheur, Élisabeth a entre les mains une baguette magique : pour elle, financer l'Institut de Marie Curie, sauver le laboratoire de Branly, organiser des fêtes de rêve sur les terres du Roi-Soleil, introduire les Ballets russes à Paris n'est qu'un jeu d'enfant. Son talisman, c'est Roffredo. En dépit de ce qu'il nomme « cet affreux sacrifice que vous avez fait », cet amour la remplit d'énergie, lui confère cette puissance quasiment surnaturelle qui frappe à l'époque tous ses contemporains.

C'est bien cela qu'elle devait ressentir obscurément, lorsqu'elle notait, en juillet 1909, « je me sens au point culminant de ma vie ». Son intuition ne l'avait pas trompée : elle était bien au point culminant... et donc sur le point de redescendre. Les acmés de bonheur portent souvent en germe les malheurs qui vont suivre.

L'Américaine

Élisabeth croyait s'être préparée à l'inéluctable mariage de Roffredo. Elle l'encourageait même dans cette voie : « Je pense que vous êtes fait pour le mariage et j'espère que vous trouverez dans une jeune fille toutes les qualités d'une vraie femme capable de vous rendre heureux. » Une jeune fille, oui... mais surtout pas une Américaine ! Le souvenir des humiliations que Clara Ward avait fait subir à son frère Jo – et donc à sa famille, au nom sacré de Chimay – était encore cuisant. Elle exécrait ces créatures « au nez remanié par de la vaseline et à l'œil saillant », ces « potins encerclés de jupons ». Depuis des années, elle ne cessait de mettre Roffredo en garde contre elles : « Serez gaulé à vue toute la vie par les Yanks... » En 1904, lorsque s'était répandue la rumeur de ses fiançailles avec Gladys Deacon, elle avait écrit au duc de Sermoneta : « Ces sortes de personnes ne s'encombrent pas de cœur : cela ne s'allierait pas avec leur "carrière" ; et tout en étant ravies d'avoir attelé un "roi captif" à leur char et de s'en être fait aux yeux du monde une clarinette retentissante, elles sont décidées à vendre leur... J'allais dire leur peau (excusez ce terme consacré dans l'ardeur des batailles) le plus chèrement possible, tout au moins à l'échanger contre des millions palpables immédiatement par-devant maire et curé. »

Roffredo n'était pas assez riche pour Gladys, et ne songeait nullement à épouser celle qu'il appelait « le Joujou ». L'alerte avait été chaude : mais c'est précisément au moment où Élisabeth croyait le danger définitivement éloigné, et Roffredo tout entier adonné à son art, que celui-ci lui annonça ses fiançailles avec une autre Américaine, Marguerite Chapin.

Orpheline et riche héritière, Marguerite s'était établie en 1902 à Paris, à l'âge de vingt-deux ans, pour étudier le chant. Emmanuel Bibesco, après l'avoir courtisée en vain, l'avait présentée à Roffredo un soir, à l'Opéra. Il pensait qu'ils étaient faits l'un pour l'autre ; il ne s'était pas trompé : ils furent – si l'on en croit Marguerite – « fiancés au premier coup d'œil ».

Élisabeth est la première informée, et cette nouvelle la bouleverse. Elle confie son inquiétude au vieux duc de Sermoneta. Roffredo, avance-t-elle, est « incapable de juger, subissant une crise de neurasthénie » ; il faut donc « gagner du temps » jusqu'à ce qu'il se reprenne. Assez sournoisement, elle se fait l'écho de quelques rumeurs peu amènes sur l'élue :

> « Elle a une habileté qui rend très difficile de connaître sa vraie nature. Elle a un certain charme fait pour séduire. Elle joue un rôle auquel elle se trompe elle-même. Femme de tête, désirant épouser un beau nom et un titre, très autoritaire, égoïste et volontaire sous des apparences de simplicité – et n'étant pas embarrassée par son cœur. Elle est la fille d'un premier mariage de son père, qui est mort après s'être remarié et a eu deux ou trois enfants (on n'a pas pu me dire le nombre), elle s'est brouillée avec sa belle-mère qui est en Amérique. Elle a donc quitté l'Amérique et habite ici avec une dame de compagnie. Il paraît que la fortune est honorable mais on ne croit pas qu'elle ait les 200 000 livres de rente annoncées par elle, car il y a des petits frères et sœurs à doter [...]. »

Machiavélique jusqu'au bout, elle se procure l'adresse en Amérique de la belle-mère, et rédige un projet de lettre pour prendre auprès d'elle des renseignements sur Marguerite. Onorato, de son côté, s'avoue perplexe, avec « une prévention bien prononcée contre les femmes américaines » ; mais il ne se reconnaît pas le droit de dicter sa conduite à son fils de quarante ans. Son épouse Ada ausculte la jeune personne et conclut que « sa grande simplicité et sa réserve ne sont point artificielles et qu'il y a en elle un charme de bonté qui semble tout à fait naturel ». Elles se trouvent des connaissances communes, qui attestent l'honorabilité de la famille et l'ampleur de la fortune. La messe est dite.

« *Me voilà tout en noir* »

Élisabeth fera un dernier voyage en Italie, au printemps 1911, quelques mois avant le mariage. Elle rêvait d'avoir avec Roffredo quelques derniers tête-à-tête dans la campagne romaine. Mais elle tombe dans un tourbillon mondain, auquel elle participe « dans des conditions de mauvais combat ». À Venise, au bal donné par l'excentrique *marchesa* Casati pour inaugurer son palais sur le Grand Canal, elle se sent « *sous l'eau* et rendue inoffensive et banale ».

Elle est rentrée à Paris pour les obsèques de Félicité Greffulhe, qui a enfin fini par mourir. Elle est arrivée trop tard pour assister au dernier soupir de BM, malgré les télégrammes d'Henry, et celui-ci a prétendu la chasser comme une intruse. Elle est vêtue de noir des pieds à la tête comme le veut la tradition. Amère coïncidence : sous son deuil officiel, elle peut ainsi porter le deuil d'un vivant. Au sortir de la lugubre cérémonie, elle s'est réfugiée dans son jardin en fleurs pour écrire à Roffredo. Une longue lettre, dont il existe plusieurs brouillons : la dernière de toutes celles que le « Sphinx » adressera à « Zeus », en lui écrivant à la troisième personne ; la dernière à se terminer par « Infiniment et tendrement, je pense à vous ». Cette lettre commence par « Me voilà tout en noir », et sonne comme un testament : « Les heures perdues ne se retrouvent plus jamais. Parfois je reviens vers vous pour savoir si j'ai la permission de mourir. Je crois parfois la saisir, car si une fois j'en étais bien convaincue, moi aussi je serais délivrée de la vie. »

Le mariage de Roffredo Caetani avec Marguerite Chapin fut célébré le 30 octobre 1911, à Londres, dans la chapelle royale de Saint James. Roffredo avait composé lui-même la marche nuptiale. Élisabeth conserva dans ses archives le carton d'invitation au dîner donné au Ritz, ainsi que le faire-part et les coupures de presse. « Le mariage est une exécution », écrivit-elle dans son journal intime. Dans la vie de la comtesse Greffulhe, le soleil a disparu ; le talisman protecteur l'a abandonnée, et tous les orages se déchaînent en même temps au-dessus de sa tête. Libéré par la mort de sa mère, Henry est tout entier tombé aux mains de sa maîtresse, l'odieuse Mystère.

Pour échapper aux « ténèbres terrifiantes » de la dépression, Élisabeth entre dans la clinique du docteur Bucher, à Strasbourg.

Une lettre qu'elle lui adressera après ce séjour témoigne de la tempête à laquelle elle tente vaillamment de survivre :

« Toutes ces questions matérielles s'ajoutent au coup de poignard qui m'a été froidement donné par celui qui a mis en pratique "la liberté du cœur", l'ingratitude. Mais en amour il n'y a pas d'ingratitude, il n'y a que ce qu'on éprouve, le besoin de donner. [...] Non, je ne suis pas dégagée des chaînes, mais plus attachée que jamais à tout ce qui me touche le cœur. La vie réelle a très peu de réalité. Je ne vis que réellement dans l'occulte et j'ai besoin du chloroforme et de l'échange d'idéal pour que l'existence me semble digne d'être vécue. L'amour est le seul filtre avec la mort. En disant ce mot d'amour je comprends les seules affections qui donnent l'émotion. Les natures d'unité comme les nôtres n'ont-elles pas, jusqu'à la fin, le besoin impérieux d'être tour à tour et à la fois les personnages de l'*Andromaque* de Sophocle qui dit au bien-aimé "tu es mon mari, mon amant, mon père, mon fils, tu es Hector". [...] Comment sortir des "ténèbres terrifiantes" de cette impasse quand on croit avoir perdu ce qui vous était nécessaire présentement pour supporter les tracas triviaux de la vie quotidienne en aidant l'esprit à se dégager et à s'élever avec allégresse [...]. Vos conseils lumineux me laissent encore toutes les possibilités – et vous ne m'engagez à ne quitter la cage ouverte et ses murailles épaisses devenues prison fermée et cachot sans air et sans lumière pour n'y plus revenir "que si le désastre est irréparable". Je suivrai ce conseil. Mon pire ennemi a toujours été moi-même. »

Bucher, en remerciement, aura le privilège d'être immortalisé dans un vitrail[7]. Élisabeth se relèvera, comme toujours, faisant au passage une victime de plus : car le bon docteur succombera à son tour au charme de ses cinquante printemps, qu'elle porte encore avec panache, et qu'il évoque avec lyrisme dans ses lettres : « Souvent, quand je vois le soleil couchant illuminer la plaine, je pense à vous et je vois votre gracieuse silhouette dressée sur l'horizon comme une figure de prêtresse druidique... » La stratégie du prestige fonctionne toujours. Elle a gardé intact son pouvoir de séduction, et cela l'aide à vivre. La Grande Guerre achèvera de tourner cette page lumineuse de son existence.

Roffredo et sa famille, cependant, ne sortiront jamais de sa vie. Elle correspondra régulièrement avec Onorato jusqu'à sa mort, en 1917. De Fogliano, où la famille est réunie, il lui envoie des brises du printemps italien : « Quel bonheur si vous étiez aussi de la partie, puisqu'idéalement vous êtes ma fille. » Dans la dernière lettre qu'elle a conservée de lui, écrite d'une écriture légèrement tremblante, il lui dit son horreur de la guerre, à laquelle il ne survivra pas : « Si vous saviez combien de fois, dans l'horreur de ces derniers temps, ma pensée vous a cherchée. [...] Il me semble désormais que ma vie a été un rêve. Que les 43 années de paix, durant lesquelles s'est déroulée ma vie intellectuelle, n'ont été qu'une parenthèse de superbes illusions, sous le règne éphémère des grandes idées de liberté et d'humanité. »

L'autre muse

Après le mariage de Roffredo, les amis d'Élisabeth avaient tenté de panser ses plaies en dressant un portrait peu amène de la jeune épousée : « C'est du moule très banal ! » lui déclarait Pedro de Carvalho, lui décrivant « un spécimen très courant d'une Américaine, avec volonté et très peu de féminité », tenant en laisse un Roffredo « les cheveux tout gris et n'osant pas regarder à droite et à gauche quand "César" est présent ». Sa cousine Alice Borghese entonnait le même refrain : « Au point de vue "valeur marchande" elle me paraît peu considérable : ni allure, ni plastique, ni chien, ni audace pour remplacer le tout. On ne peut décerner qu'un accessit de "sympathie". Lui est comme toujours froid et nonchalant, promenant sa tête en haut d'une pique. En se plaçant entre eux on ne se sent traversé par aucun effluve. »

Ils pensaient lui faire plaisir… Mais la vraie Marguerite était bien différente de ces portraits. Un article du *New York Herald* dépeint la jeune mariée « la tête portée haut sur un long et gracieux cou, la chevelure luxuriante et sombre, le regard royal et fier ». Élisabeth, avec vingt ans de moins ? La comparaison

339

ne se limite pas au physique : loin d'être une petite héritière écervelée, Marguerite mit sa fortune au service de sa grande passion : la littérature. Elle se révéla mécène, rassembleuse et femme d'action, et devint une figure majeure du Paris littéraire des Années folles. La villa Romaine, résidence des Caetani près de Versailles, était un foyer d'attraction pour les artistes ; les déjeuners dominicaux y réunissaient chaque semaine une trentaine de leurs amis musiciens, peintres et écrivains. Dans la revue *Commerce*, fondée à Paris en 1924, puis dans *Botteghe Oscure*, créée à Rome en 1948, elle publia à ses frais les étoiles montantes de la littérature internationale[8]. Comme Élisabeth, elle mettait toute son énergie dans la promotion des jeunes auteurs, dans une perspective résolument cosmopolite. Ses revues furent pour la littérature de son époque ce que les Grandes auditions, vingt ans plus tôt, avaient été pour la musique.

La roue avait tourné ; autour de Marguerite Caetani, une nouvelle génération montait dans la lumière, tandis que la comtesse Greffulhe descendait lentement dans le crépuscule. Roffredo, semble-t-il, fut heureux, autant qu'il en était capable. Il était passé de l'ombre protectrice d'Élisabeth à celle – plus fortunée – de Marguerite. Sa veine tarie, il ne composa plus que deux opéras – dont *Hypatie*, qu'il finit par terminer après la guerre[9]. La dépression des années 1930, en écornant sérieusement la fortune de Marguerite, conduisit les Caetani à se replier en Italie. Durant la Seconde Guerre mondiale, reclus dans leur domaine de Ninfa, à l'écart du fascisme qu'ils exécraient, ils se consacrèrent à la restauration et l'embellissement des merveilleux jardins qui perpétuent aujourd'hui leur souvenir. C'est là qu'en 1940 ils apprirent la mort de leur second enfant, leur unique fils, Camillo, exécuté par ses propres hommes en Albanie, sur ordre de Mussolini[10]. Roffredo composa pour lui un *Requiem*.

Dernier acte, et dernière énigme du Sphinx

La correspondance entre le musicien et sa muse s'était espacée dans les années 1920 et 1930 – réduite à quelques lettres

annonçant des représentations d'*Hypatie* – qu'Élisabeth alla
applaudir à Bâle. Après 1940, les lettres se font plus fréquentes,
comme pour abolir le temps, effacer ces années irrémédiablement perdues. Elles nous montrent Élisabeth se démenant en
vain pour faire éditer les partitions et jouer les œuvres de Roffredo, notamment *Hypatie* en Allemagne[11]. Mais elle tire désormais sur des ficelles qui ne répondent plus.

Elle a quatre-vingts ans passés, et tant de souvenirs qui
s'effacent peu à peu. « Les souvenirs sans relais finissent par
s'anéantir dans l'oubli, ce sont les regrets-souvenirs », écrit-elle.
Mais ceux qu'elle partage avec Roffredo sont toujours vivants
dans sa mémoire ; plus la fin s'annonce, et plus ils semblent
se sentir proches l'un de l'autre. Tous deux se débattent à
l'aveugle dans un monde de l'après-guerre qu'ils ne reconnais-
sent plus. Ils s'écrivent pour se tenir chaud, entendre un écho
à leur voix. À la mort de son frère aîné Leone, Roffredo est
devenu 16ᵉ duc de Sermoneta, chef de famille, et cette charge
lui pèse. Élisabeth essaie de lui remonter le moral : « Il ne faut
pas, lui écrit-elle, abandonner la seule chose qui vaille la peine
de vivre, c'est-à-dire tout ce qui est beau, tout ce qui est vrai,
tout ce qui nous transporte au-delà des limites de ce monde si
mesquin. La musique est au premier rang de cette "évacuation"
de la trivialité de l'existence. » À quatre-vingt-sept ans, elle a
gardé intactes sa pugnacité et sa foi dans un idéal. Ils ont repris
leurs rôles d'autrefois : lui, écrivant des lettres découragées,
douces-amères, qu'il signe, nostalgiquement, « Votre vieil
ami » ; elle, s'inquiétant de sa santé, tentant de lui insuffler de
l'énergie, comme elle le faisait quarante ans auparavant. Ils
n'appartiennent déjà plus au monde des vivants, mais leur cœur
n'a pas vieilli. Convoquant le passé, ils jouent le dernier acte
de *Cyrano* – deux survivants d'un monde disparu, s'envoyant
un dernier signal au bord de l'abîme. Évoquant leurs « tristesses
mutuelles », elle lui écrit :

> « La mienne vient d'une erreur de diagnostic que j'ai commise
> et que *je n'impute qu'à moi*. La vôtre vient de ce que vous vous
> êtes fait l'esclave de votre caractère, voilà ce que je crois… J'ai

été privée de la présence d'une amitié sûre – rare dans la vie – et vous des récompenses auxquelles votre exception donnait droit. Mais peut-être est-ce vous qui avez raison, et vaut-il mieux ne jamais revoir ce dont on a emporté un idéal dans son cœur. Je vous envoie cette admirable définition de l'absence par Marcel Proust : "L'absence n'est-elle pas, pour qui aime, la plus certaine, la plus efficace, la plus vivace, la plus indestructible, la plus fidèle des présences ?" »

Cette citation est la seule chose qu'elle ait retenue de l'œuvre de Proust, qu'elle n'a pas lue. Ils se sont revus pour la dernière fois quelques mois avant la mort d'Élisabeth, en octobre 1951. Quelques semaines après ces retrouvailles, en classant ses papiers, elle retrouva les lettres reçues d'Onorato et lui en envoya une copie. La réponse de Roffredo, lui exprimant sa « reconnaissance sans bornes », est le dernier document de sa main conservé dans les archives : « Tant que je vivrai, je garderai de vous la plus lumineuse image qu'un être humain puisse évoquer dans son cœur ! [...] Chère amie, à quand ? Le temps s'envole ; il y a au moins ceci de bon qu'il nous rapproche du jour où j'aurai la joie de vous revoir. » Élisabeth s'envolera la première. Il mettra neuf ans à la rejoindre.

Dans un dossier d'archives contenant des brouillons de lettres de la comtesse Greffulhe, dont beaucoup sont destinés à Roffredo Caetani, je suis tombée sur une feuille volante : une petite note dactylographiée de quelques lignes, datée du « 29 septembre », sur laquelle « 1918 » a été rajouté au crayon. Ce texte est plus simple et naturel que la plupart de ses productions épistolaires et littéraires. Il semble jailli directement du cœur.

« Bonheur quotidien, familier, si simple qu'il tenait dans le cercle de mes bras refermés, si immense qu'il comblait mon âme insatiable !

Bonheur de voir, en face du mien, le fauteuil préparé où tu viendrais t'asseoir, d'entendre ta voix résonner dans la maison, ton pas qui monte l'escalier, de regarder la porte qui va s'ouvrir pour que tu rentres, ou d'aller dans ta chambre, sûre de te trouver là où mon désir te cherchait, tel que mon cœur te voulait.

Facile bonheur ! Si proche qu'il semble que l'on peut tendre la main pour le toucher, si présent encore que la dernière note n'en paraît pas chantée. Si lointain pourtant, si irrévocablement inatteignable, que toute l'éternité ne pourra pas le rendre ! »

S'agit-il d'un rêve ? D'une citation recopiée ? Ou d'un souvenir bien réel ? Et si Élisabeth avait quand même partagé avec Roffredo ce que sa sœur appelait pudiquement « le bonheur complet » ? L'énigme ne sera jamais résolue. Après tout, n'était-elle pas le *Sphinx* ?

V

LA « CHAMBRE NOIRE »
DE GUERMANTES

« Elle a vécu sa vie, mais peut-être seul,
je l'ai rêvée. »

Marcel Proust, *Les Plaisirs et les Jours*
(Rêveries couleurs du temps – VIII. Reliques)

« Il existe cinq volumes intitulés "Mémoires de Marcel Proust" que j'ai connu mais que je n'ai aperçu que très peu. Savoir qui possède ces volumes où, paraît-il, il serait souvent question de moi. Y a-t-il quelqu'un les possédant ? Cela m'amuserait de les lire (ne les ayant jamais lus). » Cette curieuse petite note écrite de la main de la comtesse Greffulhe, puis dactylographiée par son secrétaire, sans doute dans les dernières années de sa vie, dormait dans ses archives au milieu d'un fatras de souvenirs personnels. Si le « petit Marcel » avait pu lire ces lignes, il aurait souri tristement, mais n'aurait pas été surpris. Il lui avait pourtant fidèlement envoyé les tomes de la *Recherche*, au fur et à mesure de leur publication. Dès sa parution, en 1913, un exemplaire dédicacé de *Du côté de chez Swann*, enveloppé dans du papier rose, avait été porté rue d'Astorg par Céleste Albaret, la fidèle gouvernante de l'auteur. Mais celui-ci était sans illusion : « Elles ne les lisent pas, confiait-il à Céleste. De toute façon, si elles les lisaient, elles ne les comprendraient pas. » Il avait vu juste : l'exemplaire existe toujours, avec sa dédicace et ses feuilles non coupées – sauf les premières pages[1].

« Le Faubourg Saint-Germain s'était levé comme un seul homme pour déclarer, le plus souvent sans l'avoir lu, que Proust se permettait de décrire un milieu dont il ne connaissait rien », racontera le prince de Faucigny-Lucinge dans ses Mémoires. La société qui avait fasciné Proust et qui avait nourri son œuvre n'y avait rien compris. Il l'avait prévu, lui qui avait écrit prophétiquement dans *Sodome et Gomorrhe* : « Le duc de Guermantes [...] voyait déjà des écrivains, des dramaturges allant faire visite à sa femme et la mettant dans leurs ouvrages. Les gens du monde se représentent volontiers les livres comme une espèce de cube dont une face est enlevée, si bien que l'auteur se dépêche de "faire entrer" dedans les personnes qu'il rencontre. C'est déloyal évidemment, et ce ne sont que des gens de peu. » La comtesse Greffulhe, pour une fois, ne faisait pas exception, et son don de divination lui avait fait défaut. Elle était souveraine et ne pouvait imaginer être un sujet. Elle faisait plier chacun sous sa volonté et pouvait encore moins imaginer n'être qu'un « matériau ». Elle rêvait de laisser une trace dans l'Histoire. Mais elle est morte sans savoir que c'était l'auteur de la *Recherche*, et lui seul, qui avait édifié à sa gloire un monument immortel, en s'inspirant d'elle pour écrire quelques-unes de ses plus belles pages. Sans comprendre que « si elle demeurera, comme cela est probable, longtemps encore dans la mémoire des hommes, ce sera parce que le petit Marcel, qui sans doute l'ennuyait, la trouva si belle, un soir, à l'Opéra ».

1

AUX SOURCES DE LA *RECHERCHE*

Il a rêvé d'elle longtemps avant de la connaître. Depuis le début des années 1890, Marcel fréquente quelques salons parisiens : ceux de Mme Straus, Mme de Caillavet, Mme Lemaire, la princesse Mathilde, Mme Aubernon ; cette dernière habite précisément 25 rue d'Astorg, pratiquement en face de l'hôtel Greffulhe, cité secrète et enviée où tout Paris rêve d'être admis. Proust n'est pas encore entré dans le cercle des Élus où évolue Élisabeth, mais il ne peut l'ignorer, car la ville entière bruisse de ses moindres faits et gestes. Il suffit d'ouvrir *Le Gaulois, Le Courrier du Soir* ou *L'Écho de Paris* pour lire des dithyrambes sur « la plus exquise jeune femme de Paris », apprendre qu'elle « a convié l'autre semaine une dizaine d'intimes à un déjeuner champêtre », ou « été invitée par le duc d'Aumale à Chantilly pour un déjeuner en l'honneur de la reine du Portugal ». Il suffit, pour l'admirer à loisir, d'aller au théâtre ou à l'Opéra. Bien des années plus tard, Céleste Albaret rapportera dans ses *Souvenirs* :

> « Il ne fait aucun doute qu'il avait un grand faible pour Mme Greffulhe.
> — Voyez-vous, Céleste, c'est l'aveu que je peux faire aujourd'hui, m'a-t-il dit une nuit. Je crois que, dès la première fois où je l'ai aperçue, j'ai été totalement séduit. Elle avait une race, la race, une allure, un port de tête et de cou !... Et quelle façon de coiffer son oiseau de paradis dans ses cheveux !... Unique !
> Et, de ses mains agiles, il imitait la pose gracieuse de l'oiseau sur l'édifice des cheveux.

349

— C'était inné en elle, disait-il. Elle était la seule. Je ne sais combien de fois je suis allé à l'Opéra, rien que pour admirer son port quand elle gravissait l'escalier. J'étais là, je la guettais. La voir passer, dans la grâce de son cou, sous l'oiseau qui avait l'air de s'être posé de lui-même, c'était une félicité. »

C'est pourquoi, même avant que Proust ne fasse officiellement sa connaissance, la comtesse Greffulhe est déjà présente, sous divers noms, dans ses écrits de jeunesse.

« Une délicieuse âme qui se résume dans les plis de sa robe »

À vingt et un ans, l'écrivain cherche encore sa *voix*, mais, dès cette époque, sa sensibilité est entrée en résonance avec la personnalité singulière qu'il décèle sous l'apparence d'Élisabeth. Déjà, on peut la reconnaître dans les textes encore maladroits qu'il donne à l'éphémère revue *Le Banquet* entre mars 1892 et mars 1893, et qui sont tous antérieurs à la première rencontre avec son futur modèle chez la princesse de Wagram, le 1er juillet 1893. Dans *Cydalise,* daté d'avril 1892, il décrit une « princesse aux vêtements d'une harmonie ancienne et rare » et trace un portrait qui semble inspiré par elle :

> « Il y a ainsi des femmes vraiment exilées parmi nous, qui par leur type, par l'expression spéciale de leur regard, de leurs gestes et de leur corps, appartiennent à une race depuis longtemps abolie. [...] Est-ce notre imagination vivement exaltée par leur présence qui établit comme une harmonie mystérieuse entre les choses et elles ? »

Et il ajoute en note de bas de page : « Il se peut d'ailleurs que Cydalise ait d'exquises drôleries. La résignation des mélancoliques captives peut s'allier aux fantaisies les plus charmantes et les plus joyeuses. »

Dans l'*Esquisse d'après Madame*, on s'est généralement accordé à reconnaître Mme de Chevigné, identifiable par son profil d'oiseau. Mais il y a aussi de la comtesse Greffulhe dans ce portrait :

> « Son corps parfait enfle les coutumières gazes blanches, comme des ailes reployées. On pense à un oiseau qui rêve sur une patte

élégante et grêle. [...] Elle est femme, et rêve, et bête énergique et délicate, paon aux ailes de neige, épervier aux yeux de pierre précieuse, elle donne avec l'idée du fabuleux le frisson de la beauté. »

L'oiseau, les yeux de pierre précieuse : ce sont exactement les mots que Proust reprendra, dix ans plus tard, pour décrire la comtesse Greffulhe dans son salon. Dans le *Portrait de Madame...*, il évoque « une grâce qui trouble à l'égal d'une émotion artistique. Toutes les choses s'adoucissent autour d'elle en une délicieuse âme qui se résume dans les plis de sa robe ».

En écrivant *Violante ou la Mondanité*, nouvelle publiée en février 1893, dans la même revue[1], il se met lui-même en scène, transposant dans son héroïne le jeune écrivain velléitaire « perdu » par les séductions du monde – « une existence faite pour l'infini et peu à peu restreinte au presque néant ». Mais il emprunte aussi des traits à la comtesse Greffulhe :

> « Les personnes du monde sont si médiocres que Violante n'eut qu'à se mêler à elles pour les éclipser presque toutes. Les seigneurs les plus inaccessibles, les artistes les plus sauvages allèrent au-devant d'elle et la courtisèrent. Elle seule avait de l'esprit, du goût, une démarche qui éveillait l'idée de toutes les perfections. Elle lança des comédies, des parfums et des robes. [...] Elle épousa un duc de Bohème qui avait des agréments extrêmes et cinq millions de ducats. [...] l'immense fortune du duc ne servit qu'à donner un cadre digne d'elle à l'objet d'art qu'elle était. »

Dans les différentes livraisons du *Banquet*, le thème des yeux revient comme un leitmotiv – et on sait que ceux de la comtesse Greffulhe étaient célèbres. Comment ne pas penser à elle en lisant ces phrases :

> « C'était comme des yeux qui n'auraient jamais rien regardé de ce que tous les yeux humains ont accoutumé à refléter, des yeux vierges encore d'expérience terrestre. Mais à vous mieux regarder, vous exprimiez surtout quelque chose d'aimant et de souffrant, comme d'une à qui ce qu'elle aurait voulu eut été refusé, dès avant sa naissance, par les fées. »
>
> « Mais parfois aussi des personnes indifférentes et gaies ont des yeux vastes et sombres ainsi que des chagrins, comme si un filtre

tendu entre leur âme et leurs yeux et si elles avaient pour
i dire "passé" le contenu vivant de leur âme dans leurs yeux. »

Ces yeux obsédants, on les retrouve également dans l'indi-
geste *Jean Santeuil*, commencé en 1895 et jamais terminé : « ses
yeux graves, son corps gracile et faible semblaient impliquer
l'âme profonde pour laquelle ils avaient été créés ». Ce sont
ceux de la duchesse de Réveillon, personnage largement inspiré
par Élisabeth Greffulhe. Épouse du « premier seigneur de
France », cette femme excentrique, sensible et exaltée, « née dans
la partie la plus élevée du monde » est d'un « brillant tempérament intellectuel », auteur de vers « toujours tristes », bien que
sa conversation soit « d'une gaieté continue ». Anticonformiste,
capable d'une « sorte d'aplomb intolérable », fort mal vue des
douairières bien-pensantes elle est, de surcroît, dreyfusarde : une
femme « qui arrivait à dîner une heure trop tard, qui écrivait,
qui portait des pierres extraordinaires comme les personnes qui
n'étaient pas du faubourg Saint-Germain, qui recevait une
quantité d'auteurs de fort mauvais livres, qui, dans l'affaire
Dreyfus, avait pris ouvertement parti contre l'armée ».

De même, dans une ébauche abandonnée de *Du côté de chez
Swann*, c'est bien la comtesse Greffulhe et sa stratégie du prestige que l'on voit se profiler derrière l'éphémère vicomtesse de
Beauvais. Avec « sa jolie voix nonchalante », « son charme qui
tenait à son naturel, à sa sincérité, à sa beauté », sa « fantaisie »,
cette « petite figure dont la Vie Mondaine avait réglé toute la
pantomime » apparaît comme une version archaïque d'Oriane
dont elle n'a pas encore la méchanceté perverse :

> « Il y avait dans cette société deux personnes merveilleusement
> intelligentes, la vicomtesse de Beauvais et le vieux duc d'Ypres [...].
> Or la merveilleuse intelligence de la vicomtesse, son souci unique
> des choses intellectuelles, son indifférence à la noblesse, au luxe,
> aux conventions faisait mieux sentir, permettait en quelque sorte
> dans sa douceur de mieux apercevoir la Mondanité que chez une
> personne mondaine, car n'étant pas dans son âme on sentait mieux
> comme c'était tout de même la Mondanité qui réglait le train de
> maison de la vicomtesse, lui choisissait ses costumes et les faisait
> changer pour telle entrée, lui indiquait chaque mimique etc. –

que la Mondanité était quelque chose d'extérieur à elle, de toujours présent, invisible mais dominateur, et que les costumes, les poses, les entrées, les sorties de la Vicomtesse étaient quelque chose de peu réel, d'exécuté comme les pas d'un ballet, la chose réelle, antérieure, immanente étant la Mondanité[2]. »

Noms et châteaux : les sortilèges généalogiques

Le sortilège du nom et de la naissance entre à l'évidence dans cette secrète harmonie qui séduit tant le jeune Proust, en lui apportant « les éléments tout imaginatifs qu'évoque la sonorité de son nom », les « mélancoliques châteaux » de « ces nobles mystérieux » qui, déjà, nourrissent son *Contre Sainte-Beuve*. Dans le *Carnet* numéro 1, que Proust remplit de ses notes à partir de 1908, on peut déchiffrer ce passage émouvant : « Faut-il en faire un roman, une étude philosophique, suis-je un romancier ? » s'interroge-t-il. « Tiens ferme ta couronne. Je sens que j'ai dans l'esprit comme un lac de Genève invisible la nuit. J'ai là quatre visages de jeunes filles, deux clochers, une filière noble, en l'hortensia normand un "allons plus loin", dont je ne sais ce que je ferai, devenus parfois des fétiches dont je ne sais plus le sens. » La « filière noble, en l'hortensia normand » fait référence à Robert de Montesquiou, auteur des *Hortensias bleus,* oncle d'Élisabeth, et à sa famille au sens large[3].

Dans le cahier où Proust ébauche le chapitre « Noms de pays, le nom » d'*À l'ombre des jeunes filles en fleur*, le narrateur attribue « la grandeur historique, légendaire des Guermantes » à l'idée que la famille « descendait de Mélusine ». On retrouve cette évocation dans *Le Côté de Guermantes*, lorsque le duc fait allusion aux « Lusignan, rois de Chypre, dont nous descendons en ligne directe », en ajoutant « Oriane ne veut rien savoir sur les Lusignan ». Or, cette prestigieuse ascendance, c'est celle d'Henry Greffulhe, via sa mère née La Rochefoucauld – ce que l'auteur, très ferré sur la généalogie des grandes familles, ne pouvait ignorer[4]. Cependant, le nom qui fait rêver Marcel n'est pas Montesquiou ni La Rochefoucauld, ni Greffulhe, dont la sonorité figure plutôt la noirceur griffue d'un oiseau de proie, mais « Caraman-Chimay », le nom de jeune fille d'Élisabeth : un nom doré qui claque comme une voile au vent du large ; un nom qui cavalcade, traînant derrière lui comme un parfum de caravanes, de chimères et de châteaux de contes de fées – ces châteaux que l'auteur évoque dans ce passage de *Contre Sainte-Beuve* :

> « Son nom me la faisait voir à la fois aujourd'hui et dans le XIIIᵉ siècle, à la fois dans un hôtel qui avait l'air d'une vitrine et dans la tour d'un château isolé, qui recevait toujours le dernier rayon du couchant, empêchée par son rang d'adresser la parole à personne. [...] Chaque nom noble contient dans l'espace coloré de ses syllabes un château où après un chemin difficile l'arrivée est douce par une gaie soirée d'hiver et tout autour la poésie de son étang, et de son église, qui à son tour répète bien des fois le nom, avec ses armes, sur ses pierres tombales. [...] D'autres ont un château perdu dans les bois et la route est longue pour arriver jusqu'à eux⁵. »

« La terre héréditaire, le poétique domaine où cette race altière de Guermantes, comme une tour jaunissante et fleuronnée qui traverse les âges, s'élevait déjà sur la France, alors que le ciel était encore vide là où devaient plus tard surgir Notre-Dame de Paris et Notre-Dame de Chartres » qui fait rêver le narrateur dans *Guermantes I*, c'est la seigneurie de Chimay, qui remonte au commencement du XIᵉ siècle, avant la construction des grandes cathédrales. Oui, le château médiéval de Chimay, qui dresse ses tourelles et clochetons improbables au-dessus de la sombre forêt des Ardennes, est l'un de ces lieux propres à enflammer l'imagination du jeune Marcel – tout comme l'origine quasi mythologique de la famille, lignée de seigneurs du Saint-Empire souverains dans leur petite principauté, réchauffée par le sang bouillonnant de Mme Tallien et de Napoléon Iᵉʳ. Lorsque Proust, dans *Guermantes I*, mentionne la race des Guermantes, « cette race restée si particulière au milieu du monde, où elle ne se perd pas et où elle reste isolée dans sa gloire divinement ornithologique, car elle semble issue, aux âges de la mythologie, de l'union d'une déesse et d'un oiseau », comment ne pas reconnaître les ancêtres d'Élisabeth Greffulhe – Notre-Dame de Thermidor, la belle Mme Tallien représentée par Gérard en déesse couronnée de fleurs, et l'Aigle impérial de Napoléon ?

Pour s'en convaincre, il suffit de déchiffrer, dans l'un des *Cahiers* préparatoires au *Côté de Guermantes*, le passage intitulé « Les noms » : « Parfois les noms, ces petites sphères de cristal ou d'or, contiennent une sainte relique que le passant ignore mais qui parle à l'imagination de celui qui sait [...] mystérieuse étoile qui émet ses rayons du passé jusqu'à nous. » Un peu plus loin, l'auteur évoque l'histoire de la famille Chimay, le mariage du prince de Chimay avec Terezia Cabarrus et commente : « Cela rapprochait en quelque sorte le siècle passé de nous, cela rattachait la grandeur historique et le néant mondain. Cela donnait à l'histoire abstraite un traitement individuel, l'incarnation dans des êtres particuliers, dans le sang desquels elle se consubstantialisait ». Dans la page suivante, il cite avec émotion « ces princes médiatisés dont les noms composés empruntés à la vallée peuplée de gnomes ou au burg de la forêt sur laquelle ils régnaient sont tellement les plus émouvants que nous possédions [...] » ; il fantasme sur les titres « électeur palatin, prince du Saint-Empire romain germanique... », sur « la forêt hantée des lutins et des ondines », sur le « château où Wagner déroule un acte d'un de ses opéras », sur « Louis le germanique », « Charlemagne », et « Geneviève de Brabant ».

« Glorieux dès avant Charlemagne, les Guermantes avaient le droit de vie et de mort sur leurs vassaux ; la duchesse de Guermantes descend de Geneviève de Brabant », se répète le narrateur la première fois qu'il aperçoit la duchesse à l'église de Combray. L'illustre famille de Guermantes est née d'une rêverie sur la famille de Riquet de Caraman-Chimay, princes du Saint-Empire[6].

« *L'âme dorée enclose dans son nom et dans sa personne* »

Comme les Guermantes, les Caraman-Chimay sont « poétiques et dorés comme leur nom, légendaires, impalpables comme les projections de la lanterne magique, inaccessibles comme leur château ». Comme eux, ils sont « enveloppés du mystère des temps mérovingiens et baignant comme dans un coucher de soleil dans la lumière orangée qui émane de cette syllabe : "antes" ». Ces deux passages du chapitre *Combray* dans *Du côté de chez Swann* ont été élaborés dans le *Carnet 2* où Proust mentionne « les fiançailles du vicomte de Guermantes », puis le prince de Guermantes et « l'âme dorée enclose dans son nom et dans sa personne ».

Il est troublant, par ailleurs, de constater la parenté des noms « Caraman » et Guermantes ». Tous deux ont en commun ce « an » doré comme un soir d'automne, et « Guermantes » pourrait être la transposition, à l'oral, d'un « Caraman » prononcé un peu vite – adouci par le G de Greffulhe et surtout de Gramont, très proche lui aussi dans sa sonorité, dont il est en quelque sorte l'imparfait anagramme. Dans sa minutieuse étude sur la genèse de la *Recherche* à travers les *Cahiers*, le chercheur américain Anthony R. Pugh souligne d'ailleurs que le nom est, à plusieurs reprises, orthographié « Garmantes », ce qui renforce encore cette similitude[7]. Quant au « ay » de Chimay, ne le retrouve-t-on pas dans Combray ? Les Guermantes, ne l'oublions pas, sont comtes de Combray. Caraman-Chimay, Guermantes-Combray…

Dans une lettre écrite en 1920 à un lecteur nommé Henry Swann, Proust évoquait « la chimie assez particulière qui se passe dans notre cerveau quand nous fabriquons un nom » et livrait le secret de fabrication du nom de Swann, expliquant que « les deux nn étaient destinés à compenser les deux a [de Charles Haas, le « prototype de Swann »], à éviter l'idée de cygne liée à Mme de Guermantes ». Cette fin de phrase laisse rêveur : pourquoi diable Mme de Guermantes évoquerait-elle un cygne… si ce n'est parce qu'elle est indissolublement liée, dans l'esprit de l'auteur, à la comtesse Greffulhe, que ses thuriféraires, nous l'avons vu, comparaient si souvent à ce majestueux volatile ?

Le nom de Guermantes, qui s'impose à Proust à partir de 1908 pendant qu'il écrit *Contre Sainte-Beuve,* apparaît également dans une autre ébauche de la même époque, *Le Balzac de Monsieur de Guermantes.* Sans aucun doute, le comte de

Guermantes qu'il met ici en scène est largement inspiré d'Henry Greffulhe, comme lui volage et comme lui passionné par le stéréoscope qui, précisément, faisait la joie et l'orgueil des maîtres de Bois-Boudran :

> « Madame de Guermantes expliquait aux personnes qui ne savaient pas : "C'est mon mari, vous savez quand on le met sur Balzac, c'est comme le stéréoscope. [...] Je ne comprends pas comment il peut mener des choses si différentes de front." [...] Monsieur de Guermantes "menant de front", en effet, beaucoup d'aventures qui étaient peut-être plus fatigantes et qui auraient dû attirer davantage l'attention de sa femme que la lecture de Balzac et le maniement du stéréoscope[8]. »

C'est sous le même titre de comte et comtesse que les Guermantes apparaissent dans les cahiers de moleskine noire où s'élabore la *Recherche*. Et dans cette « comtesse aux yeux violets qui part dans sa Victoria, les dimanches d'été », de *Contre Sainte-Beuve*, c'est bien à Élisabeth Greffulhe que l'on peut attribuer « l'harmonie qui unissait le regard violet, le nez pur, la bouche dédaigneuse, la taille longue, l'air triste ».

Proust n'eut pas à inventer le nom magique : il existait, et lui fut révélé le jour où il reçut de son ami François de Pâris une lettre à en-tête du château de Guermantes, en Seine-et-Marne. En mai 1909, il écrit à Georges de Lauris pour lui demander si ce nom « est entièrement éteint et à prendre pour un littérateur ». À cette date, Marcel connaît déjà bien la comtesse Greffulhe, et mieux encore son gendre Armand, duc de Guiche, futur duc de Gramont ; il a déjà été invité à Bois-Boudran pour assister aux essais de téléphonie sans fil de Branly. Et le village de Guermantes est à cinquante kilomètres au nord de Bois-Boudran.

Oriane, ou l'évidence d'un prénom

Quelle est la genèse de l'étrange prénom Oriane – parfois écrit Auriane dans les *Cahiers* ? Mes recherches m'ont indiqué trois voies qui, toutes, nous ramènent à la famille et à l'entourage de la comtesse Greffulhe. D'une part, Auriane – dérivé d'Aure, du latin *Aurum* – était un ancien prénom de la famille de Montesquiou-Fézensac, gravé sur les murs du château familial d'Artagnan. Deux femmes de la famille Montesquiou le portaient encore à l'époque, avec deux orthographes différentes, Auriane et Orianne. Mais ce prénom pourrait également être un clin d'œil à Armand de Gramont : Oriane est l'héroïne d'un roman de chevalerie, *Amadis des Gaules*, qui faisait fureur au XVIe siècle, et dont Lully tira un opéra baroque ; elle y est la rivale d'une certaine Corisande. Or ce dernier prénom était en usage chez les Gramont depuis qu'il avait été adopté par leur célèbre ancêtre, « la belle Corisande », maîtresse d'Henri IV ; c'était précisément celui de la sœur cadette du duc de Guiche, dite « Corise » : Marcel pouvait donc difficilement l'utiliser. Oriane offrait une alternative séduisante pour évoquer une femme d'influence, célèbre pour sa beauté et sa culture. Ajoutons enfin que le patronyme complet de la famille était Gramont d'Aure – du nom d'Antoine d'Aure, fondateur au XVIe siècle de la maison de Gramont. Proust connaissait ce nom, et le fit figurer sur une dédicace des *Plaisirs et les Jours* qu'il adressa à Armand en 1906[9].

Toutes les voies convergent. Quelle que soit son origine, ce prénom d'or s'accorde à merveille avec la personnalité solaire – et fortunée – de l'héroïne de la *Recherche*, comme à celle de son modèle Élisabeth Greffulhe, dont le mari était surnommé par les mauvaises langues « le veau d'or ».

Les circonstances de la naissance de ce nom et de ce prénom qui embrasent toute la *Recherche* de leur lumière dorée ne sont pas anecdotiques. Ainsi, la découverte d'un faisceau d'indices, aussi ténus peut-être qu'une toile d'araignée, mais tout aussi solides et convergents, a contribué à me forger une intime conviction : la comtesse Greffulhe n'est pas un modèle parmi d'autres, une simple passante dans la *Recherche*. À son insu, et peut-être même à celui de l'auteur, elle a contribué à sa genèse, en suscitant chez Proust ces rêves vagues et obsédants qui finiront par déboucher sur l'œuvre, le jour où, en « accouchant » du nom de Guermantes, tissé de tant de rêveries, il a enfin ouvert les vannes de son imagination et de sa sensibilité. De toutes les sources où s'abreuvait l'inconscient de l'auteur, de tous les sols où il semait ses graines, le terreau Chimay-Gramont fut, sans aucun doute, le plus fertile.

J'avais terminé d'écrire les lignes qui précèdent lorsque j'ai eu l'idée de relire le texte bien connu de Roland Barthes, « Proust et les noms ». J'y ai trouvé la théorie – formulée par le maître en des termes bien plus savants – dont mon intuition et mon opiniâtreté de proustologue novice m'avaient fait découvrir l'application : comme M. Jourdain la prose, j'avais pratiqué l'onomastique sans le savoir. « Le Nom propre, nous dit Barthes, est en quelque sorte la forme linguistique de la réminiscence. Aussi, l'événement (poétique) qui a "lancé" la *Recherche*, c'est la découverte des Noms [...] : ce système [onomastique de la *Recherche*] trouvé, l'œuvre s'est écrite immédiatement. [...] Comme signe, le Nom propre s'offre à une exploration, à un déchiffrement : il est à la fois un "milieu" (au sens biologique du terme), dans lequel il faut se plonger, baignant indéfiniment dans toutes les rêveries qu'il porte, et un objet précieux, comprimé, embaumé, qu'il faut ouvrir comme une fleur [...]. Le Nom est en effet catalysable ; on peut le remplir, le dilater, combler les interstices de son armature sémique d'une infinité de rajouts [...]. C'est parce que le Nom propre s'offre à une catalyse d'une richesse infinie, qu'il est possible de dire que, poétiquement, toute la *Recherche* est sortie de quelques noms [...] : tenir le système des noms, c'était pour Proust, et c'est pour nous, tenir les significations essentielles du livre, l'armature de ses signes, sa syntaxe profonde. »

La comtesse Greffulhe, nous l'avons vu, était un grand catalyseur d'énergies. La catalyse la plus essentielle qu'elle ait accomplie, en contribuant à la genèse de la *Recherche*, s'est produite à son insu.

2

« JE N'AI JAMAIS VU UNE FEMME AUSSI BELLE »

« Cher Monsieur,

J'ai enfin vu (hier chez Mme de Wagram) la comtesse Gref-fülhe (*sic*). Et un même sentiment, qui me décida à vous dire mon émotion à la lecture des *Chauves-souris*, vous impose comme confident de mon émotion d'hier soir. Elle portait une coiffure d'une grâce polynésienne, et des orchidées mauves descendaient jusqu'à sa nuque, comme les "chapeaux de fleurs" dont parle M. Renan. Elle est difficile à juger, sans doute parce que juger c'est comparer, et qu'aucun élément n'entre en elle qu'on ait pu voir chez aucune autre ni même nulle part *ailleurs*. Mais tout le mystère de sa beauté est dans l'éclat, dans l'énigme surtout de ses yeux. Je n'ai jamais vu une femme aussi belle. Je ne me suis pas fait présenter à elle, et je ne demanderai cela pas même à vous, car en dehors de l'indiscrétion qu'il pourrait y avoir à cela, il me semble que j'éprouverais plutôt à lui parler un trouble douloureux. Mais je voudrais bien qu'elle sache la grande impression qu'elle m'a donnée et si, comme je crois, vous la voyez très souvent, voulez-vous la lui dire ? J'espère vous déplaire moins en admirant celle que vous admirez par-dessus toutes choses et je l'admirerai dorénavant d'après vous, selon vous, et comme disait Malebranche "en vous".

Votre respectueux admirateur.

Marcel Proust. »

Datée par Philip Kolb[1] du 2 juillet 1893, lendemain de la rencontre, cette lettre est le jalon qui marque le début d'une relation réelle, et non plus rêvée, entre Proust et la comtesse Greffulhe. Cinq jours plus tard, Marcel revient à la charge : « Avez-vous fait ma commission à Mme Greffülhe (*sic*) ? »

Travaux d'approche

Proust est enfin parvenu à entrer dans l'intimité de Robert de Montesquiou – si tant est qu'une véritable intimité soit possible avec cet homme qui a le génie de se brouiller avec tous ses amis. Robert le maltraite souvent, et le qualifie de « petit être usagé » ; mais le jeune écrivain – il a tout juste vingt-trois ans – fait preuve d'une souplesse sans limite. Il apprécie l'humour caustique de ce dandy, qui sera une source d'inspiration pour la *Recherche*. S'il fait son siège, s'il le flatte sans vergogne avec une emphase qui confine à l'obséquiosité, c'est dans l'espoir de mettre enfin un pied dans le cercle magique, et d'être présenté à celle qu'il admire en secret depuis si longtemps. Il connaît la force des liens qui unissent à sa rayonnante nièce celui qu'il nomme « le plus subtil des artistes », « le Souverain des choses éternelles ». Pour forcer la citadelle qui se révèle coriace, il alterne éloges et prières : « Je vous demanderai aussi bien vouloir me montrer quelques-unes de vos amies au milieu desquelles on vous évoque le plus souvent (la comtesse Greffulhe, la princesse de Leon) ».

Il sera bientôt exaucé, puisque Montesquiou l'invite au printemps suivant à la fête musicale qu'il donne dans son pavillon de Versailles, où il a fait dresser pour l'occasion un « théâtre éphémère ». Une invitation « de deuxième ordre », puisque le jeune homme est en service commandé, chargé de rédiger une chronique pour la presse. Son article, qui paraîtra le lendemain dans le *Bloc-Notes Parisien* du *Gaulois* sous la signature de « Tout-Paris » – une signature collective, utilisée par plusieurs collaborateurs du journal –, est celui d'un plat chroniqueur de mode. Le récit commence par une description minutieuse de la toilette de l'idole : « Madame la comtesse Greffulhe, délicieusement habillée : la robe est de soie lilas rosé, semée d'orchidées

et recouverte de mousseline de soie de la même nuance, le chapeau fleuri d'orchidées et tout entouré de gaze lilas ». Suit l'inévitable et fastidieuse énumération des mondaines beautés et de
leurs toilettes : « La comtesse de Fitz-James, popeline noire et
blanche, ombrelle bleue [...]. La comtesse de Pourtalès, taffetas
gris perle [...]. » Comme toujours dans ce type de compte
rendu, on se croirait sur un champ de courses – « casaque noire,
toque bleue »... Mais Marcel se désole, car on a caviardé son
texte : « La jolie citation de Sarah Bernhardt sur Mme Greffulhe
a disparu. » D'un point de vue littéraire, on est encore très loin
de la *Recherche*.

Pâle préfiguration d'Odette de Crécy et ses catleyas, et de la
princesse de Guermantes dans sa baignoire à l'Opéra, la grâce
polynésienne de la comtesse s'incarnera deux ans plus tard dans
une médiocre nouvelle, *L'Indifférent*[2]. La page où l'on voit une
certaine Madeleine exposée aux regards dans sa loge constitue
de loin la meilleure de cette œuvre de jeunesse :

> « Avec l'obscure clairvoyance d'un jockey pendant la course ou
> d'un acteur pendant la représentation, elle se sentait ce soir triom-
> pher plus aisément et plus pleinement que de coutume. Sans un
> bijou, son corsage de tulle jaune couvert de catléias, à sa chevelure
> noire aussi elle avait attaché quelques catléias qui suspendaient à
> cette tour d'ombre de pâles guirlandes de lumière. Fraîche comme
> ces fleurs et comme elles pensive, elle rappelait la Mahenu de
> Pierre Loti et de Reynaldo Hahn par le charme polynésien de sa
> coiffure. Bientôt à l'indifférence heureuse avec laquelle elle mirait
> ses grâces de ce soir dans les yeux éblouis qui les reflétaient [...]. »

Enfant chéri des cénacles littéraires, auteur d'un volume de
nouvelles plutôt décadentes, *Les Plaisirs et les Jours*, paru en
1896 dans l'indifférence complète, « le petit Marcel » commence à recevoir quelques invitations et à jouer les utilités dans
le faubourg Saint-Germain, qui le considère comme un aimable
histrion. « Je n'entendis guère que blâmes [...] sur sa paresse,
son goût effréné du monde, et ses capacités incomparables
d'assimilation, sa causerie éparse et brillante, dans un manque
total de personnalité », note Albert Flament dans son *Journal*
en 1895. De plus en plus maladif, il continue cependant de

tracer sa route dans cette forêt enchantée du noble faubourg qui l'attire irrésistiblement.

> « Votre âme est bien, comme parle Tolstoï, une forêt obscure. Mais les arbres en sont d'une espèce particulière, ce sont des arbres généalogiques [...]. De là une certaine grandeur dans votre rêve ambitieux auquel vous avez sacrifié votre liberté, vos heures de plaisir ou de réflexion, vos devoirs, vos amitiés, l'amour même. Car la figure de vos nouveaux amis s'accompagne dans votre imagination d'une longue suite de portraits d'aïeux. Les arbres généalogiques cultivés avec tant de soin, dont vous cueillez chaque année les fruits avec tant de joie, plongent leurs racines dans la plus antique terre française. Votre rêve solidarise le présent au passé. L'âme des croisades anime pour vous de banales figures contemporaines et si vous relisez si fiévreusement vos carnets de visite, n'est-ce pas qu'à chaque nom vous sentez s'éveiller, frémir et presque chanter comme une morte levée de sa dalle blasonnée, la fastueuse vieille France ? »

Ce texte, qui figure dans *Les Plaisirs et les Jours* sous le titre « À une snob », est une véritable confession. Tout est y dit sur le prétendu snobisme de l'auteur. Ce que Proust recherche dans les salons, c'est déjà le Temps perdu. Mais dans le monde de la comtesse Greffulhe, il n'est encore qu'un figurant : pénétrer dans la forteresse de la rue d'Astorg est un honneur réservé à de rares élus. C'est l'amitié qui viendra à son secours, en la personne d'Armand de Gramont, duc de Guiche, qu'il rencontre en 1902, chez Anna de Noailles[3]. Celui-ci, après Antoine Bibesco et Bertrand de Fénelon, fait rapidement sa conquête et rejoint la garde rapprochée de ses amis, avec Léon Radziwill, dit « Loche », et Louis d'Albufera, « Albu ».

Son intimité avec Guiche permettra à Proust de se rapprocher de la comtesse Greffulhe. Il l'a croisée à plusieurs reprises, notamment chez Montesquiou, mais aussi aux soirées musicales du prince Edmond de Polignac, ou dans le salon de Mme Howland, voire à Dieppe, où il séjourne tout le mois d'août 1895 chez son amie Mme Lemaire, qui la connaît bien. Wagnérien convaincu comme elle, il a assisté à la représentation de *Tristan* donnée en 1899 par les Grandes auditions, et les chroniqueurs ont signalé sa présence dans la loge de la présidente, où il était venu saluer Antoine Bibesco. Mais Proust est un « intermittent de la mondanité », et sa maladie lui vaut de longues périodes de claustration, cloué dans son lit sans se lever « même une demi-heure par jour ».

À présent, il a été officiellement introduit auprès d'Élisabeth par le duc Agénor de Gramont, père d'Armand, ce qui lui permet d'être admis rue d'Astorg aux grandes réceptions ; mais dans la cohue des invités, elle semble à peine le reconnaître, et ses propres amis lui battent froid[4]. « Jusqu'en 1913, Proust est considéré comme un amateur. On lui reconnaît de l'esprit, on l'invite à dîner, mais personne n'admet que c'est un psychologue et un écrivain », racontera Armand dans ses Mémoires. Le projet de mariage de ce dernier avec Elaine Greffulhe, pour lequel l'abbé Mugnier entame les pourparlers dès 1903, viendra changer la donne : ami intime du futur gendre, Marcel voit le climat se réchauffer peu à peu.

Le Salon retrouvé

C'est peut-être pour se rapprocher un peu plus de la belle comtesse que Proust, au début de 1903, proposera à Calmette, devenu directeur du *Figaro*, de publier un grand article sur le salon de la comtesse Greffulhe, dans la veine de celui qu'il a déjà rédigé – mais pas encore publié – sur le salon de Mme Lemaire, sous le pseudonyme très stendhalien de Dominique[5]. Cet article n'a jamais paru dans les colonnes du *Figaro*. Tout le monde le croyait disparu. Or, en explorant méthodiquement les archives, copies et notes que m'avait généreusement confiées Anne de Cossé-Brissac, arrière-arrière-petite-fille de la comtesse Greffulhe, je suis tombée sur une petite enveloppe bleue. Au recto, une mention manuscrite au crayon : « article à compléter Calmette ». Au verso, au crayon bleu « Soirée chez la ctesse G ». À l'intérieur, huit placards imprimés tenus par un trombone, numérotés au crayon bleu. À la fin, une signature : Dominique. Mon cœur a battu très fort : j'avais retrouvé l'article inédit de

Proust que le lecteur pourra découvrir dans son intégralité en annexe.

Les deux premières pages manquent : sans doute ne jugea-t-on pas utile de les soumettre à la comtesse, car elles ne constituaient qu'une introduction, dont nous pouvons lire les dernières phrases sur la page 3, qui s'ouvre sur le tableau de cent victorias convergeant à travers Paris vers la rue d'Astorg. La réception décrite dans l'article constitue un événement hors du commun, puisqu'il s'agit de recevoir un roi, dont l'auteur prétend garder l'incognito. Mais les détails qu'il donne, croisés avec les coupures de presse de l'époque, m'ont permis d'identifier le souverain et de dater cette fête avec certitude : il s'agit d'une matinée donnée le 13 mai 1902, en l'honneur du roi Oscar II de Suède et de Norvège[6]. Pour écrire ce papier, Proust avait donc dû « réchauffer » un peu ses souvenirs – à moins qu'il ne l'ait rédigé à chaud et conservé dans ses tiroirs – mais sans doute n'avait-il guère le choix, ayant été rarement convié rue d'Astorg. Cet article lui offre une occasion unique de s'attirer les faveurs de l'hôtesse, et il ne ménage pas sa peine :

> « Mme Greffulhe, debout devant la porte, semble "un grand oiseau d'or" prêt à s'éployer. Ses yeux merveilleux changent d'aspect à toute minute. "Voyez ce nuage, dit Hamlet à Polonius, ne dirait-on pas une belette", et à tout instant il lui trouve une autre ressemblance, tant il prenait sans cesse une apparence nouvelle. Les yeux de Mme Greffulhe ne sont pas moins changeants. Immobiles en ce moment, ils ont comme une beauté minérale de pierres précieuses. On sait que, placés dans une vitrine, ils illumineraient le Louvre. Maintenant ses prunelles ont l'air, dans ses yeux, d'un caillou jeté dans une eau limpide. Mais un regard les a traversés pour sourire à une de ses amies qui entre et aussitôt ils se sont dématérialisés, ils ont pris comme une bienveillance d'en haut, comme une douceur mystérieuse et transparente d'étoiles. Maintenant ce sont comme des yeux de gazelle. À toute minute ils sont "autres", mais restent toujours "eux".
>
> À tout moment, une réflexion drôle arrache un éclat de rire à Mme Greffulhe. Ah ! La jolie chose ! Elle reste un moment indécise comme hésitant devant la propre fusée de son rire, qui tout d'un coup jaillit délicieusement, jetant et égrenant sans compter.

Et d'elle on ne détache point ses regards. Elle est "Belle du flamboiement des yeux fixés sur elle".

[...] Car quel est le roi qui n'est pas allé rue d'Astorg ou à Bois-Boudran ? Une visite à Mme Greffulhe fait aussi inévitablement partie du programme de l'emploi du temps d'un souverain de quelque importance à Paris, n'y passerait-il qu'un jour, qu'une visite à l'Élysée, au Louvre ou à Notre-Dame. Mme Greffulhe, muse avec les poètes, royale avec les rois et bonne avec tous, et belle pour tous, s'avance au bras du roi [...].

"Voilà le bon, le charmant M. Hébert" dit Mme Greffulhe de sa voix si particulière qui semble par moments patiner sur les mots. »

Ce n'est pas le moindre intérêt de cet article que de nous révéler combien Proust a progressé, depuis la fête de Montesquiou en 1894, à la fois sur le plan littéraire et mondain. Cette fois-ci, il ne se contente plus d'égrener les beaux noms : il a autre chose à dire. Il ne détaille plus les toilettes – peut-être parce qu'il en a perdu le souvenir, plusieurs mois s'étant écoulés depuis la réception. Les gens qu'il met en scène, il les connaît à présent « de l'intérieur ». Il a ici, sous la main, un bon nombre de ceux qui lui serviront de matériau pour la *Recherche*. La description purement extérieure ne l'intéresse plus. Déjà, il porte son regard au-delà des apparences, note les impressions, hasarde quelques heureuses analogies qui annoncent la patte du narrateur.

« Comme le temps est doux, les victorias attendent devant la porte ou dans la cour, et tout à l'heure, un même mot d'ordre donné de tant de points différents à cent cochers vont conduire à travers les rues tièdes et ensoleillées ces bourriches glissantes, fleuries de toilettes multicolores, qui s'inclineront au passage dans la grâce d'un salut envoyé ou rendu.

Les premiers invités commencent à arriver et Mme Greffulhe les place le long des murs dans les grands salons de l'hôtel de façon que le milieu du salon reste libre, vide pour l'arrivée et la promenade de Sa Majesté. Seuls quelques hommes y restent encore, comme on voit un jour de revue, avant l'arrivée du général, des soldats passer dans la cour vide de la caserne, qui tout à l'heure, au premier appel de clairon, feront place nette, ou rentreront dans les chambres ou dans le rang. [...]

Autour de toute grande influence féminine il y a toujours groupement et faisceaux de talents. Mais aujourd'hui, jour (pour reprendre notre image) de grande revue, les vétérans de la pensée française défileront en l'honneur du Roi, le ban et l'arrière-ban, la réserve et les divisionnaires ont été appelés sous les armes. »

À la façon dont il en parle, on comprend que « le comte et la comtesse Mathieu de Noailles, le prince et la princesse Alexandre de Chimay, la marquise d'Eyragues » sont devenus de véritables amis. Proust affiche son admiration pour Anna de Noailles et sa sœur Hélène, nées Brancovan, cousines de son ami Antoine Bibesco. Hélène, surtout, qui est devenue princesse de Caraman-Chimay et belle-sœur de la comtesse Greffulhe en épousant son jeune frère Alexandre, est pour lui une amie très chère, dont il apprécie la douceur et la délicatesse :

« Délicieusement moulé par des touches d'une subtilité et d'une délicatesse émouvantes, le visage exquis de la princesse de Chimay ne nous tient pas sous un moindre enchantement. »

Il lui dédiera quelques années plus tard la préface de *Sésame et les Lys,* sur le thème de la lecture. L'article est une façon de rendre hommage à ses amis, mais également de s'affirmer au grand jour comme l'un des leurs – ou presque[7]. Dans cette position d'initié, c'est avec une condescendance attendrie qu'il note :

« Parmi tous ces savants illustres, M. Janssen[8], le grand astronome, est venu en habit, bien qu'il fût quatre heures de l'après-midi, soit souci excessif d'officialité, soit dédain de savant pour les contingences de la toilette, soit désir touchant, dans une ignorance absolue des modes, de faire bien. Sur tout autre et ailleurs qu'ici, ce serait peut-être ridicule, mais sur M. Janssens (*sic*) cela prend quelque chose de très noble et très touchant. »

En contant cette anecdote, Marcel Proust n'imaginait pas que la même mésaventure, exactement, lui arriverait bientôt, au printemps 1904, chez son ami Guiche à Vallière.

Le *Salon de la comtesse Greffulhe* ne parut jamais, et les exégètes de Proust se sont perdus en conjectures à ce sujet. Deux lettres de Marcel à Antoine Bibesco nous apprennent que la parution de l'article dans *Le Figaro* fut différée à deux reprises par Calmette, en janvier, puis en avril, pour des raisons qui lui parurent « mystérieuses » ; enfin, le projet tomba aux oubliettes[9]. Nous savons aujourd'hui, grâce à la découverte de ce document dans ses papiers personnels, que l'obstacle vint de la comtesse Greffulhe. Les épreuves lui avaient été transmises pour relecture avant publication, mais elle n'en autorisa pas la parution[10]. Pourquoi ? L'explication dormait, elle aussi, dans ses archives. En effet, la petite note dactylographiée citée plus haut se poursuit ainsi : « Il [Proust] m'a envoyé un portrait de moi qu'il avait composé après m'avoir vue ce qui était un des grands désirs de sa vie. Il me demandait de le lui rendre si je trouvais bien. Mais, ayant une grande frayeur de la publicité à cause de mon mari, je l'ai caché à Bois-Boudran. Hélas ! N'est-il pas perdu ? »

Cette note a vraisemblablement été rédigée dans les dernières années, si ce n'est les derniers mois de la vie d'Élisabeth. Ce sont les souvenirs confus d'une très vieille dame. Mais il paraît évident que le « portrait » qu'elle mentionne est bien le *Salon* que j'ai eu la chance de retrouver.

3

LA GLACE EST ROMPUE

Au début de l'été 1904, Armand de Gramont, duc de Guiche, se fiance avec Elaine Greffulhe. Comme la saison parisienne se termine fin juin, c'est à Vallière que la duchesse de Gramont convie à dîner une trentaine d'amis de son fils pour fêter dans l'intimité la nouvelle, encore officieuse. Proust est sur la liste des invités ; le 14 juillet, à cinq heures de l'après-midi, il s'embarque à la gare du Nord pour prendre le train qui l'emmènera en vingt minutes à Survilliers. Là, des voitures attelées de quatre chevaux gris attendent les invités pour les emmener au château. Proust connaît de réputation cette bâtisse monumentale, pastiche d'Azay-le-Rideau en une fois et demie plus grand, dotée de tout le confort moderne – trente appartements d'invités avec salle de bains – que le duc de Gramont a fait construire près de Mortefontaine, au cœur d'un domaine de 1600 hectares. Pour dîner dans ce lieu prestigieux, il a jugé bon de se mettre en grande tenue, comme c'est la règle dans les réceptions parisiennes. C'est donc en habit, coiffé de son huit-reflets, qu'il débarque au milieu de ses amis... alors que ceux-ci, en costume de sport, s'apprêtent à faire une partie de pêche dans l'étang avant le dîner ! Guiche avait juste oublié de l'avertir d'un détail : à Vallière, l'étiquette en vigueur est très différente de celle qui prévaut à Paris. On est à la campagne : les invités arrivent en veston et apportent leur smoking pour le dîner. « Je vois que cette première erreur l'attriste bien que personne ne l'ait soulignée », se souviendra Armand. À sa grande humiliation, Proust, si désireux de s'intégrer dans le monde, réitérait bien malgré lui l'erreur de protocole de l'astronome Janssen qu'il avait si gentiment « épinglé » dans *Le Salon de la comtesse Greffulhe*.

« *Pas de pensée, monsieur Proust !* »

Une humiliation n'arrive jamais seule. « Mon père, qui ne savait rien de Proust, si ce n'est qu'il était l'un de mes amis, lui tend le livre des invités : il avait la phobie de l'album classique que la plupart des jeunes filles émaillaient alors de pensées demandées aux parents de leurs amis. Voyant Proust un peu gêné avec sa cravate blanche, mon père lui dit pour le rassurer : "Pas de pensée, M. Proust, le nom seulement !" [...] Mon père, sans s'en douter, l'avait profondément blessé », commentera Armand de Gramont dans ses Mémoires. Il n'est pas certain que l'intention ait été aussi bienveillante que le prétend son fils : le vieux duc Agénor était assez célèbre pour ses brusqueries et son art des gaffes intentionnelles. « C'était un intelligent toujours à l'affût d'une maladresse », selon Henry Greffulhe. Proust, quoi qu'il en soit, perçut comme un affront cette apostrophe « à la fois suppliante et énergique ». Mais son sens de l'humour, qui ne le quittait jamais et s'appliquait à lui-même autant qu'aux autres, lui inspira cette remarque pleine d'autodérision et d'impertinence dans la lettre qu'il écrivit à ce sujet à Bertrand de Fénelon : « Le désir d'avouer le nom et la crainte d'avouer la *pensée* eussent été plus justifiés si c'était moi qui l'avais invité à dîner et lui avait demandé de signer : *Votre nom, Monsieur le duc, mais pas de pensée.* » Dans cette affaire, le duc de Gramont gagna un sobriquet, « Votre nom Monsieur, mais pas de pensée », qui allait souvent servir à le désigner dans la correspondance sarcastique échangée entre Marcel et Reynaldo Hahn. Quant à son prénom, Agénor, il sera fugitivement décerné au prince de Guermantes dans un brouillon de la *Recherche*.

Grâce à son amitié avec Guiche, Proust entre – à leur insu – dans l'intimité du comte et de la comtesse Greffulhe. Il s'enchante des récits que lui fait son ami et les relate, en vraie commère, à Bertrand de Fénelon :

« Les débuts des fiançailles ont été étonnants, M. de Gramont et M. Greffulhe ayant le même caractère, et peu faits l'un et l'autre pour s'accommoder d'un semblable. M. Greffulhe à Guiche : "C'est assez gentil, Vallière. C'est pas mal du tout. Il y a un petit lac. C'est gentillet. Dame, je ne pense pas que votre père ait la prétention de comparer cela à Bois-Boudran, n'est-ce pas, ce serait à mourir de rire, etc." Mais peu à peu, Guiche était devenu une chose à M. Greffulhe et par là même une chose admirable, supérieure à ce que les autres possèdent, un Bois-Boudran humain. M. Greffulhe au régisseur de Bois-Boudran : "Je vous présente le duc de Guiche qui avait ses deux baccalauréats à quatorze ans ; le duc de Guiche est docteur (à Guiche : docteur en quoi ?) Guiche : pas docteur ; licencié ès sciences. Licencié ès sciences, docteur, toute la boutique ! Il a été médaillé au salon, il tire comme personne, il vous embroche un adversaire du premier coup, etc." »

Le mariage du duc de Guiche avec Elaine Greffulhe, le 14 novembre 1904, viendra renforcer la « visibilité » de Proust auprès de la comtesse Greffulhe. Cet événement, il ne voulait le manquer à aucun prix[1]. Il se fait remarquer tout d'abord par le cadeau singulier qu'il offre à son ami : « Il m'avait demandé à cette occasion le cadeau qui me ferait plaisir, se souviendra Armand ; je lui répondis en riant que la chose qui me manquait le plus était un revolver ; le choix me semblait amusant, et de plus je pensais simplifier ainsi ses démarches ; il n'en fut rien. » Proust, en effet, le prend au mot, mais métamorphosera le vulgaire revolver en un ravissant bibelot, en le plaçant dans un écrin décoré de petites scènes peintes à la gouache. Suprême délicatesse : en légende figurent des vers écrits par la jeune mariée quand elle était enfant[2]. Au sujet de ce présent onéreux, Marcel écrit à Lucien Daudet : « Mon écrin pour Guiche est une folie ! et de plus va me coûter excessivement cher de petite chose en petite chose. Pas très cher, mais tout de même beaucoup trop. »

Il se rend à l'église assez fier de cet exploit, et bavarde familièrement avec la radieuse belle-mère : « Le jour de votre mariage madame Greffulhe m'a dit des vers sublimes de sa fille. [...] J'ai dit à madame Greffulhe que vous aviez envisagé votre mariage (des aspects seulement) comme une possibilité d'avoir sa photographie. Elle a ri si joliment que j'aurais voulu le lui redire dix fois de suite. Je voudrais bien que mon amitié avec vous me vaille ce privilège », écrit-il à Armand quelques semaines plus tard.

Ce « privilège » de posséder un portrait de celle qu'il admire tant est pour l'écrivain une obsession : il réitérera cette demande pratiquement jusqu'à sa mort, à Élisabeth comme à son gendre, toujours en vain. Pourtant, il semble qu'il avait réussi à se procurer un cliché avant 1900, si l'on en croit Albert Flament. Dans un article écrit à la mémoire de la comtesse Greffulhe, celui-ci affirmera : « Dans la chambre morose qu'il habitait, en ce temps, au premier étage sur la cour d'un immeuble, à l'angle du boulevard Malesherbes et de la rue de Suresne (*sic*), chez ses parents, Marcel Proust possédait une photographie qui venait de chez Otto où il avait dû, je pense, l'obtenir par des détours compliqués, comme en tout ce qui l'intéressait. J'étais fort jeune et ne sus jamais comment Marcel s'était procuré cette photographie. Mme Greffulhe y était représentée dans une robe du soir de satin blanc et tenant, je crois bien, d'une main gantée un éventail fermé. » Et le chroniqueur évoque la passion avec laquelle Marcel, tout en boutonnant ses bottines, racontait à sa mère ses soirées de la veille et citait les noms des personnages qu'il y avait rencontrés, « parmi lesquels revenait, comme dans une sorte d'envoûtement, celui de Mme la comtesse Greffulhe[3] ».

Entre Proust et la comtesse, la glace est rompue. Malgré tout ce qui les sépare, ils ont, il faut le souligner, quelques points communs, comme leur dreyfusisme, leur amitié pour Robert de Montesquiou ou leur admiration pour Anatole France – le Bergotte de la *Recherche*. En outre, Élisabeth, qui déplore la séparation de l'Église et de l'État, a sans doute apprécié l'article de Marcel sur *La Mort des cathédrales* qui apportait des arguments totalement originaux pour fustiger le projet de loi[4].

Tous deux sont profondément intuitifs, même si leur don de double vue s'exerce de façon fort différente. Mais leur principal terrain d'entente, c'est leur amour de la musique qui, chez eux, est intimement lié à l'amour de la mère. Proust a appris à jouer du piano et déchiffre les partitions. Comme Élisabeth, il admire avec ferveur Wagner, auquel il a, comme elle, été initié par Montesquiou, et qu'il mentionne fréquemment dans la *Recherche,* comme dans ses *Cahiers*[5]. Les musiciens contemporains qu'il aime – Fauré, Saint-Saëns, César Franck, Debussy, Reynaldo Hahn –, elle les admire aussi, les connaît très bien pour certains, et fait jouer leurs œuvres via la Société des grandes auditions.

Ce qui est certain, c'est qu'aux yeux de Proust, Élisabeth, tout comme son gendre Guiche, incarne la séduction victorieuse de toutes les résistances – en quelque sorte le personnage qu'il rêvait d'être quand il répondait au fameux *questionnaire*[6] : « Le don de la nature que je voudrais avoir ? La volonté, et des séductions. » Ce pouvoir de séduction quasiment surnaturel, auquel nul ne peut échapper, il le possédait pourtant, tout comme la belle comtesse, mais sans en avoir conscience : « Le charme tout-puissant de cet homme étrange faisait succomber les plus médiocres et les plus obtus des hommes », affirme Paul Morand.

« *Dans cet étrange château* »

Quelques mois après le mariage qui a consacré son triomphe de belle-mère, la comtesse Greffulhe invite Proust à Bois-Boudran pour assister aux démonstrations menées par Branly, le 15 janvier 1905. Échaudé par l'expérience de Vallière, Marcel demande conseil à son ami Louis d'Albufera, dans le style de valse-hésitation comique qui caractérise si souvent sa correspondance :

> « Si je ne suis pas souffrant (mais c'est bien improbable !) j'irai peut-être dimanche à bois boudran où Me Greffulhe m'a invité

à assister à des expériences de téléphonie sans fil (?). Peut-on (doit-on) se mettre en redingote ou est-il forcé d'être en veston. Est-il forcé d'être en chapeau mou.

Ne me réponds pas : on peut toujours faire ce qu'on veut. Mais dis-moi ce qu'on doit faire. Si cela peut mieux te renseigner je ne suis invité ni à dîner ni à déjeuner, l'après-midi seulement. Pour moi qui ne déjeune pas, cela peut aller. Mais je me demande comment des gens qui vivent comme tout le monde s'arrangent, comme il y a deux h. de chemin de fer. »

Une invitation à Bois-Boudran, même si elle n'inclut pas le repas réservé aux hôtes de marque : l'enjeu est de taille. Proust se résoudra donc à cet effort, héroïque pour lui, qui lui vaudra de s'aliter dès le lendemain pour plusieurs jours, avec fièvre et bronchite. Il a pourtant échappé au supplice du chemin de fer grâce à une automobile mise à sa disposition par son ami compatissant. Mais il semble que l'expérience de téléphonie sans fil l'ait beaucoup moins marqué que ses débats vestimentaires, ce que nous révèle son compte rendu à « Albu » :

« Mon cher Louis,

Pardonne-moi de ne pas t'avoir encore remercié de ta gentillesse exquise pour l'auto qui est tellement beau, tellement confortable, tellement aéré que j'aurais voulu ne jamais en descendre. [...]

Bois Boudran crevant. J'ai dit à Madᵉ Greffulhe que je t'avais téléphoné toute la matinée pour te demander si je devais mettre des bottines vernies, un veston etc.[7]. »

Ces lettres sont intéressantes à bien des égards. D'une part, elles apportent un nouveau démenti à tous ceux qui ont dit et répété que Proust n'avait jamais été reçu chez la comtesse Greffulhe – une fable entretenue par la comtesse elle-même, qui à la fin de sa vie prétendra avoir à peine connu l'auteur de la *Recherche*. Elles montrent que, sans être un intime, Marcel compte désormais parmi les planètes admises à tourner en orbite autour de la reine-soleil. Mais surtout, elles laissent entendre qu'une certaine familiarité s'est établie entre Proust et son idole : Marcel se sent suffisamment à l'aise pour faire part en toute simplicité à son hôtesse de ses affres vestimentaires, sans doute dans le but de déclencher le fameux rire qui le ravit tant.

Un an plus tard, Proust évoquera à nouveau, dans une lettre à Reynaldo, cette réception « dans cet étrange château », au cours de laquelle il avait fait la connaissance de Charley de Tinan, « qui a été exquis pour moi et pur chocolat du planteur », et de Geneviève, la « sœur violette », dont il n'était pas parvenu à attirer l'attention, ce dont il se vengea par un portrait aussi drôle que cruel : « Sa petitesse et sa vénusté sont d'ailleurs très comiques et font penser à quelque beauté parfaite et minuscule comme on n'en voit l'étrangeté que dans certains bordels[8]. »

Il aimerait bien cultiver d'avantage l'amitié de la belle comtesse. Il songe à l'inviter à l'une de ses rares réceptions, une matinée musicale qu'il organise chez lui à grand renfort d'atermoiements : « Je commence à me demander si je n'aurais pas bien fait d'inviter Madame Greffulhe. » « Si je n'invite pas Mme Greffulhe, c'est (naturellement) uniquement par discrétion. Si vous croyez que la curiosité d'entendre madame de Guerne et Reynaldo chanter ensemble pouvait la décider à venir, vous pensez dans quelle joie je serais ! Mais je n'ai pas osé ! Vous me direz ce que vous en pensez », écrit-il à Guiche, confident de ses scrupules.

4

Le tourbillon de la vie

Mais il est déjà trop tard. À partir de 1906, Proust a entrepris
la plongée en eaux profondes qui le mènera vers la lumière du
Temps retrouvé. Le temps des écrits mondains et des pseudonymes stendhaliens est révolu. Après l'échec de son projet de
roman, *Jean Santeuil*, il a continué avec acharnement à chercher
sa voix en traduisant Ruskin, comme on déchiffre une partition.
Beaucoup de ses amis proches se sont éloignés, se sont mariés ;
ses crises d'asthme de plus en plus violentes le confinent dans
sa chambre du boulevard Haussmann. La mort de ses parents,
et surtout celle de sa mère, en septembre 1906, l'a laissé comme
nu. En le plongeant dans un profond abattement, elle lui a fait
toucher le fond de lui-même, lui apportant enfin la délivrance
par les mots. Il a déménagé du boulevard de Courcelles au 102,
boulevard Haussmann, et c'est là, reclus dans sa chambre tapis-
sée de liège, qu'il travaille à son essai *Contre Sainte-Beuve*.
    Depuis quelques années, depuis qu'il a abandonné la litté-
rature « mondaine » pour la critique et la traduction, « tout ce
qu'il veut faire déborde de ce qu'il fait ». À trente-cinq ans, il
découvre le mystère du feu caché qui brûle en lui : il accouche,
dans la douleur, de ce qui deviendra la *Recherche*. La saison
des moissons dans les salons est révolue, l'essentiel de ses matériaux engrangé : il appartient désormais à la nuit, à la *chambre
noire* où, lentement, va se révéler son œuvre[1].

« *Vous assimilez à votre grâce l'essence mystérieuse du passé* »

Devenue accessible, la comtesse Greffulhe l'intéresse beaucoup moins. La magie n'opère plus, le charme est rompu, selon le processus si bien décrit dans *Guermantes II* : « Quand les Guermantes me furent devenus indifférents et que la gouttelette de leur originalité ne fut plus vaporisée par mon imagination, je pus la recueillir, tout impondérable qu'elle fût. » Mais pour alimenter son œuvre, il continue à la suivre de près ; il s'intéresse aux comptes rendus des journaux, sollicitant au besoin son ami Reynaldo Hahn pour obtenir la revue de presse des grands dîners politiques et mondains de la rue d'Astorg[2].

À présent, c'est Élisabeth qui réitère les invitations, et Proust qui les décline. Ses réponses sont toujours enveloppées de mille compliments : en mai 1908, il refuse ainsi une invitation « qui a fait descendre, dans sa chambre obscure, comme un rayon ». En juillet 1908, il se déclare trop fatigué pour se rendre à la fête grandiose que la comtesse organise dans le parc de Versailles – « Je crains qu'on ait un peu "fardé" Versailles », écrit-il à Mme Catusse. La perspective d'admirer « la toilette imprévue et parfois ravissante et la silhouette prévue et toujours ravissante de Mme Greffulhe » ne suffit pas à le faire sortir de son antre. L'année suivante, il décline de même une invitation à la fête de Bagatelle, et refuse poliment, mais fermement, d'écrire l'article qu'elle lui a demandé – « Quelques lignes, comme vous sentez, c'est-à-dire exquisément poétiques ! »

Sa lettre de huit pages est bien la « réponse du berger à la bergère », en souvenir du *Salon* qu'elle lui a interdit de publier six ans plus tôt – mais enveloppée dans un habile prétexte : sa santé est si mauvaise, lui explique-t-il, qu'il a dû refuser à de nombreux amis d'écrire sur leurs livres ou leurs expositions, et ne peut faire exception pour elle, sous peine d'être accusé d'ingratitude.

> « C'est un si grand honneur pour moi, dont je suis si indigne, mais auquel je suis si sensible, que j'ai peur que vous compreniez

mal en me voyant le décliner, que vous croyiez que j'attache de l'importance à ce que j'écris, alors que je n'en attache aucune. [...] Il n'y a pas si longtemps, c'est moi qui vous suppliais de me laisser faire paraître sur vous un article très long, auquel vous avez fait subir un sort cruel. Mon admiration n'a pas changé, s'est encore accrue [...]. Bagatelle, c'est encore vous. Vous mettez aux lieux que vous touchez une telle emprise et empreinte de grâce unique que tout ce qu'il y avait auparavant est oublié. [...] Vous assimilez à votre grâce l'essence mystérieuse du passé, et votre geste a l'air d'en épancher la cendre d'une urne incomparable. Serai-je en état samedi de me lever quelques heures pour aller à Bagatelle, je ne sais. J'ai l'une après l'autre supprimé *toutes* les sorties de cette année, et je me réservais celle-là, pour avoir, en une fleur unique, tous les parfums des plaisirs que je n'ai pas cueillis. J'espère et je n'ose pas croire, mais je voudrais bien pouvoir y aller. Et surtout je serais si heureux de vous apercevoir, ce qui ne m'est pas arrivé depuis tant d'années. »

Comment résister à ces phrases câlines et tentaculaires dont « le petit Marcel » a le secret ? La comtesse Greffulhe, pour lui montrer qu'elle ne lui tenait pas rigueur de son refus, lui enverra une vigne en pot, d'où pendent des grappes de raisin, en précisant qu'il s'agit d'un « symbole parlant ». Pourquoi une vigne, et pourquoi un symbole ? Proust ne peut comprendre l'allusion, mais pour Élisabeth, c'est sans aucun doute un clin d'œil qu'elle s'adresse à elle-même, en pensant à la « vigne de l'Esprit » qui prospérait autrefois dans les jardins du quai Malaquais[3]. Dans la lettre qui accompagne ce pampre hautement symbolique, elle se propose d'aller lui rendre visite. Il la remercie par une autre missive de huit pages qui illustre bien sa délicatesse et sa suprême habileté :

« Je souhaite qu'après la bonne nuit de Rocroi vous ayez demain le soleil d'Austerlitz ! N'était-ce pas, du reste, très Napoléonien de prendre ainsi le temps et la liberté d'envoyer une vigne à un malade à la veille de la bataille [...]. Sainte Élisabeth change les roses de Bagatelle en pains pour les malheureux... Venir me voir, Madame ! Ma demeure de malade annexée depuis hier d'une treille, n'a pas d'accès pour les Fées. Sérieusement, je ne laisse venir qui que ce soit par une dernière coquetterie, et pour cette

raison vous moins que personne. Mais si je ne peux aller à Bagatelle (et je crois que j'irai) je viendrai de Cabourg quand vous
serez chez Madame [*mot raturé illisible*] mettre à vos pieds, comme
je le fais ici, mon admiration, ma reconnaissance et mon respect. »

Dans une lettre très drôle à Reynaldo Hahn, Marcel com-
menta cet épisode et l'envoi de la vigne par « l'E » : « La lettre
était fort littéraire, avec des mots tels que "symbole parlant".
Mais parlant de la vigne elle disait : "acceptez-la" avec un accent
grave qui est surtout grave pour elle et qui m'a paru, lui aussi,
un "symbole parlant…" Se rendit-il finalement à la fête de
Bagatelle et écrivit-il l'article demandé ? Une seule chose est
sûre : un long reportage sur la fête parut le lendemain dans *Le
Gaulois*, sous la signature de « Tout-Paris » – celle-là même qu'il
avait utilisée, en 1894, pour son papier sur la fête de Montesquiou à Versailles. Par son style, son érudition et son contenu,
ce document, qui fait l'apologie de Wagner, a des résonances
proustiennes : mais sa signature, qui était collective, ne nous
apporte aucune certitude[4].

Quoi qu'il en soit, cette lettre révèle que Proust n'ignore rien
de ce qui concerne la comtesse Greffulhe, qu'il s'agisse de ses
origines napoléoniennes, des aléas de sa fête ou de ses déplacements estivaux. Mais l'intérêt qu'il lui porte ne va pas jusqu'à
la recevoir dans son antre, perspective qui l'horrifie. Il préfère
la tenir à distance épistolaire. Coïncidence amusante : le jour
même où il écrivait cette lettre, le vendredi 16 juillet 1909, Élisabeth notait cette pensée : « Je me sens à ce point culminant
de ma vie. »

La comtesse Greffulhe est à l'apogée de sa gloire. Pas un
souverain ne traverse Paris sans venir la saluer. Elle a à sa table
et à ses pieds tous ceux qui font l'actualité artistique et politique
en France. Pourquoi donc s'obstine-t-elle à courtiser ce maladif
jeune homme, qui commence certes à se faire une flatteuse
réputation d'homme de lettres à travers ses traductions, ses pastiches et les articles si originaux qu'il donne au *Figaro*, mais
qui n'a encore rien publié de bien marquant[5] ? Aurait-elle
l'intuition de son génie ? Si ce fut le cas, cette intuition ne

persista pas. À la déception de Proust, elle ne sera jamais, on va le voir, « l'amie d'un homme de génie ».

« *Marcel Proust, c'est le diable* »

Habituée à recevoir la fumée des encens pieusement déposés à ses pieds, la déesse Élisabeth acceptait comme allant de soi les compliments si bien tournés de Marcel. Elle aurait été fort surprise si elle avait pu lire les lettres qu'il échangeait à son sujet avec Reynaldo Hahn, et les facétieux pastiches qu'elle lui inspirait ! Hahn fait partie des musiciens qui bénéficient du patronage des Grandes auditions[6] ; mais il ne ménage pas ses critiques contre les femmes du monde qui se piquent d'aimer et de juger la musique. « Soyez sincères Mesdames, soyez simples dans votre vie, si vous pouvez, mais surtout dans vos jugements sur la musique. D'ailleurs, vous ne savez rien, rien ; vous ne jouez pas, vous pianotez ; vous n'êtes pas meilleures exécutrices que vos grands-mères, lesquelles étaient aussi médiocres exécutantes que leurs aïeules, les joueuses de clavecin », écrit-il dans le *Gil Blas*. Cette charge pourrait bien viser la comtesse Greffulhe.

Dans sa correspondance avec Hahn, Proust emboîte le pas à son ami, et donne libre cours à sa verve satirique pour se moquer gentiment de la comtesse, dont il pastiche avec talent l'enthousiasme parfois brouillon :

« Monsieur, j'ai l'intention pour rendre au curieux opéra-comique *L'Île du Rêve*[7] son décor intégral, de le faire représenter dans l'Île du Bois de Boulogne, dite justement l'Île des Cygnes... ! J'aurais toutes facilités [...] pour faire venir du voisin jardin d'acclimatation des sauvages qui serviraient de figurants *in anima vili* ! La représentation, est-il besoin de le dire à un poète tel que vous, aurait lieu en plein air, vous tiendriez le piano sous quelque liane. »

« Monsieur J'ai une vraie admiration pour l'opéra : *Île du Rêve* ! Il me semble que cela serait juste de le faire exécuter dans le décor Renaissance de Bois Boudran tandis que les fanfares de mon mari imiteraient dans la forêt les appels des chasseurs tahitiens dans les lianes. »

« Monsieur, on me dit que vous allez jouer divinement à Salzbourg le chef-d'œuvre très beau de Mozart, le *Don Juan* du Maître délicat entre tous. Ne pensez-vous pas qu'il pourrait être désirable que la salle reproduisit la salle d'alors ? Je serais par exemple en Dauphine Marie-Antoinette d'Autriche promise au martyre. »

Nous sommes loin des compliments emphatiques que l'écrivain lui décerne dans ses lettres ! Proust, il est vrai, s'il se plaît dans la compagnie des femmes, affiche depuis longtemps un parfait mépris pour leurs qualités intellectuelles, comme en témoignent ces cruelles maximes : « Loin d'être des oracles des modes de l'esprit, ce sont plutôt des perroquets attardés. » Ou encore : « Devises : pour le pauvre esprit de femme et le sec entretien : "Intelligente ne puis, frivole ne daigne, rasante suis" » – pastiche de la devise apocryphe attribuée aux Rohan[8].

Cependant, contre les sarcasmes répétés de son ami Reynaldo, il « joue avec une infatigable monotonie le rôle douloureux du contradicteur et du goût bourgeois ». Il prend la défense d'Élisabeth qu'il nomme plaisamment « la purpurea plantago de Bois-Boudran », du nom botanique d'une plante décorative, ou « la G » – sa fille étant comiquement désignée comme « la G. G. G. » – Greffulhe, Gramont, Guiche. Il lui décerne quelques compliments à double tranchant, qui illustrent bien la distance prise avec celle qu'il admirait tant autrefois :

« Mais c'est ce fard qui à la distance de la salle donne la fraîcheur. Je ne dis pas que ce soit une Récamier et qu'elle puisse être l'amie d'un homme de génie. Mais enfin elle doit à préférer lire *L'Évolution de la Matière* à dire des choses fines à Costa de ne pas avoir l'écœurante banalité de réputation des autres femmes du monde. Et elle englue les choses intéressantes (ce qui est d'ailleurs désagréable pour les choses intéressantes) mais encore elle les attire. Ainsi Edvard (*sic*) VII ailleurs a dîné. Là il a assisté à la photo-télé etc. Tout cela spiritualise non pas une femme mais sa réputation[9]. »

Nous voilà loin du prétendu snobisme de l'auteur. Si la poésie du grand monde l'attire irrésistiblement, les personnages qu'il croise dans les salons sont plus souvent la cible de son humour que l'objet de sa révérence. Artiste du double jeu, il se moque ainsi de Montesquiou autant qu'il le flatte, imitant à merveille sa voix et ses mimiques. Avec son jeune ami Lucien Daudet, il partage des fous rires irrépressibles qui les obligent à se « sauver en cachette par le buffet, étouffant de rire et pliés en deux ». « Marcel Proust, c'est le diable », dit de lui Mme Alphonse Daudet. Le diable, oui, en ce sens qu'il voit tout, qu'aucune comédie, aucun ridicule, aucun décalage entre l'apparence et la réalité n'échappe au crible de son intuition et de son sens aigu de l'observation. Mais un diable armé de son sens de l'humour en guise de fourche. Ce n'est pas l'ironie sèche qu'il manie, mais bien l'humour, avec tout ce que cela comporte de tendresse et d'humaine complicité envers ses « victimes ». « J'ai beaucoup de sympathie pour l'E [lisabeth] », écrit-il à Reynaldo, « de plus elle a été fort gentille et cela me ferait beaucoup de peine s'il lui revenait que j'ai fait ces plaisanteries d'autant plus que je l'ai remerciée avec prosternation. [...] Donc mystère, je m'épanche avec vous comme avec Maman. Mais elle ne racontait *rien*. »

Dans la baignoire de la Sylphide

Cet humour teinté d'affection et d'anxiété, on le retrouve dans la correspondance que Proust échangera avec la comtesse Greffulhe jusqu'à la fin de sa vie. « L'arrangement détestable de ma vie et de cette nuit faite le jour a pour résultat que je n'apprends souvent mes invitations pour la soirée que quand celle-ci est finie… Tandis que si je le sais la veille, je me fais réveiller ». Après avoir manqué Chaliapine dans *Le Barbier de Séville*, il se consume d'inquiétude à la pensée que la comtesse a pu le trouver « mal élevé », puisqu'il ne lui a même pas répondu. « Si jamais madame, dans bien des années, vous me réinvitez, j'aurais plus de chance de pouvoir venir si je le savais la veille (ce qui je crois bien est probablement impossible). »

Mais lorsqu'il accepte enfin une invitation, il n'est pas avare de son amabilité :

> « Madame, lui écrit-il le 10 juin 1909 lorsqu'elle l'invite à assister le lendemain à une représentation des Ballets russes, je sens que la pensée d'assister à la *Sylphide* dans la baignoire de la Sylphide et à *Cléopâtre* auprès de la reine qui laisse si loin derrière elle la reine d'Égypte, va me donner l'élasticité les danseurs russes pour me faire faire un bond de mon lit que je n'ai pas quitté depuis si longtemps jusqu'à l'Opéra. J'aurai donc l'honneur de venir. »

Le lendemain du spectacle, il la remercie en ces termes fleuris :

> « Madame, je ne sais pas si hier soir vous êtes disparue derrière un nuage comme une déesse, ou un rideau comme le ballet russe mais je n'ai pas pu vous retrouver à la sortie de l'Opéra, et cela a été pour moi une grande tristesse, errant comme les mages sous le scintillement du Regard de l'Étoile, mais moins heureux qu'eux n'ayant pu m'arrêter et la trouver. J'aurais voulu vous dire ma reconnaissance de cette belle heure fantastique et colorée et charger ces roses que je vous demande la permission de mettre à vos pieds de vous exprimer mon silencieux et profond respect. »

Même disparition subite de son hôtesse, même désolation et même envoi de roses, deux ans plus tard, après la répétition générale de *Summurum* : « Madame, bien que le poète ait dit "Ne portez pas de fleurs aux malades aigris", je pense que les malades comme moi, (même pas aigris) peuvent envoyer des fleurs. Pendant que je disais bonjour à ce poète, vous avez disparu, et quand je suis revenu, navré, j'ai vu que la Divinité avait disparu. Comme dans le miracle de Sainte Élisabeth il ne reste que ces roses. » Derrière ces compliments hyperboliques, on sent le sourire intérieur de l'écrivain traçant ces lignes, et on imagine celui de la destinataire, flattée, mais point dupe — et qui ne se doute pas qu'elle viendra ainsi nourrir le personnage de Mme Verdurin dans *La Prisonnière*, servant « de vieille fée Carabosse, mais toute-puissante, aux danseurs russes ».

La guerre est venue, « formidable convulsion géologique » bouleversant tous les codes et toutes les habitudes, excepté celles de Proust, réformé en raison de sa santé[10]. La parution de *Du côté de chez Swann*, en novembre 1913 – chez Grasset, aux frais de l'auteur –, et les articles élogieux parus dans la presse, ont fait de lui un homme presque célèbre. Cependant, immergé en lui-même, il poursuit l'écriture de la *Recherche*, et ne sort plus guère de ses cahiers que pour bavarder avec sa chère gouvernante et lui confier ses souvenirs. « Il ne fait aucun doute qu'il avait un grand faible pour Mme Greffulhe », racontera celle-ci, même si « il n'y a jamais eu, entre la comtesse et lui, le genre d'extraordinaire intimité d'esprit qu'il avait avec Mme Straus. La comtesse Greffulhe, c'était surtout les rencontres mondaines et le plaisir des yeux ». À Céleste, il conte les réceptions brillantes auxquelles il a assisté rue d'Astorg, « les alignements de princes et de princesses, de ducs et de duchesses », « toute une société et toute une forme de vie qui s'en allaient déjà ». Il évoque « le luxe inouï », la « magnificence » et l'excentricité sans borne de l'hôtesse, qui n'hésitait pas à exhiber dans ses salons « un « singe revêtu du plastron et de l'habit complet », ou « deux lionceaux attelés à de petites charrettes contenant les accessoires du cotillon, et que conduisaient quatre des quarante-cinq domestiques de la comtesse ». Deux lionceaux prétendument apprivoisés, qui selon Proust, allaient néanmoins « arracher un bras au concierge le lendemain ».

Il y a, sans doute, une part d'imagination, voire d'affabulation dans ces récits qui éblouirent Céleste. Mais si Marcel ne fut jamais un familier de la rue d'Astorg, il avait un informateur bien renseigné sur les coulisses de l'hôtel Greffulhe, en la personne d'Albert Le Cuziat, qui y avait servi comme valet de pied avant de devenir le sulfureux personnage inspirateur du Jupien de la *Recherche*. Proust confia à Céleste que s'il n'avait pu devenir l'intime de Mme Greffulhe, c'était « en grande partie à cause de la jalousie du comte, qui ne se gênait pas pour déclarer qu'il ne l'aimait pas et qu'il ne tenait pas à sa société pour sa femme », ce qui paraît fort vraisemblable.

5

À LA POURSUITE DU DUC DE GUERMANTES

Proust avait besoin du comte Greffulhe, et cela à deux titres : en tant que « sujet », tout d'abord, il souhaitait l'approcher de plus près pour pouvoir le disséquer à loisir et compléter ainsi le personnage du duc de Guermantes ; en tant que vecteur d'influence, d'autre part, car le comte disposait d'utiles relations dans la presse. Pour l'auteur, désormais, seuls comptaient l'élaboration de son œuvre et l'avenir de celle-ci : « Pour moi, elle est tout, écrit-il à Bernard Grasset. Je ne sais si je vivrai assez pour la voir enfin parue et il est assez naturel qu'avec l'instinct de l'insecte dont les jours sont comptés, je me hâte de mettre à l'abri ce qui est sorti de moi et me représentera. »

On comprend donc pourquoi il entreprit une véritable opération de séduction vis-à-vis d'Henry et de sa maîtresse – sans aucun souci de loyauté envers l'épouse légitime, qu'il admirait tant, et que les deux amants traitaient si mal. « Pour aller chercher la provende de son livre, il aurait fait n'importe quoi. Cela le portait », notera Céleste. Proust avait été mis en relation avec madame de La Béraudière par l'intermédiaire de Reynaldo Hahn, qui la connaissait très bien. Il souhaitait que le comte Greffulhe fasse pression sur les directeurs de plusieurs journaux pour obtenir la publication de critiques élogieuses sur *Du côté de chez Swann* – notamment un papier de Jacques-Émile Blanche. Cette opération donna lieu à un intense échange de lettres et de pneumatiques. Henry, convaincu que tout pouvait s'acheter, proposa, semble-t-il, de payer ces insertions, ce qui

389

fit trembler l'auteur : « Nous voulons être sûrs que l'article n'ait pas été accepté sous condition d'en payer la publication, pour des raisons de dignité littéraire. » Enfin, ses désirs furent exaucés[1].

Juste après la déclaration de guerre, Henry Greffulhe fut élevé au grade d'officier de la Légion d'honneur, ce qui fournit à Marcel l'occasion de lui exprimer sa reconnaissance en lui adressant un petit chef-d'œuvre d'habile flatterie :

> « Je n'aurais pas contracté envers vous une dette de si grande et si douce reconnaissance, que la rosette du comte Greffulhe ne m'en semblerait pas moins particulièrement méritée et ne m'en serait pas moins infiniment sympathique. Vous êtes au petit nombre de ceux que l'"envie démocratique" a empêchés de montrer complètement avec quel mérite ils auraient pu "servir", et cela sous le simple prétexte qu'ils étaient nés pour "commander". Mais surtout vous êtes du nombre encore plus restreint de ceux que cet ostracisme n'a pas confinés dans un Conservatisme étroit. Votre esprit est resté ouvert aux idées nouvelles et aux causes justes, même quand leurs partisans n'étaient pas de votre parti, même quand c'était à vos ennemis que votre adhésion apportait un allié. Pour toutes ces raisons (et j'omets volontairement toutes celles qui me la rendent chère) votre rosette me semble éclatante et belle, comme une rose de Bois-Boudran. Vous savez que par une faute d'impression dans l'édition de Malherbe, le mot "Rosette" qu'il avait écrit, devint le mot "rose". Si c'est pour que vous ayez bientôt la Cravate de Commandeur je me réjouirai d'appliquer à votre rosette les vers que je vous rappelais
> "Rosette elle a vécu ce que vivent les roses
> L'espace d'un matin." »

Politique, stature sociale, poésie, Bois-Boudran… En fin psychologue, Marcel avait percé à jour les ressorts du personnage ; pour mieux le séduire, il le prenait par son faible. Henry Greffulhe répondit à cette lettre, et Marcel en fit pour Reynaldo un commentaire que l'on imagine satirique, mais que nous ne connaîtrons jamais car ce courrier, semble-t-il, fut égaré. Au printemps suivant, Proust rencontra enfin madame de La Béraudière. Pendant quelques semaines, il fréquenta assidûment celle qu'il surnommait comiquement « la nymphe Escho ».

S'il prétendait officiellement la trouver « charmante, à tous les égards, et avec une grande vivacité et franchise d'esprit », il confia cependant à Céleste : « Quand on a chez soi une reine comme la comtesse Greffulhe, on se demande comment on peut aller chez une madame de la Béraudière, qui n'a ni le raffinement, ni la noblesse, ni la culture, ni l'élégance, ni la beauté de l'autre. Et pourtant c'est ainsi. Il paraît qu'il couve et qu'il dévore sa Béraudière. Comme c'est drôle ! » Si l'on en croit la fidèle gouvernante, la maîtresse d'Henry « était aux pieds de M. Proust ; elle ne savait que faire pour attirer son intérêt ».

Régulièrement, Céleste téléphonait de la part de son maître pour savoir si elle pouvait le recevoir, à la nuit tombée selon son habitude. Mais Marcel n'avait toujours pas réussi à approcher « par corps » le gibier qu'il pourchassait ; il voulait ausculter en détail le comte Greffulhe qu'il n'avait pu, jusqu'à présent, qu'observer de loin dans les salons ; en octobre 1914, celui-ci lui avait bien rendu deux visites au Grand Hôtel de Cabourg, en compagnie de Montesquiou, mais il était alors trop malade pour le recevoir[2]. Et puis un soir, il toucha enfin au but qu'il s'était fixé. « Venez, que je vous raconte, Céleste. J'ai percé le mystère du comte Greffulhe », annonce-t-il à sa confidente, « une lueur d'ironie dans son petit œil ». Prié d'assister à la rencontre de l'écrivain et de son futur modèle, Ferdinand Bac, leur ami commun, nous en a laissé un récit haut en couleur.

Voici la scène : nous sommes chez Mme de La Béraudière, par une chaude soirée de mai ou juin 1915. Henry Greffulhe, trônant dans une confortable bergère entourée d'un paravent, termine la lecture de la presse sous la lumière rose d'un grand abat-jour. Tous les journaux du soir, chiffonnés, gisent autour de lui, sous ses reins et sous ses pieds. La vaine rumeur du monde lui monte à mi-jambe. La porte à double battant s'ouvre, et Proust apparaît, engoncé dans un manteau de fourrure qu'il ne quittera pas, ses cheveux partagés par une raie impeccable, le visage mortellement pâle, l'œil avide et brillant de fièvre. Dès l'entrée, il déploie les guirlandes fleuries de son exquise politesse, pour entortiller de son respect le seigneur des lieux. Tassé dans un grand fauteuil, il ne quitte pas des yeux sa proie, et ses yeux brillent dans la pénombre comme des perles noires. « Mais derrière ces nobles propos, note Bac, on devine "l'opérateur" et même une sorte de docteur Balthazar qui, *littéralement*, procédait à une autopsie de roman policier ». Sa courtoisie et son élégance sans faille cachent mal, aux yeux du sagace observateur, le « génial vivisecteur ». Chroniqueur amusé de cette rencontre historique, Bac file les métaphores animalières et médicales. Il décrit l'écrivain comme « un renard frileux guettant devant une lapinière », « un cobra en train de charmer un gros coq », un moustique vrombissant autour du « veau d'or » qui prête son large flanc indifférent à ces subtiles attaques. Proust palpe, scalpe, ausculte son sujet ; il a les yeux d'un chirurgien qui s'apprête à ouvrir prestement la boîte crânienne de son patient. On l'imagine déjà, penché sur un microscope, examinant sa trouvaille au bout d'une pince... Avec l'imperturbable placidité, la présence massive et dominatrice d'un homme habitué à commander, Henry se prête benoîtement à la Question infligée par « ce fragile bourreau », qui ne parvient pas à inquiéter la paix de son bon sens. Enfin Marcel, satisfait de sa moisson, prend congé, non sans moult excuses et civilités. Soulagée d'avoir réussi une entrevue aussi délicate, la maîtresse du logis croit devoir souligner « l'importance et le prestige reconnus d'un écrivain déjà si illustre ».

Délivré de cet importun qu'il a consenti à recevoir pour faire plaisir à sa maîtresse, le comte Greffulhe soupire : « Il est parti content, mais il ne m'a pas eu. J'ai vu où il voulait en venir. Je ne suis pas un enfant... » Et le chroniqueur renchérit, en déclarant : « Proust n'avait fait que grignoter des miettes de cette importante façade et ce qui vit le jour ne comportait nul motif d'alerte pour cette grande maison[3]. » Il faut croire que Ferdinand Bac n'avait pas pris la peine de lire la *Recherche* lorsqu'il écrivit ce récit en 1935. Car Proust avait bien « eu » Henry Greffulhe. Il l'avait même épinglé, ainsi que sa maîtresse, pour l'éternité, comme nous le verrons plus tard. Cette visite qui, pour la première fois, avait permis à Proust d'approcher son modèle dans son intimité, inspira de toute évidence ce superbe portrait de Basin que le narrateur rencontre dans le salon de Mme de Villeparisis.

> « À côté d'elle M. de Guermantes, superbe et olympien, était lourdement assis. On aurait dit que la notion omniprésente en tous ses membres de ses grandes richesses lui donnait une densité particulièrement élevée, comme si elles avaient été fondues au creuset en un seul lingot humain, pour faire cet homme qui valait si cher. Au moment où je lui dis au revoir, il se leva poliment de son siège et je sentis la masse inerte de trente millions que la vieille éducation française faisait mouvoir, soulevait, et qui se tenait debout devant moi. Il me semblait voir cette statue de Jupiter Olympien que Phidias, dit-on, avait fondue tout en or. Telle était la puissance que la bonne éducation avait sur M. de Guermantes, sur le corps de M. de Guermantes du moins, car elle ne régnait pas aussi en maîtresse sur l'esprit du duc[4]. »

Dans cette scène, on reconnaît bien le comte Greffulhe décrit par Bac – mais dévoilé, transfiguré, magnifié par le génie de l'auteur. Le « veau d'or » accède ici au statut de figure mythique.

« Il s'est offert ce luxe plusieurs fois, commentera Céleste. Cela a duré deux ou trois mois. Il riait, en ne tarissant pas sur la gentillesse de Mme de La Béraudière à son égard. Et puis, sa vengeance et sa curiosité assouvies, fini – il ne l'a plus revue. Mais, quand il me racontait les résultats de ces soirées, son œil brillait et avait encore l'air de manœuvrer les personnages selon sa volonté. »

Détail amusant : contrairement à son épouse, le comte Greffulhe prit le temps de lire les premiers volumes de Proust. « Je pars pour Bois-Boudran écrire un livre, déclara-t-il à Cocteau : je vais répondre à M. Proust. » En fait de réponse, il se borna à livrer dans sa correspondance, quelques années plus tard, une analyse très personnelle – et moralisatrice – des *Jeunes filles en fleurs* :

> « À propos du deuxième volume de Proust, vous allez dans son analyse au fond de la critique que je formulais sur cette littérature écœurante, parce qu'elle émane de principes faussés par une dépravation morale. C'est peut-être fort intéressant de se livrer à la dissection de mœurs interlopes, mais à force d'insister sur le bourbier

humain on finit par s'enliser dans un cloaque qui aboutit à une répugnance. Ces théories fausses à l'excès d'une recherche malsaine engendrent le dégoût. J'entends bien que pour faire digérer la pourriture il a besoin de temps à autre de se servir de la musique ou des sentiments féminisants. Maintenant, au point de vue psychologique pur, Proust est génial, personne ne va plus au fond de la plaie qui le travaille, c'est un opérateur remarquable. En lisant ses œuvres, on a toujours le regret qu'il ne se soit pas servi de ses moyens de sondage pour des causes plus utiles à la société. »

6

Autopsie d'un rendez-vous manqué

La comtesse Greffulhe avait été l'une des premières à recevoir un exemplaire dédicacé de *Du côté de chez Swann*, et nous avons vu qu'elle ne le lut pas. Proust ne se faisait pas d'illusions : comme la plupart de ses pairs, elle persistait à ignorer superbement son œuvre. Pourtant, il ne ressentit jamais envers elle l'amertume que lui inspira Mme de Chevigné, « cette poule coriace ». Le ton de la correspondance qu'ils continuèrent à échanger, pendant et après la guerre, le prouve.

1916. Au front, les soldats enlisés dans leurs tranchées subissent un déluge de feu ; mais la vie « à l'arrière » reprend son cours. Les salons parisiens rouvrent un à un. Après son séjour à Bordeaux, la comtesse Greffulhe est revenue à Paris. Même si elle n'a pas lu *Swann*, elle ne peut ignorer l'extraordinaire succès que commence à connaître le livre du « petit Marcel », en France, en Angleterre et aux États-Unis. Ce premier volume a été déjà été réédité six fois. André Gide a fait repentance de son refus initial, et Proust négocie dans la douleur avec Bernard Grasset son départ vers la NRF. Sa célébrité nouvelle ne peut être qu'un charme de plus aux yeux d'Élisabeth. Elle recommence à l'inviter – comme souvent, à la dernière minute. Il continue à se dérober. Dans ses lettres, la respectueuse impertinence – ou la familiarité déférente – alterne avec des notes plus graves et plus mélancoliques. Nous n'avons pas celles écrites par la comtesse Greffulhe, à deux exceptions près cependant, ce qui permet de reconstituer une partie de la correspondance échangée entre fin 1916 et 1920.

« Je sais tout ce qu'il peut y avoir d'héroïsme dans la beauté »

« Madame,

Entre deux charmes émouvants, vos invitations ont celui de convier le plus souvent le lendemain à une réunion qui avait eu lieu la veille. Ainsi, pour le malade, l'agitation de savoir s'il pourra s'y rendre ou non se trouve supprimée puisque ce n'est pas de cela qu'il s'agit. "La comtesse Greffulhe était chez elle hier dimanche", voilà une nouvelle qui suffit à éveiller des rêves de beauté, sans y mêler l'alarme de mille préparatifs ; l'imagination est exaltée, les nerfs restent calmes, c'est une invitation de Rêve et le Rêve des invitations.

J'aurais voulu vous remercier depuis longtemps, Madame, de la prestigieuse invitation du trois septembre. J'ai souffert des yeux, ce qui m'empêchait d'écrire. Il y a plus longtemps encore que j'aurais voulu vous dire qu'au milieu des larmes, des deuils, des angoisses, il y a certains souvenirs préférés auxquels je me reporterai toujours avec gratitude, avec respect, avec admiration. La Vénus de Milo est restée à Toulouse. Mais on est heureux de savoir que la comtesse Greffulhe est à Paris. Et je sais tout ce qu'il peut y avoir d'héroïsme dans la beauté. »

La réponse d'Élisabeth nous est parvenue sous la forme de plusieurs brouillons manuscrits et copies dactylographiés :

« Paris le...
octobre 1916

Monsieur,

En recevant votre exquise lettre, j'ai senti que vous me parliez de tout près, tel un habile tireur qui atteint le but autour duquel en général frappent les balles. Cette comparaison militaire, n'est-elle pas hélas de saison ?

Nos pensées se sont rencontrées dans un sourire qui fait justice des ennemis quotidiens de la vie mondaine. L'invitation à une

396

réunion nombreuse, n'est que le geste destiné à raviver le souvenir des causeries plus intéressantes et plus intimes, c'est une façon de dire :

Vous savez, je suis ici, et si vous y êtes vous-même, nous pourrons nous rencontrer un jour, pour parler de l'intensité de l'heure présente.

Puisqu'au milieu des larmes, des deuils et des angoisses, vous n'avez pas oublié certains échanges d'idées qui créent une empreinte indélébile, je serais heureuse de vous revoir, de vous dire ce que j'essaie de faire en des luttes stratégiques que je livre à l'arrière pour consoler ceux qui pleurent, et défendre la France d'après-guerre, contre les barbaries, les invasions et les conquêtes de l'étranger.

Je serai à Paris mercredi prochain, et j'ai l'intention, s'il plaît aux Dieux, d'aller vous voir entre cinq et six heures. Nous verrons si le sort souvent jaloux ne met point une entrave à cet audacieux projet ?

Voulez-vous tenter cette expérience, ou préférez-vous ne pas compromettre vos jours d'ici là, par une couleur trop violente abattue sur ce mercredi. Acte trop positif peut-être, pour votre sensibilité d'esprit entré dans la lumière ?

Peut-être préférez-vous, à l'attente, une attaque brusquée par téléphone (Gutenberg 0.73) permettant d'espérer jusqu'au dernier moment, que les matérialisations n'auront pas lieu ?

Quoi qu'il en soit, une rencontre est maintenant inévitable, n'en accusez que vous, et croyez à mes sentiments d'admiration.

Caraman-Chimay Greffulhe[1] »

Cette lettre pleine d'humour montre qu'Élisabeth connaissait beaucoup plus intimement Marcel Proust qu'elle ne le prétendra plus tard, qu'elle l'admirait et qu'elle recherchait sa compagnie. Certes, le style est par moment approximatif – « l'intensité de l'heure présente » –, et prêtant le flanc au pastiche. Mais le ton est réellement affectueux, et révèle une bonne connaissance de la psychologie proustienne. Cependant, Proust se sentira blessé, sans doute autant par la forme dactylographiée (seule la signature était manuscrite) que par le « Monsieur » initial ; il consacrera huit pages à lui exprimer en réponse ses états d'âme :

« Madame,

Je suis si malade ces jours-ci que je crains de mal vous traduire ce que m'a fait éprouver votre lettre. D'abord le terrible "Monsieur" du début, sorte de rature initiale destinée à biffer tout ce qui pourra suivre de bienveillant. Si je prends aisément mon parti des intermittences, en revanche le retrait de ce qui me semblait acquis d'amabilité m'étonne toujours, et quand c'est par vous, me désole. J'ai plus que personne souci des déclinaisons où semblaient progresser des femmes d'ailleurs pleines de mérite et de bonté (genre madame Aimery de La Rochefoucauld ou Mme de Brantes) en partant de Monsieur et n'arrivant au prénom qu'après avoir passé par "Cher Monsieur", "Cher ami", etc. Mais au moins aucun terrain acquis avec elles, pour reprendre les réflexions militaires, n'était ensuite reperdu, et on ignorait les prestigieuses Roches Tarpéiennes où vous vous complaisez, et dont votre foudroyant : "Monsieur" est l'exemple bien fait pour terrifier. "Monsieur", la marge est tracée, le fossé creusé, la distance comptée comme pour un duel, et votre éblouissante plaisanterie : "la rencontre est maintenant inévitable" prend un tour plus hostile quand l'adversaire est d'avance accablé sous ce Pélion précipité. Voilà ce que l'on est tenté de se dire. Parce que l'on est bête, moi du moins. Mais si l'on songe que la comtesse Greffulhe, depuis qu'elle ne nous a vu, a fondé un nombre incalculable d'œuvres, agi artistiquement, politiquement, diplomatiquement, on se dit qu'elle ne saurait se rappeler comme une personnalité quelconque qu'elle ne nous disait pas : "Monsieur", on se dit que c'est encore beaucoup qu'elle nous écrive et on ne voit plus dans le "Monsieur" qu'un *"Memini quia Pulvis"* plutôt philosophique que blessant. Madame, ce qui a mille fois moins d'importance que Monsieur et dont j'ai ri jusqu'à aujourd'hui mais qui m'ennuie pour la première fois, c'est que depuis six mois avant la guerre j'ai été ruiné par ma propre stupidité de spéculations auxquels je ne connaissais rien [...]. Reste enfin (car j'ai déjà été trop long dans cette lettre) la question visite. Il n'est naturellement pas possible que vous vous risquiez dans ma tranchée parmi les gaz asphyxiants que sont mes fumigations antiasthmatiques. Je suis hors d'état de recevoir. Mais je me permettrai d'aller vous remercier et vous demander d'accepter les hommages de ma respectueuse et reconnaissante admiration. »

On trouve dans ce texte toutes les caractéristiques de la correspondance proustienne – mélange d'autodérision plaintive, de fausse humilité et de flatterie enjôleuse, volte-face d'un point de vue à l'autre, etc. Ce qui est assez curieux, en outre, c'est que Proust se sentit obligé de joindre un don de trois cents francs pour les œuvres de la comtesse, non sans moult excuses sur ce qu'il nomme, un peu exagérément, sa « ruine ». La lettre d'Élisabeth ne comportait pas la moindre sollicitation de ce genre ; elle se contentait de mentionner son action charitable : mais Marcel l'hypersensible y vit un reproche, en tout cas un appel du pied. Tout cela laisse penser qu'elle ne lui était pas indifférente, et qu'il tenait réellement à son estime – sans pouvoir, cependant, envisager une seconde de la laisser pénétrer dans l'intimité de sa chambre de malade. Élisabeth demanda à sa secrétaire de lui déchiffrer cette missive, et de lui trouver la définition du mot « Pélion »[2].

Sic transit Gloria Mundi

Le dernier échange de lettres parvenu jusqu'à nous se situe au début de 1920. En novembre 1919, Proust a reçu le prix Goncourt pour *À l'ombre des jeunes filles en fleurs*. Déjà, sa célébrité est telle qu'« on avait plutôt l'impression qu'on venait de donner le prix Marcel Proust à l'Académie qui portait ce nom-là », raconte Jacques Porel. Le comte Greffulhe, qu'il appelle « le comte sans particule », et qui a lu ses livres, a pris la peine de lui écrire une lettre de félicitations, en le décorant avec bienveillance du nom « d'ami ». Marcel s'est empressé de lui répondre par l'une de ces missives enflammées dont il a le secret : « Rien ne pouvait m'être plus sensible que ce mot de vous. Le nom (donné avec une bienveillance dont je n'exagère pas le sérieux), le nom d'"ami" m'a particulièrement touché. Si j'en goûte rarement les joies, j'en sens du moins tout l'honneur. » Henry, semble-t-il, renouvellera ses éloges peu de temps avant la mort de l'auteur : « La lettre du comte G. m'a charmé.

Cet homme est vraiment très gentil », confiera Marcel à Reynaldo Hahn.

Avec moins de délicatesse et de discernement, la comtesse s'est contentée de lui expédier une carte de visite, porteuse d'un message impersonnel rédigé à la troisième personne. Marcel est profondément froissé de ce procédé, et il prend la peine de le lui faire savoir :

> « Madame,
>
> J'ai commencé à répondre à q.q. des félicitations (!) pour ce prix. Puis je suis tombé si malade qu'il en reste 800 devant moi sans que j'aie la force de recommencer. La vôtre m'a fait plaisir et peine. J'étais redescendu du Cher ami, au Cher Monsieur et ami, puis au Cher Monsieur, puis au Monsieur ; en y joignant les "sentiments distingués" je croyais n'avoir plus de degré à descendre. Je me trompais. Cette fois-ci, c'est à la 3° personne que vous me faites savoir que la comtesse Greffulhe etc. Si j'ai jamais un autre prix, je pense que vous n'écrirez même plus et qu'une note, dans la chronique du *Gaulois*, préviendra le lecteur que la comtesse Greffulhe a appris avec plaisir etc. *Sic transit Gloria Mundi*. Je suis trop malade pour vous écrire plus longuement mais je me permets de vous rappeler ma demande d'une photographie (fût-ce du portrait de Laszlo). Pour me la refuser jadis, vous aviez allégué une bien mauvaise raison, à savoir que la photographie immobilise et arrête la beauté de la femme. Mais n'est-il pas précisément beau d'immobiliser, c'est-à-dire d'éterniser un moment radieux. C'est l'effigie d'une éternelle jeunesse. J'ajoute qu'une photographie vue jadis chez Robert de Montesquiou me paraît plus belle que celle du portrait de Laszlo. Quant à celle du portrait d'Helleu, je l'ai dans le livre de Montesquiou mais il ne vous ressemble pas. Pardonnez-moi d'arrêter ici ma lettre et ma vaine demande. Je suis tellement malade qu'une lettre est un effort que je ne *devrais* pas faire, ayant deux livres à finir, et plus probablement, la mort, beaucoup plus rapprochée, ce qui ne serait rien s'ils étaient prêts. Moi, je le suis[3]. »

Proust s'éteindra moins de deux ans plus tard, le 18 novembre 1922. Cette lettre émouvante est la dernière connue de lui à la comtesse Greffulhe. Se sentant près de la fin, hanté par l'impérieux devoir de son œuvre à parachever qui, désormais, prime tout, il se souvient cependant de son admiration passée, et prend quelques précieuses minutes de son temps pour réitérer une ultime fois son vœu de recevoir une photographie. « Vaine demande » qui, il s'en doute, ne sera jamais satisfaite. L'ironique *Sic transit Gloria Mundi* prend ici une résonance particulière. Car il le sait bien : c'est sa gloire à elle qui va sombrer dans l'oubli ; lui seul passera à la postérité ; et la seule « effigie d'une éternelle jeunesse », le seul souvenir qui subsistera de sa radieuse beauté, c'est à lui qu'elle le devra.

La réponse – ou la tentative de réponse – d'Élisabeth, nous la connaissons par deux brouillons raturés et incomplets datés de 1920 :

> « Monsieur et ami,
>
> Votre lettre constatant les dégradations de mes appellations m'a fait sourire à l'ombre des bois en fleurs de narcisses où je suis à présent.
>
> Ne trouvez-vous pas que lorsque beaucoup de temps s'est écoulé depuis qu'on n'a vu quelqu'un qui sait regarder, il faut agir avec une certaine précaution, tout comme on entre dans la mer, et l'eau, qui d'abord paraît froide, finit, à mesure qu'on s'y plonge, par donner une sensation de chaleur.
>
> C'est ainsi que le message téléphoné à la troisième personne, évoque en moi le discret rappel d'un de mes vieux amis, le duc de la Force, lequel n'osant pas aborder de front, après un certain temps d'absence, les différents événements qui m'étaient advenus, par peur de manquer de tact, passait simplement à ma porte et, en guise de préliminaire écrivait sur sa carte *"to enquire"*. Ce "pour s'enquérir" apparaissait toujours, dans toutes les circonstances, grandeurs ou trivialités domestiques qu'offre la famille : naissances, morts, rougeoles, mariages, divorces, frustrations d'héritages, etc.
>
> Quant à la demande de photographie [...]

Le brouillon s'interrompt sur ces mots. On sent qu'Élisabeth s'est donné du mal pour rattraper et justifier la « gaffe » presque insultante de sa carte de visite si distante. Les ratures nous apprennent qu'elle a remplacé « au milieu des bois fleuris » par « à l'ombre des bois en fleurs » – fine allusion au titre de l'ouvrage lauréat du prix Goncourt. On ne sait si la lettre fut achevée et expédiée. Ce qui est certain, c'est que Proust, définitivement blessé, se tiendra désormais sur la réserve. La magnifique lettre de condoléances de huit pages qu'il écrit à la mort de Montesquiou, en décembre 1921, c'est à Elaine qu'il l'adresse. Mais il la conclut en parlant de sa mère : « Si vous voyez Madame votre Mère, l'immortelle Égérie du poète disparu [...], voulez-vous lui dire avec quel respect et quelle émotion je m'associe à son chagrin. Je n'ai pu lui écrire car il m'est défendu d'écrire. J'aurais enfreint la défense et puisé une force momentanée dans quelques piqûres si j'avais pensé qu'une lettre de moi ne lui déplût pas. Mais des témoignages concordants me font penser le contraire, qui n'abolit en rien ma reconnaissante dévotion pour elle. »

La comtesse Greffulhe avait ignoré « le petit Marcel » quand il n'était qu'un aimable échotier mondain. Puis elle lui avait prêté une certaine attention lorsque son gendre, le duc de Guiche, l'avait élu au nombre de ses amis proches, et qu'il s'était révélé un écrivain reconnu. Mais les années s'étaient écoulées si vite. Au sommet de sa gloire, prise dans le tourbillon des fêtes, des réceptions et des spectacles, enivrée par sa passion pour Roffredo, occupée à tisser les innombrables fils de ses activités de mécène, puis de ses œuvres de guerre, elle n'avait porté qu'une attention intermittente à cet éternel malade, qui se dérobait si souvent à ses invitations. À l'heure où Proust se préparait à son dernier voyage, elle-même vivait les heures les plus noires de son existence.

Entre eux, le temps perdu ne sera jamais retrouvé.

7

ARMAND DE GRAMONT, DUC DE GUICHE :
L'INSAISISSABLE ET FIDÈLE AMI

Beaucoup plus solide était l'amitié qui liait Proust au duc de Guiche, le mari d'Elaine. Si différents qu'ils fussent, dès leur rencontre, Marcel était tombé sous le charme de ce garçon comblé de tous les dons de la nature et de la société. La séduction d'Armand tenait aussi à son nom et à l'histoire de sa famille. Les Gramont sont seigneurs navarrais, princes souverains de Bidache, descendants de « belle Corisande » au destin romanesque, influente maîtresse d'Henri IV et amie chère de Montaigne : un tel « biotope » avait de quoi séduire ce grand rêveur affamé de donjons[1].

« Une des trois ou quatre personnes à qui je tiens beaucoup »

Guiche faisait partie, comme Gabriel de La Rochefoucauld, Louis d'Albufera, Bertrand de Fénelon et Georges de Lauris, des « fervents » de la rue de Courcelles, puis du boulevard Haussmann, séduits par la culture, la conversation et l'humour de l'écrivain. « Au sortir du théâtre, raconte-t-il dans ses *Mémoires*, nous étions toujours sûrs de le trouver chez lui. Il était installé dans sa salle à manger ; il sortait une bouteille de cidre du buffet et nous nous causions gaiement avant de rejoindre nos domiciles respectifs. »

En 1908, Proust fut parrainé par Guiche pour entrer dans le sélect club du Polo de Bagatelle – où il ne mit d'ailleurs

403

jamais les pieds. Dans les premières années de leur mariage, les Guiche louaient tous les étés la villa *Mon Rêve*, à Bénerville, entre Cabourg et Trouville. Lorsqu'il séjournait au Grand Hôtel de Cabourg, Marcel y organisait parfois pour eux des dîners et des soirées musicales ; il tremblait pour son ami en assistant à ses parties de golf ou de polo, « tous ces jeux stupides et dangereux ». Surtout, il avait pris l'habitude de s'arrêter chez lui, tard le soir, au retour de ses visites chez les Straus à Trouville. Passionné de peinture – il avait bénéficié des leçons de László, grand ami de sa famille – Armand passait alors l'été devant son chevalet sans se soucier des mondanités, et l'on peut imaginer qu'ils rendirent visite ensemble, sur son yacht *Étoile* ou dans son atelier de Deauville, à leur ami Helleu, qui fut, avec Claude Monet, le modèle du peintre Elstir.

La correspondance adressée par Proust à son ami Armand avant son mariage en 1904 a été égarée au cours d'un déménagement. Heureusement, Elaine fut une archiviste plus soigneuse, puisque plusieurs dizaines de lettres, écrites entre novembre 1904 et septembre 1922, ont été conservées à Vallière et remises aux Archives nationales par ses descendants. Guiche ne répondait pratiquement jamais. Marcel en avait pris son parti – « il ignore la pratique de répondre » – ; mais sans se décourager, il saisissait toutes les occasions pour multiplier les protestations d'amitié. Lorsqu'en juillet 1905 Armand perdit sa mère, il lui écrivit à plusieurs reprises pour lui témoigner son affection : « Je vous aime mille fois plus que jamais, si c'est possible, depuis que je suis en sympathie avec votre immense peine ».

Avec Elaine, les relations étaient moins faciles : aucune offensive de charme ne parvint à vaincre sa réserve. Par moments, elle avait pour Marcel des élans de gentillesse presque maternelle, se préoccupant de sa santé, lui prescrivant « de la ouate vaselinée » pour l'aider à « transporter ses moyens de défense dans l'oreille » afin de se protéger du bruit. Mais malgré tous ses efforts, il n'obtint jamais qu'elle se départît des « mesures de rigueur » dont elle usait à son égard, « telles que la prolongation indéfinie du "Monsieur" et de "sentiments" qui hésitent alternativement entre la "distinction", et la "plus grande" ou "très grande" distinction, c'est-à-dire les divers rites classiques de l'hostilité avouée ». Il s'y résigna, déplorant qu'elle ressemblât plus à sa grand-mère paternelle qu'à sa séduisante mère – « À mon avis, elle est surtout La Rochefoucauld ». Toute sa vie, il continua à lui donner cérémonieusement du « Madame la Duchesse » et à l'assurer de ses « hommages respectueux ».

Proust avait dédicacé à Guiche un exemplaire des *Plaisirs et les Jours*, et lui envoya une édition originale de *Swann* dès sa parution. Armand se réjouissait de la réussite de son ami. Fin 1913, rendant visite rue de Varennes à Edith Wharton, romancière américaine à succès, il l'entendit avec intérêt « affirmer que *Du côté de chez Swann* est une œuvre de grande valeur qui marquera dans l'histoire du roman », et se félicita par la suite de constater que la couverture jaune du livre fleurissait sur bien des tables.

Lorsque la guerre éclata, Guiche, mobilisé, fit ses adieux à sa famille. « *Are you going to be killed ?* », lui demanda son fils de quatre ans, à qui sa nurse anglaise avait sans doute communiqué ce flegme tout britannique. Mais Armand ne fut pas envoyé au front : propriétaire d'une Rolls-Royce et parlant parfaitement l'anglais, il fut affecté à un corps d'automobilistes au service du général French, commandant en chef de la Force expéditionnaire britannique. Après avoir promené des généraux pendant quelques semaines, il abandonna sa Rolls au général Pétain pour entrer à la Section technique de l'aéronautique militaire, où il mit au point des collimateurs de visée pour faciliter le tir des avions de combat.

En 1917, il fut délégué à deux reprises en mission scientifique aux États-Unis. La traversée de l'Atlantique était périlleuse, car les paquebots offraient une cible facile aux torpilles des sous-marins ennemis, comme l'avait montré le naufrage du *Lusitania* en 1915. Aussi ces voyages jetèrent-ils Proust dans des transes d'anxiété. Avant chaque départ, il s'extirpait de son lit, au prix d'efforts inouïs, pour dire adieu à son ami ; à chaque traversée, il se rongeait d'inquiétude, dans l'attente d'un pneumatique d'Elaine lui annonçant l'arrivée à bon port.

La guerre s'éternisait. Pris par ses multiples occupations, Guiche avait abandonné la peinture et n'avait plus guère le temps de s'intéresser à la littérature. De son côté, Marcel ne sortait pratiquement plus de sa « tranchée » du boulevard Haussmann où il menait héroïquement sa course contre la mort, corrigeant les épreuves des volumes à paraître tout en continuant à développer les derniers tomes d'une œuvre qui n'en finissait pas de foisonner. Mais dès qu'il trouvait la force de réunir ses amis au Ritz – opération toujours hautement complexe et méticuleusement préparée à grand renfort de missives interminables –, Armand était le premier sur la liste de ses invités, poussant même l'obligeance jusqu'à choisir les plats et les vins.

Guiche connaissait assez bien son ami pour faire un sort à son prétendu snobisme. Son jugement pénétrant de scientifique ne s'y était pas trompé :

> « On a parlé de snobisme bien souvent à son sujet ; cette expression ne me paraît pas convenir entièrement aux sentiments qui l'animaient. Je me souviens avoir reçu un jour la visite d'un candidat à l'académie qui étudiait avec passion les insectes cavernicoles dont la vue finit par s'atrophier à force de vivre perpétuellement dans l'obscurité ; il déploya une vaste carte représentant la surface du globe sur laquelle étaient marqués tous les points qu'il avait explorés pour étudier et comparer différentes espèces. Pourquoi alors qualifier de snobisme le fait d'étudier vers 1900 une société qui constituait précisément par ses cloisons étanches, par ses divers étages, un édifice compliqué et si différent non seulement de l'époque actuelle, mais même des décades précédentes ? »

De son côté, Marcel était fasciné par le savant, par « cette terra incognita des sciences où je sais que vous êtes maître ». La vie les avait éloignés, et il avait la nostalgie des stimulants échanges intellectuels de leur jeunesse : « Certains soirs où je rétrograde d'une quinzaine d'années, j'ai la pensée présomptueuse et mélancolique que nos natures si opposées et nos cultures si différentes eussent pu n'être pas sans utilité l'une pour l'autre. » Guiche était le seul scientifique de ses amis, le seul avec qui il pouvait relier la science et la littérature : « Que j'aimerais vous parler d'Einstein ! On a beau écrire que je dérive de lui, ou lui de moi, je ne comprends pas un seul mot à ses théories, ne sachant pas l'algèbre. Et je doute, pour sa part, qu'il ait lu mes romans. Nous avons paraît-il une manière analogue de déformer le temps[2]. »

Preuves d'amitié

Voulant à tout prix lui rendre un hommage public, Proust souhaitait faire de son ami un éloge digne de lui dans son pastiche de Saint-Simon. Mais Guiche, trop occupé, déclina, avec « une froideur progressive, en un diminuendo de gentillesse », ses invitations successives à lui rendre visite pour l'aider à construire le « scénario scientifique XVIIe siècle » dont il rêvait. Le portrait qui fut publié[3] se réduisit donc à quelques lignes :

> « [Le] duc de Guiche [...] était fort tourné, comme on l'a vu, vers la mathématique et la peinture [...]. [Ses yeux] très ressemblants à ceux de sa mère, étaient admirables, avec un regard qui, bien que personne n'aimât autant que lui à se divertir, semblait percer au travers de sa prunelle, dès que son esprit était tendu à quelque objet sérieux. [...] Il dominait sur tous les autres ducs, ne fût-ce que par son savoir infini et ses admirables découvertes. Je peux dire avec vérité que j'en parlerais de même si je n'avais reçu de lui tant de marques d'amitié. Sa femme était digne de lui, ce qui n'est pas peu dire. La position de ce duc était unique. Il était les délices de la cour, l'espoir avec raison des savants, l'ami sans bassesse des plus grands, le protecteur avec choix de ceux qui ne l'étaient pas encore. »

Marcel aurait voulu faire bien plus que cet éloge, trop bref à son goût. « Privé de vos indispensables conseils j'ai raté "mon" Guiche », se désola-t-il, dans une longue lettre de reproches. Un moment, il se crut brouillé avec lui, l'un de ses plus chers amis, « une des trois ou quatre personnes à qui je tiens beaucoup », et en éprouva « un véritable chagrin ». Mais Armand, malgré son indifférence intermittente, était fidèle, et mit fin au malentendu par une lettre amicale qui soulagea Marcel « d'un grand poids ». Mieux encore, il eut bientôt l'occasion de lui prouver la qualité de son amitié.

En janvier 1919, Proust apprend que l'immeuble du 102 boulevard Haussmann, propriété de sa tante, a été vendu au banquier Varin-Bernier, qui va expulser les locataires pour y établir ses bureaux. Pour lui, c'est un cataclysme. Escargot brutalement arraché de sa coquille, le voilà obligé de trancher les derniers fils qui le retenaient encore à ses parents – dont les meubles encombrent toujours son appartement. Depuis toujours, le moindre dépaysement, le moindre changement dans ses habitudes est pour lui une souffrance inexprimable. Mais alors qu'il sait ses jours comptés, qu'il ne pense qu'à mobiliser toute son énergie pour achever son Grand-Œuvre, l'épreuve est trop cruelle. À la perspective de ce déracinement s'ajoutent les tracasseries d'argent – le nouveau gérant lui réclamant 25 000 francs, plusieurs années de loyers qu'il n'avait pas payées en vertu d'un complexe arrangement familial. Parmi tous ses amis, il n'en voit qu'un seul capable de le tirer de ce mauvais pas : c'est le duc de Guiche qu'il appelle au secours.

Guiche fut à la hauteur. Ému par la détresse de son vieil ami, il se chargea de toutes les démarches. Grâce à son entregent, son autorité morale et son expérience des affaires, il négocia avec brio : non seulement il libéra Marcel de sa dette, mais il obtint pour lui une confortable indemnité de 12 000 francs. Avec une patience inlassable, il s'entremit, expliqua, joua les factotum, et alla jusqu'à s'occuper de faire recycler les panneaux de liège qui tapissaient la chambre du boulevard Haussmann. Pourtant, il avait bien d'autres chats à fouetter puisque, au même moment, il était en train de fonder l'Institut d'optique et de créer ce qui deviendrait une florissante activité industrielle[4].

Proust ne l'ignorait pas, et il en conçut pour lui une reconnaissance éternelle, qui dépassait de loin l'enjeu matériel et financier de cette affaire : « Il est doux de publier les bienfaits dont on a été l'objet. » Profondément touché par cette preuve d'amitié, il épancha sa gratitude à tous les vents de sa correspondance, louant ce « grand cœur », cet ami « follement gentil », « vraiment exquis », qui par « les démarches les plus habiles » lui avait rendu « le plus grand service qu'un ami m'ait jamais rendu », lui donnant ainsi « des marques si précieuses » de son amitié.

Entre l'écrivain et le savant, les rencontres se faisaient de plus en plus rares : il fallait des efforts sans fin pour que ces deux planètes lancées sur des orbites si différents réussissent à opérer leur conjonction. Proust continuait à envoyer à son ami, au fur et à mesure de leur parution, tous les volumes dédicacés de la *Recherche*, en prenant grand soin de ne lui offrir que des éditions originales. Armand n'en accusait pas toujours réception[5]. Pour accompagner le volume de *Guermantes II*, Marcel écrivit cette lettre-dédicace mélancolique et désabusée :

> « Au duc de Guiche, Marcel Proust
> Cher Ami, vous ne m'avez jamais accusé réception de *Guermantes I*. Ceci n'est pas un reproche mais pour vous expliquer que je ne vous envoie pas sans quelques hésitations *Guermantes II*. À ces hésitations je ne m'arrête pas. Vous êtes une des rares personnes que j'aime vraiment et je souhaite vous revoir avant le jour des séparations définitives. J'espère que votre amitié continue de répondre à la mienne et que vous n'êtes las ni d'un compagnon bien rare, ni de livres bien fréquents. »

En réponse aux longues lettres de cet ami si susceptible, que le moindre soupçon d'indifférence mettait en émoi, Guiche répondait rarement et brièvement, en tempérant sa froideur d'homme de science de toute la gentillesse dont il était capable. Mais il suivait avec intérêt la carrière d'une œuvre dont la réputation, après le prix Goncourt, se répandait bien au-delà des frontières. « À Londres, lui écrit-il en 1921, les dames "intellectuelles" ont deux sujets de conversation. Les scientifiques vous parlent d'Einstein, bien entendu. Les littéraires, de Prrrr… oust. C'est ainsi qu'elles prononcent votre nom ! » Échaudé par les réactions hostiles du faubourg Saint-Germain au sulfureux *Sodome et Gomorrhe*, Marcel s'attendait au pire ; mais il reçut bientôt la preuve que non seulement Armand lisait ses livres, mais qu'il les appréciait à leur juste valeur. « J'ai reçu de Bénerville [...] une lettre de Guiche relativement aux articles sur *Sodome et Gomorrhe*, écrit-il à Gaston Gallimard. Je crois que vous la liriez avec plaisir. Elle prouve qu'un homme du monde intelligent a souvent plus de jugement que de savants critiques[6]. »

Dernier appel sans réponse

Proust n'avait plus que quelques semaines à vivre, et il le pressentait. Les lettres ne lui suffisaient plus, il voulait revoir son ami avant de mourir ; il tenta un dernier plaidoyer, toujours dans la veine tragi-comique qui était sa marque d'épistolier :

> « Vous m'avez écrit une lettre qui est un remarquable morceau de critique [...]. Elle mériterait plus de lecteurs que moi seul [...]. Ce qui m'amuse surtout c'est de dîner en tête à tête avec vous. Mais je n'ai plus d'espoir. [...] Vous avez définitivement supprimé "Marcel" et le don de la photographie de Madame Greffulhe. Je ne parle que de ces deux choses auxquelles je tenais tant, que parce que je ne les désire plus pour les avoir trop demandées. [...] Je suis de nouveau très ennuyé de ma santé. Mes accidents sont si violents que je commence à croire que cela tient à des fissures de ma cheminée qui est crevée partout. [...] Mais l'approche de la mort est possible aussi. C'est embêtant avant que mon livre soit fini. [...] Dire que je ne réponds à personne (et à des "têtes couronnées" cher ami) et que je ne peux vous quitter quand je vous écris ! »

Guiche, trop rationnel et trop pris par ses activités, n'entendit pas la supplication qui se cachait sous le ton badin. « Je n'ai pas vu Guiche depuis longtemps, écrivit Proust à Walter Berry, (il m'a écrit mais je n'ai pas la force de lui répondre). Pour moi (vous pouvez le lui dire) son destin est écrit dans ces mots : "Pas trop de plaisir charnel et ne pas trop intellectualiser le golf." Il ne peut pas croire que les yeux clairvoyants percent les murs. »

À la fin de novembre 1922, Armand reçut un appel téléphonique de Céleste. S'exprimant comme toujours en langage choisi, respectueusement à la troisième personne, Céleste demanda si Monsieur le duc pourrait indiquer à M. Proust l'adresse d'un médecin dont il lui avait parlé, susceptible de le soulager par des piqûres d'huile camphrée. Guiche, qui, depuis vingt ans, avait si souvent vu son ami « à l'agonie », ne comprit pas que c'était là un ultime appel et ne vint pas lui rendre visite. Trois jours plus tard il reçut de Reynaldo Hahn un petit mot tracé à la hâte :

« Cher ami,

Notre ami Marcel Proust vient de mourir.

Vous êtes un des premiers à qui je crois devoir annoncer cette douloureuse nouvelle.

Votre dévoué

Reynald Hahn »

Proust s'était éteint à cinquante et un ans, comme Balzac et Molière. Son frère Robert affirmait qu'il n'avait pas voulu guérir. Près de sa dépouille, devant laquelle l'abbé Mugnier vint réciter la prière des morts, s'empilaient les cahiers d'écolier où son œuvre avait continué de s'élaborer jusqu'à la fin – « son œuvre qui continuait, elle, à vivre à sa gauche comme le bracelet-montre des soldats morts », notera Cocteau. Avant l'inhumation au Père-Lachaise, les obsèques eurent lieu le 22 novembre à la chapelle Saint-Pierre-de-Chaillot, en présence d'une foule immense et hétéroclite, parmi laquelle la presse mentionna le duc et la duchesse de Guiche et le comte Greffulhe.

Quelques jours plus tard, Céleste, qui n'avait pas encore quitté la rue Hamelin, vit « cette chose extraordinaire » : dans la vitrine éclairée du libraire d'à côté, les volumes de la *Recherche* étaient disposés trois par trois. « Une fois encore, j'ai eu comme un éblouissement de ses presciences », commentera-t-elle. Cette vision était surnaturelle, en effet, car le libraire avait accompli une scène de *La Prisonnière*, au moment de la mort de Bergotte – sans pouvoir la connaître car elle dormait encore dans le manuscrit déposé chez Gallimard : « On l'enterra, mais toute la nuit funèbre, aux vitrines éclairées, ses livres, disposés trois par trois, veillaient comme des anges aux ailes éployées et semblaient, pour celui qui n'était plus, le symbole de sa résurrection. » Rien n'interdit de penser que le récit de Céleste est

véridique ; Proust, de son propre aveu, avait un don divinatoire : « J'ai dans mes livres inventé une série de faits que
j'inventais, que je ne pouvais savoir, qui souvent n'avaient pas
encore eu lieu, et qui se sont trouvés minutieusement réalisés
dans la vie », avait-il écrit au duc de Guiche.

8

L'OMBRE DES GUERMANTES

« Il était mort. Mort à jamais ? Qui peut le dire ? » Comme Bergotte, Proust n'était pas mort : il commençait tout juste à vivre. Au prix d'une véritable course contre la montre, contre les ténèbres qu'il sentait monter à l'assaut, il avait eu le temps de corriger les épreuves des deux tomes de *Guermantes*, puis de *Sodome et Gomorrhe*, et de mettre au point *La Prisonnière*. *Le Temps retrouvé*, dernier volume, était quasiment achevé depuis 1918 ; mais il se débattait encore, à la veille de sa mort, avec *La Fugitive*, titre initial d'*Albertine retrouvée*. Il fallait qu'il s'éteigne pour que s'achève ce travail de titan, pour que sa gloire puisse resplendir, pour que le mythe prenne vie. Attendus avec ferveur par ceux que l'on appelait déjà les « proustolâtres », les trois derniers volumes parurent entre 1923 et 1927, à deux ans d'intervalle. Alors que pâlissait l'étoile de la comtesse Greffulhe, « le petit Marcel » entrait dans la légende.

« *Je m'embarrasse les pieds dans ses phrases* »

Si Élisabeth, de son propre aveu, n'était jamais parvenue à le lire – « je m'embarrasse les pieds dans ses phrases » – elle ne pouvait ignorer qu'elle avait côtoyé sans le reconnaître le plus grand génie littéraire de son temps. Elle qui se faisait une gloire d'avoir repéré et lancé tant d'artistes dut en concevoir une secrète amertume. Et, quoi qu'elle pût en dire par la suite, ce

413

constat ne la laissa pas indifférente. Pourquoi, sans cela, aurait-elle écrit à Robert Proust, qu'elle ne connaissait pas, non seulement pour lui présenter ses condoléances, mais aussi pour l'inviter à Bois-Boudran, comme le prouve la réponse de ce dernier, conservée dans ses archives : « Nous avons été infiniment touchés de votre lettre. Moi aussi je serais très heureux de vous voir, et si cette date vous convient, nous viendrions à Bois-Boudran le dimanche 16 décembre. » Deux ans plus tard, elle lui écrivit à nouveau, pour lui demander l'autorisation de publier les lettres qu'elle avait reçues de Marcel : elle avait été sollicitée pour cela par Léon-Pierre Quint, qui achevait d'écrire la première biographie de Proust[1]. Robert lui opposa un refus catégorique : « J'ai bien eu la visite de M. Pierre Quint, mais je n'avais pas compris qu'il devait publier des lettres de mon frère écrites à des tiers. Je n'ai jusqu'ici accordé l'autorisation de reproduction qu'à des amis de Marcel désirant publier des lettres qu'eux-mêmes avaient reçues [...]. L'heure n'en est pas venue et mon frère n'aurait certainement pas désiré que cela eût lieu. »

Comment aurait-elle pu s'en désintéresser, alors que, dès 1928, Gallimard publiait un *Répertoire des personnages de « À la recherche du temps perdu »* ; que, déjà, fleurissaient les biographies, et que tous ceux qui l'avaient connu rivalisaient de *Souvenirs* ? « On me lira, oui, le monde entier me lira et vous verrez, Céleste, rappelez-vous bien ceci... Stendhal a mis cent ans pour être connu. Marcel Proust en mettra à peine cinquante. » La prédiction de Proust se réalisa bien plus vite qu'il ne l'imaginait. Phénomène étonnant, pratiquement unique dans l'histoire de la littérature, il fut sacré, d'emblée, au rang des grands auteurs classiques. Le processus de « proustification », comme le nomme plaisamment Antoine Compagnon, débuta au lendemain de sa mort et ne cessa de s'amplifier, comme la chute d'une pierre dans l'eau provoquant des cercles concentriques – non seulement en France, mais aussi, immédiatement, en Angleterre et aux États-Unis, grâce à l'enthousiasme de Walter Berry et surtout d'Edith Wharton[2]. La notoriété de Proust était telle outre-Atlantique que son ami Jacques Porel, débarquant à New York en 1930, eut la surprise de se voir accueilli à sa descente du bateau par une meute de journalistes : on avait annoncé dans la presse l'arrivée d'un « ami intime de Marcel Proust ».

Du même coup, Élisabeth était devenue, de son vivant et sans qu'elle n'y puisse rien, une sorte d'icône historique. On lui rendait visite, non plus seulement pour admirer la reine de la Belle Époque qu'elle avait été, la femme en vue qu'elle était encore, mais aussi et surtout pour respirer, avant qu'il ne s'évanouisse, le parfum des Guermantes, pour voir la silhouette à partir de laquelle le projecteur proustien avait créé l'ombre démesurée des Guermantes.

En décembre 1929, *Les Annales* commencèrent la publication des lettres de Marcel Proust à Robert de Montesquiou. Pierre Brisson écrivit à la comtesse Greffulhe pour lui demander l'autorisation de publier la lettre – désormais fameuse – relatant leur première entrevue (« elle avait une grâce polynésienne »). Elle accepta en ces termes :

> « Je vous remercie de me communiquer la belle lettre que Marcel Proust a écrite à mon oncle Robert de Montesquiou en me voyant pour la première fois. Je ne la connaissais pas et je n'ai pas vu son auteur à la soirée à laquelle il fait allusion. N'est-il pas amer de penser que ceux qui ont le pouvoir de décerner un éloge qui demeure toujours et qui créent tout un poème en peu de lignes, passent loin de celle qui eût voulu tendre la main au poète, Arvers moderne, qui l'avait chantée en quelques mots immortels. J'autorise bien volontiers la publication de ce document, en vous remerciant de me l'avoir fait connaître et en vous exprimant ma reconnaissance de votre extrême délicatesse. »

« Je l'ai à peine connu », dit-elle...

Sous la formulation quelque peu ampoulée de cette lettre perce la nostalgie, le regret qu'elle éprouvait à l'idée de ne pas avoir su tendre la main à l'écrivain quand il était encore temps. Sans doute était-elle flattée d'être ainsi impliquée dans cette légende. Mais bientôt, au fur et à mesure qu'enflait la « prous-tolâtrie », la nostalgie fit place à une irritation croissante – celle d'avoir été ainsi « croquée » à son insu et, d'après les commentaires qu'elle entendait dans son entourage, caricaturée, figée dans les traits d'une mondaine brillante, certes, mais futile et superficielle.

Souvent, quand on avance en âge, les regrets, les reproches que l'on pourrait se faire se changent en déni ; on réécrit l'histoire pour se renvoyer à soi-même une image plus flatteuse. Ce processus psychologique explique sans doute pourquoi Élisabeth Greffulhe raya Marcel Proust de sa mémoire « officielle ». Quand on lui parlait de lui, elle ne cachait pas son agacement, et répondait invariablement : « Je l'ai à peine connu » ou « Je ne m'en souviens pas ». « J'ai essayé plus tard de parler de Proust à ma tante Élisabeth mais elle avouait ne pas se souvenir de lui ! » écrit la comtesse de Pange. C'est l'expérience que fit André Maurois quand, préparant un livre sur l'auteur de la *Recherche*, il vint la voir rue d'Astorg, par un hiver glacial de l'après-guerre : « J'essayai de la faire parler de Proust, mais elle revenait tantôt à Branly auquel elle avait, par son influence, fait donner le prix Osiris, tantôt à la Diane de Houdon qu'elle voulait me montrer. [...] Avant de prendre congé je murmurai une dernière fois le nom de Proust : "Je l'ai à peine connu", dit-elle. » C'était devenu sa version publique, celle qu'elle délivrait à tous les questionneurs importuns, évoquant d'une voix indifférente le vague souvenir « d'un petit homme noir » qui lui arrivait à peine à l'épaule[3].

Lorsque, en 1949, l'Américaine Mina Curtiss, traductrice de la correspondance de Proust, vint lui rendre visite rue d'Astorg, Élisabeth retrouva un peu la mémoire, mais en réaffirmant son indifférence, et même l'agacement que lui inspirait l'écrivain : « Je ne l'aimais pas. Il m'importunait avec ses flatteries. Et puis, il avait cette manie absurde de réclamer ma photographie, qu'il persistait à demander à Robert. À cette époque, Madame, les photographies étaient considérées comme quelque chose de privé, d'intime. La dernière fois que je l'ai vu, c'était au mariage de ma fille avec Guiche, qui était un grand admirateur de

Proust. Et là, il m'a encore réclamé ma photographie. Il était fatigant. Je ne l'ai jamais revu après qu'il se soit révélé le génie que Robert avait prédit. »

Ses invitations réitérées au romancier, les soirées passées ensemble à l'Opéra, les lettres échangées jusqu'en 1920 avaient été oblitérées de sa mémoire. Elle avait jeté le voile noir de l'oubli sur l'initiateur d'une révolution littéraire qui lui avait complètement échappé, et dont elle n'avait été que l'instrument inconscient. Le leurre a parfaitement fonctionné jusqu'à ce jour, puisque la postérité n'a vu en la comtesse Greffulhe qu'une figurante de la *Recherche*, parmi bien d'autres.

Elle seule n'était pas dupe de ses mensonges : ses archives nous prouvent que Proust l'a hantée jusqu'à sa mort. Au fur et à mesure qu'elle se sentait descendre dans la nuit, elle entendait monter la rumeur autour de la *Recherche*. C'était une expérience d'autant plus étrange et douloureuse qu'elle n'avait lu que d'infimes bribes de cette œuvre. Le portrait qu'il avait fait d'elle, elle ne le connaissait qu'« en creux », à travers ce qu'avaient pu lui en dire son mari ou son amie Laure de Chevigné, qui ne décolérait pas : « Marcel nous embête. Il n'est jamais allé nulle part. Il n'a jamais mis les pieds nulle part. Il parle de choses qu'il ne connaît pas. » Dans son entourage, l'opinion généralement admise était que Proust était un snob, qui avait voulu peindre une société à laquelle il ne comprenait rien, un ingrat et un immoral qui s'était moqué sans pitié de ceux qui avaient condescendu à l'accueillir ; un serpent que les hôtes du noble Faubourg auraient réchauffé dans leur sein. « "Ne jamais recevoir d'homme de lettres chez soi" était devenu l'un des adages inscrits en caractères de feu sur les murs des maisons de campagne de famille », se souviendra la princesse Bibesco[4].

Mais d'un autre côté, Élisabeth ne pouvait ignorer la gloire qui environnait désormais l'auteur et son œuvre. Abonnée à *L'Argus de la presse*, elle découpait les articles sur Proust pour les conserver dans ses archives. C'était un peu son reflet, le reflet de ce qu'elle avait été, qui se trouvait, elle le sentait bien, emprisonné dans ces pages. Ces pages qu'elle n'avait pas lues, par négligence, par manque de temps, ou peut-être tout simplement par peur de ce qu'elle y trouverait.

Trente ans plus tôt, lorsqu'elle avait reçu rue d'Astorg Edmond de Goncourt, elle lui avait suggéré de « faire dans un roman une femme de la société, une femme de la grande société, la femme qui n'a encore été faite par personne, ni par Feuillet, ni par Maupassant, ni par qui que ce soit », en ajoutant que lui seul en serait capable. Son vœu avait été exaucé, mais par un autre, et pas exactement comme elle l'imaginait.

Une grande ombre obsédante

Encore et toujours, le fantôme de l'écrivain la poursuivait. Après la parenthèse de la Seconde Guerre mondiale, l'offensive reprit de plus belle. En 1947, la Bibliothèque nationale organisa une exposition sur Marcel Proust. Invitée d'honneur au vernissage, la comtesse Greffulhe put à cette occasion revisiter son passé. Objet des hommages empressés des organisateurs et des murmures curieux des visiteurs, elle eut sans doute le sentiment d'être devenue une pièce de musée. Comme si elle n'avait plus d'existence propre, phagocytée par cette œuvre qui s'était nourrie d'elle à son insu. Elle avait déjà quatre-vingt-huit ans lorsque, l'année suivante, Proust vint encore se rappeler à son souvenir, sous la forme d'un paquet reçu par la poste : une universitaire belge, Léa François, lui envoyait un recueil de morceaux choisis[5] sélectionnés par ses soins, avec cette dédicace : « Sans vous Madame, sans les sentiments que vous avez éveillés en lui, Marcel Proust eût-il été PROUST ? Sans l'influence que vous eûtes sur sa vie, sur son esprit, son œuvre eût-elle été ce qu'elle est ? La passion, l'intérêt que j'ai voués à cet auteur et aux personnages qu'il a eu le don de me faire aimer, je les ai reportés sur vous, Madame, son inspiratrice, sa muse. Veuillez y ajouter l'admiration sans bornes que suscite votre présence dans la fécondité d'un esprit aussi éclairé que le vôtre et vous aurez la mesure de ce que je ressens, avec tout le respect que j'ai pour vous. »

Flattée, intriguée, elle reçut Léa François à plusieurs reprises. C'est probablement dans son livre qu'elle put découvrir quelques extraits de l'œuvre proustienne, et qu'elle puisa cette citation, extraite de *Les Plaisirs et les Jours*, qui revient de manière récurrente dans sa correspondance des dernières années – notamment adressée à Roffredo Caetani : « L'absence n'est-elle pas pour qui aime, la plus certaine, la plus efficace, la plus vivace, la plus indestructible, la plus fidèle des présences ? »

En mai 1952, Philip Kolb, qui travaillait à la monumentale *Correspondance*, sollicita la comtesse Greffulhe pour lui demander l'autorisation de publier les lettres qu'elle avait reçues de Proust. Elle lui fit répondre par son secrétariat : « Toutes les lettres, y compris celles de Marcel Proust qu'elle recevait à ce moment-là étaient réunies, classées et déposées en son château de Bois-Boudran en Seine-et-Marne. Malheureusement lors de la dernière guerre le château a subi plusieurs occupations. Toutes ces lettres ainsi que de nombreux papiers importants que Mme la comtesse possédait ont disparu et aucune recherche n'a pu faire retrouver quoi que ce soit. » Désordre, perte de mémoire, mauvaise volonté ? Les lettres en question, soigneusement classées et conservées par ses descendants, furent retrouvées et publiées par Kolb après sa mort.

Avec l'âge, le passé s'était estompé, fondu en un brouillard confus. Mais toujours cette grande ombre était là, obsédante. Impossible de l'oublier : il y avait toujours quelqu'un pour le lui rappeler. Alors, elle essayait de rassembler ses souvenirs, dans l'espoir de parvenir à écrire et publier ses Mémoires avant qu'il ne soit trop tard. Ses archives nous prouvent qu'elle entretint, ou tenta d'entretenir, pratiquement jusqu'à sa mort, des contacts suivis avec Robert, le frère de Marcel, leur nièce, Suzy Mante-Proust, ainsi qu'avec le docteur Robert Le Masle[6], auteur d'un ouvrage sur le père de Proust. Le nom du Dr Robert Proust revient souvent dans ses agendas et notes – comme celle-ci, à l'attention de son secrétaire, datée 21 juin 1949 : « Bal 26 81. Téléphoner à M. Proust que j'espère voir quand je retournerai à Paris. Je voudrais aussi revoir Mme Mante, parente de Proust (que je connais grâce à lui) pour la féliciter de tous les

livres publiés à la gloire de Proust !! J'en ai 3 nouveaux ici. »
Par une sorte de « déformation professionnelle », Élisabeth voulait, toujours et encore, garder la direction des opérations. Elle
notait sur des bouts de papier ou dictait à sa secrétaire des
phrases qui nous paraissent aujourd'hui bien vaines : « J'ai
connu Marcel Proust qui était un grand admirateur de mon
célèbre oncle : Robert de Montesquiou. Je ne me doutais pas
à ce moment qu'il nous habituerait à une analyse anxieusement
approfondie de nos moindres sensations. Il gardera ses qualités
de peintre, critique acerbe et poète exquis qui lui ont valu d'être
un chef d'école et de régner sur les âmes artistes de notre
temps. » « Marcel Proust m'a été présenté pour la première fois
par le duc de Gramont rue de Chaillot dans l'ancienne maison
de mon oncle Vladimir de Montesquiou. Il était à l'époque où
on me l'a présenté un ami de mon oncle Robert de Montesquiou et ses brillantes analyses si profondément et habilement
décrites de "soi-même" dont il était le promoteur, en ont fait
un poète exquis et suscité l'admiration de ses nombreux amis
qui gardent précieusement sa mémoire. »

« Exquis »… Ce qualificatif dérisoire était précisément celui
que redoutait le plus l'auteur de la *Recherche*, qui écrivait à son
ami Robert Dreyfus : « Si vous faites faire un écho, je souhai-
terais que les épithètes "fin" et "délicat" n'y figurent pas [...].
Ceci est une œuvre de force, du moins c'est son ambition. »
Elle n'avait pas compris, elle était passée « à côté », et il était
trop tard pour rattraper cette erreur. Déjà, son « célèbre oncle »
n'était plus célèbre du tout. Le succès de Proust avait éclipsé
Montesquiou depuis longtemps, assombrissant ses derniers jours
et lui arrachant cette exclamation de dépit : « Je voudrais bien
un peu de gloire, moi aussi. Je ne devrais plus m'appeler que
Monteproust ! » Elle ne se doutait pas que l'oncle Robert ne
devrait sa relative gloire posthume qu'à l'amitié de celui qu'elle
nommait « son admirateur ». Elle ne savait pas que le « poète
exquis » était un bâtisseur de cathédrale ; que l'œuvre n'était
pas « microscopique, mais télescopique » ; que le « promoteur
de soi-même », quand il parlait de lui, ne faisait que parler des
autres, et que son expérience universelle toucherait encore au

cœur, un siècle après sa mort, des millions de lecteurs dans le monde entier. Dans le grand cahier vert où elle notait au crayon ses conversations avec le « mage » qui l'abreuvait de bons conseils, elle écrivait encore, peu de temps avant sa mort : « Revue Proust passages intéressants mais il faut attendre. Il y a des choses qui sont très anciennes. Ce sont des choses à apprendre et à mettre debout. Joie un peu plus tard. Ne pas l'égarer. »

Combattante inlassable, elle continuait à se projeter dans l'avenir, à vouloir tenir la barre, comme si la mort ne pouvait avoir le dernier mot. Se doutait-elle que la seule trace qu'elle laisserait ici-bas, elle la devrait au « petit Marcel » ?

9

Jeux de clefs

« Un livre est un grand cimetière où, sur la plupart des tombes, on ne peut plus lire les noms effacés. » Dès la parution des premiers volumes, le grand jeu des admirateurs comme des détracteurs de la *Recherche* fut précisément de chercher à déchiffrer ces noms. Certains revendiquèrent l'honneur d'avoir été immortalisés, comme Cocteau qui voulut se reconnaître en Saint-Loup marchant sur les tables du restaurant pour couvrir le narrateur de son manteau. Mais la plupart des modèles dont l'auteur s'était inspiré furent profondément blessés : la comtesse de Chevigné – « cette dame qui a fait tant de mal à Monsieur », disait Céleste[1] –, indignée de se reconnaître sous les traits d'Oriane, et Laure Haymann, sous ceux d'Odette, se crurent jugées, alors qu'elles n'avaient été qu'observées, comme le souligne le narrateur dans *Le Temps retrouvé* : « Le vulgaire croit l'écrivain méchant, et il le croit à tort, car dans un ridicule l'artiste voit une belle généralité, il ne l'impute pas plus à grief à la personne observée que le chirurgien ne la mésestimerait d'être affectée d'un trouble assez fréquent de la circulation ; aussi se moque-t-il moins que personne des ridicules. »

« Dieu se sert de tout »

Proust se défendit comme un beau diable sur tous les fronts, puis cessa de se justifier : « Je ne persuaderai aucune oie[2]. »

Comment faire comprendre, à tous ces gens qui voyaient les livres comme un cube ouvert, la subtile alchimie de la création littéraire ? « Dieu se sert de tout », disait l'abbé Mugnier. Ils étaient tous dans son œuvre, tous ceux qu'il avait croisés dans les salons, observés à l'Opéra, avec leurs séductions et leurs faiblesses, et pourtant aucun n'y était, car à partir d'eux, il avait créé la troupe immortelle des centaines d'acteurs ou figurants de la *Recherche*. Ils n'avaient pas compris qu'ils n'étaient nullement les sujets, mais les matériaux. Que l'auteur était, selon le joli mot d'André Maurois, à la fois le mineur et la mine. « Sur la fin de sa vie, le monde n'était plus pour lui qu'un champ d'observation », notera Armand de Gramont.

Proust avait bâti son édifice avec les matériaux qu'il avait sous la main, ceux que sa vie confinée par la maladie lui avait laissé le temps d'amasser. Des lieux peu nombreux – Illiers, Paris, la Normandie –, quelques souvenirs de son service militaire et de voyages à Venise. Son milieu familial, paternel – bourgeois catholiques de province – et maternel – riche bourgeoisie juive parisienne. Un échantillon de l'aristocratie, quelques demi-mondaines, de nombreux artistes – écrivains, peintres, musiciens – quelques médecins, quelques domestiques, chauffeurs ou chasseurs d'hôtel... Mais la minceur de cette « coupe sociale », il l'avait compensée par la profondeur de sa vision, la hauteur de son génie poétique : il avait édifié une cathédrale propre à défier le Temps. Avec sa clairvoyance extralucide, il avait déchiffré les signes cachés sous la subtile tapisserie de la vie mondaine. « Tout est fictif, laborieusement, car je n'ai pas d'imagination, mais tout est rempli d'un sens que j'ai longtemps porté en moi », écrivait-il dans ses *Carnets*. Chez lui, la sensibilité suppléait à l'imagination pour transfigurer, sublimer le réel.

Les exégètes de Proust considèrent la comtesse Greffulhe comme un modèle parmi beaucoup d'autres, contributrice à certains traits de la princesse et de la duchesse de Guermantes. En abordant l'œuvre par le biais de ce personnage, j'ai chaussé de nouvelles lunettes qui m'ont donné une vision différente, et permis de découvrir une évidence passée jusqu'à présent inaperçue : bien plus qu'une simple clé, la comtesse Greffulhe, avec sa parentèle, est un passe-partout qui ouvre sur les principaux personnages, les piliers de la *Recherche*. Avec son cercle proche, elle constitue à la fois les fondations et le chœur – le cœur de cette cathédrale qu'est la *Recherche*.

« Pour en revenir aux clefs, vraies ou fausses, écrivait Montesquiou à Proust après la parution de *Sodome et Gomorrhe I* en 1921, elles n'ont pour nous qu'un intérêt secondaire. Ce qui compte à nos yeux c'est le trou de la serrure par lequel passent souvent de ces chameaux que l'Évangile juge trop volumineux pour franchir le trou de l'aiguille. Les lecteurs futurs s'en battront l'œil, et se moquent parfaitement que le chameau soit plus ou moins baptisé d'un nom plus au moins catholique. » Il se trompait. Car ces « lecteurs futurs », qui sont ceux d'aujourd'hui, jouent toujours à ce jeu excitant, un jeu sans fin, et qui ne cesse jamais de s'enrichir de nouvelles découvertes. Ne nous privons donc pas du plaisir d'y jouer à notre tour.

La duchesse et la princesse de Guermantes : le double visage de Janus

Que Proust se soit inspiré d'Élisabeth Greffulhe, c'est une évidence qu'il a lui-même admise – en partie –, dans une lettre bien connue adressée à Guiche :

> « Je ne sais plus qui, Mme H ou vous, prétendit que Mme de Guermantes dans mon livre était Madame Greffulhe. Je protestai avec la dernière vivacité. Je finis cependant par accorder que pendant 2 minutes, dans Guermantes il y avait un éclat de toilette et de beauté à l'opéra qui était bien de Mme Greffulhe un peu. Mais, ne songeant pas qu'un lecteur ou une lectrice sont peu attentifs aux détails d'un livre, j'oubliai de dire que la Mme de Guermantes qui pendant 5 lignes ressemble à Madame Greffulhe, n'est nullement la duchesse de Guermantes dans le salon de qui on cause pendant un volume, mais sa cousine la Princesse de Guermantes. Du reste en regardant le livre une minute avec vous, vous vous rendrez compte qu'il n'y a pas d'hésitation possible, ce sont

les deux antithèses. La Duchesse de Guermantes est exactement le contraire de la Pcesse de Guermantes. »

Comme souvent, dans les méandres de la pensée proustienne, l'auteur affirme une chose et son contraire, admet et dément à la fois. Il « feint de feindre afin de mieux dissimuler ». Car en réalité, en regard de ce que nous connaissons d'Élisabeth Greffulhe, une lecture attentive permet de démontrer qu'elle inspira en partie trois figures clés de la *Recherche*, fournit quelques traits à deux autres, et « prêta » son mari et son gendre.

Commençons par la princesse de Guermantes, qui se présente comme un écho affaibli de son éclatante cousine la duchesse. « Nous devinons qu'elle est née de la duchesse, qu'elle s'en est détachée, mais sans pourtant réussir à s'en détacher pleinement », remarque avec pertinence Antoine Adam. Pour créer la princesse, Proust se serait également inspiré de la comtesse Jean de Castellane, pour son ascendance germanique – la princesse de Guermantes est née duchesse en Bavière – ainsi que de la comtesse de Montebello. Mais son essence même – sa grâce, ses yeux d'onyx, sa façon inimitable de s'habiller –, son dreyfusisme aussi, ainsi que sa vénération pour son cousin Charlus, alias Robert de Montesquiou – c'est bien la comtesse Greffulhe qui les lui a donnés.

Aux *lundis* de l'Opéra, la comtesse Greffulhe occupait la baignoire d'avant-scène de droite. Toutes les lorgnettes des abonnés étaient braquées dans cette direction, guettant son apparition. « Je tiens à dire à la déesse qu'on se plaint beaucoup que la loge soit extérieurement si mal éclairée qu'on la voit à peine, et comme il y a beaucoup d'admirateurs qui viennent surtout pour cela, ils sont fort déçus », lui écrivait Philippe de Massa. Cette sombre baignoire, où elle se réfugiait, disait-on, pour mieux écouter la musique dans l'obscurité, ou pour éviter de trop distraire l'attention du public – ce qui, par le mécanisme bien connu du désir contrarié, produisait un effet absolument inverse – a inspiré à Proust quelques-unes de ses pages les plus magiques, comme la scène de l'Opéra de *Guermantes I* :

426

« Mais de toutes ces retraites au seuil desquelles le souci léger d'apercevoir les œuvres des hommes amenait les déesses curieuses, qui ne se laissent pas approcher, la plus célèbre était le bloc de demi-obscurité connu sous le nom de baignoire de la princesse de Guermantes.

Comme une grande déesse qui préside de loin aux jeux des divinités inférieures, la princesse était restée volontairement un peu au fond sur un canapé latéral, rouge comme un rocher de corail, à côté d'une large réverbération vitreuse qui était probablement une glace et faisait penser à quelque section qu'un rayon aurait pratiquée, perpendiculaire, obscure et liquide, dans le cristal ébloui des eaux. À la fois plume et corolle, ainsi que certaines floraisons marines, une grande fleur blanche, duvetée comme une aile, descendait du front de la princesse le long d'une de ses joues dont elle suivait l'inflexion avec une souplesse coquette, amoureuse et vivante, et semblait l'enfermer à demi comme un œuf rose dans la douceur d'un nid d'alcyon. Sur la chevelure de la princesse, et s'abaissant jusqu'à ses sourcils, puis reprise plus bas à la hauteur de sa gorge, s'étendait une résille faite de ces coquillages blancs qu'on pêche dans certaines mers australes et qui étaient mêlés à des perles, mosaïque marine à peine sortie des vagues qui par moments se trouvait plongée dans l'ombre au fond de laquelle, même alors, une présence humaine était révélée par la motilité éclatante des yeux de la princesse. La beauté qui mettait celle-ci bien au-dessus des autres filles fabuleuses de la pénombre n'était pas tout entière matériellement et inclusivement inscrite dans sa nuque, dans ses épaules, dans ses bras, dans sa taille. Mais la ligne délicieuse et inachevée de celle-ci était l'exact point de départ, l'amorce inévitable de lignes invisibles en lesquelles l'œil ne pouvait s'empêcher de les prolonger, merveilleuses, engendrées autour de la femme comme le spectre d'une figure idéale projetée sur les ténèbres. »

Puis la princesse offre des bonbons au marquis de Palancy :

« Elle jetait alors sur lui un regard de ses beaux yeux taillés dans un diamant que semblaient bien fluidifier, à ces moments-là, l'intelligence et l'amitié, mais qui, quand ils étaient au repos, réduits à leur pure beauté matérielle, à leur seul éclat minéralogique, si le moindre réflexe les déplaçait légèrement, incendiaient la profondeur du parterre de feux inhumains, horizontaux et splendides. »

Ici, les yeux de la princesse sont exactement ceux de la comtesse Greffulhe tels que Proust les a décrits dans son *Salon* – tantôt « caillou jeté dans une eau limpide », tantôt irradiés d'« une douceur mystérieuse et transparente d'étoiles ».

À ses côtés dans la baignoire, sa cousine la duchesse de Guermantes joue une autre partition, tout aussi élégante :

> « la duchesse n'avait dans les cheveux qu'une simple aigrette qui dominant son nez busqué et ses yeux à fleur de tête avait l'air de l'aigrette d'un oiseau. Son cou et ses épaules sortaient d'un flot neigeux de mousseline sur lequel venait battre un éventail en plumes de cygne, mais ensuite la robe, dont le corsage avait pour seul ornement d'innombrables paillettes soit de métal, en baguettes et en grains, soit de brillants, moulait son corps avec une précision toute britannique. »

Selon Proust, ce contraste lui fut inspiré par la vision de Mme Standish, en 1912, aux côtés de la comtesse Greffulhe dans la célèbre baignoire – où il avait été invité pour la représentation de *Sumurum*. L'auteur, on le sait, avait un souci maniaque du détail ; pour fignoler cette scène, il demanda à Mme Gaston de Caillavet des « explications couturières[3] ». Mais je me suis amusée à rapprocher ce texte d'un article de journal décrivant, en 1907, la toilette de la comtesse Greffulhe à l'Opéra :

> « Robe de satin blanc souple, recouverte de tulle entièrement pailleté d'or. Cette robe, comme une gaine, était décolletée en pointe et autour des manches du corsage était fixée une longue écharpe de mousseline blanche tombant jusqu'à terre, cela donnait beaucoup de grâce à ses mouvements. Dans les cheveux, elle avait deux grandes aigrettes de paradis blanc, l'une posée toute droite, l'autre tombant sur la nuque. »

On retrouve dans cette description à la fois la toilette de la duchesse – gaine pailletée, flot de mousseline, aigrette verticale – et la « fleur blanche, duvetée comme une aile » qui descend du front de la princesse. Ce dernier détail, comme nous l'avons déjà mentionné, répond également la description que fait Gabriel-Louis Pringué de la tenue portée par la comtesse Greffulhe au bal du duc de Westminster, en juillet 1914, et qui fut certainement décrite dans la presse.

« Vos deux principaux rôles, Basin et la Duchesse, sont-ils, oui ou non, ceux qui sautent aux yeux ? Ils le sont, que vous l'ayez voulu ou non », insistait Montesquiou, avec raison, dans la lettre citée plus haut. Certes, la comtesse Greffulhe n'avait pas, très loin de là, la futilité, la malveillance et la sécheresse de cœur d'Oriane. Sa vie n'était pas limitée au « néant de la vie de salon ». Elle était même tout le contraire de « la froide et méprisante duchesse de Guermantes, avec son esprit vif et son cœur obtus, sa mondanité frénétique et sa sincère conviction que rien ne l'ennuie autant que les mondanités ». Mais elle lui a prêté, incontestablement, bien des traits : ses origines mythologiques, sa puissance quasi féérique, la mystérieuse gaieté qui perçait dans son rire musical, les flots de mousselines qui signaient son élégance unique.

Tout comme Élisabeth, « Mme de Guermantes avait passé sa jeunesse dans un milieu un peu différent, aussi aristocratique, mais moins brillant et surtout moins futile que celui où elle vivait aujourd'hui, et de grande culture. Il avait laissé à sa frivolité actuelle une sorte de tuf plus solide, invisiblement nourricier ». Tout comme Élisabeth, elle était, avant son mariage, une jeune fille « peu fortunée », issue du « sang le plus pur, le plus vieux de France », « douée pour tout, qui fait des aquarelles dignes d'un grand peintre ». Tout comme Élisabeth, l'immense fortune de son mari, jointe à son pouvoir de séduction, lui a conféré une position sociale sans équivalent : « elle était aussi riche que le plus riche qui n'eût pas été noble ; sans compter ce charme personnel qui la mettait à la mode, en faisait entre toutes une sorte de reine ». Tout comme Élisabeth, elle est « la femme de Paris qui s'habillait le mieux », celle qui « semblait pousser plus loin encore l'art de s'habiller » ; et qui, tout comme elle, apprécie les précieux tissus de Fortuny[4].

À la duchesse, la comtesse Greffulhe a fourni encore son esprit indépendant et frondeur qui lui faisait régulièrement défrayer la chronique. Ainsi, lorsque l'auteur nous conte « la dernière d'Oriane », désertant sa loge pour s'asseoir seule à l'orchestre « avec un tout petit chapeau », comment ne pas penser qu'il s'est inspiré de la « ligue des petits chapeaux », créée en 1906 par Élisabeth, et largement commentée dans la presse[5] ? Proust a également emprunté à la belle comtesse ses réceptions somptueuses, ses yeux « distraits et un peu mélancoliques », qu'elle « faisait briller seulement d'une flamme spirituelle chaque fois qu'elle avait à dire bonjour à quelques amis », et « l'amertume un peu ironique de l'épouse désabusée qui n'a plus aucune illusion à perdre ».

Enfin, le salon Guermantes, composé avec un art si sélectif, est directement inspiré du salon Greffulhe, à la fois envié et critiqué par les couches les moins brillantes du gratin parce qu'on y recevait des artistes, des scientifiques, des politiques de tous bords. Mais la similitude de ces deux coteries s'arrête là. Oriane, en affichant des idées originales et en ouvrant son salon à des hommes nouveaux, poursuit un objectif purement mondain : « Plus profond, situé à l'entrée obscure de la région où les Guermantes jugeaient, ce génie vigilant empêchait les Guermantes de trouver l'homme intelligent ou de trouver la femme charmante s'ils n'avaient pas de valeur mondaine, actuelle ou future. » Rien à voir avec le dessein de la comtesse Greffulhe, soucieuse avant tout « d'être utile ». En outre, à la différence de son modèle, Oriane, dans le choix de ses convives, est pleinement soutenue par son époux, « mauvais mari pour la duchesse en tant qu'il avait des maîtresses, mais compère à toute épreuve en ce qui touchait le bon fonctionnement de son salon ». Élisabeth est, à ces deux points de vue, tout l'inverse de l'héroïne de la *Recherche* – ce qui permettait à l'auteur, habile à brouiller les pistes, de ne commettre qu'un demi-mensonge lorsqu'il affirmait à Laure Hayman que « Madame G. "n'était pas" la duchesse de Guermantes, en était le contraire ».

Les secrets d'Odette de Crécy

Aucun des exégètes de Proust n'a souligné, à ma connaissance, l'apport d'Élisabeth Greffulhe dans le personnage d'Odette de Crécy. À chacun sa case dans l'édifice social : tout naturellement, on a placé la comtesse dans celle des Guermantes, et associé à son homologue Laure Hayman la demi-mondaine Odette, reconvertie en épouse bourgeoise de Charles Swann. Et pourtant, une lecture vigilante révèle, à l'évidence, que Proust a allégrement bouleversé les pions sur l'échiquier. Sous la magnifique cocotte, à tous les âges de sa vie, on voit poindre le visage d'Élisabeth, comme dans ces paysages anthropomorphes où les peintres s'amusent à dissimuler des figures cachées, des illusions d'optique, des jeux de miroirs que seule peut déceler une analyse attentive.

Observons tout d'abord les attributs d'Odette. Son emblème est le catleya : une orchidée, fleur chère à la comtesse Greffulhe, qui la faisait cultiver dans ses serres de Bois-Boudran et en ornait souvent ses toilettes. À la première vision que Proust eut d'Élisabeth – « Elle portait une coiffure d'une grâce polynésienne, et des orchidées mauves descendaient jusqu'à sa nuque » – répond, dans la *Recherche*, la fameuse scène des catleyas : « Elle tenait à la main un bouquet de catleyas et Swann vit, sous sa fanchon de dentelle, qu'elle avait dans les cheveux des fleurs de cette même orchidée attachées à une aigrette en plumes de cygnes. » Aux yeux du narrateur, ces orchidées, il faut le souligner, sont le signe d'un raffinement extrême, qui était la marque de notre comtesse, mais qui paraît bien étrange chez une simple cocotte comme Odette de Crécy. Odette change d'échelle en s'appropriant « cette fleur si "chic", [...] cette sœur élégante et imprévue que la nature lui donnait, si loin d'elle dans l'échelle des êtres et pourtant raffinée ».

Autre attribut significatif : la couleur des vêtements. Nous avons vu la prédilection d'Élisabeth pour les tissus vaporeux et les couleurs évanescentes, parmi lesquelles le mauve et le rose, comme en témoignent les comptes rendus des gazettes et les souvenirs de ses contemporains. Le jour de la fête à Versailles, elle apparaît dans une robe de Worth, au fond imprimé de pétales de rose, voilée par une mousseline rose aux effets duveteux. À l'occasion d'autres réceptions, les chroniqueurs la décrivent « marchant sur des nuages, auréolée de gaze lilas », dans

431

une « robe brochée bleu rose et mauve, couverte de fleurs d'acacias », ou un corsage « retenu sur le devant par une grosse rose mauve nuancée ». Une admirateur évoque avec émotion « une sorte de demi-toilette exquise toute de rose tendue » ; un autre lui écrit : « Il n'est bruit dans Paris que de ce costume rose, rose jusqu'aux gants eux-mêmes. » Rose ou mauve, cette teinte est aussi la marque d'Odette, depuis la « dame en rose » entrevue par le narrateur chez l'oncle Adolphe, jusqu'à la femme-fleur « épanouissant autour d'elle une toilette toujours différente mais que je me rappelle surtout mauve ».

Au-delà de ces détails, attardons-nous sur les descriptions de la triomphante Mme Swann se promenant au bois : « Cette femme, qui seule avait de l'intensité dans les yeux », « certaine que sa toilette [...] était la plus élégante de toutes », s'offre à l'admiration du narrateur « frêle, sans crainte, dans la nudité de ses tendres couleurs, comme l'apparition d'un être d'une espèce différente, d'une race inconnue, et d'une puissance presque guerrière ».

> « À un moment en effet, c'est dans l'allée des piétons, marchant vers nous, que j'apercevais Mme Swann laissant s'étaler derrière elle la longue traîne de sa robe mauve, vêtue, comme le peuple imagine les reines, d'étoffes et de riches atours que les autres femmes ne portaient pas, abaissant parfois son regard sur le manche de son ombrelle, faisant peu attention aux personnes qui passaient, comme si sa grande affaire et son but avaient été de prendre de l'exercice, sans penser qu'elle était vue et que toutes les têtes étaient tournées vers elle. Parfois pourtant, quand elle s'était retournée pour appeler son lévrier, elle jetait imperceptiblement un regard circulaire autour d'elle.
>
> Ceux même qui ne la connaissaient pas étaient avertis par quelque chose de singulier et d'excessif – ou peut-être par une radiation télépathique [...] que ce devait être quelque personne connue. »

Difficile d'imaginer que ces pages aient pu être inspirées par une demi-mondaine « modèle courant ». Tout ce que nous savons d'Élisabeth y est évoqué : les célèbres yeux, la toute-puissance, cette élégance souveraine, si singulière, excentrique

432

et se moquant des modes, cette capacité presque surnaturelle à attirer tous les regards, et jusqu'au lévrier qui l'accompagne dans sa promenade – l'animal emblématique des reines, son chien préféré, dont elle avait tout un élevage à Bois-Boudran.

Comme les toilettes de la comtesse Greffulhe, celles de Mme Swann sont intemporelles et uniques ; elles ne l'habillent pas, elles la signent :

> « "Madame Swann, n'est-ce pas, c'est toute une époque ?" Comme dans un beau style qui superpose des formes différentes et que fortifie une tradition cachée, dans la toilette de Mme Swann, ces souvenirs incertains [...] enveloppaient Mme Swann de quelque chose de noble – peut-être parce que l'inutilité même de ces atours faisait qu'ils semblaient répondre à un but plus qu'utilitaire, peut-être à cause du vestige conservé des années passées, ou encore d'une sorte d'individualité vestimentaire, particulière à cette femme et qui donnait à ses mises les plus différentes un même air de famille. On sentait qu'elle ne s'habillait pas seulement pour la commodité ou la parure de son corps ; elle était entourée de sa toilette comme de l'appareil délicat et spiritualisé d'une civilisation. »

Devenue riche par son mariage, Odette, comme Élisabeth, transmue cette richesse en poésie :

> « Ainsi, entre Mme Swann et la foule, celle-ci sentait ces barrières d'une certaine sorte de richesse, lesquelles lui semblent les plus infranchissables de toutes. [...] la richesse devenue ductile, obéissant à une destination, à une pensée artistique, l'argent malléable, poétiquement ciselé et qui sait sourire [...]. Or, autant que du faîte de sa noble richesse, c'était du comble glorieux de son été mûr et si savoureux encore, que Mme Swann, majestueuse, souriante et bonne, s'avançant dans l'avenue du Bois, voyait comme Hypatie, sous la lente marche de ses pieds, rouler les mondes. »

L'évocation d'Hypatie est ici assez troublante quand on connaît l'intérêt que la comtesse Greffulhe portait au personnage. L'auteur eut-il vent de l'opéra auquel elle travaillait avec Roffredo Caetani, ou cette mention est-elle le pur fruit de son intuition ?

Jusqu'à un âge avancé, Odette, devenue Mme de Forcheville – et maîtresse du duc de Guermantes – reste miraculeusement jeune, tout comme son modèle : lors de la matinée chez la princesse de Guermantes – le fameux « bal des têtes » du *Temps retrouvé*, le narrateur a la surprise de découvrir, parmi les naufragés du Temps, une Odette à la beauté intacte : « son aspect, une fois qu'on savait son âge et qu'on s'attendait à une vieille femme, semblait un défi plus miraculeux aux lois de la chronologie que la conservation du radium à celles de la nature. » Dans ce même texte, l'auteur mentionne la voix d'Odette, qui n'a pas changé, « cette voix si particulière [...] inutilement chaude, prenante, avec un rien d'accent anglais » ; un détail qu'il est tentant de rapprocher de ce passage du *Salon de la comtesse Greffulhe* : « sa voix si particulière qui semble par moments patiner sur les mots ».

Gilberte, la fille d'Odette, a épousé Saint-Loup, tout comme Elaine, la fille d'Élisabeth, a épousé le duc de Guiche – nous y reviendrons plus tard. Comme la comtesse, « Mme de Forcheville sentit qu'elle avait été une bonne et prévoyante mère et que sa tâche maternelle était achevée », note le narrateur. Mais derrière le masque si parfait, derrière « les yeux restés si beaux », il perçoit le naufrage de la vieillesse, qui rend si fragile la femme autrefois si triomphante : « c'était l'univers entier qui maintenant la trompait ; et elle était devenue si faible qu'elle n'osait même plus, les rôles étant retournés, se défendre contre les hommes. Et bientôt elle ne se défendrait pas contre la mort. » Cette remarque, sans doute, a un caractère universel. Mais en lisant ces lignes, il est difficile de ne pas penser à la comtesse Greffulhe à soixante ans passés, persécutée par son mari, telle que Proust, dans les dernières années qui lui restaient à vivre, la connut et en entendit parler. Avec le don de divination qui le caractérise, l'auteur trace ainsi, trente ans avant sa mort, le portrait d'une très vieille dame : vision prophétique, qui évoque celui de la nonagénaire au corps frêle dépeint par Mina Curtiss en 1949.

Et voici la dernière surprise : on s'est interrogé en vain sur l'origine du patronyme « Crécy ». La réponse est simple : il vient de la célèbre bataille du même nom, ce qui le relie… à la famille de Chimay. C'est en effet à la bataille de Crécy, le 26 août

1346, que Jean de Hainaut, seigneur de Chimay, sauva la vie du roi de France Philippe VI de Valois, et que périt son gendre, Louis de Chatillon[6]. Et ce n'est pas tout : Proust a donné à son héroïne un prénom à la racine germanique – Oda, Odon, comme pour l'ancrer plus encore dans cette terre du Saint-Empire qui le fait tant rêver. Élisabeth avait d'ailleurs un oncle prénommé Odon – Odon de Montesquiou-Fézensac. Une « tante Odon » au chapeau « proverbial » est souvent mentionnée dans sa correspondance.

Serais-je gravement atteinte par le virus onomastique ? Je laisse aux spécialistes le soin de juger de la pertinence de ces découvertes. Et je hasarderai une dernière remarque : Odette, Bebeth, Élisabeth... la terminaison des prénoms sonne presque à l'identique.

Verdurin, Marsantes, Cambremer, etc., jeux de miroirs et vraies-fausses clés

Plus surprenant encore : c'est un peu de la comtesse Greffulhe, musicienne dans l'âme, mécène des arts et grande prêtresse des Ballets russes, amie du prince et de la princesse Wladimir, que l'on retrouve sous les traits de la Verdurin « seconde époque », qui a accompli sa réussite sociale et trône dans sa loge aux côtés d'une princesse russe :

> « La force de Mme Verdurin, c'était l'amour sincère qu'elle avait de l'art [...]. Madame Verdurin, sorte de correspondant attitré à Paris de tous les artistes étrangers, allait bientôt, à côté de la ravissante princesse Yourbeletief, servir de vieille fée Carabosse, mais toute-puissante, aux danseurs russes. [...] quand l'humanité nouvelle, acclamatrice des ballets russes, se pressa à l'Opéra, ornée d'aigrettes inconnues, toujours on vit dans une première loge Mme Verdurin à côté de la princesse Yourbeletief[7]. »

On retrouve également des traits d'Élisabeth Greffulhe, pratiquant la charité avec cœur, dans la riche et charitable Mme de Marsantes, mère de Saint-Loup. Marsan, il faut le souligner, était le nom d'une branche éteinte de la famille Montesquiou-Fézensac. Ce personnage secondaire ne fait dans la *Recherche* que de rares apparitions, mais il y est « croqué » de façon savoureuse :

« À la campagne, Mme de Marsantes était adorée pour le bien qu'elle faisait, mais surtout parce que la pureté d'un sang où depuis plusieurs générations on ne rencontrait que ce qu'il y a de plus grand dans l'histoire de France avait ôté à sa manière d'être tout ce que les gens du peuple appellent "des manières" et lui avait donné la parfaite simplicité. Elle ne craignait pas d'embrasser une pauvre femme qui était malheureuse et lui disait d'aller chercher un char de bois au château. C'était, disait-on, la parfaite chrétienne. Elle tenait à faire faire un mariage colossalement riche à Robert. Être grande dame, c'est jouer à la grande dame, c'est-à-dire, pour une part, jouer la simplicité. C'est un jeu qui coûte extrêmement cher, d'autant plus que la simplicité ne ravit qu'à la condition que les autres sachent que vous pourriez ne pas être simples, c'est-à-dire que vous êtes très riches. »

Atomisée en mille éclats tout au long du roman, la belle comtesse s'y retrouve même sous son vrai nom, ou presque, lorsque Proust évoque la sœur du prince de Chimay :

« Assez loin de nous, une merveilleuse et fière jeune femme se détachait doucement dans une robe blanche, toute en diamants et en tulle. Madame de Guermantes la regarda qui parlait devant un groupe aimanté par sa grâce. "Votre sœur est partout la plus belle ; elle est charmante ce soir", dit-elle, tout en prenant une chaise, au prince de Chimay qui passait. »

Dans la réalité, des trois sœurs du prince de Chimay, une seule répondait à cette description : Élisabeth Greffulhe, que Proust le démiurge nous présente ici dédoublée et s'admirant elle-même. La *Recherche* fourmille de ces clins d'œil qui mélangent les cartes en faisant se côtoyer le personnage de fiction avec son modèle ou sa famille : ainsi, le surnom enfantin de Bebeth, qui était celui d'Élisabeth Greffulhe, est mentionné à deux reprises, comme par hasard, dans des scènes où figure la duchesse de Guermantes[8]. Ou encore, la duchesse de Guermantes évoque « les splendides meubles Empire que Basin avait hérités des Montesquiou ».

Ce type de « vraie-fausse » clé, l'auteur l'applique à plusieurs reprises à Montesquiou-Charlus. Palamède de Charlus, cousin tendrement aimé de la princesse de Guermantes, tout comme Robert de Montesquiou était celui d'Élisabeth Greffulhe, parle souvent des Chimay : « Je n'ai jamais entendu jouer Chopin, et pourtant j'aurais pu, je prenais des leçons avec Stamati, mais il me défendit d'aller entendre, chez ma tante Chimay, le Maître des Nocturnes » ; ou encore : « ma cousine Clara de Chimay qui a quitté son mari » – allusions transparentes à Marie de Montesquiou, qui avait étudié le piano avec l'élève préférée de Chopin, et à Clara Ward, l'épouse américaine de Jo, frère d'Élisabeth, qui s'était enfuie avec un musicien tzigane.

D'ailleurs, n'est-ce pas la trace de Marie de Montesquiou – tant admirée de son cousin Robert qui en parla sans doute à l'auteur – que l'on peut déceler derrière la vieille marquise de Cambremer, si sympathique malgré ses ridicules, authentique mélomane, appartenant « à une vieille famille où la culture enthousiaste des lettres et des arts avait donné un peu d'air aux traditions aristocratiques » ? « Il est vrai que la seule élève encore vivante de Chopin déclarait avec raison que la manière de jouer, le "sentiment", du Maître, ne s'était transmis, à travers elle, qu'à Mme de Cambremer », note le narrateur. Cette phrase pourrait parfaitement s'appliquer à Marie de Montesquiou, élève de Camille O'Meara et qui, selon son cousin, interprétait le maître polonais « avec génie »[9].

Comte Greffulhe-duc de Guermantes : une « absence de mélanges ».

Face à toutes ces figures composites, à ces inspirateurs et inspiratrices éparpillés dans plusieurs rôles, un seul personnage, dans la *Recherche*, a été forgé pratiquement, à quelques détails près, à partir d'un seul modèle, si archétypique dans la réalité qu'il se suffisait à lui-même. Il s'agit de Basin, duc de Guermantes.

À l'instar de Cocteau, qui ne voyait dans les mélanges « qu'absence de mélanges », on peut affirmer que le duc de Guermantes *est* le comte Greffulhe. Tous les portraits que nous ont laissés les contemporains d'Henry, tout ce que nous savons de sa vie et de sa personnalité le confirment : du bout de ses bottines à la pointe de sa barbe d'or, il est le duc de Guermantes à tous les âges de la vie. Jeune vicomte, il est le prince des Laumes, « l'homme le plus riche », « le plus grand parti du faubourg Saint-Germain » choisi pour épouser la jeune et belle Oriane. « [...] tout le monde savait que dès le lendemain du jour où le prince des Laumes avait épousé sa ravissante cousine, il n'avait pas cessé de la tromper. »

Dans son âge mûr, il est ce grand seigneur sans façons, presque brutal, « monumental, muet, courroucé, pareil à Jupiter tonnant », qui ne se gêne pour personne ; cet « Hercule en smoking », cet enfant gâté, cet égoïste forcené qui ne saurait se priver du moindre plaisir quelles que soient les circonstances. Il est le duc qui « se parait de sa femme mais ne l'aimait pas », qui « avait dans son ménage l'habitude d'être brutal avec elle » ; celui qui a « spirituellement fixé le modèle » de ce télégramme resté célèbre : « Impossible venir, mensonge suit. »

> « Formidablement riche dans un monde où on l'est de moins en moins, ayant assimilé à sa personne, d'une façon permanente, la notion de cette énorme fortune, en lui la vanité du grand seigneur était doublée de celle de l'homme d'argent, l'éducation raffinée du premier arrivant tout juste à contenir la suffisance du second. On comprenait d'ailleurs que ses succès de femmes, qui faisaient le malheur de la sienne, ne fussent pas dus qu'à son nom et à sa fortune, car il était encore d'une grande beauté, avec, dans le profil, la pureté, la décision de contour de quelque dieu grec. »

Nous avons là Henry trait pour trait, jusque dans la description de « ses petites prunelles rondes et exactement logées dans l'œil comme les "mouches" que savait viser et atteindre si parfaitement l'excellent tireur qu'il était ». Riche propriétaire terrien et grand chasseur, il est aussi celui qui est désigné dans les *Carnets* : « M. de Guermantes : une sommité » ; ou, plus

brutalement : « Guermantes minus habens cinegetiques (*sic*) ».
Nous avons vu plus haut la scène saisissante qu'inspira à Proust
sa rencontre avec le comte Greffulhe chez Mme de La Béraudière. Comment ne pas reconnaître également Henry et Élisabeth dans cette terrible description du couple formé par le duc
et la duchesse de Guermantes :

> « Lui seul ne l'avait jamais aimée ; en lui elle avait senti toujours
> un de ces caractères de fer, indifférent aux caprices qu'elle avait,
> dédaigneux de sa beauté, violent, d'une volonté à ne plier jamais
> [...]. D'autre part M. de Guermantes poursuivant un même type
> de beauté féminine, mais le cherchant dans des maîtresses souvent
> renouvelées, n'avait, une fois qu'il les avait quittées, et pour se
> moquer d'elles, qu'une associée durable, identique, qui l'irritait
> souvent par son bavardage, mais dont il savait que tout le monde
> la tenait pour la plus belle, la plus vertueuse, la plus intelligente,
> la plus instruite de l'aristocratie, pour une femme que lui M. de
> Guermantes était trop heureux d'avoir trouvée, qui couvrait tous
> ses désordres, recevait comme personne, et maintenait à leur salon
> son rang de premier salon du faubourg Saint-Germain. Cette opinion des autres, il la partageait lui-même ; souvent de mauvaise
> humeur contre sa femme, il était fier d'elle. Si, aussi avare que
> fastueux, il lui refusait le plus léger argent pour des charités, pour
> les domestiques, il tenait à ce qu'elle eût les toilettes les plus
> magnifiques et les plus beaux attelages. »

Derrière le duc de Guermantes vieillissant, « qui s'était épris
de Mme de Forcheville sans qu'on sût bien les débuts de cette
liaison », c'est toujours Henry dans le rôle du « vieux fauve
dompté », avec Marie-Thérèse de La Béraudière dans celui
d'Odette. Devenue Mme de Forcheville et maîtresse du duc,
Odette trompe sans vergogne son amant. Dans la vie réelle,
Mme de La Béraudière, alias « Mystère », en faisait autant,
raconte Cocteau : « Le pauvre homme mettait ses doigts en
cornes et s'en coiffait. Elle me fait, dit-il, turlututu du matin
au soir » – confidence d'autant plus étonnante « qu'on se
demandait avec qui Madame de La Béraudière, qui avait de la
barbe, pouvait tromper Greffulhe ». Proust, nous l'avons vu,
avait pu étudier de près les protagonistes. Le portrait qu'il

dessine, dans *Le Temps retrouvé*, du couple infernal torturant l'épouse légitime, est directement inspiré de la réalité :

> « Mais celle-ci [*la liaison du duc de Guermantes et d'Odette*] avait pris des proportions telles que le vieillard, imitant, dans ce dernier amour, la manière de celles qu'il avait eues autrefois, séquestrait sa maîtresse [...]. Il fallait qu'elle déjeunât, qu'elle dînât avec lui, il était toujours chez elle. [...] M. de Guermantes ne gardait ses foudres que pour la duchesse, sur les libres fréquentations de laquelle Mme de Forcheville ne manquait pas d'attirer l'attention irritée du duc. Aussi la duchesse était-elle fort malheureuse. »

De même, c'est une saisissante image d'Henry Greffulhe vieillissant, dompté par sa diabolique maîtresse, que l'auteur nous livre dans un autre passage du même volume :

> « Levant brusquement la tête, de ses petits yeux jaunes qui avaient l'éclat d'yeux de fauves il fixait sur elle un de ces regards qui quelquefois chez Mme de Guermantes, quand celle-ci parlait trop, m'avaient fait trembler. Ainsi le duc regardait-il un instant l'audacieuse dame en rose. Mais celle-ci lui tenait tête, ne le quittait pas des yeux, et au bout de quelques instants qui semblaient longs aux spectateurs, le vieux fauve dompté, se rappelant qu'il était, non pas libre chez la duchesse, dans ce Sahara dont le paillasson du palier marquait l'entrée, mais chez Mme de Forcheville, dans la cage du Jardin des Plantes, rentrait dans ses épaules sa tête d'où pendait encore une épaisse crinière dont on n'aurait pu dire si elle était blonde ou blanche, et reprenait son récit. »

Lorsque l'auteur met en scène la duchesse songeant au divorce, « pratiquement chassée de Guermantes » par la maîtresse de son mari – laquelle confie à ses amis qu'elle sera sans doute la principale héritière du duc –, c'est encore du trio Henry-Élisabeth-Marie-Thérèse qu'il s'inspire.

Par l'intermédiaire de ses nombreux amis du gratin, et de Reynaldo Hahn avec qui il aimait échanger des commentaires satiriques sur les potins mondains, Proust était remarquablement informé. Il n'ignorait rien des relations tumultueuses du comte Greffulhe avec sa femme et ses nombreuses maîtresses. Aussi, on peut penser que ce furent Henry et Élisabeth qui lui inspirèrent, en 1906, un projet de pièce qu'il confia à Reynaldo, décrivant ainsi le personnage principal : « cet homme est sadique et en dehors de l'amour pour sa femme a des liaisons avec des putains où il trouve plaisir à salir ses propres bons sentiments. Et finalement le sadique ayant toujours besoin de plus fort il en arrive à salir sa femme en parlant à ces putains, à s'en faire dire du mal et à en dire (il est écœuré cinq minutes après). » Projet qui ne vit jamais le jour, et qui fut très partiellement « recyclé » dans la célèbre scène de *Swann* entre Mlle Vinteuil et son amie.

Il faut donc rendre hommage au comte Greffulhe pour avoir inspiré à son insu quelques-unes des plus beaux textes de la *Recherche*. Ses excès, ses dernières années tumultueuses, s'ils ont rendu sa femme fort malheureuse, eurent des effets aussi heureux qu'inattendus puisqu'ils nous permettent de lire des lignes comme celles-ci :

> « Il n'était plus qu'une ruine, mais superbe, et plus encore qu'une ruine, cette belle chose romantique que peut être un rocher dans la tempête. Fouettée de toutes parts par les vagues de souffrance, de colère de souffrir, d'avancée montante de la mer qui la circonvenaient, sa figure, effritée comme un bloc, gardait le style, la cambrure que j'avais toujours admirés ; elle était rongée comme une de ces belles têtes antiques trop abîmées mais dont nous sommes trop heureux d'orner un cabinet de travail. Elle paraissait seulement appartenir à une époque plus ancienne qu'autrefois, non seulement à cause de ce qu'elle avait pris de rude et de rompu dans sa matière jadis plus brillante, mais parce qu'à l'expression de finesse et d'enjouement avait succédé une involontaire, une inconsciente expression, bâtie par la maladie, de lutte contre la mort, de résistance, de difficulté à vivre. Les artères ayant perdu toute souplesse avaient donné au visage jadis épanoui une dureté sculpturale [...] chose curieuse, lui qui jadis était presque ridicule quand il prenait l'allure d'un roi de théâtre avait pris un aspect véritablement grand. »

On peut encore aujourd'hui admirer « cette belle tête antique », sous la forme d'un buste d'Henry Greffulhe conservé par ses descendants.

Le cas du comte Greffulhe-duc de Guermantes est une exception. Cette création quasi monolithique n'empêcha pas Proust, selon son habitude, de « faire poser » ponctuellement d'autres modèles pour certains détails : ainsi, c'est au marquis du Lau qu'il a emprunté la scène du duc se rasant à sa fenêtre.

La seule caractéristique d'Henry qui n'ait pas été prêtée au Basin de la *Recherche*, c'est sa passion de collectionneur. Proust était un amateur d'art trop avisé pour ne pas avoir reconnu la qualité des collections de la rue d'Astorg. Mais ce trait ne « collait » pas à la médiocrité qu'il souhaitait imprimer à la figure du duc de Guermantes. Aussi l'attribua-t-il à Swann – qui était lui-même, comme on le sait, composé de plusieurs personnages, dont Charles Haas et Charles Ephrussi.

Guiche-Saint-Loup, ou la séduction du lignage

Pour compléter cette collection de clés autour de la comtesse Greffulhe et de sa famille, il faut bien sûr parler de Robert de Saint-Loup. « Tout cela peut très bien s'appliquer à G. que j'ai pris, depuis le commencement, pour le modèle de Saint-Loup, et qui me va très bien », poursuivait Montesquiou dans sa lettre à l'auteur. Là aussi, il voyait juste. Dans le puzzle Saint-Loup, le duc de Guiche est bien la pièce maîtresse du Robert « première époque », à qui il prête sa séduction personnelle et « généalogique », ainsi que sa grande culture – même si d'autres ont contribué à ce personnage[10]. Voici ce que Ferdinand Bac dit de lui dans ses *Souvenirs inédits* : « Jeune beau, amusant, il avait du piquant, pas mal d'esprit, des aptitudes aux arts, aux sciences, avec une pointe d'impertinence qui lui allait fort bien. » Bac décrit Armand « apostrophant les femmes avec une volupté un peu libertine », et apprécie en lui « l'élégance des formes et l'aisance parfaite, sa façon de lever la tête, de retourner les basques de son habit, debout devant la cheminée, le nez amusé, les yeux fureteurs, la parole audacieuse et galante à la fois, qui charmait et qui confondait un peu ». C'est le portrait de Robert de Saint-Loup. Pour achever de s'en convaincre, il suffit de rapprocher deux textes. D'une part, l'étrange dédicace[11] que Marcel écrivit à son ami sur un exemplaire des *Plaisirs et les Jour*s :

> « Au duc de Guiche
> Au vrai plutôt qu'au réel
> À celui qu'il aurait pu être plus encore qu'à ce qu'il est
> À cet autre lui-même que je lui ai passionnément préféré [...]. »

D'autre part, ce passage des *Jeunes filles en fleurs* concernant Saint-Loup :

> « En revanche par moments ma pensée démêlait en Saint-Loup un être plus général que lui-même, le "noble", et qui comme un esprit intérieur mouvait ses membres, ordonnait ses gestes et ses actions ; alors, à ces moments-là, quoique près de lui, j'étais seul comme je l'eusse été devant un paysage dont j'aurais compris l'harmonie. Il n'était plus qu'un objet que ma rêverie cherchait à approfondir. À retrouver toujours en lui cet être antérieur, séculaire, cet aristocrate que Robert aspirait justement à ne pas être, j'éprouvais une vive joie, mais d'intelligence, non d'amitié. Dans l'agilité morale et physique qui donnait tant de grâce à son amabilité [...] je ne sentais pas seulement la souplesse héréditaire des grands chasseurs qu'avaient été depuis des générations les ancêtres de ce jeune homme qui ne prétendait qu'à l'intellectualité, leur dédain de la richesse qui, subsistant chez lui à côté du goût qu'il avait d'elle rien que pour pouvoir mieux fêter ses amis, lui faisait mettre si négligemment son luxe à leurs pieds [...]. »

Dans la *Recherche*, Saint-Loup est le neveu de l'inaccessible Oriane, et le narrateur s'enhardit à lui demander la photographie de sa tante. Dans la vie, comme nous l'avons vu, Marcel réclama avec insistance à son ami la photographie de sa belle-mère. Le séduisant Robert épouse Gilberte, la fille d'Odette et de Swann. Mais Gilberte n'est pas heureuse. Lorsque le narrateur la retrouve après bien des années, dans l'épisode du « bal des têtes » il ne la reconnaît pas : « Une grosse dame me dit un bonjour [...] ». La fille est devenue la mère. C'est là la seule trace d'Elaine Greffulhe, duchesse de Guiche, que l'on puisse déceler dans la *Recherche*.

Enfin, Proust a trouvé le moyen de faire allusion dans le roman au souvenir cuisant de son dîner à Vallière, en plaçant la phrase suivante dans la bouche de Saint-Loup à propos de son oncle Palamède de Charlus : « Si pour une raison quelconque il désirait ôter tout caractère de solennité à un dîner dans un château où il passait une journée, et pour marquer cette nuance n'avait pas apporté d'habit et s'était mis à table avec le veston de l'après-midi, la mode devenait de dîner à la campagne en veston. »

On le voit bien : la comtesse Greffulhe et sa parentèle ont contribué de façon significative à nourrir la prodigieuse galerie de portraits de la *Recherche*. Sa famille au complet, ou presque : car, si l'on n'y trouve aucune trace de Ghislaine, on y découvre même Geneviève de Tinan, dans un rôle assez inattendu. Après leur fugitive rencontre à Bois-Boudran, Proust avait écrit à Reynaldo Hahn : « Elle m'a regardé avec l'attention toute matérielle d'un lama près de qui on passe au Jardin des Plantes et à qui on ne donne pas de pain ». Or, on trouve une métaphore animalière analogue, mais inversée, dans la fameuse scène des *Jeunes filles en fleurs*, lorsque le narrateur, en compagnie de sa grand-mère, rencontre la princesse de Luxembourg sur la digue de Balbec, et voit « approcher le moment où elle nous flatterait de la main comme deux bêtes sympathiques qui eussent passé la tête vers elle, à travers un grillage, au Jardin d'Acclimatation ». Détail anecdotique, sans doute, mais amusant, car il est révélateur de la façon dont Proust utilisait et transmuait dans son œuvre toutes les impressions amassées dans sa vie quotidienne.

Le grand déménagement

Le jeu des clés ne se limite pas aux personnages : on peut également s'y livrer avec les maisons et leur mobilier. Et là aussi, une lecture attentive de la *Recherche* révèle que Proust a largement utilisé dans son roman le décor où évoluait la comtesse Greffulhe.

L'hôtel de Guermantes, où réside également la marquise de Villeparisis, tante du duc, n'est jamais localisé précisément. Il est décrit comme « une sorte de château entouré, au milieu de Paris même, de ses terres » : un signalement qui évoque le « Vatican », la « Cité interdite » que formaient, en plein Paris, les trois hôtels de la famille Greffulhe groupés autour de leur jardin. La rue d'Astorg, où la comtesse Greffulhe donnait ses célèbres matinées et garden-parties printanières, pourrait bien avoir inspiré également l'« hôtel-type » dépeint dans *Sodome et Gomorrhe*, lorsque le narrateur évoque en bloc les « autres fées et leurs demeures » :

> « Avant la dame il fallait aborder le féerique hôtel. Or l'une recevait toujours après déjeuner, les mois d'été ; [...] à cause de la chaleur de la maison et de l'heure, la dame avait clos hermétiquement les volets dans les vastes salons rectangulaires du rez-de-chaussée où elle recevait. Je reconnaissais mal d'abord la maîtresse de maison et ses visiteurs, même la duchesse de Guermantes, qui de sa voix rauque me demandait de venir m'asseoir auprès d'elle, dans un fauteuil de Beauvais représentant l'Enlèvement d'Europe. Puis je distinguais sur les murs les vastes tapisseries du XVIIIe siècle représentant des vaisseaux aux mâts fleuris de roses trémières, au-dessous desquels je me trouvais comme dans le palais non de la Seine mais de Neptune, au bord du fleuve Océan, où la duchesse de Guermantes devenait comme une divinité des eaux. »

Proust connaissait également l'existence de l'hôtel de Chimay, quai Malaquais, vendu par la famille à l'École des beaux-arts en 1883, et c'est là qu'il place la résidence du baron de Charlus : « Mais naturellement, dès que j'ai voulu venir habiter dans cette rue, il s'est trouvé un vieil hôtel Chimay que personne n'avait jamais vu puisqu'il n'est venu ici que pour moi », explique Palamède. Avec ses meubles et boiseries XVIIIe, qui ont « été faites pour les sièges de Beauvais et pour les consoles », « le grand salon verdâtre » que traverse le narrateur à sa première visite évoque à la fois le salon vert de l'hôtel du quai Malaquais et le mobilier de la rue d'Astorg.

On ignore l'adresse de Charlus, mais on connaît celle des Verdurin : ils habitent quai Conti, dans le prolongement du quai Malaquais – à deux pas de l'École des beaux-arts –,

« l'hôtel des Ambassadeurs de Venise », que les fidèles nomment avec dévotion « le quai Conti », tout comme les Caraman-Chimay parlaient de leur « cher quai Malaquais ». Unanimement, tous les membres du « petit noyau » regrettent l'ancienne résidence de leurs hôtes, que l'auteur situe rue Montalivet, à deux pas de la rue d'Astorg. Détail amusant : dans une version initiale des *Cahiers*, cet ancien appartement des Verdurin était localisé... précisément rue d'Astorg. Tel qu'il est décrit dans les *Cahiers*, le « grand appartement dans un jardin que tous ceux qui les avaient connus là-bas préféraient », et qui était devenu, pour les fidèles nostalgiques, « la demeure unique, idéale, des Verdurin », « le grand rez-de-chaussée avec jardin où Swann les avait connus rue d'Astorg », n'est autre que celui de l'hôtel Greffulhe, aisément reconnaissable, avec « sa belle étendue et la succession des salons au rez-de-chaussée où, devant les larges fenêtres, les marronniers faisaient tomber leurs fleurs roses ».

Le mobilier de la rue d'Astorg a été, lui aussi, largement utilisé dans la *Recherche*. Proust semble avoir été particulièrement frappé par les fauteuils et canapés en tapisserie de Beauvais, cet « admirable meuble de Beauvais » vanté par Edmond de Goncourt, qui avait été acheté par Henry Greffulhe peu après son mariage. Dans la *Recherche*, ce « Beauvais » est doué d'ubiquité. Nous l'avons rencontré plus haut, dans un salon anonyme, lorsque la duchesse de Guermantes fait asseoir le narrateur auprès d'elle, « dans un fauteuil de Beauvais représentant l'Enlèvement d'Europe ». Il est présent chez le baron de Charlus, où le motif décoratif des fauteuils est repris dans les boiseries du salon. Il est mentionné, à trois reprises, chez Mme de Villeparisis, avec leur « couleur rose, presque violette, de framboises mûres », « leurs tapisseries violacées comme des iris empourprés dans un champ de boutons d'or ». La duchesse de Guermantes, en visite chez sa tante, inspecte avec intérêt ces sièges qui sont « vaguement de son monde », avant de jeter un regard sur les intrus qui ont osé y poser leur séant, avec « cette même désapprobation [...] qu'elle eût éprouvée si elle eût constaté sur les fauteuils au lieu de notre présence celle d'une tache de graisse ou d'une couche de poussière ». Chez Mme Verdurin, enfin, ce mobilier fait l'objet d'une mise en scène cocasse, lorsque la « Patronne » invite Swann à s'extasier devant la tapisserie de *l'Ours et les Raisins*, et à palper à pleines mains les petits bronzes des dossiers[12].

10

« ET QUAND LES INSECTES SONT TOMBÉS
EN POUSSIÈRE »...

Fascinant jeu des sept familles... La comtesse Greffulhe, dont le nom de jeune fille et les origines ont toujours fait rêver Proust, a contribué au processus qui conduisit l'auteur à accoucher du nom magique de Guermantes, dont toute l'œuvre a jailli, miraculeusement, comme Combray surgissant de la tasse de thé du narrateur. Elle lui a servi à nommer – donc à créer – les personnages qui forment la clé de voûte de la *Recherche*. Son « suc » – le « jus des côtelettes » – entre dans la composition des trois seules jolies femmes du roman : Oriane, sa cousine, et Odette dans sa triomphante maturité et jusque dans son grand âge. Elle est aussi, fugitivement, Mme Verdurin, grande prêtresse des Ballets russes et Mme de Marsantes, mère de Saint-Loup – lequel est inspiré de son gendre Armand de Gramont – dont l'épouse Gilberte, fille d'Odette, devient, comme Elaine, une grosse dame méconnaissable. Henry Greffulhe est le duc de Guermantes presque tout d'une pièce, mais prête son talent de collectionneur à Swann, mari d'Odette ; à la fin du roman, son mauvais génie, Mme de La Béraudière, s'incarne sous les traits de sa diabolique maîtresse Mme de Forcheville, ex-Odette de Crécy, ex-Mme Swann. Marie de Montesquiou lègue à la marquise de Cambremer son professeur de piano et son génie pour interpréter Chopin. Le baron de Charlus, inspiré de son cousin Robert, habite l'hôtel de Chimay ; les Verdurin résident tout à côté ; l'hôtel de Guermantes évoque l'hôtel Greffulhe rue d'Astorg – dont le mobilier volage se retrouve chez

449

Charlus, chez Mme de Villeparisis et chez les Verdurin – lesquels, dans une version préparatoire de la *Recherche*, ont vécu autrefois au rez-de-chaussée de ce même hôtel.

Face à tous ces constats, Marcel proteste « avec la dernière vivacité », dans sa correspondance comme dans son roman : « Dans ce livre, où il n'y a pas un seul fait qui ne soit fictif, où il n'y a pas un seul personnage "à clefs", où tout a été inventé par moi selon les besoins de ma démonstration [...] », insiste le narrateur dans *Le Temps retrouvé*. Mais il ne persuadera « aucune oie »...

Proust était une plaque sensible, qui absorbait dans leurs moindres nuances toutes les sensations, impressions, intuitions ressenties dès qu'il émergeait à l'air libre, avant de retourner s'enfouir dans sa chambre noire où s'accomplissait dans le silence de la nuit l'obscur travail de révélation. « Il amassait simplement les matériaux qui allaient lui servir à construire ses romans, de même que l'on prend de la pierre ou du marbre pour parfaire un édifice », notera Armand de Gramont. La comtesse Greffulhe, sa famille, ses demeures, ses réceptions étaient bien l'une des principales carrières où l'auteur put s'approvisionner, un laboratoire essentiel où il put étudier à loisir les diverses « erreurs de réglage » avec lesquelles s'exprimait « l'amabilité des grands seigneurs, intermédiaires bénévoles entre les souverains et les bourgeois ».

On a souvent présenté Marcel Proust, dans sa jeunesse, comme un snob avide de mondanités : nous avons vu ce qu'il faut en penser. D'autres ont dépeint le froid observateur, l'ironiste qui n'aurait fréquenté la haute société que pour mieux l'épingler, en démonter scientifiquement les ressorts. La métaphore qui revient le plus souvent est celle de l'entomologiste. On la retrouve jusque sous la plume de Robert de Montesquiou, dans cette phrase terrible, à propos des modèles du duc et de la duchesse de Guermantes : « Et quand les insectes sont tombés en poussière autour d'une épingle dénudée, dans un tombeau vitré, il ne reste plus qu'une étiquette sur laquelle des caractères sont inscrits : c'était le Danaïs Tyutia, ou le Pyrameia Atalanta. » « Les gens dits "du monde" sont bien extraordinaires ;

il faut les regarder à la loupe ; sans cela, ils ne seraient pas gros », confiait à Geneviève de Caraman-Chimay le même Montesquiou, qui pourtant appartenait à ce monde. Voir dans l'auteur de la *Recherche* un froid entomologiste était tentant, mais inexact. Son ami Guiche ne s'y était pas trompé : « Proust aimait pourtant cette société qu'il a décrite, il s'y amusait. »

Il l'aimait. Il en a rêvé avec passion, de loin, avant de la connaître de près. Puis il l'a observée, sans complaisance, mais avec amour et humour. Car l'humour, qui rime avec amour, est le contraire de l'ironie – humour sans amour. Et cet humour omniprésent illumine toute la *Recherche*. Sur cette question, à mon sens, nul n'a vu plus juste que son biographe américain Painter : en 1921, raconte-t-il, comme Proust se désolait parce que Mme de Chevigné avait refusé de lire *Du côté de Guermantes*, Jean Cocteau lui répondit : « Fabre a écrit un livre sur les insectes, mais il n'a pas demandé aux insectes de le lire ! » Et Painter ajoute :

« Proust demeura inconsolé. En effet, la noblesse française, qu'il avait aimée toute sa vie, et dont il avait écrit l'oraison funèbre, n'était pas semblable aux insectes. Dans la gloire finale de son couchant, qui coïncidait avec sa cinquantième année, cette noblesse avait façonné en miniature le dernier exemple de civilité que notre monde ait connu, chose belle, fugitive et irremplaçable que l'Histoire a produite et que l'Histoire a détruite. Dans ses salons a fleuri une élégance joyeuse, une individualité fantasque, une liberté chevaleresque, un vivant échange entre les esprits, les mœurs, les émotions. Elle avait donné le sang de sa jeunesse dans la guerre et elle avait péri parce qu'elle avait servi l'art plutôt que le pouvoir. Notre devoir, en tant que barbares du XXᵉ siècle, est de saluer cette civilisation du XIXᵉ siècle, que nous avons fait disparaître. C'est là ce que fit Proust ; et dans la lumière rétrospective du *Temps Retrouvé*, où la beauté est restituée au passé et où l'on voit que la désillusion est elle-même une illusion, le Faubourg Saint-Germain demeure, au sein du Temps Perdu, aussi éblouissant que la lumière solaire de Combray, de Balbec et de Venise. »

Comme la *camera oscura* de Léonard de Vinci, le projecteur braqué sur la comtesse Greffulhe apporte un éclairage nouveau sur la genèse de la *Recherche*.

Dans son essai *Mensonge romantique et vérité romanesque*, René Girard analyse brillamment le mécanisme du *désir métaphysique* qui préside à la construction de la *Recherche* – le *désir triangulaire* qui anime tous les personnages et les microcosmes du roman, et jusqu'au narrateur lui-même, au sein d'un triangle isocèle reliant le sujet désirant et l'objet de son désir via un *médiateur*, qui rayonne à la fois vers le sujet et l'objet.

La comtesse Greffulhe était, dans la vie, une *médiatrice* par excellence – au sens propre du mot, mais aussi au sens que lui donne Girard. Elle concentrait sur sa personne les désirs et les admirations, les haines et les jalousies de nombre de ses contemporains qui croyaient l'aimer ou la haïr, alors qu'elle n'était que la médiatrice de désirs moins avouables, soleil dorant de ses rayons leurs rêves secrets qui avaient pour noms vanité, ambition, snobisme. Proust n'échappa pas à cette attraction ; lui aussi, dans sa jeunesse, cristallisa sur elle bien des rêves. Il n'était alors – aux yeux de tous et de lui-même – qu'un jeune homme ambitieux et snob. Il n'était que le *sujet désirant*. Jusqu'au jour où il eut la révélation, où il découvrit le système onomastique qui allait faire de lui le démiurge de la *Recherche*. La comtesse Greffulhe fut le principal catalyseur qui accéléra la réaction chimique, la transmutation du matériau de la vie quotidienne en un monument défiant le Temps.

ÉPILOGUE

Dans l'œuvre proustienne, la conjonction des planètes Marcel Proust et Élisabeth Greffulhe a engendré les fruits miraculeux que l'on sait. Mais dans la vie d'Élisabeth, cela restera l'histoire d'un rendez-vous doublement manqué : elle était passée à côté de lui de son vivant, elle ignora aussi son œuvre. Et pourtant, si elle l'avait lue, elle n'aurait pas manqué de sentir résonner dans la *Recherche* les échos de sa propre quête spirituelle. Elle, l'hypersensible, qui avait, comme Proust, « le triste privilège de souffrir bien plus ». Elle, qui avait voulu « élever son âme vers les hauts sommets de la compréhension de la nature et de la science ». Elle qui avait « partout, avec rage, cherché l'âme – le mystère de la vie », « voulu tout voir, tout pénétrer », « savoir ce que nous étions, en quoi nous étions ». Elle, qui était convaincue que l'art était « la seule chose qui vaille la peine de vivre, c'est-à-dire tout ce qui est beau, tout ce qui est vrai, tout ce qui nous transporte au-delà des limites de ce monde si mesquin ». Vainement, elle avait cherché à résoudre ces questions à travers les expériences spirites, la musique, la religion, la science. Mais elle avait éparpillé sa vie. Les réponses qu'elle avait obscurément pressenties, cherchées en dilettante, lui les avait révélées dans sa chambre noire, au prix d'une longue réclusion et d'un travail acharné. Quel choc elle aurait eu, si elle avait pris la peine de lire, par exemple, ces lignes de *La Prisonnière* :

> « Certes, les expériences spirites, pas plus que les dogmes religieux, n'apportent la preuve que l'âme subsiste. Ce qu'on peut

dire, c'est que tout se passe dans notre vie comme si nous y entrions avec le faix d'obligations contractées dans une vie anté-rieure ; il n'y a aucune raison, dans nos conditions de vie sur cette terre, pour que nous nous croyions obligés à faire le bien, à être délicats, même à être polis [...]. Toutes ces obligations, qui n'ont pas leur sanction dans la vie présente, semblent appartenir à un monde différent, fondé sur la bonté, le scrupule, le sacrifice, un monde entièrement différent de celui-ci, et dont nous sortons pour naître à cette terre, avant peut-être d'y retourner revivre sous l'empire de ces lois inconnues auxquelles nous avons obéi parce que nous en portions l'enseignement en nous, sans savoir qui les y avait tracées – ces lois dont tout travail profond de l'intelligence nous rapproche et qui sont invisibles seulement – et encore ! – pour les sots. »

Si elle avait pris la peine d'accompagner le narrateur « de l'autre côté de l'horizon », elle aurait senti résonner dans son œuvre son propre amour de la musique, cette « mystérieuse rénovation » que l'auteur fait découvrir à Swann par la petite phrase de Vinteuil, « l'étrange ivresse » que l'on trouve « à dépouiller son âme la plus intérieure de tous les secours du raisonnement et à la faire passer seule dans le couloir, dans le filtre obscur du son ». Quand elle décrivait à Roffredo « l'âme qui devient silencieuse quand elle se retrouve tout à coup en face de ce qui eut le pouvoir de l'agiter, du délire des émotions profondes ! Elle écoute en elle et ne sait plus rien », n'est-ce pas exactement ce qu'elle-même cherchait à exprimer ?

À travers *Albertine*, elle aurait pu élucider le mécanisme infer-nal de la jalousie, et le double jeu que jouait Henry, jaloux maladif et « être de fuite » qui entretenait en elle une angoisse perpétuelle. Elle aurait compris que l'amour et la haine sont les deux faces d'une même médaille. Elle qui avait le sens de l'humour, elle aurait aussi beaucoup ri, ce qui est bon pour le moral et pour la santé – car l'un des charmes, et non des moindres, de la *Recherche*, c'est qu'on s'y amuse énormément.

La fréquentation posthume du « petit Marcel » aurait, sans aucun doute, adouci les dernières années d'Élisabeth, et allégé la terrible pression qu'Henry, jusqu'après sa mort, fit peser sur son existence. Elle aurait *éclairci* sa vie en lui dévoilant ce qu'elle avait toujours cherché, « cette réalité que nous risquerions fort de mourir sans l'avoir connue, et qui est tout simplement notre vie, la vraie vie, la vie enfin découverte et éclaircie, la seule vie, par conséquent, réellement vécue ».

ANNEXES

1

MARCEL PROUST
LE SALON DE LA COMTESSE GREFFULHE

Ce document que j'ai retrouvé est un jeu d'épreuves sur papier bleu, composé de 8 pages numérotées en haut au crayon bleu de « 3 g » à « 10 g ». Il est signé Dominique, un pseudonyme emprunté à Stendhal, et fréquemment utilisé par Proust pour ses articles. Une page présente un défaut d'encrage en bas à droite, qui fait disparaître la fin des cinq dernières lignes. Les deux premières pages sont manquantes, ce qui fait que nous n'en connaissons pas le titre exact qui, d'après ce que nous dit l'auteur, devait faire référence à Diane. Le texte est ici retranscrit en respectant les fautes de ponctuation, d'accord, les mots manquants, etc.

[...]
sonnes d'invitées. Peut-être avait-on eu l'intention de n'en inviter que dix au commencement, mais ce chiffre s'est peu à peu grossi. Mais il en sera de cette fête le contraire de l'équipée chantée par Victor Hugo :

> En partant de Cadix,
> Nous étions dix.
> En arrivant à Otrante,
> Nous étions trente.

Et je suis persuadé que tantôt, on sera bien deux cents. Tantôt, car c'est dans une heure. Si en ce moment vous pouviez soulever les toits des plus beaux hôtels de Paris, comme cela serait amusant et charmant de voir la gracieuse agitation des belles dames qui font leurs derniers préparatifs. Comme le temps est doux, les victorias attendent devant la porte ou dans la cour, et tout à l'heure un même mot d'ordre donné de tant de points différents à cent cochers va conduire à travers les rues tièdes et ensoleillées ces bourriches glissantes, fleuries de toilettes multicolores, qui s'inclineront, au passage, dans la grâce d'un salut envoyé ou rendu.

Les premiers invités commencent à arriver, et Mme Greffulhe les place le long des murs, dans les grands salons de l'hôtel, de façon que le milieu du salon reste libre, vide pour l'arrivée et la promenade de Sa Majesté. Seuls quelques hommes y restent encore, comme on voit un jour de revue, avant l'arrivée du général, des soldats passer dans la cour vide de la caserne, qui tout à l'heure, au premier appel de clairon, feront place nette, ou rentreront dans les chambres ou dans le rang. Toutes les femmes qui doivent d'abord être présentées à Sa Majesté sont sur le devant. Voici Mme de Pourtalès, qui est aussi une Majesté à sa manière, mais qui est surtout Sa Grâce Sérénissime la comtesse Edmond de Pourtalès, tant elle a gardé intacte la grâce sereine qui n'est pas lasse d'avoir tant charmé. Quand le Roi qui l'a connue sous l'Empire la verra tout à l'heure, il ne pourra pas croire que c'est elle, tant elle est la même, et Mme Greffulhe semblera comme une fée qui aurait fait le tour de force d'évoquer pour lui une belle apparition d'autrefois, toute semblable. À côté d'elle, la duchesse de Luynes, née La Rochefoucauld, attire par un charme particulier qu'on retrouve dans ses deux enfants, assis auprès d'elle ; la duchesse de Noailles, aux yeux ravissants ; le duc de Luynes, si fin, si courtois, la grâce même. A côté d'elle, la comtesse Paul de Pourtalès, grande et blonde, avec un visage régulier ; Mme Ternaux-Compans, la princesse de Caraman Chimay, née Werlé, Mme Casimir-Perier, la duchesse de Gramont. On commence à arriver en plus grand nombre. Mme Greffulhe, debout devant la porte, « semble un grand oiseau d'or » prêt à s'éployer. Ses yeux merveilleux changent d'aspect à toute minute : « Voyez ce nuage, dit Hamlet à Polonius, ne dirait-on pas une belette », et à tout instant il lui trouve une autre ressemblance, tant il prenait sans cesse une apparence nouvelle. Les yeux de Mme Greffulhe ne sont pas moins changeants. Immobiles en ce moment, ils ont comme une beauté minérale de pierres précieuses. On sait que, placés dans une vitrine, ils illumineraient un Louvre. Maintenant ses prunelles ont l'air, dans ses yeux, d'un caillou jeté dans une eau limpide. Mais un regard les a traversés pour sourire à une de ses amies qui entre et aussitôt ils se sont dématérialisés, ils ont pris comme une bienveillance d'en haut, comme une douceur mystérieuse et transparente d'étoiles. Maintenant ce sont comme des beaux yeux de gazelle. À toute minute ils sont « autres », mais restent toujours « eux ». Voici le marquis du Lau, vieil ami de M. Greffulhe, ancien officier d'ordonnance du général de Galliffet, curieuse tête de Ghirlandajo avec sa figure vivement colorée et ses yeux si bleus. Un autre ancien officier qui cause avec lui est le comte Louis de Turenne, l'homme le plus charmant de ce milieu. D'une bonté, d'une droiture, d'une affabilité à toute épreuve, M. de Turenne est aussi un homme d'une grande culture, connu par des travaux forts distingués et dont le petit appartement de la rue de la Bienfaisance est tout autant qu'un centre d'élégance un lieu de recueillement et d'études. M. de Turenne est un de ces hommes dont on a dit qu'ils font la pluie et le beau temps, ce qui est peut-être leur attribuer un peu gratuitement une prérogative réservée jadis au bon Dieu, et étendue aujourd'hui, dans une certaine mesure, aux physiciens. Mais il n'en est pas moins exact que, dans cet univers restreint, il est vrai, qui va de la rue Tronchet (hôtel Pourtalès) à l'avenue d'Iéna (hôtel Standish) et de l'avenue Marigny (hôtels La Trémoïlle et Gustave de Rothschild) à la rue Saint-Dominique (hôtel Sagan) en passant par le cercle de l'Union, son pouvoir est à peu près illimité.

Il dit successivement bonjour : au duc de Montmorency, figure historique et allure jeune ; à M. Charles Ephrussi, grand ami du comte et de la comtesse Greffulhe ; au marquis de Castellane et au comte de Rambuteau. Mme Greffulhe place en ce moment, à côté de son amie la comtesse de Kersaint, née Mailly-Nesle, la marquise d'Eyragues, cette grande jeune femme brune, sa cousine, née Montesquiou (la sœur de la comtesse d'Oizonville et la sœur et la belle-sœur du comte et de la comtesse Henri de Montesquiou, née Noailles), femme d'un esprit délicieux et qui exerce sur tous ceux qui la connaissent le plus légitime ascendant. Elle a le véritable et charmant esprit qui consiste à voir tout d'une façon originale et si fine qu'il n'y a pas pour elle d'événements insignifiants ni de gens ennuyeux, et que de la plus lourde pierre elle tire un grain d'or étincelant. Aussi elle vient à peine de s'asseoir qu'on s'empresse autour d'elle, et vous voyez combien les personnes assises près d'elle ont l'air de goûter avec délices l'imprévu de sa conversation. La marquise de Massa, la comtesse de Gabriac et la duchesse de Reggio, qui ont aperçu Mme d'Eyragues, se lèvent et viennent chercher une place à côté d'elle. Tout ce monde se montre les écrivains et les savants illustres venus pour être présentés à Sa Majesté. Autour de toute grande influence féminine il y a toujours groupement et faisceaux de talents. Mais aujourd'hui, jour (pour reprendre notre image) de grande revue, où les vétérans de la pensée française défileront en l'honneur du Roi, le ban et l'arrière-ban, la réserve et les divisionnaires ont été appelés sous les armes. De sorte qu'à côté des jeunes Helleu, La Gandara, Lobre, La Sizeranne, voici M. Berthelot, le grand chimiste ; M. Albert Sorel, avec sa tête précise et profonde d'historien imperturbable et perspicace ; M. Camille Saint-Saëns, M. Paul Hervieu, tout jeune, mais illustre aussi et dont la diction musicale et ralentie, harmonieuse cadence retardée, tient captive l'attention de tous, suspendus à ses paroles profondes et charmantes. M. Janssen, le grand astronome, est venu en habit, bien qu'il fût quatre heures de l'après-midi, soit souci excessif d'officialité, soit dédain de savant pour les contingences de la toilette, soit désir touchant dans une ignorance absolue des modes, de faire bien. Sur tout autre et ailleurs qu'ici, ce serait peut-être ridicule, mais sur M. Janssens[1] cela prend quelque chose de très noble et de très touchant et l'on sent que les hommes intelligents qui sont ici se mettraient volontiers en habit pour être comme lui et lui diraient comme Dumas fils à George Sand : « J'aime mieux me tromper avec vous que d'avoir raison avec tout le monde ». Le Roi n'est toujours pas arrivé. On est là comme en classe, en attendant l'arrivée de l'examinateur. On cause. Par la fenêtre ouverte sur les jardins, mêlée au champ d'un bouvreuil, entre une délicieuse odeur de lilas. A tout moment, une réflexion drôle arrache un éclat de rire à Mme Greffulhe. Ah ! la jolie chose ! Elle reste un moment indécise comme hésitant devant la propre fusée de son rire, qui tout d'un coup jaillit délicieusement, jetant et égrenant sans compter.

Et d'elle on ne détache point ses regards. Elle est « Belle du flamboiement des yeux fixés sur elle ».

Elle a partout une rivale dans l'attention charmée de tous. C'est la Diane de Houdon qui est sur la cheminée. Car je vous ai présenté, en bon auteur dramatique, tous les personnages de cette petite représentation mondaine, avant que l'action s'engage, mais je ne vous pas parlé d'un spectateur inanimé, le plus vivant de tous, la Diane de Houdon, faute d'autant plus grave que c'est elle qui m'a fourni le titre de cet article. Cette Diane a une histoire. Voulez-vous que vous[2] la dise bien vite avant que la fête commence ; mais dépêchons-nous, car je vois un grand mouvement se dessiner, M. Greffulhe est sorti précipitamment du salon, j'ai idée que Sa Majesté n'est pas loin. Donc Mme Greffulhe, pour un bal costumé, désirait, il y a une dizaine d'années se mettre en Diane et voulut voir pour cela une Diane de Houdon qui était chez des voisins de campagne à elle, gens très simples, et qu'elle ne connaissait pas. Ce qui fut fait. Là-dessus, grand deuil dans cette maison où meurt, je ne sais pas si c'est la fille ou la femme du propriétaire de la Diane. Mme Greffulhe croit devoir aller consoler ces gens. Elle le fit très naturellement sans se douter qu'elle le fait d'autant mieux, laissant parler son cœur qui est éloquent. Dix ans se passent, le propriétaire de la Diane meurt, lui laissant par testament la statuette, en souvenir de cette visite. (On a cette lettre, car elle n'avait pu être faite qu'ainsi, voyez le journal des Goncourt[3] que je n'ai pas sous la main). Et voilà comment l'adorable « invitée » de marbre est – ce que voudraient beaucoup d'autres en chair et en os – de toutes les fêtes de Mme Greffulhe. Non, ce n'était pas le Roi, j'ai eu le temps de vous finir mon récit et il n'est pas encore là.

L'exactitude ne serait-elle pas... vous savez. Voici quelques retardataires : le comte et la comtesse Edouard de La Rochefoucauld, née Colbert ; le comte et la comtesse Henri de Montesquiou, née Noailles ; le comte et la comtesse Mathieu de Noailles, née Brancovan, et le prince et la princesse Alexandre de Caraman-Chimay, également née Brancovan. Mais ici, il faut que j'ouvre une parenthèse. Je n'ai pas prononcé ces deux derniers noms

462

sans un sentiment assez difficile au fond à définir. La comtesse de Noailles et la princesse de Chimay sont déjà, l'une un si grand poète, l'autre un si grand prosateur – depuis un mois on peut aussi dire de Mme de Noailles un si grand prosateur – qu'il nous semble qu'on peut parler d'elles dans un volume de critique littéraire, dans une histoire de la littérature française, mais non dans une relation mondaine. On aurait à les voir citer comme « élégances » le même sentiment de disproportion que nous éprouvons en lisant les mémoires de la Restauration où on lit : « Aujourd'hui, belle soirée chez la duchesse de ***. Étaient présents MM. de *** et de ***. L'un d'eux, amené par M. de Castrie (sic) ou M. de Broglie, M. de Lamartine a lu des vers qu'il intitule *Méditations poétiques*. » Je sais bien que ce n'est pas tout à fait la même chose quand il s'agit des femmes. Le cas d'ailleurs ne s'est guère présenté dans l'histoire des littératures et il n'y a pas ici de jurisprudence, parce qu'il n'y a pas de précédent. M. Paul Hervieu vient féliciter Mme de Noailles de son admirable roman[4], pendant que tous ceux qui regardent la comtesse restent comme fascinés par ces yeux infinis, remplis de rayons et d'ombres, et d'un crépuscule qui chante, devant sa beauté parfaite, devant sa grâce absolue de divinité.

Délicieusement modelé par des touches d'une subtilité et d'une délicatesse émouvantes, le visage exquis de la princesse de Chimay ne nous tient pas sous un moindre enchantement. Ses beaux yeux qui ne voient que tout près d'elle, qui voient si avant dans les choses, son corps charmant, énergique et frêle, tout en elle donne l'idée d'une indomptable douceur. Le comte Mathieu de Noailles et le prince de Chimay sont à la hauteur de la tâche exquise et difficile d'être les maris de deux femmes de génie et ne sont pas que cela, car ils ont leur valeur indépendante. Et elles, à leur tour, trouvent en eux la force et la bonté où s'appuyer après les fatigues et les incertitudes de la pensée et de l'art. Mais il faudra reprendre quelques jours ce portrait dont je commençais à peine la première esquisse, car au bras de Mme Greffulhe entre le Roi. Je ne le décrirai pas pour ne pas le faire reconnaître, puisque aussi bien je peux lui garder son incognito. Au reste, dites-vous que cela n'a aucune importance. Car quel est le roi qui n'est pas allé rue d'Astorg ou à Bois-Boudran ? Une visite à Mme Greffulhe fait aussi inévitablement partie du programme de l'emploi du temps d'un souverain de quelque importance à Paris n'y passât-il qu'un jour, qu'une visite à l'Élysée, au Louvre ou à Notre-Dame. Mme Greffulhe muse avec les poètes, royale avec les rois et bonne avec tous, et belle pour tous, s'avance au bras du roi et lui fait faire ou refaire la connaissance de la comtesse Edmond de Pourtalès, de la duchesse de Fezensac, de la duchesse de Luynes, douairière, de la duchesse de la Trémoïlle, de Mme Casimir-Perier, de la duchesse de Bisaccia, de la duchesse douairière d'Uzès, de la duchesse d'Uzès, née de Chaulnes, de la duchesse de Rohan, de la comtesse Mathieu de Noailles, de la princesse Alexandre de Chimay, de la duchesse de Luynes née d'Uzès, de la duchesse de Mortemart, de la duchesse des Cars. Le roi félicite tour à tour la duchesse de Rohan pour la dernière pièce de vers qu'elle vient de composer

Calmette qui vient à l'

tenir la primeur po

Mme Greffulhe ap

les hommes les[5]

luer le souverain comme elle les inviteraient[6] à recevoir une couronne. Élancée, immobile, d'un doigt précis, elle désigne d'une voix fraîche, elle appelle : « M. Berthelot ». M. Berthelot vient et s'entretient un instant avec Sa Majesté, M. Vandal, d'un charme si délicat et si fin ; « M. Fauré », le grand musicien à la jolie figure inspirée et fine sous la neige précoce et comme factice de ses cheveux blancs, sous laquelle flambent ses yeux bleus comme des fleurs de polygala alpina sous la neige ; « M. Jules Roche. » Sa Majesté semble prendre un plaisir particulier à s'entretenir avec l'homme d'Etat éminent, aux yeux de feu, à la parole fiévreuse et colorée, à l'infatigable intelligence. Puis le roi s'assied et le programme commence. Il est tout entier composé de sonates de Beethoven, de préludes et de polonaises de Chopin, exécutées par M. Planté[7]. Les personnes qui n'ont pas entendu M. Planté, ignorent la métamorphose qu'un artiste génial peut faire subir au piano qui devient tour à tour mugissant comme la mer tempétueuse, suave et pénétrant comme un chant de rossignol, plein de voix comme une forêt profonde. En mettant à part – ce qu'il faut toujours faire – M. Risler, aucun pianiste ne semble pouvoir aller jusque-là. Mais ceux qui ne connaissent pas M. Planté ignorent aussi les particularités fort amusantes de cet artiste original. M. Planté ne joue pas une mesure sans l'accompagner d'une réflexion, la souligner d'un geste, la devancer d'un avertissement au public, la faire suivre d'une appréciation. Ajoutons que cette originalité lui étant naturelle est fort agréable, au contraire de l'affectation qu'il y a chez certains pianistes, tels que M. Delafosse, par exemple, dont le réel talent de pianiste et de compositeur souvent voit ses plus beaux effets gâtés par un maniérisme fatigant.

Tout le monde attend. M. Planté va commencer. Il pose ses doigts sur le piano, le son va naître, non. M. Planté s'arrête et se tournant vers le Roi : – puisque Sa Majesté a envie d'entendre un peu de musique, je vais lui jouer d'abord un prélude. Je l'ai appelé *les rochers de Biarritz*. Se tournant vers M. Bonnat. – Oui, mon vieux maître, de Biarritz. Ah ! L'adorable endroit ! Il commence à jouer ; on entend un trille exquis. Tout en jouant : « C'est la vague, vous l'entendez, vous entendez son rire perlé. » Regardant Mme Greffulhe : « Ah ! je vois que la comtesse l'entend, cela me fait plaisir. » Il rit. (Les trilles se continuent naturellement sans cesser un instant tandis qu'il parle.) Comme elle est cristalline ! Oh ! comme elle mouille, prenons garde. Il se tourne vers l'orchestre qui l'accompagne : « Oh ! cher violoncelle, pas trop fort, laissez-moi chanter puisque j'aime chanter (et sans s'arrêter) il fait en même temps chanter le piano sous ses doigts d'une façon vraiment sublime), ah ! voilà, jouant toujours et sans arrêter, chantons ensemble voi... là... voi... là.... . Chantons, chantons, (s'adressant de nouveau à l'orchestre) « Ah, que ce que vous dites est joli, attendez, je vous réponds aussitôt » : (et, en effet, le piano donne la réplique à la phrase commencée par l'orchestre). Et le morceau fini, le programme est interrompu. M. Planté, qui a trop chaud, a manifesté l'intention d'aller prendre une douche. A ce moment entre un vieillard alerte et glorieux, toujours jeune, s'intéressant à toutes les nouveautés artistiques, prenant sa part de tous les plaisirs mondains, l'illustre Hébert. « Voilà le bon, le charmant M. Hébert, sire » dit Mme Greffulhe de sa voix si particulière qui semble par moments patiner sur les mots, en désignant M. Hébert au Roi. Le Roi plein de respect pour le grand nom et le grand âge de M. Hébert, se lève, court au-devant de lui le fait asseoir et ils causent longuement ensemble. Puis, M. Planté, douché, frais et dispos, revient, dans un costume différent et plus léger, prend place au piano et annonce un nocturne de Chopin auquel il a donné le titre : *la Mélancolie d'Hébert.* « Prenez garde, mon vieil ami, dit-il au grand peintre, je vise au cœur. » Et il joue, en effet d'une voix qui touche divinement au cœur. Hébert, ému, l'embrasse quand il a fini. Mais, hélas ! le Roi était arrivé si tard que la matinée était à peine à sa moitié et il était déjà six heures ; je fus obligé de m'en aller. Trop tôt pour mon plaisir ; bien tard peut-être au gré du vôtre ; tant l'évocation a dû vous paraître lourde et longue de ces minutes qui m'avaient semblé si légères et si rapides.

Dominique

2

TABLEAU DES PERSONNALITÉS
FRÉQUENTÉES PAR LA COMTESSE GREFFULHE

Ces listes de personnalités, issues de la correspondance passive et active, des agendas, etc. ne sont pas exhaustives : j'en ai volontairement exclu, notamment, les grandes figures mondaines de l'époque, que la comtesse Greffulhe connaissait toutes. Son registre des « correspondants habituels » comportait 506 noms.

Musique (compositeurs, chefs d'orchestre, interprètes, danseurs, directeurs de théâtre, organisateurs de spectacles...)

Gabriel ASTRUC
Roffredo CAETANI
Camille CHEVILLARD
Lucien CAPET
Enrico CARUSO
Léon CARVALHO
Emmanuel CHABRIER
Fédor CHALIAPINE
Ernest CHAUSSON
Édouard COLONNE
Alfred CORTOT
Léon DELAFOSSE
Léo DELIBES
Serge DIAGHILEV
Isadora DUNCAN
Gabriel FAURÉ
César FRANCK
Charles GOUNOD
Raoul GUNSBURG

Reynaldo HAHN
Vincent d'INDY
Charles LAMOUREUX
Franz LISZT
Gustav MAHLER
Jules MASSENET
André MESSAGER
Vaslav NIJINSKI
Francis PLANTÉ
Edmond de POLIGNAC
Maurice RAVEL
Arthur RUBINSTEIN
Camille SAINT-SAËNS
Misia SERT
Winaretta SINGER (princesse Edmond de Polignac)
Richard STRAUSS
Ambroise THOMAS
Charles VIDOR

Littérature (romanciers, poètes, essayistes, auteurs dramatiques, mémorialistes, philosophes, éditeurs)

Paul BOURGET
Maurice BARRÈS
René BAZIN
Ferdinand BAC
François COPPÉE
Henri BORDEAUX
Édouard BOURDET
Paul BOURGET
Jacques BAINVILLE
Henri BERGSON
Princesse Marthe BIBESCO
Pierre BRISSON
Gaston CALMETTE
Paul CLAUDEL
Nathalie CLIFFORD BARNEY
COLETTE
François COPPÉE
Gabriele D'ANNUNZIO
Alphonse DAUDET
René DOUMIC
Georges DUHAMEL
Alexandre DÚMAS (fils)
Claude FARRÈRE
Octave FEUILLET
Albert FLAMENT
Robert de FLERS
André de FOUQUIÈRES
Anatole FRANCE
Judith GAUTHIER
Rosemonde GÉRARD
André GIDE
Jean GIRAUDOUX
Edmond de GONCOURT
Élisabeth de GRAMONT,
    duchesse de Clermont-Tonnerre
Sacha GUITRY
Louis HAVET

José-Maria de HEREDIA
Abel HERMAN
Paul HERVIEU
Aldous HUXLEY
Henri LAVEDAN
Gustave LE BON
LECONTE DE L'ISLE
Jules LEMAÎTRE
Pierre LOTI
Maurice MAETERLINCK
Émile MÂLE
Stéphane MALLARMÉ
Guy de MAUPASSANT
François MAURIAC
André MAUROIS
Catulle MENDÈS
Arthur MEYER
Octave MIRBEAU
Robert de MONTESQUIOU
Paul MORAND
Abbé Arthur MUGNIER
Anna de NOAILLES
Édouard PAILLERON
Joséphin PÉLADAN (dit Sâr)
Georges de PORTO-RICHE
Marcel PRÉVOST
Gabriel-Louis PRINGUÉ
Marcel PROUST
Henri de RÉGNIER
Edmond ROSTAND
Victorien SARDOU
André SIEGFRIED
Albert SOREL
Jules SUPERVIELLE
Armand SYLVESTRE
Paul VALÉRY

Beaux-arts et arts du spectacle (peintres, sculpteurs, décorateurs, acteurs, photographes, cinéastes, critiques d'art, collectionneurs, mécènes, conservateurs...)

Arsène ALEXANDRE
Léon BAKST
Alexandre BENOIS
Jean BÉRAUD
Sarah BERNHARDT
Gaston BERNHEIM
Carlos de BEISTEGUI
Jacques-Émile BLANCHE
Rosa bonheur
Antoine BOURDELLE
Boni de CASTELLANE
David DAVID-WEILL
Maxime DETHOMAS
Charles ÉPHRUSSI
Jean-Louis FORAIN
Jules FRANCESCHI
FUJITA
Abel GANCE
Albert GLEIZES
Charles HAAS
Paul-César HELLEU
Gustave Jean JACQUET
Nélie JACQUEMART-ANDRÉ

Albert KAHN
Antonio de LA GANDARA
Eugène-Louis LAMI
Paul LANDOWSKI
Philip Alexius de LÁSZLÓ
Marie LAURENCIN
Maurice LOBRE
LUGNÉ-POE
Louis LUMIÈRE
Gustave MOREAU
Paul NADAR (le fils)
Pierre de NOLHAC
Man RAY
Karle REILLE
Auguste RODIN
José Maria SERT
John Singer SARGENT
Walter SICKERT
Alfred STEVENS
Kees VAN DONGEN
Émile WAUTERS
Ignacio ZULOAGA

Hommes politiques, diplomates, militaires français

Ernest ALBERT-FAVRE
Louis BARTHOU
Léon BÉRARD
Marcellin BERTHELOT
Léon BLUM
Aristide BRIAND
Jules CAILLAUX
Joseph CAMBON
Jean CASIMIR-PERIER
Jean CHIAPPE

Georges CLEMENCEAU
Denys COCHIN
René COTY
Théophile DELCASSÉ
Paul DESCHANEL
Paul DOUMER
Gaston DOUMERGUE
Antonin DUBOST
Charles DUPUY
Jean DUPUY

Armand FALLIÈRES
Félix FAURE
André FRANÇOIS-PONCET
Ferdinand FOCH (Maréchal de France)
Auguste de GALLIFFET (Général)
Gabriel HANOTAUX
Édouard HERRIOT
Joseph JOFFRE (Maréchal de France)
Henry de JOUVENEL
Pierre LAVAL
Hubert LYAUTEY (Maréchal de France)

Alexandre MILLERAND
Maurice PALÉOLOGUE
Gaston PALEWSKI
Raymond POINCARÉ
Antonin PROUST
Joseph REINACH
Paul REYNAUD
Jules ROCHE
Marie-François SADI CARNOT
André TARDIEU
Louise WEISS
Maxime WEYGAND (Général)

Scientifiques et industriels

Henri BECQUEREL
Philippe BERTHELOT
Louis BLÉRIOT
Louis BREGUET
Édouard BOURDELLE
Édouard BRANLY
Louis et Maurice de BROGLIE
Alexis CARREL
Jean CHARCOT
William CROOKES
Pierre et Marie CURIE

Jules-Albert de DION (marquis de)
Dr Henri FAVRE
Jules JANSSEN
Camille FLAMMARION
Armand de GRAMONT
Frédéric et Irène JOLIOT-CURIE
Louis PASTEUR
Louis PASTEUR VALLERY-RADOT
Louis RENAULT
Paul-Louis WEILLER
François de WENDEL

Souverains et membres de familles royales

Allemagne
Empereur Guillaume II
Belgique
Élisabeth, reine des Belges, née duchesse en Bavière
France
Famille d'Orléans :
Duc d'Aumale
Duc et duchesse de Chartres

Duc et duchesse de Montpensier
Duc et duchesse de Nemours
Comte et comtesse de Paris
Duc et duchesse de Vendôme
Égypte
Prince Mohammed Ali
Espagne
Roi Alphonse XIII
Éthiopie

Hailé Sélassié 1er
Grèce
Prince Nicolas de Grèce
Italie
Reine Marie-José d'Italie
Inde
Maharadjah de Kapurthala
Iran
Reza Chah Pahlavi, shah de Perse
Monaco
Prince Pierre de Monaco
Portugal
Roi Carlos Ier
Royaume-Uni
Prince de Galles, puis roi Édouard II

Russie
Grand-duc Alexandre
Grand-duc Wladimir de Russie
(frère du tsar Alexandre II)
Grande-duchesse Hélène
Vladimirovna (épouse du prince
Nicolas de Grèce)
Grand-duc Nicolas
Suède
Oscar II, roi de Suède et de
Norvège
Tunisie
Ahmed Pacha Bey
Yougoslavie
Roi Alexandre 1er de Yougoslavie

Personnalités diverses françaises et étrangères

Walter BERRY
Sir Austen CHAMBERLAIN
Madame CHURCHILL (mère de Sir
Winston Churchill)
Duff COOPER
Pierre de COUBERTIN (baron de)
Lord CURZON, vice-roi des Indes
Maurice de LA SIZERANNE
Robert, Earl of LYTTON
Cléo de MERODE

Prince Richard de METTERNICH
Duc de NORTHUMBERLAND
Général PERSHING
Nina RICCI
J. D. ROCKEFELLER
Madame ROOSEVELT (mère du
président Franklin Roosevelt)
Prince SAMAT KHAN
Duc de WESTMINSTER

3

« MON ÉTUDE SUR LES DROITS
À DONNER AUX FEMMES »

Rédigé vers 1904, ce texte de la comtesse Greffulhe est archivé dans le carton AP/101(II)/150. Il s'agit d'un document manuscrit, de plusieurs écritures (celle de la comtesse Greffulhe et sans doute de son secrétaire), sur une quarantaine de feuilles volantes en désordre, copieusement raturées et annotées, développant la même argumentation avec des variantes dans les termes. Une note au crayon, de sa main, ajoutée postérieurement, mentionne : « Mon étude sur les droits à donner aux femmes (vers 1904) travail sur mes mémoires. Voir qui la remettra au point ». En voici quelques extraits.

Les mots « égale à l'homme » paraissent un contresens, car la femme étant femme est par cela même *autre* et doit rester *autre* ; elle a les qualités et les défauts de son sexe, les infériorités et les supériorités de sa nature et de son âme. [...]

Je pense que l'égalité des sexes n'est ni possible ni désirable, et que cette inégalité n'implique pas une *infériorité* ni une *supériorité* mais bien une différence nécessaire dans l'œuvre naturelle et sociale de l'humanité. Pourtant, il y a des terrains sur lesquels les droits de la femme doivent être égaux à ceux de l'homme. Ce dont on peut s'étonner, c'est de voir que la femme libre, la fille, la prostituée est maîtresse d'elle-même et de ses enfants, que sa signature est valable, qu'elle peut disposer de ses biens, tandis que la loi frappe d'incapacité celle qui se marie en lui retirant son appui. [...]

Les principales causes qui font que la majorité des femmes a plus que l'homme une tendance à ne pouvoir s'abstraire et à être incapable de raisonner en dehors d'elle sont : l'atavisme, l'éducation et surtout le rôle que l'homme la force à jouer. [...]

L'irresponsabilité relative dans laquelle la femme est placée est l'une des causes qui l'infériorise. [...]

Nous jugeons donc inutile en ce moment qu'elles soient éligibles politiquement, à moins qu'elles ne se fassent une situation si exceptionnelle par leurs qualités, qui s'impose aux électeurs de façon remarquable. [...]

Si le suffrage, qui est tout-puissant, veut élire une femme, c'est faire injure à la souveraineté populaire que de l'empêcher. On pourrait commencer par les municipalités. [...]

Je réclame donc pour elle le droit de suffrage commercial et l'éligibilité commerciale. Le droit de tenter, d'être en justice, l'accession à toutes les professions libérales. [...]

L'égalité économique ne se résout pas par des lois ; que le travail de la femme soit véritablement équivalent à celui de l'homme et le salaire deviendra égal. Toute intervention légale qui tendrait à protéger la femme pour le travail lui ferait tort parce qu'on la rechercherait moins.

Il est encore des modifications indispensables à introduire dans notre législation, si on veut qu'elle réponde à la conscience moderne : l'avortement et l'adultère. Sans doute, il est horrible à une femme d'éteindre une vie naissante qu'elle sent s'agiter dans ses flancs et vers laquelle l'attirent tous les instinctifs élans de tendresse maternelle. Mais pour qu'elle s'y résigne, pour qu'elle trouve la force de dompter toutes ces révoltes, ne comprenez-vous pas qu'il a fallu l'épouvantement de toutes les flétrissures dont la société l'accablerait pour un instant d'oubli souvent irresponsable. Le déshonneur ! Pour une jeune fille, pour une femme, avoir un enfant qui n'ait pas de père, c'est la honte, et non seulement pour elle, mais pour cet enfant lui-même qui portera toute sa vie le sceau de cet opprobre. [...] Et puis en vue de l'équité pourriez-vous me dire exactement le moment où cette suppression d'une existence possible devient un crime punissable par le bagne ? [...] Le meilleur moyen de sauver les nouveau-nés de la mort ou de l'abandon serait d'établir la recherche de la paternité. [...]

Les femmes du monde sont libres, mais ne souffrent-elles pas comme les autres femmes de la tyrannie du mariage ? Sont-elles plus libres de leurs choix et sont-elles plus libres de rompre ? La morale courante – et provisoire, disent les sociologues – est qu'elles acceptent, comme toutes les femmes, leurs maris des mains de leurs parents. La loi leur dit « choisissez » et la religion, qui les empêche de profiter de la clef que le divorce leur donne, leur dit : "*Perpétuité.*" [...]

Dans les mots horribles de la tyrannie du mariage, les contraintes au point de vue du choix, l'obéissance, les maris imposés, etc., ne sont, en notre siècle, que des paravents qui ne cachent plus rien et dont les rengaines ressemblent à des vieux instruments de torture désaffectés. On peut en dire autant des « soucis de ménage, nursery, etc. » qui inférioriseraient cérébralement la femme. [...]

4

LE CAS HENRY GREFFULHE

Le portrait d'Henry Greffulhe tracé dans cet ouvrage est nourri pour l'essentiel de documents d'archive. Dans un souci de rigueur historique, il m'a paru nécessaire de le compléter en recourant à d'autres sources : d'une part, des « témoins à décharge », amis et admirateurs du comte Greffulhe, et d'autre part, une analyse plus « scientifique » de son cas, par un médecin contemporain.

Témoins à décharge

Commençons par Henri de Breteuil, son grand ami, qui le décrivait ainsi, en 1886, à l'âge de vingt-huit ans :

> « Henry, qui est bien convaincu qu'il est un des plus beaux hommes qu'on ait jamais vu, n'en tire du reste aucune vanité et n'a eu jusqu'à présent d'autre carrière que celle de plaire aux femmes.
>
> Il est en effet superbe, avec des traits réguliers, de jolis yeux bleus, une barbe d'or, de cheveux d'un beau blond, une taille élégante et qui n'a qu'un tort, c'est d'épaissir un peu. [...] Il éclate de santé, d'exubérance et d'entrain : parle du matin au soir sans discontinuer, ce qui fait qu'il dit énormément de bêtises, raconte tant de blagues qu'il finit par les croire lui-même et est, au demeurant, le meilleur garçon du monde, plein de cœur, dévoué à ses amis et ne disant jamais de mal de personne. Beaucoup de gens, qui le connaissent peu, le traitent d'imbécile et de veau d'or : le fait est que l'homme le plus intelligent dirait beaucoup d'âneries, s'il discourait sans s'arrêter ; quant à son amour du faste et du luxe, il est bien excusable chez quelqu'un qui, si jeune, a pu dépenser tant d'argent : il ne s'en vante jamais mais il aime à en faire profiter les autres. On pourrait croire que cela devrait imposer silence aux mauvaises langues ! Pour moi, qui le connais mieux que le public, je déclare qu'il est infiniment plus sensé qu'il n'en a l'air, et que souvent il est très drôle[8]. »

Ce portrait était bien croqué, par un ami qui ne partageait avec lui que ses meilleurs moments : c'est celui d'un enfant exubérant et inconscient. C'est à la chasse, dans son royaume de Bois-Boudran, qu'Henry apparaissait le plus séduisant, car il était dans son élément : « Le comte Greffulhe est un véritable terrien et c'est pour cela que je l'aime », note Élisabeth de Gramont. Après sa mort, Anna de Noailles lui rendit hommage par une lettre magnifique adressée à Élisabeth : « Avoir été le diamant vivant de la vie d'un homme infiniment doué, qui savait qu'il avait à ses côtés "le miracle", ne lui avoir pas déchiré l'âme en disparaissant de son existence – la seule chose qui eût pu faire de lui un homme vieux, car sa voix au téléphone était d'une jeunesse poétique et triomphante – voilà, chère Élisabeth, l'une de ces chances du sort à laquelle toute votre personne est mêlée[9]. » Quelques années plus tard, à l'époque du procès, Ferdinand Bac écrivit lui aussi une très belle lettre à la comtesse Greffulhe :

> « Ce que j'admire en vous, c'est votre perpétuel désir de réhabilitation et aussi de haute justice à l'égard de M. Greffulhe. Parmi tous les êtres qui l'ont entouré, peut-être de tous étiez-vous la moins favorisée. Et mon propre désir de vous louer pour tant de bonté grandit encore dans le souvenir de tout ce que votre affection et votre indulgence ont accepté de pénible. Mais je sais aussi que derrière cet enfant gâté on pouvait trouver tant de qualités ignorées et discrètes. Il était seulement la victime d'une vie trop facile, d'une enfance d'une jeunesse trop entourée de félicitations[10]. »

Ce chroniqueur mondain à l'esprit aussi aiguisé que la plume était flatté de l'amitié que lui portait le comte Greffulhe, et fit de lui le portrait le plus élogieux qu'on ait jamais écrit. Tout en admettant qu'Henry aimait pontifier sur toutes choses, Bac admirait sa force un peu pesante, sa tranquille satisfaction, son remarquable bon sens, le gros sel de sa raison, son jugement sur les gens, rapide comme un instinct.

> « Il était là, de toute pièce, avec sa malice, son intelligence complètement méconnues par ceux qui ne s'arrêtaient qu'aux superficies. Il avait des rudesses et ne se donnait pas la peine de les cacher, quand dans le monde les autres faisaient la bouche sucrée. Il commandait rudement, comme un maréchal de camp dont les aïeux n'ont jamais ramassé un mouchoir. Une bonté, solidement liée au geste large de l'homme qui propose et qui dispose, pouvait se trouver contrariée par des habitudes d'enfant gâté à qui on avait toujours cédé. Sa prestance physique y ajoutait une sorte de domination. M. Greffulhe était plus grand qu'une particule. En vérité, sa situation et ses alliances étaient au moins celles d'un prince. Du premier coup, il savait juger les gens, il les adoptait ou les rejetait. Jamais il ne reniait un ami qui lui avait donné le témoignage de son affection et de sa courtoisie désintéressée. Il possédait les connaissances spéciales de l'"homme qui possède". Mais il les avait enrichies de diverses compétences sur l'art dont un homme riche peut parfaitement se passer pour être quand même admiré. En ville, et pour les antiquaires, il était le Nabab traitant ses

affaires avec une bonhomie apparente, de haut en bas pourtant, le geste large et la poignée de main rare. S'il pouvait parfois se tromper sur le prix d'un vase, il connaissait la valeur des événements, et aussi des hommes qui prétendaient les mener. Frustement, il dénonçait leurs ruses et n'ignorait rien des ficelles de ces astucieux. Malgré la solennité avec laquelle il pouvait mettre sa personne au premier plan, il portait aussi la simplicité patricienne des races dont il était issu. Il rappelait, par ses sourcils levés, la coupe de sa barbe et ses yeux parfois immobiles, un grand oiseau de nuit. »

Bac subissait à fond l'attraction physique qu'exerçait Henry sur tous ceux à qui il accordait sa familiarité de grand seigneur, un peu bourrue, à peine teintée de condescendance. L'esthète était sous le charme de son élégance négligente et un peu désuète :

> « Sa tête puissante de Seigneur du Nord, les cheveux blonds bien partagés par une raie et se terminant par deux virgules sur le front, il portait sur toute sa personne l'élégance, correcte et lâchée à dessein, de la mode du Second Empire. Sa cravate flottante, son devant de chemise orné d'un "plissé", accompagnaient bien la coupe nonchalante de son gilet de soie à large revers. Il savait porter le velours, et sur le flanc de son pantalon s'incrustait le coup de fer du grand tailleur que l'on ne voyait plus à personne. »

Dans ce portrait, une observation a attiré mon attention. La puissance de domination du comte Greffulhe, note Bac, « commençait par ses proches pour s'amender graduellement jusqu'à la soumission, en face de ceux qui avaient su lui plaire. Elle changeait alors jusqu'au timbre de sa voix, et parfois on pouvait avoir l'impression qu'elle n'était plus la sienne. Hercule avait déposé sa massue pour emprunter la flûte à Cupidon ». Le dédoublement de la personnalité d'Henry n'avait donc pas échappé à ce thuriféraire[11].

Observation « scientifique »

Cette caractéristique est également soulignée dans un texte dactylographié, intitulé « Observation », figurant dans les archives. Bien qu'elle ne soit ni datée ni signée, il est vraisemblable, compte tenu du carton où elle est archivée, que cette analyse a été rédigée, à la demande de la comtesse Greffulhe, par le Dr Henri Favre, inventeur d'une « Méthode de déchiffrage des âmes par le visage et le corps[12] ». Ce document, en dépit du style confus et approximatif qui caractérisait cet étrange savant, est intéressant, car il dessine, à travers une succession d'images frappantes, un portrait saisissant et perspicace, comme « vu de l'intérieur », du comte Greffulhe. Ce portrait recoupe parfaitement ce que dévoilent par ailleurs les documents d'archive et les témoignages et apporte un éclairage pénétrant, quasi divinateur, sur cette personnalité complexe, ambivalente et, au fond, attachante.

Observation

Le corps est vigoureux jusqu'à l'athlétisme, le visage est d'une stabilité ferme et barbare. La volonté instinctive est absolue et inexorable. On peut dire qu'il y a tempête et cyclone toujours en éliminant au-dessous de ce crâne asservi à un organisme exubérant et à la fois accablé par la pesée fatidique d'une destinée qui l'écrase au lieu de l'aider.

Au fond, la tête est vide d'inspiration et d'aspirations. Tout gronde d'en bas comme dans un volcan souterrain qui n'a de dégagement que par éruption violente et horrifique d'un cratère qui vomit feu, cendre, fumées et lave qui montent et se répandent sans frein et sans merci sur le terrain ambiant et dans l'atmosphère trouble du milieu alentour.

La fermeté rude et en mouvement instantané n'est pas fondée par une volonté constante et réfléchie qui refrène, contienne et coordonne les instincts dominant tout le corps et la face. Les accès d'irruption donnent au corps et au visage une sorte d'aspect terrible, dangereux, mais passager touchant de près au hors de soi et à l'abattement subit. Voilà pour la mise en œuvre du corps, de la face, cela figure la trépidation organique d'un *décapité parlant* frappé d'impuissance dans ses gestes dépassant tout rythme et mesure.

Mais qu'on regarde cette tête et qu'on la décorporise pour ainsi dire, pour n'observer que son vide de disponibilité néantaire, en oubliant le corps et la face qu'on a détachés par une abstraction radicale de l'esprit, alors on s'aperçoit que l'œil a une douceur de délicatesse profonde. Le front porte le signe d'une bienveillance toute providentielle, pis que gênante pour lui, mais bénéficiaire pour les autres qui sauraient la deviner ou la mettre à profit près de cette personnalité inquiète et méfiante qui ne sait où placer en dépôt ses forces instinctivement vitales dont elle sent tout le poids sans vouloir s'en démunir parce qu'elles lui sont d'usage ; elles lui servent de moyen instrumentaire pour maintenir ses assises de positivité égoïstement matérielle dont elles lui font sentir le plus immédiat besoin.

On peut dire, en le déterminant par une formule précise, que ce type est une sorte de possédé par en bas qui, par sa bienveillance involontaire, la profondeur expectante du regard, attend et semble implorer une contrepartie soulageante et vivificatrice de possession par en haut. La voix, au repos, est d'une pénétration aiguë mais caressante. Pour ce type, on dirait d'un damné dur mais non endurci qui pressent un salut de grâce et de rédemption, mais sans bien savoir d'où il lui y viendra.

L'amour, à ce titre, est comme une dérivation prémonitoire. Il la lui faut à l'état de fétichisme idolâtrique en forme vivante, fine, disponible et non troublante. Il voudrait déposer ses instincts sans les perdre. Il préférerait qu'on l'aimât bien que d'aimer soi-même. Il désire halluciner son rêve de soulagement et de douceur, mais il craint toujours d'être réveillé par l'intervention livrante d'une Dalila qu'il n'aurait pas en propriété exclusive et sous sa main.

Il est bon de se souvenir à son contact de l'exclamation d'Othello vis-à-vis de Desdémone : Ah ! Comme je vais t'aimer quand tu seras morte !

Ce type est susceptible de jalousie à l'encontre de tous et de lui-même. Voilà le vrai dédoublement de l'assise de base et de la surdisponibilité velléitaire du sommet.

478

Ce n'est là ni de l'aliénation, ni de la folie. Pas l'ombre de neurasthénie ; mais une sorte d'alternance entre le cramponnement instinctif aux attaches de ce monde et d'un au-delà.

Nature de dédoublement entre une pratique absolue et une idéalité qui a besoin d'attente et de survision pressentie.

L'écriture confirme cette observation : la lettre commence toujours par un signe de montée ferme suivie d'un affaissement graduel ou subit. Les lignes sont régulières sur le papier écrit, les mots sont séparés par des intervalles espacés qui indiquent un rythme d'alternance moins fort entre la retenue et le laisser-aller. L'écriture est anguleuse, ce qui dénote un défaut d'abandon et un geste brusque et impérieux. Les mots sont à la fois serrés dans leurs lettres et lâchés dans leur allure cursive. Les t sont barrés haut, mais le trait laisse toute la lettre en dessous. Les mots se terminent en une ligne horizontale comme dans une jetée de vide indistinct et inespressible. Besoin à la fois de se laisser voir et de se dérober. Ce n'est pas manque de franchise, mais grande appréhension de se laisser surprendre et pénétrer.

Dédoublement toujours. Alternance vacillante entre la tenue d'instinct et l'invasion désirée à la fois et redoutée de l'idéal. Cet idéal, il faudrait le lui matérialiser au-dehors pour qu'il se sentît à la fois en soulagement et en non-livraison à l'inconnu ou au non-accepté. Corps exubérant, esprit inquiet et soup-çonneux dans une âme en peine. Tel est ce type à la fois redoutable et inté-ressant.

NOTES

Prologue

1. *Aux Écoutes*, 28 novembre 1947. Exposition Marcel Proust, organisée par André Courtet et Jacques Suffel à la Bibliothèque Nationale, 18 novembre-13 décembre 1947.
2. Élisabeth de Gramont, *Marcel Proust*, Flammarion, 1948, p. 268.

PARTIE I

CHAPITRE 1
La sublime fiancée

SOURCES POUR CE CHAPITRE
SUR LA COMTESSE GREFFULHE ET SON ENTOURAGE. *Sources issues du fonds Greffulhe* : AP/101(II)/11 pour le contrat de mariage ; AP/101(II)/39 pour la correspondance de Marie de Montesquiou à sa mère, ainsi que le récit de ses derniers jours et de son agonie, de la main d'Élisabeth ; AP/101(II)/150 pour le journal intime de la comtesse Greffulhe ; AP/101(II)/1 pour son *Journal de mariage* ; AP/101(II)/40 pour les lettres adressées à sa mère ; AP/101(II)/7 pour les lettres de Félicité Greffulhe à sa belle-fille ; AP/101(II)/38 pour les lettres du prince de Chimay à sa fille. Les précisions sur les membres de la famille Greffulhe, la vie quotidienne rue d'Astorg et les pleurs de la jeune mariée durant la cérémonie sont extraites de *Logis d'autrefois*, Souvenirs inédits de Louise d'Arenberg, marquise de Vogüé (AP/101(II)/148). Nombre d'articles de journaux cités dans ce chapitre et dans le reste de l'ouvrage sont issus des cartons AP/101(II)/14, 15 et

481

16, où sont archivées des centaines de coupures de presse collectées pour la comtesse Greffulhe par *l'Argus de la presse*. Mais le carton 14, actuellement « en déficit », semble avoir été égaré.

Sources imprimées : Anne de Cossé-Brissac, *La Comtesse Greffulhe, op. cit.* ; Marquis de Breteuil, *Journal secret, 1886-1889*, Mercure de France, « Le Temps retrouvé », 2007 ; Jacques-Émile Blanche, *La Pêche aux souvenirs*, Flammarion, 1949, p. 203 ; Robert de Montesquiou, *La Divine Comtesse : étude d'après Mme la comtesse de Castiglione*, Paris, Goupil & Cie, 1913, p. 202 ; article d'Albert Flament pour *La Revue de Paris*, 10 juin 1939 ; supplément du *Figaro*, dimanche 6 septembre 1880 (sur l'équipage de vénerie de Bois-Boudran) ; *Le Gaulois*, 27 mai 1882 (description de la vicomtesse Greffulhe à Longchamp) et 5 août 1882 (sur ses toilettes originales).

SUR PARIS À CETTE ÉPOQUE. Robert Burnand, *La Vie quotidienne en France 1870-1900*, Hachette, 1947 ; article de Christine Blondel et Bertrand Wolff, *L'Avènement de la fée électricité, 1870-1900. La Dynamo et la lumière électrique*, sur le portail Web du CNRS *Ampère et l'histoire de l'électricité.* http://www.ampere.cnrs.fr.

SUR ROBERT DE MONTESQUIOU. Élisabeth de Gramont, *Marcel Proust. op. cit.* ; André Germain, *Les Clés de Proust*, suivi de *Portraits*, Éditions Sun, 1953 ; André Germain, *Portraits parisiens*, Grès, 1918 ; Robert de Montesquiou, *Les Pas effacés, Mémoires et souvenirs*, Émile-Paul Frères, 1923 ; Philippe Julian, *Robert de Montesquiou, un prince 1900*, Librairie académique Perrin, 1965 ; Ferdinand Bac, *Intimités de la III République*, t. 2, *La fin des temps délicieux. Souvenirs parisiens*, Hachette, 1935.

La phrase de l'abbé Mugnier placée en exergue est citée par la princesse Bibesco in *La Duchesse de Guermantes. Laure de Sade, Comtesse de Chevigné*, Plon, 1950, p. 149.

« La mort d'une mère est le premier chagrin qu'on pleure sans elle » est une citation de Jean-Antoine Petit-Senn.

1. Le père d'Élisabeth ne prendra le titre de prince de Chimay qu'à la mort de son propre père, en 1886. La famille Greffulhe, originaire du Bas-Languedoc, avait quitté la France à la révocation de l'édit de Nantes pour s'installer à Genève. Établi à Amsterdam, Louis Greffulhe, l'arrière-grand-père d'Henry, devint associé, puis patron de la maison de commerce qui l'employait. Revenu en France en mai 1789, il reprit la banque Girardot et Haller à Paris, à laquelle avait été associé Necker. La banque fut dissoute en 1793 et Louis Greffulhe fonda à Londres une nouvelle banque. Son fils Jean-Louis Greffulhe, grand-père d'Henry, épousa en 1811 Célestine de Vintimille, petite-fille de Charles de Vintimille, dit *le Demi-Louis*, bâtard de Louis XV et de Pauline Félicité de Mailly-Nesle. Après Waterloo, il fit partie des banquiers qui aidèrent le gouvernement de Louis XVIII à libérer la France de l'occupation étrangère en payant la dette des lourdes indemnités prévues par

le traité de Paris. En remerciement, le roi lui conféra en 1818 le titre de comte et le nomma pair de France.

2. Le terme *gratin*, qui revient souvent dans cet ouvrage, peut paraître familier : mais c'était précisément le terme employé à l'époque pour désigner la couche la plus huppée de la société parisienne, qui se décernait elle-même ce nom, sans aucune connotation péjorative.

3. Selon Jacques-Émile Blanche, dans *La Pêche aux souvenirs, op. cit.* : « *Henri semble un roi de cartes à jouer, le Chilpéric de Florimond Hervé, compositeur bouffe de l'Œil crevé. Haute stature, pas bête, il a les plus jolies manières, chante agréablement la romance, est habile aux jeux d'adresse, aux sports : le parfait gentleman à la française.* »

4. Joseph de Riquet de Caraman, 17ᵉ prince de Chimay (1808-1886), avait mené la négociation qui aboutit au traité d'amitié entre les Pays-Bas et la Belgique, garantissant l'indépendance du pays à la suite de l'abjuration du prince d'Orange. Précurseur en politique européenne, il voulait fonder l'alliance de la France et de l'Angleterre, cimentée par la Belgique. En 1858, il avait pris la tête du consortium d'actionnaires fondateurs de la Compagnie de Chimay, l'une des premières compagnies de chemin de fer belges.

5. Le Palais d'Orsay, abritant la Cour des Comptes et le Conseil d'État, avait été incendié pendant les émeutes de la Commune (23 et 24 mai 1871), tout comme le palais des Tuileries, la bibliothèque impériale du Louvre, l'hôtel de ville de Paris, le Palais de la Légion d'honneur, deux ailes du Palais Royal et la plus grande partie du Palais de Justice. L'Hôtel de Ville et le Louvre étaient alors en pleine reconstruction, mais les ruines calcinées du Palais d'Orsay subsistaient encore, ainsi que celles des Tuileries – dont les deux ailes avaient été rasées.

L'hôtel Greffulhe était situé 8, 10, 12 rue d'Astorg et 20 rue de la Ville-l'Évêque. Démoli en 1958, il a été remplacé par un bâtiment de bureaux.

6. Le palais du Trocadéro sera démantelé en 1935 pour laisser la place au palais de Chaillot.

La fête du 30 juin a été commémorée par le célèbre tableau de Claude Monet, *La Rue Montorgueil*, conservé au musée d'Orsay.

La « République des ducs » était ainsi nommée en raison de la proportion écrasante de députés monarchistes à l'Assemblée issue du scrutin au suffrage universel de février 1871. Ce n'est qu'après le glissement progressif des Assemblées à gauche que les républicains convaincus tiendront tout le système politique, à partir de 1879.

7. Fondée en 1780 par la famille Greffulhe, reconnue d'utilité publique en 1839, la Société philanthropique existe toujours : elle exerce ses activités dans la protection de l'enfance, le logement-insertion et la prise en charge du handicap. Rattaché à la Société philanthropique, l'Hospice Greffulhe, fondé en 1873, est, lui aussi, toujours actif sous le nom de Maison de retraite Greffulhe, au 115, rue Chaptal à Levallois-Perret.

8. Les « Fondateurs » étaient : le marquis Robert de l'Aigle et le prince Auguste d'Arenberg, beaux-frères d'Henry Greffulhe, le duc de La Force, le marquis du Lau, le comte Henri Costa de Beauregard, Arthur O'Connor, le baron de Bussière.

9. Ces textes en sténo sont sans doute écrits d'après la méthode Duployé.

10. Le terme de « fonctions divines » est peut-être une allusion aux travaux de Swedenborg sur les rapports de l'âme avec le corps, que Marie de Montesquiou pourrait avoir lu et fait découvrir à sa fille.

11. Élisabeth cite ici des vers d'Alfred de Musset, extraits de *Le Saule :*
« *Oh ! quand tout a tremblé, quand l'âme tout entière*
Sous le démon divin se sent encor frémir,
Pareille à l'instrument qui ne peut plus se taire,
Et qui d'avoir chanté semble longtemps gémir... »

12. Dans *La Divine Comtesse, op. cit.*

CHAPITRE 2
L'arrivée chez les cygnes noirs

SOURCES POUR CE CHAPITRE
SUR LA COMTESSE GREFFULHE ET SON ENTOURAGE. *Fonds Greffulhe* : AP/101(II)/150 (Notes diverses de la comtesse Greffulhe, *Essai d'Esquisse sur vingt motifs)* ; AP/101(II)/44 à 47 (lettres de Ghislaine à Élisabeth) ; AP/101(II)/38 (lettres du prince de Chimay). La lettre d'adieu figure dans le fonds comte Greffulhe (AP/101(I)/22). Les autres lettres mentionnées proviennent des cartons AP/101(II)/89 (Baron Hottinguer), AP/101(II)/94 (Edmond de Goncourt). On trouvera par ailleurs des précisions sur ses essais et amitiés littéraires dans la Partie IV, ch. 3. *Sources imprimées* : la présence de la comtesse au *Grenier* des Goncourt est mentionnée par Mme Alphonse Daudet, *Souvenirs autour d'un groupe littéraire,* Bibliothèque Charpentier, Eugène Fasquelle éditeur, 1910, p. 148-149 ; Pierre Boitard, *Manuel-physiologie de la bonne compagnie, du bon ton et de la politesse*, p. 157 (citation « *la femme la plus estimable...* ») ; sur la duchesse d'Uzès : Patrice de Gmeline, *La duchesse d'Uzès*, Paris, Perrin, 1886.

SUR GABRIEL FAURÉ, SES SÉJOURS À DIEPPE ET LA *PAVANE. Correspondance* présentée et annotée par J.-M. Nectoux, Paris, Flammarion, 1980, p. 199, et lettre à madame de Saint-Marceaux, cité par Anne de Cossé-Brissac, *op. cit.,* p. 74. La Société des grandes auditions est développée plus en détail dans la partie II, ch. 1, et l'amitié avec Polignac dans la partie II, ch. 5.

SUR LE BAZAR DE LA CHARITÉ. Le carton AP/101(II)/199 rassemble tous les documents concernant l'incendie et la construction de la chapelle expiatoire, ainsi que les différents détails et courriers cités dans ce chapitre, à l'exception de la lettre de la comtesse Greffulhe sur sa belle-mère (AP/101(II)/159) et du poème d'Élaine (AP/101(II)/37). *Sources imprimées* : Jules Huret, *La catastrophe du Bazar de la Charité*, Paris, Juven, 1897 ; *Annales d'hygiène publique et de médecine légale*, 3ᵉ série, Volume 37, janvier à juin 1897 ; *La catastrophe du Bazar de la Charité*, par le Dr G. Schlemmer ; R.P. Marie-Joseph Ollivier, *Les Victimes de la charité : discours prononcé à Notre-Dame de Paris le 8 mai 1897 au service funèbre célébré pour les victimes de l'incendie du Bazar de la charité*, Paris, P. Lethielleux, 1898 ; Ctesse D. de Beaurepaire de Louvagny, *Les Martyres de la charité*, Paris, P. Téqui, 1897 ; Léon Bloy, *Mon Journal, pour faire suite au Mendiant ingrat : 1896-1900*, Mercure de France, 1904, p. 51-52, 5-9 mai 1897.

SUR HENRY GREFFULHE ET LA POLITIQUE. AP/101(II)/48, 49 et 54 et AP/101(II)/22. Les relations et le rôle politique de la comtesse Greffulhe sont développés dans la Partie II, ch. 4. On trouvera également en Annexe une liste (non exhaustive) des personnalités politiques qu'elle fréquentait.

SUR L'AFFAIRE DREYFUS, les rumeurs, le rôle joué par la comtesse Greffulhe et les articles de Daudet. AP/101(II)/46 (lettres de Ghislaine) ; AP/101(II)/70 et 50 (correspondance et télégrammes de Gaston Calmette) ; AP/101(II)/85 et 97 (Galliffet, Albert de Mun, Philippe de Massa) ; AP/101(II)/22 (lettre d'Élisabeth à Henry). *Sources imprimées* : Comtesse Jean de Pange, *Comment j'ai vu 1900*, Grasset, 1975, p. 74-75 ; Anne de Cossé-Brissac, *op. cit.*, p. 159 à 169 (qui fournit des détails sur le voyage à Berlin, ainsi que sur les articles de presse qui s'ensuivirent et la correspondance avec Henry Greffulhe relative à cette affaire) ; Léon Daudet, *Souvenirs des milieux littéraires, politiques, artistiques et médicaux,* in *Souvenirs et polémiques*, Robert Laffont, Bouquins, 1992, p. 572 ; *Le Temps*, 2 août 1899, p. 3 (article résumant l'affaire et présentant le démenti de la comtesse Greffulhe). On trouvera par ailleurs un excellent résumé de l'affaire Dreyfus et de ses conséquences (ainsi que de la complexe vie politique sous la IIIᵉ République) dans l'ouvrage de Jean Sévillia, *Histoire passionnée de la France*, Perrin, 2013.

1. Il faudra attendre le 10 juin 1921 pour que *Les Troyens,* qui durent quatre heures, soient donnés en entier à l'Opéra.

2. Après la naissance de deux enfants, en 1891 et 1894, Clara s'enfuira en 1896 avec un violoniste tzigane, Rigo Jancsi. Après le divorce, prononcé en 1897, le mariage fera l'objet d'une déclaration en nullité en 1911. Geneviève, dite « Minet », épousera en effet, en 1894, le capitaine Charles Pochet de Tinan, dit « Charley ». Alexandre, né en 1873, épousera en 1898 Hélène Bibesco, princesse de Brancovan, sœur d'Anna de Noailles et grande amie de Proust.

3. Ces poèmes, écrits dans les années 1880-90, furent publiés : Porto-Riche, *Bonheur manqué, carnet d'un amoureux*, Paris, Ollendorf, 1989.

4. Marie Adrienne Anne Victurnienne Clémentine de Rochechouart de Mortemart, par son mariage duchesse d'Uzès (1847-1933), était amie de Louise Michel et de la féministe Marguerite Durand. Après avoir soutenu et financé le général Boulanger, elle se passionna pour la cause des femmes. L'association *L'Avant-Courrière*, à laquelle elle appartenait, réclamait « pour la femme, le droit de servir de témoin dans tous les actes où le témoignage de l'homme est prévu par la loi, et, pour la femme mariée, le droit de toucher le produit de son travail et d'en disposer librement ». Le 18 janvier 1894, ces revendications furent affichées sur les murs de Paris. Une première victoire fut obtenue par la loi du 9 décembre 1897, qui reconnaissait aux femmes le droit de témoigner. Pour le reste, les femmes durent attendre le 15 juillet 1902, date de promulgation au journal officiel de la loi les autorisant à disposer librement du fruit de leur travail. Plus anecdotiquement, la duchesse d'Uzès fut la première femme en France à obtenir son permis de conduire et la première également à comparaître devant le tribunal pour excès de vitesse (15 km/h), le 7 juillet 1898.

5. La partition initiale de la *Pavane*, qui inspira par la suite Ravel et Debussy, était écrite pour un petit orchestre seul ; mais, à la demande d'Élisabeth, Fauré y adjoignit des chœurs, dont le texte fut rédigé par à la hâte par Robert de Montesquiou. La comtesse Greffulhe fit relier en 1890 par Marius Michel la partition manuscrite. Cette pièce, dérobée à la collection Greffulhe, fut par la suite vendue à Drouot le 26 février 1969. Elle est conservée aujourd'hui à la Pierpont Morgan Library à New York.

6. 80 m sur 13 selon le programme de construction signé par la maison Jumeau & Jallot, le 27 février 1897. Les dimensions de la galerie des Glaces sont de 73 m sur 10,50 m.

7. La lampe utilisée pour la projection s'étant éteinte, l'opérateur gratta une allumette qui enflamma les vapeurs d'éther. C'est à la suite de cette catastrophe que seront édictées les premières normes pour les bâtiments recevant du public, et notamment les issues de secours. L'identification de la duchesse d'Alençon par sa mâchoire sera également à l'origine des techniques anthropométriques d'identification dentaire mises en œuvre de nos jours par la police scientifique.

8. *La Patrie*, 18 mai 1897. Le Grand-Seize était un cabinet particulier du *Café Anglais*. Créé sous le Second Empire pour soutenir le régime impérial, *La Patrie* était un journal du soir, conservateur et patriote, dont le positionnement initial était de « rappeler à l'intérieur qu'il est une patrie au-dessus de tous les partis ».

9. Édifiée par souscription, la chapelle Notre-Dame de la Consolation, dont la première pierre fut posée le 4 mai 1898, existe toujours et peut être visitée, 23, rue Jean-Goujon à Paris.

10. Boni de Castellane, « le célibataire le plus éligible de France », épousa le 4 avril 1895 Anna Gould, dont il divorcera le 5 novembre 1906.

11. Député de 1889 à 1893, Henry Greffulhe fut conseiller général du canton de Mormant (Seine-et-Marne) pendant 25 ans, de 1888 à 1913.

12. Rodolphe Töppfer (1799-1846), écrivain et dessinateur suisse, inventeur de la bande dessinée. Dans ses albums satiriques, d'une irrésistible drôlerie (*Les Amours de monsieur Vieux Bois, Histoire de monsieur Jabot,* etc.), il épingle les ridicules de la société de son temps et se livre notamment à une parodie du romantisme. La correspondance de la comtesse Greffulhe avec sa mère comporte plusieurs allusions (accessibles aux seuls « initiés ») à ces albums.

Chapitre 3
L'or du Rhin

SOURCES POUR CE CHAPITRE

SUR LE MARIAGE D'ELAINE. AP/101(II)/101 (correspondance de l'abbé Mugnier) ; AP/101(II)/32 (correspondance d'Henry à Élisabeth) ; AP/101(II)/37 (grand-duc Wladimir) ; Élisabeth de Gramont, duchesse de Clermont-Tonnerre, *Mémoires, t. 2, Les Marronniers en fleurs,* Grasset, 1929, p. 22 : « *Telle Salammbô, elle ne se montre à la foule qu'en haut de marches ou entourée de Rois s'il y en a, d'ambassadeurs ou de ministres.* » ; Gabriel-Louis Pringué, *30 ans de dîners en ville,* Édition Revue Adam, Paris, 1948 ; *Le Figaro,* 15 novembre 1904 ; *L'art et la mode,* 26 novembre 1904 ; *L'Éclair* du 19 novembre (relatant le cri du typographe).

AUDACE et MODERNITÉ. AP/101(II)/1 ; AP/101(II)/97 (Philippe de Massa) ; AP/101(II)/26 (lettre à Roffredo Caetani) ; AP/101(II)/150 (*Mon journal*) ; AP/101(I)/22 (lettre à Henry) ; AP/101(II)/76 (*Possunt quia posse videntur* : citation de Virgile, *Énéide,* Livre V, ligne 231) ; Comtesse de Pange, *op. cit.,* p. 215 (décadence). « Servir... » : citation de Jean Giraudoux (*Siegfried*).

FÊTE À VERSAILLES. AP/101(II)/118 (Mémoire d'un fournisseur) ; AP/101(II)/ 94 (lettre de Mme Lemaire) ; AP/101(II)/ 136 (coupure de presse) ; AP/101(II)/26 (Budget de la fête et citation « *je suis au point culminant* ») ; *L'Action française,* 13 juillet 1908 ; *L'Intransigeant,* 27 juillet 1908 ; *L'Indiscret,* 29 juillet 1908 ; *Très Curieux,* 12 août 1908 ; *Paris Revue, La Dépêche parisienne,* 25 juillet 1908.

VOYAGE AVEC RODIN ET EXPOSITION. Les citations et anecdotes sur le voyage avec Rodin ainsi que le bal sont de Gabriel-Louis Pringué, *op. cit.,* p. 106 à 113. L'anecdote de l'écharpe est racontée par Anne de Cossé-Brissac, *op. cit.,* p. 225. Celle-ci cite comme source Jacques-Émile Blanche, *La Pêche aux souvenirs.* Or, je n'ai trouvé aucune trace de cette histoire dans cet ouvrage. Je ne garantis donc pas la véracité de ce détail, que je n'ai pas, cependant, résisté à mentionner dans mon récit, tant il me paraissait plausible. Lettre de la comtesse Greffulhe à Rodin, 14 mai 1914, archives du musée Rodin. Cité par Antoinette Le Normand-Romain *in* « Rodin, collectionneurs et relations de Grande-Bretagne », 2006. La plupart des précisions concernant cette exposition sont tirées de cet article. « Une cochonnerie de Rodin… » : AP/101(II)/12 (lettre d'Henry Greffulhe à sa maîtresse Mme de La Béraudière).

1. « *Il faut aujourd'hui avoir assisté à la descente de voiture devant a la Madeleine, avoir vu se précipiter sur elle quatre essayeuses de chez Paquin et deux femmes de chambre chargées de disposer les plis de sa traîne, étaler la bande zébeline* (sic) *qui l'ourlait, surveiller d'un dernier regard l'ensemble plus qu'imprévu de cette robe brodée d'argent est chargée de perles et de pierreries, cette sorte de gaine qui semblait faite pour l'image d'une icône avec ses applications de perles et ses croisillons de pierreries. La plus extraordinaire toilette de gala qu'on est certainement à la lumière du jour puis bien des lustres.* » (Article intitulé « Un grandissime mariage » dans *La Vie parisienne*, 19 novembre 1904).

2. Agénor, 11e duc de Gramont, avait épousé en premières noces Isabelle de Beauvau-Craon, qui lui avait donné une fille, Élisabeth, avant de mourir de fièvre puerpérale. Élisabeth de Gramont, duchesse de Clermont-Tonnerre, était donc la demi-sœur d'Armand. Marguerite de Rothschild s'était convertie au catholicisme pour épouser en premières noces le comte de Liedekerke, tué peu après dans un accident de chasse

3. Cette robe, conservée au musée Galliera, est griffée Worth. Mais dans ses Mémoires, Paul Poiret, qui a travaillé chez Worth avant d'ouvrir sa maison en 1904, en revendique la paternité : « *Dans le salon où elle se tenait, moulée par cette merveilleuse gaine de métal, bordée de zibeline, il régnait un grand recueillement comme dans la chambre d'une fée.* » (Paul Poiret, *En habillant l'époque*, Grasset, 1930, p. 160-161.)

4. Cet organisme détient au total 36 films de courte durée concernant la famille Greffulhe, pour la plupart tournés à Bois-Boudran. 4 d'entre eux, numérisés, sont consultables à la BnF.

5. Alexandre Louis Philippe Marie Berthier (1883-1918), quatrième prince de Wagram, arrière-petit-fils du maréchal d'Empire Berthier, était un grand collectionneur d'œuvres impressionnistes. Il mourut sans descendance, tué sur le front à la fin de la Première Guerre mondiale.

Devant l'impossibilité de rapatrier ses œuvres en France, Rodin décida, dans un premier temps, de les laisser en dépôt au Victoria & Albert Museum, puis en fit un don définitif en, novembre 1914.

6. Discours de Rodin et du duc de Westminster : Archives de la Société Baudelaire. Cité par Antoinette Le Normand-Romain, *op. cit.* : « *My host suddenly expressed his unqualified support for our Society, as he believed that continuity with the past should be maintained. When I asked which elements in the past he particularly valued, he answered that it was because he favoured a*

fair-minded approach that he had invited guests of his own to attend that Bau-delaire Society gathering. He explained that the patronage his guests bestowed would, like his own, be founded not on intimacy with the poet's work but on the British tradition of free speech undaunted by repression of any kind and from any source. The Duke made these pronouncements in embarrassing proximity to our own officials whose attention was then tactfully diverted by our exquisite Countess who, as you are aware, is horrorstruck when anyone steps out of line. »

En l'absence de procédure existante pour réviser ce type de jugement, il faudra attendre 1949 pour que le jugement interdisant la publication des *Fleurs du Mal* soit invalidé par la Cour de cassation.

7. *Le Côté de Guermantes I. Du côté de chez Swann* est paru en 1913. Les autres volumes ne paraîtront qu'après la guerre. *Le Côté de Guermantes*, paru en 1921, était déjà rédigé et dactylographié. En 1914, Proust en corrigeait les épreuves. Cf. Jean-Yves Tadié, *Marcel Proust*, Gallimard, 1996, p. 712.

CHAPITRE 4
Le crépuscule des dieux

SOURCES POUR CE CHAPITRE

Pour les descriptions des premières journées de la guerre à Paris, je me suis inspirée des récits de Ferdinand-Sigismond Bach dit Ferdinand Bac (1859-1952). Petit-fils de Jérôme Bonaparte (dont son père était le fils naturel), cet écrivain et dessinateur à la mode était très bien introduit dans le gratin et les milieux littéraires. Les trois tomes de ses Souvenirs, *Intimités de la IIIᵉ République*, publiés entre 1935 et 1936, constituent un précieux témoignage de « première main » sur l'époque. Nombre de détails et anecdotes figurant dans ce chapitre ont pour source le tome 3, *Des Ballets russes à la paix de Versailles. Souvenirs d'un témoin,* p. 150 à 250. La description de la visite au comte Greffulhe figure dans les pages 197 à 211. Les citations de Marcel Proust sont extraites de *Un amour de Swann* (soirée chez Mme de Saint-Euverte, sur les valets de pied) et du *Temps retrouvé* (Mme Verdurin et Paris en temps de guerre). Paul Morand (*Journal d'un attaché d'ambassade*, La Table Ronde, 1948), m'a fourni la citation sur Mme de La Béraudière (p. 190), ainsi que l'anecdote du chapeau piétiné (p. 162). Les articles de Daudet dans *L'Action française*, (5, 14 et 15 octobre 1918) sont cités par Anne de Cossé-Brissac, *op. cit.*, p.244.

Toutes les lettres d'Élisabeth à Henry citées dans ce chapitre sont issue du fonds comte Greffulhe (AP/101(I)/22). L'anecdote sur la culotte est extraite de Anne de Cossé-Brissac, *op. cit.*, p. 238. Comme pour l'écharpe de Rodin, je ne puis garantir sa véracité, car l'auteur ne cite pas ses sources, et je n'ai pas trouvé trace de cet incident dans les archives ni les mémorialistes.

Les autres précisions et citations sont extraite des archives : AP/101(II)/108 (Gérard de Reinach-Cessac) ; AP/101(II)/25 ; AP/101(II)/171 ;

AP/101(II)/24 (exemples de lettres) ; AP/101(II)/178 (sur la libération de Nijinsky) ; AP/101(II)/179 (sur la Veillée des Tombes) ; AP/101(II)/ 174 ; AP/101(II)/166 ; AP/101(II)/ 165 ; AP/101(I)/22 et AP/101(II)/10 (Daudet et Mme de La Béraudière) ; AP/101(II)/26 (sur les souverains russes).

1. La citation de Jaurès est extraite de son dernier discours, prononcé à Lyon-Vaise le 25 juillet 1914.

2. Voir le récit de ces journées par Stefan Zweig dans *Le monde d'hier, Souvenirs d'un Européen*, 1944, Belfond, 1993 pour la traduction française, p. 267 et suiv.

3. Début septembre, la capitale sera sauvée par la victoire de la Marne, restée célèbre notamment par l'épisode des « taxis de la Marne » – 600 taxis réquisitionnés sur ordre du général Galliéni pour transporter sur le front un renfort de quelques milliers d'hommes. Cette initiative frappa les esprits, mais, en réalité, les historiens ont démontré que la victoire de Joffre fut acquise grâce à une mauvaise manœuvre de l'ennemi.

4. Traitement introduit par le Dr Henri de Rothschild, auteur de *Le traitement des brûlures par la méthode cirique (pansement à l'ambrine), Conférences faites à MM. les médecins-majors des formations sanitaires des armées*, Octave Doin et fils, 1918.

5. Détenu en Hongrie, Nijinski faisait l'objet d'un marché d'échange entre gouvernements russe et autrichien – libération de prisonniers autrichiens en Russie contre prisonniers russes en Hongrie. Outre Alphonse XIII, la comtesse Greffulhe fit jouer pour sa libération toutes ses relations dans les ambassades – les ambassadeurs d'Espagne en Autriche et en Russie, ainsi que Maurice Paléologue, ambassadeur de France en Russie.

6. Seront ainsi mis à disposition téléphone, éclairage et chauffage compris : un immeuble au 15 avenue des Champs-Élysées pour les bureaux de la première base d'aviation américaine ; une maison 15 rue de la Ville-l'Évêque pour une œuvre américaine ; un hôtel au 53 avenue des Champs-Élysées pour le général Pershing.

7. Proust surnommait Mme de La Béraudière « la nymphe Escho », pour ses nombreuses relations dans la presse (voir partie V, ch. 5.)

8. Élisabeth de Gramont, *Mémoires, t. 2, op. cit.* Le premier projet de loi concernant l'impôt sur le revenu remontait à 1907, mais avait rencontré l'opposition du Sénat, qui refusait de l'examiner. Il fut finalement voté en deux parties, en juillet 1914, puis en 1917. À l'origine, le taux marginal d'imposition (appliqué à la fraction des revenus les plus élevés) s'élevait à 2 %, et ne concernait qu'environ 1,7 % des foyers de l'époque. Mais pour faire face aux frais, puis aux conséquences de la guerre, la machine fiscale s'emballa rapidement.

CHAPITRE 5
Le vaisseau fantôme

SOURCES POUR CE CHAPITRE

SUR L'OPÉRATION, LA CONVALESCENCE, LA DÉPRESSION D'ÉLISABETH. AP/101(I)/22 (lettres d'Élisabeth à Henry concernant son opération et sa convalescence) ; AP/101(II) 37 (lettre du docteur Charles Flandrin à Henry Greffulhe sur la dépression d'Élisabeth).

SUR L'ENTRE-DEUX GUERRES. Fortune et dépenses du comte Greffulhe : Éric Legay, *Le comte Henry Greffulhe, un grand notable en Seine-et-Marne*, Mémoire de maîtrise, Université de Paris X Nanterre, 1986-87 ; AP/101(II)/11 (lettre d'Élisabeth à Élaine, citée par Anne de Cossé-Brissac, *op. cit.*, p. 250). L'anecdote de la méprise de l'invité confondant la maîtresse et l'épouse est mentionnée par Paul Morand, *Journal d'un attaché d'ambassade, op. cit.*, p. 300. Sur l'élevage de lévriers : Anne de Cossé-Brissac, *op. cit.*, p. 253-254. Les dossiers relatifs à cette activité sont conservés sous la cote AP/101(II)/200 à 202. Sur l'exposition des œuvres d'Anna de Noailles : Albert Flament, article dans *La Revue des Deux Mondes*, 1er mars 1953 (une note cite à ce propos le mot d'Anna de Noailles « c'est la plus grande escroquerie du siècle », rapporté par François Broche, *Anna de Noailles*, p. 391) ; *Journal de Marguerite de Saint-Marceaux*, édité sous la direction de Myriam Chimènes, Fayard, 2007, p. 1265. Les écrits d'Henry (poèmes, pages de guerre, aphorismes, pensées brèves, dessins, souvenirs, essais divers) sont conservé dans le fonds comte Greffulhe, AP/101(I)/1 à 15. Voir à ce sujet Éric Legay, *op. cit.*, p. 132-133. Dans le fonds Greffulhe, le carton AP/101(II)/63 témoigne des efforts d'Élisabeth pour obtenir cette publication.

SUR LA MORT D'HENRY, LE PROCÈS, MME DE LA BÉRAU-DIÈRE : AP/101(II)/17 (carnet rouge) ; AP/101(II)/53 (lettre d'Alice Borghèse) ; AP/101(II)/12 (documents concernant le procès, plaidoiries des avocats...). Dans ce carton, une note de la main de la comtesse Greffulhe signale son désaccord avec la transaction conclue avec Mme de La Béraudière. Il semble que cet accord intervint au dernier moment, car le procès vint en appel, comme en témoigne une lettre d'Elaine à sa mère datée du 8 octobre 1936 : « *Notre procès vient vendredi 9 oct. devant la 1e chambre de la cour d'appel* » (AP/101(II)/34). Tous les détails du procès et des plaidoiries furent relatés dans la presse de l'époque, en mars 1933 et 1935. L'article de Marthe Lacloche figurait dans *L'Ordre* du 28 mars 1935. Sur les détails du procès, voir aussi Partie IV, ch. 4. Sur le surnom « Mystère » : Élisabeth de Gramont, *Mémoires*, t. 2, *op. cit.*, p. 188 ; AP/101(II)/111 (passage de l'*Apocalypse* transcrit par la comtesse Greffulhe) ; AP/101(II)/101 (lettre de l'abbé Mugnier).

SUR LA GUERRE DE 40. La plupart des documents portant sur cette période sont archivés sous la cote AP/101(II)/193. Les autres citations et précisions sont issues des cartons AP/101(II)/76 (lettre de la comtesse Greffulhe au baron Chassériau décrivant sa « cabane ») ; AP/(101)/II/101 (correspondance avec l'abbé Mugnier) ; AP/101/(II)/26 (lettre à Roffredo Caetani) ; AP/101(II)/50 et 51 (sur la Libération) ; AP/101/(II)/149 (journal intime) ; AP/101/(II)/13 (note de la comtesse Greffulhe) ; AP/101(II)/26 (lettre à Roffredo Caetani). La lettre de Jacques-Émile Blanche est citée par son auteur dans *La Pêche aux souvenirs, op. cit.*, p. 201, Éric Legay, *op. cit.* et Anne de Cossé-Brissac, *op. cit.*, p. 256 : « *Les frais étaient strictement partagés. L'entretien des hôtels des 8 et 10, rue d'Astorg, les gages des concierges, tous les frais de Bois-Boudran, les assurances et le bois de chauffage restaient à la charge du duc de Gramont, ainsi que les impôts locaux (cent vingt-trois mille francs rien que pour la rue d'Astorg). Revenaient à Élisabeth la cuisine et le livre du maître d'hôtel, le chauffeur de l'automobile et son livre, le charbon et le téléphone, à payer sur une pension évaluée à quarante-huit mille francs au terme de son contrat de mariage.* »

SUR LA FIN DE LA VIE DE LA COMTESSE GREFFULHE et les éloges posthumes. AP/101(II) supplément non coté (document manuscrit d'André Maurois) ; AP/101(II)/50 (lettre de condoléances) ; AP/101(II)/149 (citation de Procius). Le cahier vert où sont consignées ses conversations avec les mages est un document original conservé par ses descendants. Mina Curtiss, *Others' people letters. In search of Proust, a memoir,* New York, Helen Marks Books & co, 2005, p. 164 à 169 ; André Germain, *La Bourgeoisie qui brûle, propos d'un témoin, 1890-1940*, Sun, 1951, p. 190 ; Gérard Bauër, *Chroniques 1934-1954*, Gallimard, 1963, p. 270 ; André David, *Quelques ombres proustiennes, La nouvelle Revue des Deux Mondes*, avril 1973, p. 90 ; *Journal* de l'abbé Mugnier, *op.cit.*, p. 578.

1. Selon Éric Legay, *op. cit.*, la fortune en capitaux mobiliers d'Henry Greffulhe, qui s'élevait à 50 millions de francs en 1889, n'était plus que de 6 millions à sa mort. La fortune foncière et immobilière, en revanche, estimée à 10 millions de francs à la même époque, était évaluée à son décès à 23 millions de francs ce qui, même en tenant compte de l'inflation cumulée, représente une belle progression.

2. Le premier recueil, *Poèmes, 1913-1921*, célébrant pour l'essentiel la beauté de son épouse, fut imprimé en 1921. Le second, *Feuilles éparses*, composé de pensées, portraits et souvenirs, fut imprimé en 1924.

3. *L'Action française* du 1er avril 1935. Dans ce papier, Daudet accusait « *l'hôtel tripartite de la rue d'Astorg* » d'avoir provoqué la mise à pied du général Mangin pour servir les intérêts de l'Allemagne, et daubait sur les violences conjugales du « *comte à dormir debout* ».

4. Cette cabine fut créée par le designer René Prou, qui avait conçu en 1930 les wagons de l'*Orient-Express*. Le plan et les photos sont accessibles sur internet : http://le-style-et-la-matiere.blogspot.com/2010/01/chez-la-comtesse-greffulhe.html

5. Sur le duc de Gramont : voir ses Mémoires inédits, p. 107-108. Sur son activité scientifique et industrielle, voir aussi Partie V, ch. 7.

6. « *Je suis sereine en compagnie de moi-même,*
Forme sans ombre, ou presque,
Je chante en pure vibration, comme une scie,
Je vis dans les airs,
La longue clarté est ma demeure. »

Ce poème fut dédié à la fin de sa vie à Marguerite Caetani par son amant, le poète Roethke. Voir Helen Barolini, *Their other Side : Six American Women and the Lure of Italy*, New York, Fordham University Press, 2006, chapitre *Yankee Principessa: Marguerite Caetani, 1880-1963*, p. 232.

PARTIE II

CHAPITRE 1
Tout pour la musique

SOURCES POUR CE CHAPITRE

SUR LA SOCIÉTÉ DES GRANDES AUDITIONS. Sur le détail de la Société des grandes auditions, de son fonctionnement et de ses représentations, voir Jann Pasler, *Countess Greffulhe as Entrepreneur : Negotiating Class, Gender, and Nation* in *The Musician as Entrepreneur, 1700-1914 Managers, Charlatans, and Idealists*, ed. William Weber (Bloomington, Indiana University Press, 2004), p. 221-255 ; *Le Figaro*, 10 avril 1890 (présentation de la Société des grandes auditions et appel à souscription) ; *La Vie parisienne*, 1er juillet 1893 : « Le scandale de la semaine : l'affaire des Grandes Auditions » ; AP/101(II)/25 (lettre de la comtesse Greffulhe à la baronne de Rothschild) ; AP/101(II)/129 (nombre d'adhérents en 1913) ; AP/101(II)/128 (proposition de programme par Alfred Casella 20 mai 1913. Cité par Anne de Cossé-Brissac, *op. cit.*, p. 251).

CROISADE WAGNÉRIENNE. Gabriel Fauré, *Correspondance, op. cit.*, p. 71 et 186 ; AP/101(II)/150 (*Journal* de la comtesse Greffulhe et Brouillon de lettre à un correspondant inconnu) ; article de James Ross dans *Music, Theater, and Cultural Transfer : Paris, 1830-1914*, édité par Annegret Fauser & Mark Everist, p. 106-108 ; sur les détails de la représentation de *Tristan* et des critiques qui la saluèrent, voir Anne de Cossé-Brissac, *op. cit.*, p. 174-177 ; AP/101(II)/68 (lettre de Jean Bourdeau) ; *Journal inédit d'Alfred de Gramont, op. cit.*, p. 150-151 (Alfred de Gramont était le frère cadet du duc Agénor de Gramont) ; *Journal de Marguerite de Saint-Marceaux, op. cit.*, p. 272 ; article dans *Le Ménestrel*, 29 juillet 1902 ; AP/101(II)/26 (lettre d'Élisabeth à Roffredo Caetani).

LE RÊVE D'UN BAYREUTH FRANÇAIS. James Ross, *op. cit.* (sur Isadora Duncan) ; Arthur Rubinstein, *My Young Years.* New York, Knopf, 1973, traduction française : *Les jours de ma jeunesse*, Robert Laffont, 1973, p. 178-179 ; Gabriel Fauré, *Correspondance, op. cit.*, p. 192-193 ; AP/101(II)/131 (lettre de la comtesse Greffulhe à Charles Joly, du *Figaro*). Sur Orange : *L'Écho de Paris*, 17 août 1904 ; Paul Mariéton, *Le théâtre antique d'Orange et ses chorégies*, Paris, éditions de La Province, 1908 ; AP/101(II)/31 (lettres d'Henry à Élisabeth). Sur le projet de fête vénitienne à Versailles : AP/101(II)/136 (lettre du directeur de l'Opéra-Comique à la comtesse Greffulhe). Sur le théâtre de Versailles : AP/101(II)/131 (lettre de Gabriel Fauré) ; *Le Petit Parisien*, 20 février 1908 ; AP/101(II)/94 (lettre de Gustave Le Bon) ; Pierre de Nolhac, *La résurrection de Versailles. Souvenirs d'un conservateur*, Plon, 1937, p. 141 à 145 ; *L'Écho de Paris*, 9 mars 1908 : « *Le Sénat opposé au projet de la comtesse Greffulhe* ». Sur le théâtre des Champs-Élysées : AP/101(II)/152 (lettre de Gabriel Astruc à la comtesse Greffulhe). Sur les détails du litige, voir *Arrêté du Conseil d'État, 7 avril 1916, Astruc et Société du théâtre des Champs-Élysées. Conclusions du Commissaire du Gouvernement M. Corneille*, http://www.lex-publica.com/data/jurisprudence/astruc.pdf.

LE CHOC CULTUREL DES BALLETS RUSSES. Alexandre Benois, *Reminiscences of the Russian ballet, Londres*, Putnam, 1947, p 237-238 ; Serge Lifar, *Serge Diaghilev his life, his work his legend*, Londres, Putnam, 1940, p. 167-168 (propos de la comtesse Greffulhe recueillis par Serge Lifar en 1939) ; Anne de Cossé-Brissac, *op. cit.*, p. 220 ; article dans *La Dépêche*, Toulouse, 30 mai 1907 ; *Comœdia Illustré*, juin 1911, article de Lucien Daudet (qui signe Lucien Alphonse-Daudet) ; Robert de Saint Jean, « Diaghilev, danse, défi », article dans *La Revue des Deux Mondes*, Avril 1972 ; *Le Gaulois*, 14 avril 1905. Sur les décors lumineux : AP/101(II)/70 (lettre de la comtesse Greffulhe au duc de Sermoneta) et AP/101(II)/131 (lettre de Léon Bakst à la comtesse Greffulhe). AP/101(II)/94 (lettre de Gustave Le Bon) ; Jean-Michel Nectoux, *Nijinsky. Prélude à l'Après-midi d'un Faune*, Paris, Ed. A. Biro, 1989, p. 47 (sur Gaston Calmette) ; Gérard Mannoni, *Double vie du Sacre du printemps in Brochure du centenaire du Théâtre des Champs-Élysées*, 2013, p. 11. Sur les Ballets russes, voir aussi Christine Harel, *Les Ballets Russes de Diaghilev dans l'imaginaire français du début XXᵉ siècle aux années 1930*, in *Bulletin de l'Institut Pierre Renouvin*, n° 09, 5 septembre 2000, Université Paris 1 Panthéon-Sorbonne. AP/101(II)/178 (Télégramme de Diaghilev, 1916, à la comtesse Greffulhe lui demandant quelques dépêches de recommandations pour l'Amérique qu'elle lui a promis) ; AP/101(II)/132 (lettre de Fauré à la comtesse Greffulhe : « *Madame ma Fée* »).

1. Le Stradivarius ayant appartenu à la comtesse Greffulhe fait aujourd'hui partie des collections du National Museum of American His-

tory à Washington, où il est désigné comme « Le Greffuhle » (*sic*), avec une orthographe fautive inversant les deux dernières consonnes. Ce violon, l'un des onze Stradivarius au monde à être décorés, fut probablement fabriqué par Stradivarius à Crémone entre 1679 et 1687, puis réparé par lui en 1709. La notice décrivant l'instrument et signalant qu'il a appartenu à la comtesse Greffulhe est accessible sur le site Internet du musée : http://americanhistory.si.edu/collections/search/object/nmah_739714

Sur la collection du prince de Chimay, voir Eugène Lecomte, *Catalogue des instruments anciens de musique, documents, curiosités, suivi du Catalogue de l'Exposition, faite par la Belgique dans l'aile droite du Trocadéro*, p. 26-27. Ce document est accessible sur le site Internet du CNRS : http://www.irpmf.cnrs.fr/IMG/pdf/Lecomte_Paris_1878.pdf

Le prince de Chimay était président de comité d'organisation de l'exposition historique de l'art ancien, section belge, organisée au Trocadéro dans le cadre de l'Exposition universelle de 1878.

Sur la famille de Chimay est la musique, voir Marie Cornaz, *Les princes de Chimay et la musique*, Bruxelles, La Renaissance, 2002.

2. Joséphin Péladan, qui se faisait appeler le Sâr Péladan, cultivait volontiers une apparence « babylonienne » : cheveux longs, barbe en pointe et longue tunique bleue.

3. Au printemps 1903, la Société des grandes auditions donnera des fragments de *Parsifal* au Nouveau Théâtre. *Le Crépuscule des dieux* sera donné à nouveau à l'Opéra en 1908.

4. Dans la *Recherche*, Proust attribue à Mme Verdurin plusieurs traits de Mme de Saint Marceaux – Meg pour les intimes –, et notamment la « liberté surveillée » de son salon, où la « simplicité » était érigée au rang de dogme. Pour la jeune marquise de Cambremer, il lui a emprunté notamment son snobisme et son pédantisme péremptoire.

5. Gabriel Astruc avait créé en 1905 une agence de concerts et de théâtre, la Société musicale, qui produisit dès lors la plupart des spectacles patronnés par la Société des grandes auditions, et notamment les Ballets russes, la *Deuxième symphonie* de Malher en 1910, et Salomé, par l'orchestre Colonne, en 1907. Astruc était juif, comme Colonne et Strauss, ce qui aggravait encore le cas de la comtesse Greffulhe aux yeux de cette presse, comme en témoignent les extraits suivants : « *Richard Strauss avait quitté Vienne pour venir diriger les 110 musiciens de l'orchestre Colonne et les encourager avec des contorsions simiesques* », narre, le 9 mai 1907, *La Libre Parole*, qui juge que l'œuvre est une « *inconvenance au point de vue religieux* ». Sous la plume de Gaston Méry, *L'Action française* du 10 mai est particulièrement prolixe sur le sujet : « *Le succès scandaleux que font les snobs à l'auteur de Salomé est un bel exemple de la déliquescence de leurs mœurs. Tout le monde trouve naturel que dans un théâtre municipal un juif, Astruc, organise avec le concours d'un second juif, Colonne, les représentations d'un drame musical d'un troisième juif,*

Richard Strauss. Tout le monde trouve naturel qu'une grande dame, madame la comtesse G., ait donné son patronage public. Son nom sur les affiches à cette entreprise de puffisme destiné à glorifier à Paris le talent contesté d'un compositeur arrivé de Jérusalem par Francfort et d'un librettiste venu de Londres par Sodome. Aucune voix ne s'élève au nom du patriotisme ou simplement de la décence contre cette tentative de lèse goût français, contre cet accouplement du ghetto et du lupanar. Le président de la République y assistait. Oui c'est ainsi. Lors de la catastrophe de Courrières, ce poussah sans vergogne ne daigna pas se déranger pour assister aux obsèques des victimes. Mais pour voir Salomé il n'eut pas un moment d'hésitation. Il se fit transporter au Châtelet et, la face congestionnée avec une joie de vieux lubrique, il applaudit de ses mains grasses les danses lascives de Mme Trouhanova ! »

6. Les quatre festivals eurent lieu respectivement en 1894, 1904, 1905 et 1908. Le Festival Beethoven fut donné au théâtre de la rue Blanche par le Quatuor Capet.

Le concours eut lieu en 1908. Le prix de 12 000 francs fut attribué à Edmond Malherbe pour son drame lyrique *Madame Pierre*. L'*Anacréon* de Rameau fut donné à l'occasion de la fête à Bagatelle, le 17 juillet 1909.

7. Raoul Gunsbourg, compositeur autodidacte d'origine roumaine, fut engagé en 1892, par la princesse Alice, épouse d'Albert Iᵉʳ de Monaco, sur recommandation du tsar, comme directeur de l'Opéra de Monte-Carlo – poste qu'il occupera pendant près de soixante ans, jusqu'en 1951.

8. Gustave Le Bon (1841-1931), grand ami de la comtesse Greffulhe, était un anthropologue, psychologue social, sociologue. Polygraphe, il écrivit de nombreux ouvrages, dont le plus connu est *Psychologie des foules* (Alcan, 1895). Il créa en 1902 chez Flammarion une collection de vulgarisation scientifique, la « Bibliothèque de philosophie scientifique », qu'il dirigea jusqu'à sa mort. Anticonformiste, anticlérical et ne mâchant pas ses mots, ce « franc-tireur intellectuel », largement tombé dans l'oubli, peut être considéré comme un précurseur en matière de sociologie des médias. Sur Gustave le Bon, voir aussi l'étude de Benoît Marpeau, « Les Stratégies de Gustave Le Bon », in *Mil neuf cent*, n° 9, 1991, p. 115-128. http://www.persee.fr/web/revues/home/prescript/article/mcm_1146-1225_1991_num_9_1_1042

9. Alexandre Benois, peintre, décorateur et scénographe russe, ami de Diaghilev et Léon Bakst, signa notamment le livret de *Petrouchka*.

10. Ces 5 concerts eurent lieu à partir du 15 mai 1907, avec le concours de l'orchestre et des chœurs Lamoureux, sous la baguette d'Arthur Nikisch, Blumenfeld, Chevillard. Figuraient également au programme des œuvres de Tanéiew, Liadow, Glazounow, Balakirew, Liapounow et Cui. Le concert de 1906 dut être considéré *a posteriori* comme la première saison, car les affiches de 1911 et 1912 mentionnent la sixième et septième saison.

11. Dans le carton AP/101(II)/179, une lettre de la comtesse Greffulhe à Diaghilev, datée du 28 mars 1925, récapitule l'aide qu'elle lui a apportée :

« *Vous vous rappelez, cher Monsieur de Diaghilev, que chaque fois que j'ai pu seconder vos vœux artistiques, je l'ai fait avec le plus grand plaisir. Vous savez que c'est moi qui ai la première fait connaître la musique russe dès l'année 18.. au Trocadéro, les opéras russes et enfin les ballets sous votre merveilleuse direction. Vous rappelez que j'ai secondé votre vœu pour Monaco (je suis intervenue sur votre demande à Monte-Carlo, j'ai facilité votre voyage à Bruxelles etc.). Chaque fois que vous vous êtes adressé à moi, vous avez réussi. Au nom de la chance que je vous ai apportée, je viens aujourd'hui demander de donner une présentation de gala à l'opéra au bénéfice de l'Union pour la Belgique.* » La réponse de Diaghilev figure sous la forme d'un télégramme : « *Reçois votre lettre. Suis comme toujours à vos ordres.* »

12. Jann Pasler, *op. cit.* Le rôle que joua la comtesse Greffulhe au service de la musique reste, en effet, très injustement méconnu aujourd'hui. Les seuls auteurs français à lui avoir rendu hommage sont Anne de Cossé-Brissac, *op. cit.*, et Myriam Chimènes, in « Le mécénat d'une héroïne de Proust », *Histoire* n° 166, mai 1993, p. 78-79.

Chapitre 2
La fée des sciences

SOURCES POUR CE CHAPITRE

SUR MARIE CURIE. Première citation : Élisabeth de Gramont, *Mémoires*, t. 2, *op. cit.*, p. 22. AP/101(II)/199 (dossier Institut Curie) : la plupart des informations et documents cités sur ce sujet proviennent de ce carton, notamment le brouillon de lettre à Carnegie annoté (que l'on retrouve également, sans annotations, dans le dossier AP/101(II)/26), la correspondance avec les Curie et avec Denys Cochin, les documents relatifs à l'acquisition du terrain, etc. ; AP/101(II)/78 (lettres de Marie Curie à la comtesse Greffulhe, à partir de 1902) ; AP/101(II)/94 (deux lettres de Gustave Le Bon à la comtesse Greffulhe, 3 juin 1908 et sans date). Compte tenu de leur contenu, on peut supposer de façon quasiment certaine que Le Bon est celui qui a annoté le projet de lettre d'Élisabeth à Carnegie. La correspondance entre le Dr Liard et le Dr Roux, ainsi que les extraits des délibérations de l'Institut Pasteur concernant la création de l'Institut du radium, en décembre 1909 et avril 1910, sont conservés à la BnF, Département des manuscrits (NAF 18436) – *Papiers Curie Pierre et Marie Curie. Papiers. II – Papiers et correspondance. LXXII Documents divers*, accessibles sous forme numérisée sur le serveur Gallica : http://gallica.bnf.fr/ark:/12148/btv1b9080 3150.r=Curie+papiers.langFR. Ces documents font référence au legs Osiris et à une subvention de 400 000 francs mais ne mentionnent pas la comtesse Greffulhe.

SUR BRANLY. Jean-Claude Boudenot, *Comment Branly a découvert la radio*, EDP Sciences, 2005 (d'où sont extraites les citations concernant l'intervention de Millerand et les remerciements du savant). Jeanne Terrat-Branly, *Mon père Édouard Branly*, Corrêa, 1947, p. 168 et suiv. AP/101(II)/23 (récit de la comtesse Greffulhe sur sa première visite à Branly et sur la première démonstration à Bois-Boudran : « *Tout à coup je vis s'inscrire sur cette feuille blanche des caractères semblables à ceux des dépêches – un charmant remerciement sur cette soirée inattendue* ») ; AP/101(II)/203 (lettre de Branly avant la visite de Millerand) ; *L'Italie*, Rome, le 14 septembre 1906 : « *Expériences de téléphonie sans fil. M. Ducretet a établi chez lui d'abord puis chez Mme Greffulhe un téléphone sans fil. Chez Mme Greffulhe on a pu téléphoner ainsi à une distance de 3 km entre deux postes qu'aucun fil ne reliait. Mais ce résultat semble le plus parfait que l'on puisse obtenir.* »

UNE CURIOSITÉ EN QUÊTE DE SENS. AP/101(II)/149 (récit de la visite à l'Institut Pasteur, de la main de la comtesse Greffulhe) ; *L'Écho de Paris*, 15 novembre 1900 (démonstration à l'hôpital Broca) ; *L'art et la mode*, 15 avril 1905 (matinée scientifique) ; AP/101(II)/79 (Georges Claude) ; AP/101(II)/26 (astronomie) ; AP/101(II)/199 (Einstein et la lumière) ; AP/101(II)/150 (compte rendu de l'autopsie, de la main de la comtesse Greffulhe) ; AP/101(II)/94 (correspondance de Gustave Le Bon) ; AP/101(II)/82 (lettre de la comtesse Greffulhe à Henri Durville, 21 janvier 1923 : « *Je ne perds pas de vue mon projet de faire ma médecine...* ») ; AP/101(II)/78 (pénicilline) ; AP/101(II)/100 (bombe atomique) ; AP/101(II)/79 (bombe à hydrogène) ; AP/101(II)/ 149 (note de la comtesse Greffulhe).

1. Le don de Carnegie, dont je n'ai pas retrouvé montant exact, est mentionné dans une lettre de Marie Curie à la comtesse Greffulhe, du 11 février 1908 : « *Enfin il ne faut pas oublier qu'une donation importante due à la générosité de M. Carnegie est attachée au laboratoire Curie et que cette donation augmente la raison d'être d'un laboratoire définitif tel que l'institut Curie.* »

2. La construction de l'Institut du radium débuta en 1911, et s'acheva en juillet 1914. Il comprenait un laboratoire de physique et de chimie dirigé par Marie Curie et un pavillon de biologie confié au Dr Claudius Regaud. Pendant la guerre, le radium fut mis à l'abri à Bordeaux. Marie Curie fit équiper les ambulances militaires en machines à rayons X, et l'Institut servit à former le personnel médical à leur utilisation pour le diagnostic des blessures de guerre. Après la guerre, Marie Curie et de Claudius Regaud obtinrent une donation du docteur Henri de Rothschild qui permit la création de la Fondation Curie en 1920. En 1970, la fusion de l'Institut du radium et de la Fondation Curie donnera naissance à l'Institut Curie, à triple vocation : recherche, enseignement et traitement du cancer.

3. Jean-Claude Boudenot, *op. cit.* : « *Le dispositif de Branly est constitué d'un poste de commandement et d'un poste récepteur. Au poste récepteur se trouve une roue crantée, qui tourne en synchronisme avec une roue semblable située au poste de commandement, et qui découpe le temps en autant d'inter-*

valles qu'il y a d'actions à commander. Dans chaque intervalle, le poste récepteur envoie un message formé de traits et de points, comme le code Morse, pour indiquer l'état de l'action correspondante (en marche ou à l'arrêt) ; puis le poste se met en réception pendant plusieurs secondes. Lorsqu'il reçoit une onde émise par le poste de commandement, il permute l'état de l'action, d'"arrêt" sur "marche", ou de "marche" sur "arrêt". »

4. *À travers Paris*, 5 janvier 1903. Article repris dans le *New York Herald*, *Le Siècle, Les Échos, L'Estafette, Le Petit National, La Paix* et le *Svenska Dagbladet*. « *Par une gracieuse attention particulièrement flatteuse, le Roi a demandé à Mme la comtesse Greffulhe de faire parvenir elle-même cette nouvelle à M. Berthelot.* »

5. AP/101(I)/23. Lettre d'Élisabeth à Henry, 13 novembre 1921 « *Je suis de plus en plus passionnée par la TSF vraiment pour 500 ou 1 000 F tu aurais dans ton bureau le monde entier, parlant toute la journée, c'est souvent en morse, il faut donc savoir lire au son, mais on nous promet bientôt que la tour Eiffel dictera cinq ou six fois par jour en langage clair toutes les nouvelles du monde entier.* » La première émission publique de radio diffusant de la parole et de la musique eut lieu, en effet, le 25 novembre 1921.

6. Découvreur de la présence des gaz inertes dans l'air, Ramsay avait reçu le prix Nobel de chimie en 1904.

7. Sir William Crookes (1832-1919) : chimiste et physicien à qui l'on doit la technique des tubes de Crookes, qui permirent la découverte des rayons X ; il publia également des études sur les médiums et les phénomènes paranormaux (*Nouvelles expériences sur la force psychique*, Paris, 1896). Fonds comte Greffulhe, AP/101(I)/21 ; lettre d'Élisabeth Henry, 14 août 1897, de Londres : « *J'ai fait la connaissance du professeur Crookes qui est l'un des plus grands savants des temps modernes. Nous passons de merveilleuses heures à son laboratoire. Je l'ai invité en France. Nous pourrions leur donner un dîner où l'on inviterait tous nos plus célèbres chimistes, Roux, Berthelot...* » ; *La Liberté*, 28 avril 1904 : « *Le comte et la comtesse Greffulhe ont donné hier soir un dîner en l'honneur du savant anglais M. William Crookes. Parmi les convives, les notabilités les plus éminentes de la science française, entre autres M. Berthelot, Monsieur et Madame Curie, M. Becquerel.* »

CHAPITRE 3
Conscience sociale et féminisme : une longueur d'avance

SOURCES POUR CE CHAPITRE
CONTEXTE ET ŒUVRES SOCIALES. Robert Burnand, *op. cit.*, p.299-303. ; J-E. Blanche, *op. cit.*, p. 202 ; *Le Figaro*, 11 octobre 1894 (souscription pour les victimes du Croup : la comtesse Greffulhe est citée en

tête des souscripteurs, avec un don de 2000 frs.) ; AP/101(I)/22 (lettre d'Éli-sabeth à Henry) ; AP/101(II)/163 (ce carton rassemble une partie des archives relatives aux œuvres sociales de la comtesse Greffulhe, et notamment les nombreuses notes de l'Office Central des œuvres de bienfaisance) ; AP/101(II)/40 (lettre d'Élisabeth à sa mère) ; AP/101(II)/90 (lettre d'un réfugié russe signée Korniloff) ; AP/101(II)/26 (lettre de la comtesse Gref-fulhe à Giovanella, sœur de Roffredo Caetani) ; AP/101(II)/101 (correspon-dance de l'abbé Mugnier) ; duc de La Force, *op. cit.*, p. 114.

SUR L'ÉCOLE MÉNAGÈRE. AP/101(II)/25 (modèle de lettre de la comtesse Greffulhe destiné à lever des fonds, accompagné d'une « Note pour la construction d'une « École ménagère » communale-populaire. ») ; *Le Gau-lois*, 29 septembre 1909 ;

SUR LE FÉMINISME. AP/101(II)/68 (lettres à Rosa Bonheur) ; AP/101(II)/150 (« *Mon étude sur les droits à donner aux femmes* » : voir extraits en annexe) ; AP/101(II)/24 (lettre au grand-duc Wladimir) ; AP/101(II)/94 (correspondance de Gustave Le Bon).

SUR LE THÈME DE LA FEMME AU XIXᵉ SIÈCLE. Ernest Legouvé, *La Femme en France au dix-neuvième siècle.* Paris, Librairie de la biblio-thèque démocratique, 1873 ; *Histoire de la vie privée*, t.4, *De la Révolution à la Grande guerre*, Le Seuil, 1987 (ouvrage collectif, sous la direction de Phi-lippe Ariès et de George Duby), chapitre *Figures et rôles : droits du mari et de la femme dans la famille*, par Michelle Perrot.

1. En marge de son activité politique (conseiller général et député conser-vateur), le prince Auguste d'Arenberg fonda et dirigea notamment les œuvres de *l'Hospitalité de nuit* et du *Dispensaire pour les enfants*, ainsi que le *comité de l'Afrique française*, dont il s'occupa jusqu'à sa mort.

2. Selon le récit de la comtesse de Pange, *op. cit.*, p. 29 et suiv. Pour illus-trer cette attitude doloriste, l'auteur cite la maxime favorite de sa grand-mère : « *quand on hésite entre deux décisions, on est sûr de ne pas se tromper en choisissant celle qui nous est la plus désagréable !*»

3. *Journal* de l'abbé Mugnier, op. cit, p. 56 : « *Mme X assiège ces jours-ci mon confessionnal qu'elle remplit de ses scrupules et de ses chagrins. […] Le milieu qu'elle habite est étroit et triste au-delà de tout ce qu'on peut rêver. […]. J'essaye, avec un succès tout relatif, de relever cette victime du mariage, de la province et de l'éducation religieuse. Elle n'espère qu'en l'élection de son mari comme sénateur. Paris la pacifierait un peu. Et ce n'est pourtant pas le monde qui l'attire, puisqu'elle fait fondre ses bijoux en clé de tabernacle.* »

4. Quelques exemples (non exhaustifs) glanés dans les archives : La fête à Versailles, en juillet 1908 et La fête à Bagatelle, l'année suivante étaient ainsi organisées, sous le patronage des Grandes auditions, au bénéfice de la Société d'assistance par le travail. En novembre 1907, elle organise une fête donnée au palais de l'automobile au profit des victimes des inondations dans le Midi ; en

mai 1908, un spectacle de gala au profit des blessés du Maroc (Le Barbier de Séville joué à Paris au théâtre Sarah Bernard par l'opéra de Monte-Carlo) ; en juin 1908, l'exposition Gustave Moreau est au profit des œuvres d'Assistance par le travail et des pauvres honteux. En, 1916 deux représentations permettaient de récolter 30 000 francs au profit de la Croix-Rouge belge, et 150 000 francs pour la Croix-Rouge britannique. En 1925, elle demandait à Diaghilev de l'aider à organiser un concert au profit de l'Union pour la Belgique.

5. Non seulement les femmes se voient pratiquement interdire toute carrière, mais en outre elles ne peuvent être ni tutrices, ni membres d'un conseil de famille, ni témoin dans un acte public ou dans un testament. La loi précise : « *Sont exclus de ces fonctions : les interdits, les mineurs, les condamnés à une peine infamante, les hommes d'une inconduite notoire, les gérants incapables ou infidèles, les femmes.* » Les femmes, rappelons-le, devront attendre 1938 pour voir abroger leur incapacité civile et pouvoir s'inscrire à l'Université sans l'autorisation de leur mari, 1945 pour obtenir le droit de vote, 1965 pour ouvrir un compte bancaire et exercer une activité professionnelle sans l'autorisation de leur mari. La dissymétrie dans le traitement de l'adultère a été abrogée par la loi du 11 juillet 1975.

6. *Le Gaulois*, 29 septembre 1909, n° 11671. Bloc-Notes Parisien : « *En parlant, ces temps derniers, de l'École ménagère fondée dans un quartier ouvrier de Paris par Mlle Gahéry, directrice de l'Union familiale, nous disions que cette institution destinée à former de bonnes ménagères ayant le souci de l'ordre et de l'économie s'était inspirée du principe des écoles ménagères que le prince de Chimay, gouverneur du Hainaut, créa le premier dans certaines villes industrielles de charbonnage de Belgique. Le prince de Chimay avait été frappé et aussi douloureusement impressionné par l'aspect misérable d'un assez grand nombre d'intérieurs d'ouvriers, dans une région cependant fertile en ressources et où le travailleur était doublement assuré d'une besogne permanente et d'un salaire convenable. [...]. C'est à cette tâche de rénovation familiale que se sont portés les efforts et la sollicitude du prince de Chimay, dont Mme la comtesse Greffulhe, sa fille, continue les nobles et généreuses traditions humanitaires. La comtesse Greffulhe a pris à cœur de fonder, à la place des bâtiments sombres et délabrés qui abritent l'actuelle école ménagère de Charonne, une maison modèle destinée à créer des ménagères, à doter la femme de l'ouvrier parisien d'un ensemble de qualités domestiques qui seront pour elle d'un puissant concours dans la direction de son foyer.* » http://gallica.bnf.fr/ark:/12148/bpt6k5344685.texte.langFR

7. *Le Gaulois*, 17 juin 1917. Le journaliste explique qu'il a rencontré l'interviewée anonyme alors qu'elle s'apprêtait à sortir de 15 rue de la Ville-l'Évêque où se trouve le siège de l'Union pour la Belgique. Il s'agit donc, à l'évidence, de la comtesse Greffulhe, qui a conservé l'article dans ses archives.

CHAPITRE 4
La « reine conciliatrice de la IIIe République »

SOURCES POUR CE CHAPITRE
Marquis de Breteuil, *op. cit.*, p. 57 ; AP/101(II)/94 (correspondance de
Gustave Le Bon) ; AP/101(II)/149 (lettre à Roffredo Caetani ; lettre à
Gabriele d'Annunzio) ; Abbé Mugnier, *Journal, op. cit.*, p. 54 et p. 27 ;
AP/101(II)40 (Lettre d'Élisabeth à sa mère) ; *Journal inédit d'Alfred de Gra-
mont, op. cit.*, p.22 ; AP/101(II)/70 (lettre à Roffredo Caetani) ; AP/101(II)/
31 et 32 (lettres d'Henry à Élisabeth) ; AP/101(II)/149 (Notes diverses de la
comtesse Greffulhe) ; AP/101(II)/26 (lettre au général de Galliffet).
SUR LE SALON GREFFULHE ET LE SYNCRÉTISME POLITIQUE.
Enrique « Souvenirs du Paris de jadis », *La Revue des Deux Mondes*, 15
décembre 1939 ; André David, *op. cit.*, p. 90-91 (sur l'Entente Cordiale) ;
Chantal Antier, « Deux femmes œuvrant dans la Grande Guerre : Louise de
Bettignies et la reine Élisabeth », in *Aux Armes citoyennes, revue historique des
armées*, n° 272 - 2013 accessible via Internet sous le lien :
http://rha.revues.org/7782 (sur la négociation d'Aristide Briand) ;
AP/101(II)/1 (article intitulé *La comtesse Greffulhe*, signé Claire Gérard) ;
Émilien Carassus, *Le snobisme et les lettres françaises de Paul Bourget à Marcel
Proust, 1884-1914*, Armand Colin, 1996, p. 100 (« propagandiste ») ;
AP/101(II)/37 (lettre de G. Costa à la comtesse Greffulhe, 12 décembre
1904 : « *Madame, vous avez dû applaudir des deux mains au discours de Jules
Roche. Quand on songe que c'est à vous que nous devons en partie sa conver-
sion...* »).
SUR CLEMENCEAU. AP/101(I)/22 (lettre d'Élisabeth à Henry, de Bor-
deaux, 1914) ; AP/101(I)/22 (lettre d'Élisabeth à Henry, novembre 1914) ;
AP/101(II)/108 (copie d'une lettre de la comtesse Greffulhe au comte de
Reinach-Cessac, 8 décembre 1918) ; AP/101(II)/26 (lettre à Roffredo Caetani) ; AP/101(II)/23 (lettre au duc de Bisaccia Armand de La Rochefou-
cauld) ; AP/101(II)/76 (lettre au baron Chassériau) ; AP/101(II)/10 (lettre
d'Henry à Élisabeth).
SUR LEON BLUM. AP/101(II)/67 (note de la comtesse Greffulhe
racontant ses retrouvailles avec Léon Blum lors d'un déjeuner à l'ambassade
de Belgique, en février 1946 ; lettre à Léon Blum, 14 novembre 1946) ;
AP/101(II)/76 (lettre au baron Chassériau).
SUR LA POLITIQUE INTERNATIONALE ET HITLER. Gabriel-
Louis Pringué, *op. cit.*, p. 108 (propos de la comtesse Greffulhe sur
Guillaume II) ; AP/101(II)/45 (lettre de Ghislaine à Élisabeth, 25 mai
1940 ; AP/101(II)/26 (lettres de la comtesse Greffulhe, de Chatel-Guillon) ;
AP/101(II)/193 (lettre au Dr Krafft, 8 décembre 1939) ; AP101(II)/76
(lettre au baron Chassériau, 10 septembre 1945).

UNE « DILETTANTE » TRÈS PROFESSIONNELLE. Marquis de Breteuil, *op. cit.*, p. 57 ; AP/101(II)/94 (lettre de Gustave Le Bon) ; AP/101(II)/19 (agendas) ; AP/101(II)/24 (registre noir) ; les documents concernant l'organisation de la maison sont dispersés dans de nombreux cartons : AP/101(II)/17 à 22 (agendas, registres, fichiers d'adresse, etc.) ; AP/101(II)/23 à 30 (enregistrement de la correspondance, modèles de lettres, etc.) ; AP/101(II)/118 à 127 (vie mondaine, réceptions, etc.) ; les cartons de la correspondance passive AP/101(II)/60 à 117 ainsi que la correspondance entre le comte et la comtesse Greffulhe (AP/101(II)/31 et 32, AP/101(I)/22) contiennent par ailleurs de nombreux documents concernant la vie quotidienne (courriers de domestiques, questions d'intendance, etc.).

1. Le même von der Lancken sera impliqué dans l'attentat du 20 juillet 1944 contre Hitler, et exécuté.

2. AP/101(II)/23. Lettre dactylographiée, à en-tête du ministère de l'Intérieur, signée A-F, datée du 25 septembre 1919. Il s'agit très probablement d'Ernest Albert-Favre, sous-secrétaire d'État à l'Intérieur dans le gouvernement Clemenceau.

3. L'invitation d'Aristide Briand par la comtesse Greffulhe fut relatée dans l'*Intransigeant* du 19 décembre 1906. Proust fait allusion à cet article ainsi qu'à celui de Daudet dans une lettre à Reynaldo Hahn datée du même jour : « *Sachez que Léon Daudet a fait dans un article une allusion extrêmement désagréable à ce que Me Greffulhe a eu paraît-il Briand à dîner. Sachez que je ne veux pas avoir l'air de connaître cet article et que je serais heureux que vous fissiez de même car il est trop moschant ainsi que tous les autres du reste et qu'il faut avoir l'air de les ignorer.* » (Corr. VI, p. 341, n. 194, à Reynaldo Hahn.)

4. Le surnom *Thea philo se* est rapporté par Anne de Cossé-Brissac, *op. cit.*, p. 216. En 1901, au moment où le gouvernement Waldeck-Rousseau préparait la loi sur les associations, la comtesse Greffulhe avait demandé à l'abbé Mugnier de faire une démarche auprès de Jules Roche pour tenter de faire amender la loi dans un sens libéral. Mugnier avait noté dans son *Journal*, à la date du 9 avril : « *La comtesse Greffulhe m'avait envoyé son automobile. C'était la première fois que j'expérimentais ce genre de locomotion.* » *Journal* inédit de l'abbé Mugnier, cité par Ghislain de Diesbach, *L'abbé Mugnier..., op. cit.*, p. 133.

5. Racontant dans une lettre un dîner donné à l'Élysée en l'honneur des souverains belges, elle décrit « *Clemenceau qui s'est élancé, m'a serré les mains et avec lequel j'ai parlé 20 minutes. J'en ai profité, après lui avoir dit mon admiration, pour lui faire un petit reproche, et il m'a dit : "Moi vous égratigner ? Ah ! non, jamais !" Et m'enveloppant d'un regard, il a ajouté "cela aurait été dommage."* » (AP/101(II)/108). Clemenceau renonça en janvier 1920 à présenter sa candidature à la présidence de la République face à Paul Deschanel et se retira de la vie politique.

6. AP/101(II)/76 : « *[...] la lettre-massue de M. le Président Léon Blum à moi : celle où il m'appelle "l'Oracle" et me dit, après, avoir exécuté à la lettre tout ce que je lui avais dit au fameux déjeuner de 46, à l'ambassade de Belgique : et où il m'écrit "Cet oracle m'a porté bonheur"* ».

7. Il s'agit de l'ouvrage de sir Nevile Henderson (ambassadeur de Grande-Bretagne en Allemagne de 1937 à 1939), *Deux ans avec Hitler*, Flammarion, 1940.

PARTIE III

CHAPITRE 1
Des origines mythologiques

SOURCES POUR CE CHAPITRE
Citations : AP101(II)/I (retranscription d'une lettre d'Octave feuillet à sa femme, avec cette note manuscrite de la comtesse Greffulhe : « Je devais avoir 16 ans ») ; André Germain, *Les Clés de Proust, op. cit.*, ch. 2.
Cette filiation napoléonienne, mise en doute par certains historiens, semble cependant avérée. Voir « L'Aiglonne », article de G. Lenôtre dans *Le Temps* du 18 septembre 1932 ; Albert Schuermans, *Itinéraire général de Napoléon Iᵉʳ*, Bibliothèque de la Société des études historiques, vol. 6, 1908 ; Princesse Bibesco, *Une fille inconnue de Napoléon*, Flammarion, 1935 ; *Une fille de Napoléon ; mémoires d'Émilie de Pellapra, comtesse de Brigode, princesse de Chimay*, Préface de Frédéric Masson, Paris, Éditions de la Sirène, 1921 ; article de M. Audin dans *La Nouvelle Revue du Lyonnais*, deuxième fascicule, juin 1932.

1. Valentine (1839-1914), princesse Paul de Bauffremont puis princesse Georges Bibesco, tante d'Élisabeth.
2. « *On m'a demandé d'exposer le buste du roi de Rome et ses robes à l'exposition Roi de Rome à Paris. Je les ai donnés avec une notation de la petite valse que maman nous jouait sur laquelle sa grand-mère faisait danser le roi de Rome et qu'elle avait composé elle-même à cet effet.* » AP/101(II)/46 (lettre de Ghislaine à Élisabeth).

CHAPITRE 2
« L'archange aux yeux magnifiques »

SOURCES POUR CE CHAPITRE
Première citation : Marquis de Breteuil, *op. cit.*, p. 56-57.
CITATIONS SUR LES YEUX. AP/10(II)/1 (Poème d'Edmond de Polignac) ; André Germain, *La Bourgeoisie qui brûle, propos d'un témoin, 1890-*

1940, Sun, 1951, p. 190 ; Robert de Montesquiou, *La Divine Comtesse :
étude d'après Mme la comtesse de Castiglione*, Paris, Goupil & Cie, 1913, p.
198 à 207 ; Enrique Larreta, « Souvenirs du Paris de Jadis », in *La Revue des
Deux Mondes* du 15 janvier 1939 (copie dactylographiée avec quelques
variantes conservées sous la cote AP/10(II)/193) ; AP/10(II)/101 (lettre
d'Albert de Mun) ; Ferdinand Bac, *Intimités...*, t. 2, *op. cit*, p. 183-184 ;
AP/10(II)/83 (lettre de Charles Éphrussi) ; Anne de Cossé-Brissac, *op. cit.*,
p. 135 (Lord Lytton) ; AP/10(II)/54 (lettre de Louise de L'Aigle) ;
AP/10(II)/94 (lettre de Gustave Le Bon) ; Marcel Proust, *Le salon de la com-
tesse Greffulhe*, texte inédit (voir en Annexe). La phrase de Victor Hugo, que
Proust doit citer de mémoire, est extraite de *La Légende des siècles, Le Satyre* :
« *Ceinte du flamboiement des yeux fixés sur elle* ».

CITATIONS SUR LE SOURIRE ET LE RIRE. AP/10(II)/1 (baronne
de Tinan) ; AP/10(II)/171 (portrait de la comtesse Greffulhe par André
Germain intitulé *Notre impératrice*) ; George D. Painter, *Marcel Proust*,
Texto, 2008, p. 195 ; André Germain, *Les Clés de Proust, op. cit.*, ch. 2 ;
marquis de Breteuil, *op. cit.*, p. 57 ; lettre de Marcel Proust au duc de
Guiche, Corr. IV, p. 350, n. 188.

ÉVOCATIONS D'UNE DÉESSE. Albert Flament, article dans *La Revue
des Deux Mondes, op. cit.*, p. 76 à 86 ; *L'Écho de Paris*, 8 mars 1903 ; Jacques-
Émile Blanche, *op. cit.*, p. 202 ; Enrique Larreta, *op. cit.* (qui cite également la
phrase de Montesquiou sur les « belles entrées ») ; AP/101(II)/150 (*Mon Journal*) ; AP/101(II)/150 (duc d'Aumale) ; AP/101(II)/35 (poèmes d'Elaine) ;
AP/101(II)/95 (lettre de Lord Lytton) ; Élisabeth de Gramont, *Mémoires*,
t. 2, *op. cit.*, p 24 ; Albert Flament, *Le Bal du Pré-Catelan*, Arthème Fayard,
1946, p. 279 ; Hippolyte Buffenoir, chapitre *La comtesse Greffulhe née
Caraman-Chimay* dans *Grandes dames contemporaines*, Paris, Librairie du
« Mirabeau », 1894 ; Robert de Montesquiou, *La Divine Comtesse, op. cit.* ;
Gabriel-Louis Pringué, *op. cit.*, p.106.

SUR LES SCULPTURES. Le buste par Falguière est mentionné par
Painter, *op. cit.*, p. 194, qui ne cite pas ses sources. Sur le buste de Franceschi : AP/101(II)/40. Le buste de la comtesse de Meffray est mentionné
dans le *Journal des Demoiselles et Petit Courrier des Dames*, n° 7, 28 février
1885, p. 77. L'article évoque également un portrait de la comtesse de Mailly
par Carolus-Duran. Or, la ravissante Mme de Mailly-Nesle était également
la maîtresse d'Henry Greffulhe, lequel commanda au même peintre un portrait de son épouse.

PORTRAITS RETROUVÉS. Sur Helleu : AP/101(II)/46 (lettre de
Ghislaine) ; Goncourt, *Journal*, t. 9, 5 février 1894, p.195 ; *L'Écho de
Paris*, 6 janvier 1904 (interview d'Helleu) ; AP/101(II)/94 (lettre de Gustave
Le Bon) ; AP/101(II)/73 (lettre de Pedro de Carvalho) ; *Le Figaro*,
14 novembre 1904.

1. AP/10(II)/1. Texte de la comtesse Greffulhe « Retour de l'église Saint-Jacques 19 août 1888 ». Ce texte manuscrit, qu'elle projetait sans doute de faire publier, est raturé et corrigé par Robert de Montesquiou. Il met les verbes à la troisième personne et commente : « *Il faut personnaliser cela sous peine de sembler par trop outrecuidante. Invention noms de personnages à qui l'on fait dire ce qu'on pense sans pour autant s'avancer. Une Elsa (encore trop transparente).* »

2. Edmond de Goncourt, *Journal*, t. 8., p. 232-233, 25 avril 1891 : « *Dans la pièce éclairée a giorno, la comtesse arrive bientôt décolletée, dans une robe noire, aux espèces d'ailes volantes derrière elle, et coiffée les cheveux très relevés sur la tête, et surmontés d'un haut peigne en écaille blonde, dont la couronne de boules fait comme un peigne héraldique. Là-dedans, au milieu de ce mobilier d'un autre siècle, l'ovale délicat de son pâle visage, ses yeux noirs doux et profonds, la sveltesse de sa personne longuette, lui donnent quelque chose d'une apparition, d'un séduisant et souriant fantôme ; caractère que je retrouve dans son portrait pastellé par Helleu.* »

3. Le récit des circonstances de ce legs est raconté dans l'ouvrage d'Anne de Cossé-Brissac, *op. cit.*, p. 131-132 et, sous des versions un peu différentes, par Edmond de Goncourt, *Journal*, t. 8, *op. cit.*, p. 254-255, 7 juillet 1891, ainsi que dans le *Salon* de Marcel Proust, *op. cit.*, figurant en annexe. On trouve également dans les archives un texte dactylographié, probablement écrit par la comtesse Greffulhe, intitulé *Histoire d'un Buste. Transposition d'amour.* Ce texte, dont s'est en partie inspirée Anne de Cossé-Brissac dans son récit, est une transposition romanesque de la véritable histoire. « *J'ai déballé la Diane. Il faut que vous la voyiez. Sa beauté est "unique". Elle est ma légende* », écrivait Élisabeth à sa sœur Geneviève (AP/101(II)/50).

4. Sur sa carte d'identité (AP/101(II)/1), la comtesse Greffulhe est rajeunie de 8 ans : la date de naissance mentionnée est 1868, au lieu de 1860.

5. Robert de Montesquiou, *La Divine Comtesse, op. cit.*, p. 199 : « *Elle obtient d'elle des photographies magnifiques. J'en regardais, récemment, une nouvelle, décolletée, avec profondeur et avec décence, et que j'intitule : l'épaule d'une grand-mère. Cela prouve une chose, c'est que Cupidon a eu des enfants, et qu'il est parfaitement permis aux aïeules de ressembler aux Grâces* ». Élisabeth Greffulhe avait 53 ans à l'époque où Montesquiou publia ce livre, en 1913.

6. Montesquiou nous décrit ainsi le portrait exécuté par Carolus-Duran, en 1887 : « *Il a peint la comtesse telle qu'une jeune Victoire, un brin de laurier dans les cheveux, et glacée d'un fourreau d'argent ainsi qu'une naïade. Ses yeux, ardents et foncés, ont envahi son visage menu, pareils à deux lacs de sombre clarté, qui rayonnent dans l'ombre.* » Ce portrait fut présenté à Bruxelles en 1889 à l'occasion de l'exposition *Portraits du siècle 1789-1889*. Le journal britannique *The Spectator* du 2 juillet 1887 en donne par ailleurs une critique très fouillée, qui évoque « *la vicomtesse Greffulhe, une lady aux cheveux et aux yeux sombres, dans une robe du soir en satin gris acier, posant telle une statue devant un rideau*

pourpre », apprécie « *la magnificence de la pose* », mais reproche au portraitiste sa superficialité, qui ne laisse pas entrevoir l'âme du modèle.

Montesquiou évoque également une « *vaste aquarelle de Jacquet* », montrant Élisabeth costumée en Diane à un bal de la princesse de Sagan, promenant « *ses regards dorés, sur les yeux bruns épandus au long de sa peau de panthère* ». Ce bal à thème mythologique eut lieu le 29 mai 1880 (voir *Le Figaro* du 30 mai 1880 et Anne Martin-Fugier, *Les salons de la IIIᵉ République*, Perrin, Tempus, 2010, p. 145 et suiv.) L'aquarelle était accrochée dans le cabinet du comte Greffulhe à Bois-Boudran, et figure sur la liste des « Objets revendiqués par Madame la comtesse Greffulhe et se trouvant à Bois-Boudran » (AP/101(II)/193).

C'est toujours chez la princesse de Sagan, mais à un autre bal, que la comtesse Greffulhe est représentée en Reine de la Nuit par l'aquarelle de Lami dont nous avons déjà parlé plus haut, et dont je n'ai pu retrouver la piste. (Voir Partie I, ch. 1.)

Le même Gustave Jacquet aurait fait également, sur une simple vision fugitive, une esquisse de la comtesse Greffulhe, environnée de tulle, transportée dans les airs dans un char tiré par un hippogriffe. Voir à ce sujet Albert Flament, article dans la *Revue de Paris, op. cit.* : « *Je me souviens à l'instant d'une visite à l'atelier du peintre G. Jacquet, qui avait été fort à la mode et qui, ayant vu passer la comtesse Greffulhe à l'une de ces apparitions qui consacraient un soir, avait esquissé sur une grande toile le souvenir de cette vision : sur un char emporté dans les airs, un hippogriffe transportait à travers le ciel la comtesse, environnée de ses tulles. Jamais Madame Greffulhe ne vint poser. Jacquet est mort depuis longtemps, l'ébauche ne fut sans doute jamais terminée, elle fut peut-être détruite.* » Il n'est pas impossible que Marcel Proust, qui appréciait beaucoup Jacquet, ait vu cette toile, et en ait tiré le dessin griffonné dans l'un de ses Cahiers, intitulé « le char du soleil ». Ce dessin figure dans le cahier 64, face au fol. 1rº (naf 18314) ; il est reproduit dans le livre de Philippe Sollers, *L'Œil de Proust*, Stock, 1999, p. 149.

Le portrait par le bel et *fashionable* Antonio de La Gandara, que Montesquiou nous décrit « *en des fusains aux allongements de cygnes noirs* », est également absent des collections publiques. On sait juste que l'œuvre fut fort admirée d'Edmond de Polignac, et que Robert de Montesquiou subtilisa dans l'atelier du maître une esquisse du menton de sa chère cousine, qu'il admirait à loisir en prenant son tub. Ce portrait doit dater de 1892, si on se fonde sur la lettre d'Edmond de Polignac à la comtesse Greffulhe, datée du 25 septembre 1892 : « *Je viens de chez Gandara. Enfin ! Enfin ! Enfin ! Un portrait de vous et d'un maître. Un rappel durable et merveilleux de votre personne. Vous voici donc léguée à tous les lendemains, et l'on saura et l'on verra ce que nous avons vu.* » (AP/101(II)/106.) L'anecdote sur l'esquisse du menton est rapportée par Élisabeth de Gramont, duchesse de Clermont-Tonnerre, in *Robert de Montesquiou et Marcel Proust*, Flammarion, 1925, p. 59 et par Painter, *op. cit.*, p. 171.

Montesquiou ne fait pas mention du portrait par Hébert (que la comtesse Greffulhe n'aimait pas), reproduit dans cet ouvrage, ni de ceux exécutés par Aimé Morot (exposé au Salon en 1898), et par le symboliste belge Fernand Khnopff, commandé par Élisabeth en 1893. De ces deux derniers tableaux, on ne trouve plus trace que dans la correspondance (AP/101(II)/97, lettre de ? à la comtesse Greffulhe, mai 1898 : « *Morot a mis dans le mille et a fait de vous non seulement un portrait charmant et d'une extrême ressemblance mais une œuvre d'art remarquable, c'est pour moi le plus beau portrait du salon.* » ; AP/101(II)/90, lettre de Fernand Khnopff, décembre 1899, cité par Anne de Cossé-Brissac, *op. cit.*, p.104.)

Enfin, Montesquiou ne mentionne pas non plus de portrait d'Élisabeth par Jacques-Émile Blanche. Ce dernier avait peint avec talent Henry Greffulhe, ainsi que leur fille Elaine. Sa correspondance fait référence à un pastel de la comtesse Greffulhe (Lettre de Jacques-Émile Blanche datée du 10 août 1887 : « *À 2 heures, séance à la Case ; j'ai commencé hier une esquisse au pastel d'après Mme Greff. qui a eu beaucoup de succès et que je continue...* »). Mais je n'ai pas retrouvé trace de ce pastel. Le portrait par Blanche intitulé *Portrait of the Comtesse de Greffulhe* (sic), qui fit la couverture du catalogue de Christie's New York en 1984, dans une vente d'art européen du XIXᵉ siècle – accompagné d'une notice de quatre pages intitulée *Proust's Countess* –, était en réalité celui d'une illustre inconnue. Estimé entre 400 000 et 600 000 $, il ne trouva pas d'acquéreur... (Voir à ce sujet l'article en ligne de l'expert et historien d'art Stéphane-Jacques Addade, *Un portrait mal identifié.* http://www.stephane-jacques-addade.com/fr/jacques-emile-blanche-2/comtesse-greffulhe.)

7. Philip de László, peintre britannique d'origine hongroise (1869-1936), réputé pour l'extraordinaire ressemblance de ses portraits. László faisait de fréquents séjours à Vallière ; il avait un temps installé son atelier chez le duc de Guiche, avenue Georges-Mandel à Paris. On lui doit un excellent portrait de ce dernier, ainsi que de ses parents et de sa femme. Détail amusant : László avait peint à l'origine, sur deux immenses panneaux, la famille en groupe sur fond de frondaisons automnales à Vallière (cf. *Journal des Débats* du dimanche 3 juillet 1904, p. 3) : « *On a beaucoup admiré, après dîner, les grands panneaux de famille récemment peints par Laszlo [...]. L'un des groupes comprend la duchesse de Gramont, la comtesse de Noailles, et le duc de Guiche, et sur le second se trouvent réunis le duc de Gramont, la marquise de Clermont-Tonnerre, et le comte Louis René de Gramont.* » Guiche lui demanda par la suite de découper cette œuvre en portraits individuels, moins encombrants. Les citations de László sont extraites d'une conférence qu'il donna en 1936. Cité par Patrick Chaleyssin, in *La Peinture mondaine de 1870 à 1960*, Bibliothèque de l'image, 1993, p. 38.

8. Robert de Montesquiou a consacré à Helleu un ouvrage : *Paul Helleu, peintre et graveur*, Paris, H. Floury, 1913, illustré d'une centaine de reproductions. Sur celles dont le modèle est nommé, une seule – *Étude pour un*

portrait –, porte le nom de la comtesse Greffulhe. Toutes les autres sont désignées uniquement par leur sujet, comme *La toilette*, *Le Sommeil*, etc. Il n'est pas impossible que plusieurs d'entre elles la représentent.

CHAPITRE 3
La stratégie du prestige

SOURCES POUR CE CHAPITRE
SOUVENIRS D'ENFANCE ET DE JEUNESSE. AP/101(II)/1 (épreuves corrigées d'un essai d'autobiographie. AP/101(II)/149.

SUR LE PRESTIGE. AP/101(II)/41 (lettres de Marie à sa fille) ; AP/101(II)/40 (lettre d'Élisabeth à sa mère) ; AP/101(II)/150 (*Aperçu sur le prestige*) ; AP/101(II)/106 (lettre d'Edmond de Polignac). Citations de Marcel Proust : *Le Côté de Guermantes* II, *Du côté de chez Swann*, *Le Côté de Guermantes* I. Sur le « désir triangulaire » dans l'œuvre de Proust : René Girard, *Mensonge romantique et vérité romanesque*, Grasset, 1961.

« ELLE VIENDRA À SON HEURE ». Élisabeth de Gramont, t. 2, *op. cit.*, p. 22 et 24 ; Ferdinand Bac, t. 2, *op. cit.*, p.183-184 ; Albert Flament, *Le bal du Pré-Catelan, op. cit.*, p. 258-259.

UNE ÉTERNITÉ DE BEAUTÉ. AP/101(II)/150 (sur le miroir ; ces notes de la comtesse Greffulhe ont été reprises en partie par Montesquiou dans *La Divine Comtesse, op. cit.*) ; *À Paris*, 14 juin 1935 article de Gabriel-Louis Pringué ; Albert Flament, article pour la *Revue de Paris, op. cit.* ; Ghislain de Diesbach, *L'abbé Mugnier, le confesseur du Tout-Paris*, Perrin, 2003, p. 309 (propos de l'abbé Mugnier) ; AP/101(II) Supplément non coté (lettre de J.-E. Blanche au duc de Gramont) ; AP/101(II)/171 (André Germain, *Notre impératrice, op. cit.*) ; *Aux Écoutes*, 1ᵉʳ octobre 1948 ; André Germain, *La Bourgeoisie qui brûle, op. cit.*, p.190.

1. L'auteur ajoute dans une note : « *Bien des années plus tard, je lui évoquais cette soirée [...]. Je serais bien restée, me dit-elle, mais Henry exigeait que je sois rentrée avant onze heures et demie !* » Le même récit figure, sous une forme un peu différente, dans l'article de Flament pour *La Revue des Deux Mondes, op. cit.*

CHAPITRE 4
À la recherche des toilettes de légende

SOURCES POUR CE CHAPITRE
Première citation : Albert Flament, « Tableaux de Paris », article dans *La Revue de Paris, op. cit.*
DESCRIPTION DES TOILETTES. *La Nouvelle mode*, 4 octobre 1906 ; *L'Écho de Paris*, 12 juin 1894 ; *Le Figaro*, 26 janvier 1900 ; *L'Art et la mode*,

12 mai 1906 ; *La Vie parisienne, Choses & autres,* 24 juillet 1909 (description de la robe portée à Bagatelle).

VOILES ET SORTILÈGES. « Pudibonderie retrouvée » : l'expression est de Jean-Claude Bologne, in *Histoire de la pudeur,* Hachette, 1986, p. 98. AP/101(II)/151 (projet de roman de la ctesse Greffulhe) ; Robert de Montesquiou, *La Divine Comtesse, op. cit.* ; *Le Gaulois,* 5 août 1882 ; Hippolyte Buffenoir, *op. cit.* (sur l'album d'aquarelles).

DANS LES COULISSES DE L'EXPLOIT. AP/101(II)/150 (note de la ctesse Greffulhe à sa femme de chambre) ; AP/101(II)/32 (lettre d'Henry à Élisabeth) ; *L'Art et la mode,* 4 juillet 1903 ; Albert Flament, *Revue des Deux Mondes, op. cit.*

TERRASSES, VOLIÈRES ET JARDINS. Citation d'Olivier Saillard, directeur du musée Galliera : interview donnée à l'occasion de l'exposition *Paris Haute Couture* à l'Hôtel de Ville de Paris, du 2 mars au 6 juillet 2013, où figuraient plusieurs robes de la comtesse Greffulhe ; Marcel Proust, *La Prisonnière* (sur les robes de Fortuny) ; *La Vie parisienne,* 13 juin 1903 (« Une entrée sensationnelle... ») ; *New York Herald,* 13 décembre 1902, *Vogue,* 12 février 1903 et Boston Herald, mai 1902 (« Une nouvelle méthode d'utiliser les bijoux ») ; *La Mode,* 15 mai 1906 et *L'Événement,* 1er juin 1906 (sur la Ligue des petits chapeaux).

UNE ÉLÉGANCE INTEMPORELLE. Gabriel-Louis-Pringué, *op. cit.,* p. 108 ; Albert Flament, *Revue des Deux Mondes, op. cit.* ; Georges de Lauris, « La comtesse Greffulhe », *Écrits de Paris,* n° 96, oct. 1952.

1. La garde-robe de la comtesse Greffulhe a fait l'objet de trois dons de ses descendants au musée Galliera, en 1964, 1978 et 1980.

2. Cette robe, qui porte la griffe de Worth, ne figure pas, bizarrement, dans les archives photographiques de la maison de couture (voir article du catalogue de l'exposition *Paul Poiret et Nicole Groult, maîtres de la mode Art Déco* (Musée de la mode et du costume, Palais Galliera, 1986, n° 13, p. 214). Cela, joint au fait que la robe fut revendiquée par Paul Poiret, peut laisser planer un doute sur l'origine de la robe.

3. Cette cape a été présentée à l'occasion de l'exposition *Paris 1900 – La ville spectacle* au Petit Palais, du 2 avril au 17 août 2014. Le caftan avait probablement été offert à la comtesse Greffulhe par le tsar Nicolas II en 1902 lorsqu'il assista dans sa loge à une représentation du *Crépuscule des Dieux.*

4. Marcel Proust, *Le Côté de Guermantes I* : « *Le spectateur qui eût levé les yeux vers le balcon eût vu, dans deux loges, un "arrangement" qu'elle croyait rappeler ceux de la princesse de Guermantes, donner simplement à la baronne de Morienval l'air excentrique, prétentieux et mal élevé, et un effort à la fois patient et coûteux pour imiter les toilettes et le chic de la duchesse de Guermantes, faire seulement ressembler Mme de Cambremer à quelque pensionnaire*

provinciale, montée sur fil de fer, droite, sèche et pointue, un plumet de cor-
billard verticalement dressé dans les cheveux. »

CHAPITRE 5
Amis fidèles : galerie de portraits

SOURCES POUR CE CHAPITRE

SUR LES SŒURS. La correspondance des trois sœurs est conservée dans
les cartons AP/101(II)/44 à 51. AP/101(II)/46 et 45 (citations de Geneviève) ; AP/101(II)/44 et 45 (lettres de Ghislaine à Élisabeth à propos de ses
projets matrimoniaux) ; AP/101(II)/47 (lettres de Ghislaine sur la reine des
Belges et sur la tombe de Toutankhamon) ; Marthe Bibesco, *Discours de
remerciement à l'Académie Royale de Langue et de Littérature Françaises de Belgique*, Fonds Archives *Harry Ranson Center*, Université du Texas, Austin, *in
Box 309-Folder 2* – discours publié dans le Bulletin interne de l'académie
(*Bulletin de l'ARLLFB*, juin 55, tome XXXII, n° 1 (sur leur action au sein de
l'Union pour la Belgique) ; AP/101(II)/94 (lettre de Gustave Le Bon sur
Ghislaine) ; AP/101(II)/73 (lettre de Pedro de Carvalho sur Ghislaine).

À LA RECHERCHE DE « L'AMI VRAI ». AP/101(II)/88 (lettre de
M. Herbert, Secrétaire d'ambassade de Grande-Bretagne à Paris) ;
AP/101(II)/150 (*Essais d'esquisses...*, *op. cit.*, *L'ami vrai*).

SUR L'ABBÉ MUGNIER. *Journal* de l'abbé Mugnier, *op. cit.*, p. 56 et
54 ; Paul Morand, *op. cit.*, p. 306 ; AP/101(II)/101 (correspondance de
l'abbé Mugnier) ; AP/101(II)/82 (note manuscrite de la comtesse Greffulhe
sur l'abbé Mugnier pour Henri Durville) ; AP/101(II)/47 (lettre de Ghislaine à Élisabeth) ; *Journal* inédit de l'abbé Mugnier, cité par Ghislain de
Diesbach, in *L'abbé Mugnier...*, *op. cit.*, p. 12.

SUR EDMOND DE POLIGNAC. *Le Figaro*, 6 septembre 1903 (article
de Proust) ; AP/101(II)/40 (lettres d'Élisabeth à sa mère) ; AP/101(II)/106
(correspondance d'Edmond de Polignac, petit carnet noir de sa main) ;
AP/101(II)/150 (note dactylographiée : souvenirs de la comtesse Greffulhe
sur le prince de Polignac et le rôle qu'elle a joué dans son mariage).

SAGAN, MASSA. AP/101(II)/45 (lettre de Ghislaine) ; AP/101(II)/112
(télégramme du Prince de Sagan) ; AP/101(II)/149 (note de la comtesse
Greffulhe en vue de ses Mémoires) ; AP/101(II)/97 (correspondance de Philippe de Massa).

Lettres de LORD LYTTON : AP/101(II)/95. Lettres de PEDRO DE
CARVALHO : AP/101(II)/72 et 73.

1. AP/101(II)/150 : *Essais d'esquisses...*, *op. cit.*, les vitrioleuses :
« *Envieuses sans envie, elles ne veulent que déflorer, mordre sans manger, affai-
blir sans éteindre, piquer sans faire mourir. La clarté, la beauté, le talent les
offusquent comme une injure personnelle et les suffoquent.* »

2. Napoléon Victor Bonaparte, dit Victor Napoléon, était le fils de Napoléon-Jérôme Bonaparte, dit « prince Napoléon », et le petit-fils de Jérôme Bonaparte, frère de Napoléon Ier. Le prince Victor épousa la princesse Clémentine de Belgique en 1904. La correspondance de Ghislaine avec le prince Victor est conservée dans les archives du château de Chimay en Belgique. Cette correspondance à la fois personnelle et politique révèle qu'elle était une amie intime du prince. On y trouve notamment un document d'une centaine de pages, distribué à quelques proches, et révélant le programme politique du prince, ainsi que des lettres de la princesse Clémentine et deux lettres de l'impératrice Eugénie relatives à ce mariage. Voir Laetitia de Witt, *Le prince Victor Napoléon*, Fayard, 2007.

3. Élisabeth, duchesse en Bavière, fille du duc de Bavière, Charles-Théodore de Wittelsbach, nièce et filleule de l'impératrice Élisabeth d'Autriche (Sissi), avait épousé en 1900 le prince Albert, qu'elle avait rencontré aux funérailles de sa tante, la duchesse d'Alençon, brûlée vive lors de l'incendie du Bazar de la Charité. À la mort de son père Léopold II, en 1909, le prince devint roi sous le nom d'Albert 1er.

4. Léopold III abdiqua au terme d'une longue polémique et de la crise nationale, connue en Belgique sous le nom de « l'Affaire royale », suscitée par son comportement controversé lors de la Seconde Guerre mondiale. Voir l'article de Carlo Bronne, *op. cit.*

5. Mina Curtiss, *op. cit.*, décrit ainsi Ghislaine à 85 ans : « *Nous fûmes accueillis par la princesse de Caraman-Chimay, la sœur célibataire de Mme Greffulhe, âgée de quatre-vingt-cinq ans. Cette formidable personne, massivement haute et large, son large visage encadré par une perruque sombre, nous accueillit fort gracieusement : quelques pas derrière elle se tenait sa femme de chambre, également massive et habillée comme sa maîtresse d'un vêtement de laine brun foncé.* »

6. Quelques exemples parmi bien d'autres :

– Lettres de Paul Deschanel : AP/101(II)/79, dont celle-ci, datée de décembre 1895 : « *Je veux vous dire qu'en cette fin d'année et ce commencement d'année c'est à vous que je pense. Et je veux vous dire aussi avec une absolue sincérité (je ne blasphémerai pas) que ces moments que j'ai passés seul avec vous ont été les meilleurs de ma vie depuis nos promenades du matin à Dieppe. Quelle misère que vous vous soyez fait un scepticisme factice qui vous empêche de se sentir et de croire ce que vous inspirez !* »

– Lettres anonymes signées « Le Monsieur de l'orchestre » (AP/101(II)/86).

– Lettre de Porto-Riche, janvier 1925 : « Pour ma part m'en tiens aux "félicités" terrestres. Je les pratique le plus possible – et parmi ces félicités, je place au premier rang le souvenir de votre pure apparition dans ma vie. » (AP/101(II)/107.)

– Lettre du docteur Poulalion, datée du 7 février 1891 : « *Oh ! Si j'avais pu, cette nuit je serais venu vous trouver, chère et belle amie, je serais venu me jeter à genoux, prier au pied de votre lit… Vous êtes depuis longtemps la reine et la maîtresse de mon cœur et de mon esprit, je désire ardemment que vous deveniez la maîtresse de mes sens affamés. Vous êtes pour moi un Dieu… Je veux immoler la virginité de mes sens sur votre tabernacle… Je désire contempler le sanctuaire et le tabernacle de l'amour et du plaisir exquis… Je veux voir, admirer, adorer l'exquise beauté de votre éblouissante nudité.* » (AP/101(II)/107.)

7. Le *Journal* de l'abbé Mugnier, *op. cit.*, fait plusieurs fois référence à Proust, qu'il rencontre souvent, à partir de 1917, notamment chez la princesse Soutzo au Ritz, et qui lui envoie les volumes de la *Recherche* au fur et à mesure de leur parution : « *Marcel Proust m'est très sympathique.* » « *Marcel Proust et un autre ami m'ont ramené en auto, rue Méchain […]. Et sur le trottoir de la rue Méchain, dans les ténèbres de la nuit, nous avons parlé du bouton-d'or et du coucou.* » Sur Proust et Mugnier, voir aussi Jean-Yves Tadié, *op. cit.*, p. 793-794.

8. La princesse de Polignac patronna notamment les compositeurs Chabrier, Vincent d'Indy, Debussy, Fauré, Ravel, Stravinsky, Erik Satie, Darius Milhaud, Manuel de Falla…

9. Alexandre Philippe, marquis de Massa (1831-1910) était le petit-fils de Claude Ambroise Régnier, ministre de la justice de Napoléon Ier qui le fit duc de Massa.

10. Né en 1831, Lord Lytton était le fils unique du romancier Edward Bulwer-Lytton, premier baron Lytton, auteur des *Derniers jours de Pompéi*. Il fut ambassadeur à Paris de 1887 à sa mort, en 1891. Homme de lettres, il a publié plusieurs ouvrages sous le pseudonyme d'Owen Meredith. Ses lettres à la comtesse Greffulhe sont écrites en anglais, à l'exception de celle qui est citée ici, pour laquelle nous avons respecté la ponctuation parfois fantaisiste figurant dans le texte imprimé.

À propos de Lord Lytton, Edmond de Goncourt raconte l'anecdote suivante : « *Montesquiou conte que Lord Lytton, qui avait un culte pour la comtesse Greffulhe, lui avait laissé une pierre gravée, admirable. Mais sur cette pierre, il y avait des caractères qui intriguaient la comtesse. Elle la faisait porter à un mage, qui l'avertissait de se défaire au plus tôt de cette pierre, sous peine de mort subite, ce qui était arrivé à Lytton. Là-dessus, la comtesse montait en voiture, se faisait conduire au bord de la Seine, et jetait la pierre à l'eau. C'est depuis ce temps, dit Montesquiou, en riant, que le fleuve est si mauvais pour la santé parisienne.* » (*Journal*, t.9, p. 356, jeudi 15 août 1895.)

11. Alice de Caraman-Chimay, cousine d'Élisabeth, avait épousé le prince Giovanni Borghèse.

CHAPITRE 6
Trois demeures mythiques

SOURCES POUR CE CHAPITRE

SUR BOIS-BOUDRAN. AP/101(II)/1 (*Journal de mariage*) ; Jacques-Émile Blanche, *La Pêche aux souvenirs, op. cit.*, p. 203-204 ; AP/101(II)/38 (lettre d'Henry à Élisabeth) ; *Le Nouvelliste de Seine-et-Marne*, 22 novembre 1891 ; *Journal des Débats*, 19 novembre 1891 ; AP/101(II)/105 (correspondance de 1893 relative à la création d'une salle de théâtre) ; AP/101(II)/7 (lettres de la comtesse Greffulhe douairière) ; Éric Legay, *op. cit.*, p. 110-116 ; André de Fouquières, *op. cit.*, p. 304 et duc de La Force, *La Fin de la douceur de vivre. Souvenirs 1878-1914*, Paris, Plon, 1961, p. 77-78 (sur les chasses) ; AP/101(I)/22 (lettre d'Élisabeth à Henry) ; AP/101(II)/86 (sur l'abbé Mugnier) ; *Gil Blas* du 15 février 1903 (article intitulé « Loisirs champêtres ») ; Gabriel-Louis Pringué, *op. cit.*, p. 109-110 ; A. Vernant, *Notes sur la Grande Propriété Chez M. le comte Greffulhe*, articles parus à partir du 21 octobre 1892 dans *Le Briard*. Ces articles sont conservés aux Archives départementales de Seine-et-Marne (AD77 PZ 35/4 4 Mi306) ainsi que dans le fonds ancien de la bibliothèque de Provins. Les trois premiers articles, publiés les 21, 22 et 25 octobre dans *Le Briard*, sont consultables en ligne à partir du site Internet http://chapellerablais.pagespersoorange.fr/site %20archives/html_passeports/bois-briard.html ; AP/101(II)/193 (lettre de la comtesse Greffulhe à Ghislaine sur Bois-Boudran à la Libération) ; la scène de chasse fait partie des 36 films conservés aux Archives françaises du film (film numérisé consultable à la BnF) ; les images d'archives de Bois-Boudran dans les années 1960 sont visibles dans le documentaire *La société au temps de Marcel Proust,* diffusé en juin 1971, accessible via Internet dans les archives de l'INA : http://boutique.ina.fr/video/art-et-culture/litterature/CPF 86621093/la-societe-au-temps-de-marcel-proust.fr.html .

SUR LA RUE D'ASTORG. Élisabeth de Gramont, *Mémoires*, t. 2, *op. cit.*, p. 27 (« le Vatican ») et p. 20 ; Ferdinand Bac, *Intimités...* t.2, p. 300 (sur les jardins) ; *Logis d'autrefois*, Souvenirs inédits de Louise d'Arenberg, *op. cit.* ; Anne de Cossé-Brissac, *op. cit.*, p. 53-54, et plan reproduit en annexe ; AP/101(II)/23 (brouillon de lettre de la comtesse Greffulhe) ; *L'Art et la mode*, 12 mai 1906 (sur le cérémonial des réceptions) ; AP/101(II)/Supplément non coté (manuscrit d'André Maurois) et Anne de Cossé-Brissac, *op. cit.*, p. 230-231 (sur la visite d'Édouard VII) ; *À Paris*, « Les Plaisirs de la ville », 14 juin 1935 (article de Pringué) ; Ferdinand Bac, t. 3, *op. cit.*, p. 207 ; Goncourt, *Journal*, t. 8, *op. cit.* ; Carlo Bronne, « "Mazarin", ou les souvenirs d'une dame d'honneur de la reine Élisabeth », *Revue des Deux Mondes*, novembre 1975 ; Charles Gueullette, *Les Cabinets d'amateurs à Paris. Collection de M. le comte Henri de Greffulhe*, 1877 ; AP/101(II)/193 (lettre du duc de Gramont à la comtesse Greffulhe : « *Cette collection est "unique", plus de 200 n°s analogues avec la Wallace [...] vous savez que c'est notre ultime ressource* ») ; AP/101(II)/13 (inventaires de la collection d'Henry Greffulhe et correspondance relative à la vente chez Sotheby's) ; *Cyrano*, 10 décembre 1937, article intitulé « Petits secrets » (sur la bibliothèque du comte Greffulhe).

SUR DIEPPE ET LA VILLA LA CASE. AP/101(II)/32 (lettres d'Henry à Élisabeth) ; AP/101(I)/22 (lettres d'Élisabeth à Henry) ; AP/101(II)/ 45 et 47 (lettres de Ghislaine) ; AP/101(II)/40 (lettres d'Élisabeth à sa mère) ; AP/101(II)/34 (lettres d'Elaine à sa mère) ; AP/101(II)/11 et 13 (pièces du procès La Béraudière) ; AP/101(II)/112 (lettre de Sagan) ; AP/101(II)/79 (lettre de Paul Deschanel) ; AP/101(II)/95 (lettre de Lord Lytton) ; Éric Legay, *op. cit.*, p. 90-91 et annexes et *La Petite République* du 12 mars 1898, article intitulé « Tentative de corruption sur un député » (sur la candidature d'Henry Greffulhe aux législatives) ; Marquis de Breteuil, *op. cit.*, p. 58 ; Jacques-Émile Blanche, *La Pêche aux souvenirs, op. cit.*, p. 205.

1. Le château de Chimay sera ravagé en 1935 par un terrible incendie qui ne laissa intact que le théâtre de style baroque construit par le Grand Prince en 1863. Entièrement reconstruit, il est aujourd'hui ouvert à la visite.

2. Wasuke Hata fut ensuite engagé par Edmond de Rothschild pour créer un jardin japonais dans le parc de son château de Boulogne-Billancourt.

3. Le domaine hérité de Charles Greffulhe avait une superficie de 3500 hectares, auquel il faut ajouter celui de la Grande Commune, 1048 hectares, acheté par Henry avant son mariage. À cela s'ajoutait une partie de la forêt mitoyenne de Villefermoy, dont il était adjudicataire pour 2175 hectares. Voir Éric Legay, *op. cit.* Vaux-le-Vicomte appartenait aux Sommier, Voisins au comte de Fels, Offémont aux Pillet-Will, Ferrières aux Rothschild, et Vallière au duc de Gramont.

4. Les chiffres des tableaux cités ici sont attestés les vingt-cinq « livres de chasse » de Bois-Boudran, couvrant 9 décennies, de 1840 à 1931, conservés par les descendants de la comtesse Greffulhe : 1496 pièces le 26 décembre 1899 (chasse en l'honneur du duc de Chartres) ; 3152 faisans pour 12 chasseurs le 10 décembre 1913 (chasse en l'honneur du roi Alphonse XIII).

Chaque invité venait avec une paire de fusils et un homme, le « chargeur », qui rechargeait une arme pendant qu'il tirait avec l'autre. Le film décrit ici, long de 15 minutes environ, fait partie de la collection conservée aux Archives françaises du film (voir ch. 2.). Quatre films de chasse, dont celui-ci, ont été numérisés et sont consultables à la BnF.

5. La « sauce Bois-Boudran » est une sauce froide à base de vinaigre de vin, ketchup, Worcestershire sauce, Tabasco, échalotes et herbes.

6. Charles Greffulhe, le père d'Henry, avait acquis en 1867 une propriété qui appartenait à Antoine de Noailles, duc de Mouchy, s'étendant du n° 4

au n° 10 rue d'Astorg. Les n° 4 et n° 6 étaient ce que l'on nommait des « immeubles de rapport » loués par appartements, dont certains servaient à loger, en l'occurrence, les hommes d'affaires du comte. Un peu plus tard, il acquit d'autres immeubles de rapport aux n° 7 et 7 bis, puis l'hôtel du n° 12, et la maison Félix Potin au bout de la rue. L'îlot familial fut ensuite agrandi par les d'Arenberg, qui firent construire, sur un terrain de 1 500 m², un hôtel dont le jardin était commun avec le 10 rue d'Astorg. Mais les possessions foncières des Greffulhe à Paris ne se limitaient pas à la rue d'Astorg. Ils possédaient bien d'autres immeubles, dont le 10 rue Volney. À l'exception de ce dernier immeuble et de ceux de la rue d'Astorg, il semble que la plupart des immeubles parisiens aient été vendus avant la mort du comte Greffulhe (voir Éric Legay, *op. cit.*).

7. Le tableau de Monet est conservé au Kunshaus Zürich.

PARTIE IV

CHAPITRE 1
Henry, ou le « trou noir »

SOURCES POUR CE CHAPITRE
LE « FIANCÉ IDÉAL ». AP/101(II)/39 (lettre d'Henry Greffulhe au prince de Chimay, lettre de Marie de Montesquiou à sa mère) ; AP/101(II)/41 (lettres de Marie à Élisabeth) ; AP/101(II)/38 (lettre d'Élisabeth à son père) ; AP/101(II)/149 (souvenirs d'enfance et de jeunesse) : Anne de Cossé-Brissac, *op. cit.*, p. 20-21 et 24-25 ; AP/101(II)/1 (texte écrit par Élisabeth quelques semaines avant son mariage : voir Partie I, ch. 1) ; AP/101(II)/26 (lettre d'Élisabeth à Henry) ; AP/101(II)/27 et 40 (lettres d'Élisabeth à sa mère) ; AP/101(II)/150, *Mon Journal.*

DE L'ENFANT GÂTÉ AU PERVERS NARCISSIQUE. AP/101(II)/40 (lettres d'Élisabeth à sa mère) ; AP/101(II)/10 (souvenirs d'enfance d'Henry Greffulhe) ; AP/101(II)/54 (lettre de Louise de L'Aigle à Élisabeth) ; AP/101(II)/150 (*Mon Journal*) ; AP/101(II)/78 (lettre anonyme) ; Élisabeth de Gramont, *op. cit.*, t. 2, p 26-27 (sur le comte Greffulhe et son « harem ») ; AP/101(II)/7 (lettres de Félicité Greffulhe à Élisabeth) ; AP/101(II)/45 (lettres de Ghislaine à Geneviève) ; AP/101(II)/149 (Note de la comtesse Greffulhe, 26 juillet 1892).

LETTRES D'HENRY À ÉLISABETH. AP/101(II)/31 et 32 ; AP/101(II)/10 à 13 (pièces du procès La Béraudière).

LE MANIPULATEUR MANIPULÉ. Sur Mme de La Béraudière : Élisabeth de Gramont, *op. cit.*, t.2, p. 187-188 ; André de Fouquières, *Mon Paris et mes Parisiens*, t. 2, *Le quartier Monceau*, Pierre Horay, 1954, p. 187-188 ;

Le cri du jour du 11 mars 1933 (article sur Mme de La Béraudière née Bro-cheton) ; catalogue de la vente aux enchères du 11 au 13 décembre 1930 : *Collection of Countess de La Béraudière.Important Oil Paintings [...] Fine French Furniture Eighteenth Century, Carvings, Sculptures, Other Objects Art,* New York, American Art Association, Anderson Galleries, 1930. Sur le comte Greffulhe et Mme de La Béraudière : AP/101(II)/10 (lettres de Mme de La Béraudière à Henry Greffulhe - pièces du procès) ; AP/101(I)/19 (Lettres d'Henry Greffulhe à Mme de La Faulotte) ; AP/101(II)/92 (corres-pondance de Mme de La Faulotte avec la comtesse Greffulhe, de 1915 à 1927) ; AP/101(II)/54 (lettres de Louise de L'Aigle) ; AP/101(I)/22 (lettres d'Élisabeth à Henry) ; AP/101(II)/69 (lettre au Dr. Bucher) ; AP/101(II)/32 (lettre anonyme, annotée par Élisabeth) ; Paul Morand, *Journal d'un attaché d'ambassade, op. cit.*, p. 300 ; Jean Cocteau, *Le Passé défini*, t. 1, Gallimard, 1983, p. 301 ; Marcel Proust, *Le Temps retrouvé*.

UN HOMME DE LETTRES... AP/101(II)/31 et 32 (lettres d'Henry à Élisabeth) ; AP/101(II)/10 à 13 (procès La Béraudière).

UN « VAMPIRE ÉNERGÉTIQUE ». AP/101(II)/11 (note d'Élisabeth) ; AP/101(II)/100 (lettre de la comtesse Jean de Montebello) ; AP/101(II)/11 (consultation d'un avocat) ; *L'Intransigeant*, 21 novembre 1922, article de Léon Daudet, « Sur la mort de Marcel Proust » (citation sur Proust) ; AP/101(II)/150 (*Essai d'Esquisse sur vingt motifs, op. cit., Volatilisation*) ; AP/101(II)/8 (note d'Élisabeth, « *Le naufrage s'accomplit...* »).

1. Peut-être pour cette raison, rares sont les photographies où le comte et la comtesse Greffulhe posent côte à côte. Sur la photo des fiançailles (publiée dans l'ouvrage d'Anne de Cossé-Brissac, *op. cit.*), Élisabeth (qui mesurait 1,68 m, selon sa carte d'identité de 1916), pose à demi assise sur une balustrade, tandis qu'Henry est debout à ses côtés, ce qui lui permet de la dominer d'une demi-tête. Sur une autre photographie, de Paul Nadar, il pose debout contre une chaise dont le haut du dossier lui arrive à la taille.

2. La comtesse Greffulhe a conservé dans ses archives (AP/101(II)/16) un long article du *Figaro*, consacré à la pathologie au mensonge, « maladie ou perversion ». Ce texte – qui attribue essentiellement cette pathologie aux femmes et aux enfants – s'applique parfaitement à Henry : « *Le mensonge chez la femme constitue un cas pathologique. Le plus souvent, quand elle ment, c'est sans nécessité, sans le vouloir, sans le savoir. Tantôt volontairement, tantôt contre son gré, elle raconte comme vues par elle des choses inventées de toutes pièces dans son cerveau malade. Elle sait y donner toutes les apparences de la réalité [...].Son mensonge est alors la conséquence maladive de son état mental. Il peut être aussi la résultante d'une perversité caractérisée. Du reste, maladie ou perversion, c'est un besoin qui s'impose à elle, qu'elle subit et qu'elle exprime.* » (Article signé Jacques Rigaud in *Le Figaro* 38ᵉ année, 3ᵉ série n° 6).

Sur le « cas » d'Henry Greffulhe, voir aussi Annexe 4.

CHAPITRE 2
Elaine, ou la vie effacée

SOURCES POUR CE CHAPITRE
AP/101(II)/39, 40 et 41 (correspondance d'Élisabeth avec sa mère) ;
AP/101(II)/39 et 40 ; Anne de Cossé-Brissac, *op. cit.*, p. 55 à 58 et p. 65 ;
AP/101(II)/7 (lettres de Félicité Greffulhe) ; AP/101(II)/69 (lettres de
Constance de Breteuil) ; AP/101(II)/33 à 36 (poèmes et correspondance
d'Élaine) ; *Le Livre d'Ambre* : le cahier original de maroquin bleu est
conservé sous la cote AP/101(II)/33. L'ouvrage imprimé et relié est détenu
par les descendants d'Elaine.

AP/101(II)/70 (lettre du duc de Sermoneta sur Elaine) ; AP/101(I)/22
(lettres d'Élisabeth à Henry) ; AP/101(II)/158 (lettre d'Élisabeth à Robert de
Montesquiou) ; AP/101(I)/23 et 24 (lettres d'Elaine à son père) ;
AP/101(II)/101 (correspondance de l'abbé Mugnier) ; AP/101(II)/73 (lettre
de Pedro de Carvalho : « *jeune fille énigmatique et étrange* ») ; AP/101(II)/78
(lettre du comte Costa de Beauregard) ; AP/101(II)/36 (lettres du duc de
Guiche à sa femme) ; AP/101(II)/31 (lettres d'Henry à Élisabeth) ;
AP/101(I)/19 (lettre d'Henry à Mme de La Faulotte). Sur Armand de Gra-
mont, voir aussi Partie V, ch. 7.

1. Dans la légende arthurienne, Elaine apparaît sous cinq versions différentes, tantôt mère, tantôt amoureuse de Lancelot du Lac, mais toujours victime d'enchantements maléfiques et d'amours impossibles qui lui valent un
destin tragique.

2. Le cahier original de maroquin bleu est conservé sous la cote
AP/101(II)/33. Les quelques exemplaires de l'ouvrage imprimé et relié sont
détenus par les descendants d'Elaine.

3. Cette photo est reproduite dans l'ouvrage d'Anne de Cossé-Brissac, *op. cit.*

CHAPITRE 3
La quête du Graal

SOURCES POUR CE CHAPITRE
AP/101(II)/26 (lettre à Roffredo Caetani) ; princesse Bibesco, *Le confes-
seur et les poètes*, Grasset, 1970, p. 153-154 (anecdote de la vigne de
l'Esprit).
SUR LES EXPÉRIENCES SPIRITES ET LES MÉDECINES PARAL-
LÈLES. AP/101(II)/44 et 45 (plusieurs lettres de Ghislaine sur ce sujet) ;
AP/101(II)/7 (lettre de Félicie Greffulhe) ; AP/101(II)/89 (lettre de François
Hottinguer) ; AP/101(II)/78 (lettre de Marie Curie) ; AP/101(II)/94 (lettres
de Gustave Le Bon) ; AP/101(II)/78 (Alfred Lambert et Dr Pierre Creuzé,

La phytothérapie familiale – Thérapeutique par les plantes, Éditions Maison de la radiesthésie, 1947 – ouvrage dédicacé par Alfred Lambert à la comtesse Greffulhe) ; AP/101(II)/76 (lettres d'Élisabeth au baron Chassériau) ; AP/101(II)/23 (lettre d'Élisabeth à Henry Durville) ; AP/101(II)/82 (lettre de Durville annotée de sa main) ; AP/101(II)/199 (carton contenant notamment les dossier Institut Metapsychique, Institut Nyssens, Communications médiumniques) ; AP/101(II)/8 (lettre d'Anna de Noailles).

SUR LA COMTESSE GREFFULHE ET LA PEINTURE. AP/101(II)/40 (lettres d'Élisabeth à sa mère, notamment sur les conseils donnés par Jacquet) ; AP/101(II)/44 et 45 (lettres de Ghislaine) ; AP/101(II)/38 (lettre du prince de Chimay) ; AP/101(II)/67 (lettre de J.-E. Blanche à détaillant les divers fixatifs pour pastel) ; AP/101(II)/26 (lettre d'Élisabeth à J.-E. Blanche, sur le même sujet) ; AP/101(II)/32 (note de la main d'Élisabeth, au crayon rouge : « *Henry me force à retirer mes miniatures de l'exposition des amateurs 1921 sous l'influence diabolique que l'on connaît. Tous mes amis sont indignés.* ») ; AP/101(II)/144 (document présentant l'exposition *Art & Caritas*, du 18 au 31 mars 1939, recensant 4 pastels et esquisses de la comtesse Greffulhe (dont une pour un projet de vitrail) et 19 miniatures).

SUR LA COMTESSE GREFFULHE ET LA LITTÉRATURE. AP/101(II)/94 (lettre à Gustave Le Bon sur Anatole France) ; AP/101(II)/ 95 (lettre de Pierre Loti) ; AP/101(II) (jugement sur Maeterlinck, copie dactylographiée d'une lettre d'Élisabeth à un correspondant inconnu). La plupart des essais littéraires de la comtesse Greffulhe sont archivés sous les cotes AP/101(II)/149 à 153. Le carton AP/101(II)/1 contient également des souvenirs personnels et journaux intimes, et notamment des textes commentés par Montesquiou. AP/101(II)/151 (correspondance avec Robert de Montesquiou à ce sujet) ; AP/101(II)/44 (lettres de Ghislaine) ; AP/101(II)/69 (lettre de Constance de Breteuil) ; AP/101(II)/87 (lettre d'Edmond de Goncourt à la comtesse Greffulhe, août 1894) ; Bibliothèque nationale (BN 22 464 NAF 285, lettre de la comtesse Greffulhe à Edmond de Goncourt, 19 décembre 1895) ; Anne de Cossé-Brissac, *op. cit.*, p. 99 à 102.

1. Lettre de Robert de Montesquiou à Geneviève : « *Quand je vous reverrai, je vous rappellerai ou vous révélerai, de votre mère, un mot divinatoire, ou surnaturel, qui m'avait frappé, et que depuis, j'ai regardé s'inscrire sur ma vie. Je me suis toujours demandé si, par obéissance aux prescriptions de l'église, elle s'était détachée des communications mystérieuses qu'elle avait eues à l'origine, ou si elle n'avait fait que donner satisfaction aux scrupules de son entourage, sans cesser de s'abandonner au suprasensible.* »

2. Article de *Ruy Blas*, 17 juin 1904, « Les étranges phénomènes d'Eusapia Palladino » : « *Compte-rendu par la comtesse Greffulhe d'une séance en pré-*

sence de la marquise de Ganay et de Sir William Crookes : "Cette production de mains humaines apparaissant et disparaissant est un des phénomènes qui m'ont le plus vivement frappée. Tantôt elles sont fluidiques, comme neigeuses et phosphorescentes, tantôt elles sont maternelles. Elles sont chaudes, armées d'une force propre. On sent les doigts, les phalanges. Quand on veut les saisir, elles s'arrachent avec brutalité où s'évanouissent comme un fluide... Armand de Gramont, physicien à l'abri de toute suggestion a rédigé un mémoire sur ces phénomènes." »

L'intérêt apporté par les Curie à ces expériences est attesté par plusieurs lettres conservées dans les archives. Lettre de François Hottinguer à la comtesse Greffulhe, avril 1906 (AP/101(II)/89) : « *Quelle épouvantable et irréparable perte notre institut vient de subir avec la mort de Curie. Avec quelle attention et quelle passion il suivait avec sa femme les dernières expériences avec Eusapia il m'avait dit la dernière fois que je l'avais vu que les phénomènes psychiques qu'il étudiait chez nous étaient les plus importants problèmes de la science actuelle.* » Lettre de Marie Curie à la comtesse Greffulhe, 16 avril 1906 (AP/101(II)/78) : « *Nous avons assisté récemment à quelques séances avec Eusapia, dont quelques-unes nous ont semblé très convaincantes, c'est une question du plus haut intérêt.* »

3. *La Renaissance de la magie* parut dans la *Revue scientifique*, 26 mars et 2 avril 1910.

4. AP/101(II)/199. Ce carton comporte notamment une copie des Statuts de l'Institut Métapsychique International (89, av. Niel, Paris 17ᵉ, fondé à l'initiative de la comtesse Greffulhe, reconnu d'utilité publique par décret en date du 23 avril 1919, statuts approuvés par décret ministériel du 10 décembre 1931), ainsi que la correspondance de la comtesse Greffulhe à ce sujet, dont une lettre qui retrace l'historique de cet organisme. Toujours en activité, l'Institut Métapsychique International se présente sur son site Internet comme « une fondation reconnue d'utilité publique, consacrée à l'étude scientifique des potentialités encore peu explorées de l'être humain : télépathie, clairvoyance, précognition, psychokinèse. » Ce site (http://www.metapsychique.org) ne fait aucune référence au nom de la comtesse Greffulhe.

5. Issu d'une famille de magnétiseurs et d'occultistes, Henri Durville (1887-1963) publia son *Cours de magnétisme personnel* en 1920, puis *La Suggestion thérapeutique* en 1922. Il démontra de façon spectaculaire le pouvoir du magnétisme lors d'un spectacle de cirque, en hypnotisant des fauves qui s'étaient jetés sur leur dompteur (*La Scène illustrée*, juillet 1913).

6. Ce portrait de l'abbé Mugnier figure en couverture de l'ouvrage de Ghislain de Diesbach, *L'abbé Mugnier...*, *op. cit.* Cela n'empêche pas l'auteur de le qualifier de « mauvais portrait » (p. 30). Pour conserver l'anonymat, la comtesse Greffulhe signait souvent ses œuvres de noms fantaisistes, ou d'un logo formé de deux C accolés figurant les initiales de Caraman-Chimay. Le musée Carnavalet expose également un « autoportrait » réalisé en 1899. Mais on a du mal à la reconnaître dans cette jeune

femme brune et souriante, émergeant d'une plumeuse étole blanche, exposée au premier étage du musée.

7. La longue liste de ces écrivains, dont certains – au premier rang desquels Marcel Proust – ont conquis l'immortalité, tandis que d'autres sont totalement oubliés, est consultable en annexe.

8. La pièce *Pelléas et Mélisande* fut créée le 17 mai 1893 au théâtre des Bouffes-Parisiens. Cette représentation unique en matinée, à l'initiative de Lugné-Poe, fut donnée grâce à la contribution d'une vingtaine de souscripteurs, parmi lesquels la comtesse Greffulhe, Tristan Bernard, Léon Blum, Georges Clemenceau, Henri de Régnier, Robert de Montesquiou, Jacques-Émile Blanche, le peintre américain Whistler et Claude Debussy, qui ne connaissait ni l'auteur ni l'œuvre mais à qui on avait suggéré la possibilité d'une composition musicale.

En août 1894, Maurice Barrès lança une souscription pour assurer à Verlaine une rente de 150 francs, qui lui permettait de prendre pension à l'Hôtel de Lisbonne, 4 rue de Vaugirard. La comtesse Greffulhe faisait partie des quinze souscripteurs, en compagnie de la duchesse de Rohan, la comtesse René de Béarn, Henry Bauër, Paul Brulat, François Coppée, Léon Daudet, le docteur Jullian, Jules Lemaître, Magnard, Octave Mirbeau, Robert de Montesquiou, Jean Richepin, Sully Prudhomme et Maurice Barrès. Verlaine mourut le 8 janvier 1896.

CHAPITRE 4
Deo Ignoto, ou l'amour impossible

SOURCES POUR CE CHAPITRE
DOCUMENTS D'ARCHIVE CONCERNANT ROFFREDO CAETANI. Ces documents, dont sont extraites toutes les citations et précisions figurant dans ce chapitre, sont disséminés dans plusieurs cartons. La plupart des lettres de Roffredo sont archivées sous la cote AP/101(II)/70, de même que la correspondance avec le duc de Sermoneta. D'autres figurent dans le carton AP/101(II)/26, qui contient également la plupart des brouillons de lettre d'Élisabeth à Roffredo. Le carton AP/101(II)/150 recèle également quelques-unes de ces lettres. Les cartons AP/101(II)/131 à 138, dédiés à la musique et à la Société des grandes auditions, renferment également des lettres de Roffredo et d'Onorato, ainsi que quelques lettres d'Élisabeth et divers articles de journaux, commentaires et documents concernant les concerts de Roffredo à Paris, les relations avec la presse, etc.
LETTRES D'AUTRES CORRESPONDANTS. AP/101(II)/53 (lettres d'Alice, princesse Borghèse) ; AP/101(II)/47 (lettres de Ghislaine et Geneviève à Élisabeth) ; AP/101(II)/71 (lettre de Lucien Capet) ; AP/101(II)/117 (lettre de Giovanella Caetani) ; AP/101(II)/69 (correspondance avec le

docteur Bucher) ; AP/101(II)/73 (lettres de Pedro de Carvalho) ; AP/101(II)/111 (lettre de M. Braun, de l'ambassade d'Allemagne à Paris).

ARTICLES DE PRESSE, CRITIQUES MUSICALES. *Le Petit Bleu de Paris*, 21 octobre 1902 ; *Les Concerts*, 26 mai 1903 ; *Le Guide musical, Revue internationale de la musique et des théâtres*, 1905 (vol. 51) ; *Le Journal*, 15 mars 1906 (article d'André Gresse) ; *Le Monde musical*, 30 mars 1904 (article de Luc Marvy) ; *Le Figaro*, 15 novembre 1904 (mariage d'Élaine, liste des cadeaux pour la corbeille de la mariée).

SUR MARGUERITE CHAPIN-CAETANI. Helen Barolini, *Yankee Principessa : Marguerite Caetani, 1880-1963*, in *Their other side : six American women and lure of Italy*, Bronx, New York, Fordham University Press, 2006, et « The Shadowy Lady of the Street of Dark Shops », article en ligne sur le site Web *Virginia Quarterly Review* (University of Virginia), 2013 (http://www.vqronline.org/articles/1998/spring/barolini-shadowy-lady/) ; John L. Brown, « Guiding the Commerce of Ideas: Marguerite Caetani », article dans la revue *Books Abroad*, vol. 47, n° 2 (printemps 1973), p. 307-311, éd. Board of Regents of the University of Oklahoma ; *La Tribuna*, le 7 décembre 1958.

1. La ressemblance de Caetani avec Lamartine, attestée par ses photographie et les portraits du poète, a été relevée par Pringué (*op. cit.*, p. 132), qui l'a fréquenté à Paris dans les années 1920.

2. Ces brouillons ne mentionnent jamais le nom de leur destinataire. Mais leur contenu – notamment la mention de leurs noms de code Sx (le Sphinx) et Z (Zeus) – ainsi que la présence, sur l'enveloppe ou la lettre, d'un signe sténographique caractéristique permettent d'identifier avec certitude Roffredo Caetani.

3. – 1902 : *Prélude symphonique* donné par les Concerts Lamoureux à Paris sous la direction de Chevillard.

– décembre 1903 : *Thèmes et variations* donné par les Concerts Colonne à Paris.

– 1904 : *Prélude numéro cinq*, joué sous la direction de Mascagni à Rome, puis à Turin ; *Sonate pour violon et piano*, joué à Monte-Carlo.

– 29 janvier 1905 : Adagio et scherzo de la *Suite en si mineur*, par les Concerts Lamoureux, sous la direction de Mascagni.

– 12 février 1905 : *Prélude symphonique op.* 8, n° 2, au Théâtre royal de la Monnaie (Bruxelles)

– 14 Mars 1909 : *Suite en Si mineur* donnée par les concerts Colonne à Paris (théâtre du Châtelet) sous la direction de Pierné.

4. Camille Chevillard, compositeur et chef d'orchestre, était le gendre de Charles Lamoureux, à qui il avait succédé en 1897 à la tête des célèbres Concerts Lamoureux. Gabriel Astruc produisait entre autres les représentations des Concerts Lamoureux.

5. Hypatie d'Alexandrie, mathématicienne et philosophe grecque (v. 370 – 415), qui dirigea la prestigieuse école néoplatonicienne d'Alexandrie et mourut à 45 ans, lapidée par les chrétiens. Elle aurait, la première, découvert que la terre tournait en ellipse autour du soleil. Admirée par Marcel Proust qui la cite dans la *Recherche*, elle fut chantée par Leconte de Lisle, Nerval et Barrès, qui en fit l'héroïne d'une nouvelle, *La Vierge assassinée*, publiée en 1904. C'est peut-être ce texte qui inspira à la comtesse Greffulhe l'idée de ce thème. Ce thème était bien choisi, si l'on se réfère au philosophe américain John Thorp : « Vous avez donc, chez Hypatie, tous les éléments idéaux pour une histoire captivante : il y a le fait exotique, dans l'Antiquité, d'une femme mathématicienne et philosophe ; il y a son charisme indéniable ; il y a l'élément érotique fourni par sa beauté et par sa virginité ; il y a le jeu imprévisible des forces politiques et religieuses dans une ville qui a toujours connu la violence ; il y a la cruauté extraordinaire de son assassinat ; et, en arrière-plan, le sentiment profond d'un changement inexorable d'ère historique. De plus il y a notre manque d'informations claires et précises sur elle, ce qui permet aux fabricants de légendes de remplir les lacunes comme ils veulent ». (*À la recherche d'Hypatie*, allocution devant l'Association canadienne de philosophie, 2004). Élisabeth ne pouvait manquer de s'identifier, plus ou moins consciemment, à cette figure mythique et quasi mystique.

Composé par Caetani entre 1908 et 1918, cet opéra en trois actes sera revu en 1926/1927 et joué en 1926, 1927, 1937 et 1958.

6. AP/101(II)/66. Le Dr Henri Favre – à ne pas confondre avec son presque homonyme plus célèbre, l'entomologiste Jean-Henri Fabre –, était alors âgé de 86 ans. Très en vogue dans les années 1870, ami intime de George Sand, dont il fut le dernier médecin – elle l'appelait « notre sauveur ordinaire » – et d'Alexandre Dumas fils, dont il influença fortement l'œuvre, ce médecin atypique ne soignait que les patients qui lui paraissaient dignes d'intérêt. Esprit encyclopédique, pratiquant l'alchimie et l'astrologie, s'exprimant en termes obscurs, il donnait l'impression d'être « quelque détenteur des secrets antiques, d'un archidruide, d'un Merlin qui avait pris ses grades à la Faculté ». Flaubert disait de lui : « Il y a de grands éclairs dans ses conversations, des choses qui éblouissent un moment, puis on n'y voit goutte… Estrange bonhomme. J'aurais besoin d'un dictionnaire pour le comprendre. »

7. Le Dr Pierre Bucher, surnommé « l'âme de l'Alsace », fondateur notamment du Musée alsacien de Strasbourg, est moins connu comme médecin que pour avoir été un ardent défenseur de l'Alsace à la française pendant la période allemande. À la déclaration de guerre, il échappa de justesse à l'arrestation par la police allemande. Tous ses biens furent saisis par les Allemands, qui le condamnèrent à mort pour haute trahison et désertion. La comtesse Greffulhe intervint pour qu'il soit engagé dans les services de renseignements de l'armée française. Le vitrail qui le représente est conservé

par les descendants de la famille, dans une pièce où il fait face à celui d'Henry Greffulhe.

8. Parmi les artistes habitués de la Villa Romaine, on peut citer, par exemple : Francis Poulenc, Erik Satie, Stravinsky, Braque, Picasso, Paul Valéry, Léon-Paul Fargue, Valery Larbaud, Saint-John Perse, Colette, René Char... Le titre *Commerce* doit être pris au sens de commerce des idées. Le titre *Botteghe Oscure* est emprunté à la rue de Rome où se trouvait l'hôtel Caetani, qui abrite aujourd'hui la fondation de même nom. L'index de cette revue aligne le chiffre impressionnant de six cent cinquante auteurs de trente nationalités différentes, publiés en cinq langues, parmi lesquels James Joyce, William Faulkner, Virginia Woolf, Federico García Lorca, Boris Pasternak, T.-S. Eliot...

9. Le catalogue de ses œuvres répertorie douze opus numérotés, tous écrits avant 1900, à l'exception du douzième, le *Quatuor pour deux violons, alto et violoncelle,* dédicacé à la comtesse Greffulhe en 1905. Au tournant du siècle, son inspiration s'est tarie. Avant la guerre de 14, on ne compte que quelques rares et courtes compositions – des *Variations fuguées pour orchestre* (1903), une *Balade pour orchestre* (1904), et l'opéra *Hypatie*, commencé en 1908 et qu'il reprendra après-guerre. Huit œuvres – dont un opéra en deux actes, *L'Isola del Sole* – composées dans les années 1930, puis dans les années 1950 viennent compléter cette production, qui ne compte au total que 23 œuvres, dont certaines inachevées ou très courtes. Voir le site Internet de la Fondation Roffredo Caetani : http://www.fondazionecaetani.org/roffredo.php

10. À une cinquantaine de kilomètres au sud de Rome, Ninfa était une ville médiévale détruite en 1382 et tombée à l'abandon depuis des siècles. Restauré dans les années 1920 par Gelasio Caetani, le frère de Roffredo, qui en avait hérité, le domaine fut légué par celui-ci à Camillo, son neveu, fils de Roffredo, qui en hérita à son tour à la mort de son fils. Avec Marguerite, sa fille Lélia et son gendre Hubert Howard se consacrèrent avec passion à l'entretien des jardins, puis l'ouvrirent au public et établirent la Fondation Roffredo Caetani, qui gère aujourd'hui le domaine. Véritable réserve naturelle, les jardins et les ruines de Ninfa ont été déclarés Monument naturel en 2000.

Camillo Caetani, né à Paris en 1916, trois ans après sa sœur Lelia (1913), s'était porté volontaire lors de l'entrée en guerre de l'Italie. Peu de temps après, sa mère fut appelée au téléphone par un collaborateur de Mussolini, qui proposait de l'affecter, en tant qu'héritier d'une grande famille, à un poste administratif à Rome. Marguerite répondit que jamais son fils n'accepterait les faveurs d'un gouvernement fasciste. Camillo fut envoyé sur le front d'Albanie, où il fut officiellement victime d'un « accident », causé par ses propres soldats, le 15 décembre 1940. Il aurait été tué sur l'ordre personnel de Mussolini.

11. La Première d'*Hypatie* eut lieu le 23 mai 1926 au Deutsches Nationalthater de Weimar. L'opéra fut joué notamment le 10 juin 1927 et le 1ᵉʳ décembre 1937 à Bâle. La comtesse Greffulhe assista, en compagnie de Charley, à cette représentation, dont elle conserva les critiques dans ses archives. *Hypatie* fit l'objet de deux éditions, en 1924 et 1953.

PARTIE V

1. AP/101(II)150 (note de la comtesse Greffulhe) ; Céleste Albaret, *Monsieur Proust, Souvenirs recueillis par Georges Belmont*, Robert Laffont, p. 22 et 373 ; Jean-Louis de Faucigny-Lucinge, *Un gentilhomme cosmopolite*, Perrin, 1990, p. 50-51 ; AP/101(II)/Supplément non coté (document manuscrit d'André Maurois, daté de 1952 (projet d'article après la mort de la comtesse Greffulhe ?) adressé à sa fille Élaine).

Céleste Albaret, entrée toute jeune au service de Proust en 1914, était pour lui beaucoup plus qu'une dévouée servante : une confidente, une amie. Ses *Souvenirs* sont un document capital sur les dernières années de Marcel Proust. L'anecdote sur l'exemplaire dédicacé à la comtesse Greffulhe dont les pages n'ont pas été coupées est rapportée dans l'ouvrage de Ghislain de Diesbach, *Proust*, Perrin, 1991, p. 526. Selon le récit fait par le marquis de Lasteyrie à Philippe Jullian, la comtesse Greffulhe aurait oublié le volume chez lui, au château de La Grange.

CHAPITRE 1
Aux sources de la *Recherche*

SOURCES POUR CE CHAPITRE
Céleste Albaret, *op. cit.*, p. 193 ; *Le Banquet, Cydalise, op. cit.* et *Études*, dans le n° 4, juillet 1892 (citations sur les yeux) ; *Jean Santeuil*, Quarto Gallimard, 2001, p. 578 à 586 (sur la duchesse de Réveillon) ; Corr., XIX, pp. 660-661 (lettre à Henry Swann) ; Roland Barthes, « Proust et les noms », *Nouveaux essais critiques*, Paris, Seuil, 1972.
CARNETS ET CAHIERS. Les carnets et cahiers manuscrits de Proust sont conservés au département des manuscrits de la BnF et consultables en ligne. Les 4 carnets ont été déchiffrés et publiés (Marcel Proust, *Carnets*, édition établie par Florence Callu et Antoine Compagnon, Gallimard, Collection Blanche, 2002). Une partie des cahiers a été transcrite et éditée dans l'appareil critique de l'édition de la Pléiade. Seuls 4 cahiers (n° 26, 54 et 71) ont été intégralement transcrits à ce jour, co-édités par Brépols et la BnF. Publié par l'Université d'Osaka, un index, accessible par Internet, permet de retrouver les noms

propres cités dans ces cahiers (*Index général des cahiers de brouillon de Marcel Proust*, Osaka, 2009). Ces cahiers ont également été étudiés par Anthony. R. Pugh (*The Growth of À la recherche du temps perdu, a chronological examination of Proust's manuscripts from 1909 to 1914*, Toronto, University of Toronto Press, 2004). Pour plus de précision, j'ai mentionné dans ce chapitre au fur et à mesure les références de mes citations extraites des cahiers et carnets.

1. *Cydalise,* paru dans le numéro 2 du *Banquet,* (IIe partie d'un article intitulé *Études*), sera repris dans *Les Plaisirs et les Jours,* paru en 1896 (dans *Fragments de comédie Italienne – IV Cires perdues*), mais en supprimant la fin du passage cité ici. Dans une lettre à Reynaldo Hahn, Proust admet que ce portrait représente « dans une certaine mesure Mme Greffulhe », tout en précisant qu'il a surtout pensé à Mme de Reszké : « Cydalise a été écrit en revenant de chez la princesse Mathilde où Mme de Reszké (alors de Mailly-Nesle) était ce soir-là en rouge et parlait à Porto-Riche. » Corr. VII, p. 239, n. 137, lettre à Reynaldo Hahn [1er août 1907].

Portrait de Madame... est paru dans le n° 6 en novembre 1892.

Violante ou la mondanité, paru dans le n° 7, sera repris dans *Les Plaisirs et les Jours.*

2. Texte publié dans le *Bulletin d'informations proustiennes* n° 11, 1961, p. 320 à 322. Le nom de Beauvais est peut-être dû à une réminiscence des tapisseries de Beauvais que l'on pouvait admirer rue d'Astorg chez la comtesse Greffulhe, et que Proust mentionne à plusieurs reprises dans la *Recherche* (voir ch. 5). Ce patronyme, qui figure à plusieurs reprises dans les *Cahiers*, n'apparaît plus dans la *Recherche.*

3. Carnet n° 1, fol. 11. L'hortensia était la fleur fétiche de Montesquiou, auteur des *Hortensias bleus*, recueil de poèmes paru en 1896 et réédité en 1906. Le château des Montesquiou est situé dans la Sarthe, plus exactement dans le Perche sarthois. Le comté du Perche, sous l'Ancien Régime, était limitrophe du duché de Normandie. Le mot « normand » pourrait également ment évoquer Dieppe, où Montesquiou faisait de fréquents séjours chez la comtesse Greffulhe.

4. Mélusine : Cahier 32, fol. 57r° (NAF 16672), cité par Philippe Sollers, *op. cit.,* p. 127. Lusignan : *Guermantes II*. La maison de La Rochefoucauld, l'une des plus anciennes de France, fut fondée par Foucauld Ier de Lusignan, qui, selon la légende, était le fils de la fée Mélusine, mère des Lusignan. D'où la Mélusine à deux queues qui figure sur ses armes « les mains levées, tenant de la dextre un peigne, de la senestre, un miroir ».

5. Véritable prélude à la *Recherche, Contre Sainte-Beuve*, écrit entre 1908 et 1910, ne fut publié, à titre posthume, qu'en 1954.

6. Cahier 13 (NAF 16653), fol. 14°r à 17r°. Le nom et l'histoire de Chimay figurent aussi dans le Cahier 42 (NAF 16682), fol. 17r°. À noter qu'il existe un lien historique entre Chimay et Brabant : au XIVe siècle, la sei-

gneurie de Chimay appartenait à la famille de Blois. Après la mort de son mari, la comtesse de Blois, Marie de Namur, se remaria en 1405 à Pierre de Brabant. Le château de Chimay est situé sur un éperon rocheux dominant la forêt, dans la province du Hainaut, limitrophe du Brabant wallon.

7. Carnet 2 (NAF 16638), fol. 24. Selon *l'Index général des cahiers, op. cit.,* le nom de « Garmantes » figure à 22 reprises dans les cahiers 4, 7, 31 et 36. Dans le *Carnet* n° 1, fol. 49, on trouve également la « Dchesse d'Ermantes. »

8. Marcel Proust, *Le Balzac de Monsieur de Guermantes.* Essai critique sur Balzac écrit en 1909, édition posthume Neuchâtel et Paris, Ides et Calendes, 1950, avec des dessins de l'auteur. Ce texte a été intégré dans l'édition posthume du *Contre Sainte-Beuve,* dont il constitue le chapitre XII. Les séances de stéréoscope à Bois-Boudran sont évoquées dans *Le Monde de Proust vu par Paul Nadar,* Anne-Marie Bernard, Éditions du Patrimoine, 1999, p. 10.

9. Élisabeth de Gramont, duchesse de Clermont-Tonnerre, *Robert de Montesquiou et Marcel Proust, op. cit.,* p. 235 : « *Montesquiou fournit à Proust, le nom d'Oriane, inspiré par le gothique prénom d'Auriane, inscrit sur les murs du château d'Artagnan : "Lorsque je songe à mes grands-mères, Pictavine, Claude, Auriane." (Hortensias bleus).* » Ce prénom était porté par Orianne Henriette de Montesquiou Fézensac (1813-1887) et Auriane de Montesquiou-Fézensac (1857-1929).

On trouve le nom d'Aure dans le cahier 56, fol. 65r°, et celui d'Auriane dans le cahier 31, fol. 60r°.

Sur « la belle Corisande » et l'histoire de la maison de Gramont, voir ch. 7.

Sur la dédicace de Proust, voir ch. 9, note 11.

Chapitre 2
« Je n'ai jamais vu une femme aussi belle »

SOURCES POUR CE CHAPITRE

Corr. I, p. 217-218, n. 86 ; p. 222, n. 90 (7 juillet 1893) ; p 220, n. 87 (3 juillet 1893) et p. 216, n. 84 (28 juin 1893) ; p. 297-298 n. 160 (31 mai 1894) (lettres de Proust à Montesquiou) ; Albert Flament, *Le Bal du Pré-Catelan, op. cit.* p. 41-42, jeudi 12 décembre 1895 ; Corr. III, p. 199, n. 107, lettre de Proust à Antoine Bibesco (22, 23 ou 24 décembre 1902) (sur la rencontre de Proust avec Armand de Gramont, duc de Guiche) ; Corr. III, p. 253, n. 236, à Pierre Lavallée (vers le 17 février 1903 ?) (sur la maladie qui le cloue au lit) ; AP/101(II)150 (note de la comtesse Greffulhe : « *Marcel Proust m'a été présenté pour la première fois par le duc de Gramont rue de Chaillot* »).

1. Philip Kolb, *Correspondance de Marcel Proust,* Plon (21 volumes parus entre 1970 et 1993). Marcel Proust ne datait jamais ses lettres, tout au plus mentionnait-il parfois le jour de la semaine ou l'heure. Philippe Kolb a

reconstitué la datation, en se fondant sur le contexte et, parfois, sur le type de papier (deuil, demi-deuil, avec filigrane, etc.). Sur le manuscrit, la phrase « Je n'ai jamais vu une femme aussi belle » a été rajoutée en interligne. .

2. Parue dans *La Vie contemporaine* le 1er mars 1896, cette nouvelle fut écartée du recueil *Les Plaisirs et les Jours*.

3. Dans ses Mémoires inédits, Armand de Gramont situe sa première rencontre avec Proust chez les Noailles en 1901 : « *Je crois que c'est en 1901 que je rencontrai pour la première fois Marcel Proust chez Anna de Noailles. Je fis la connaissance, à cette même réunion, de Reynaldo Hahn.* »

4. Corr. III, p. 50, n. 15, à Antoine Bibesco (printemps 1902 ?) : « *Que signifie ce départ qui était presque une "sortie", geste inamical auquel vous ne m'avez pas habitué ? J'ai presque retrouvé le Bibesco de chez Mme Greffule (sic)* ».

5. Dominique était le pseudonyme le plus couramment utilisé par Henri Beyle, après celui de Stendhal. Proust l'a emprunté pour signer « Le salon de S.A.I. la princesse Mathilde », publié dans *Le Figaro* le 25 février 1903, et « Le salon de Mme Madeleine Lemaire » (*Le Figaro*, 11 mai 1903). « Le salon de la princesse Edmond de Polignac » (*Le Figaro*, 6 septembre 1903) est signé Horatio, tout comme « Le Salon de la comtesse Haussonville » (*Le Figaro*, 4 janvier 1904) et « Le salon de la comtesse Potocka » (*Le Figaro*, 13 mai 1904).

6. *Le Siècle*, lundi 11 mai 1902 : « *La comtesse Greffulhe donnera mercredi prochain dans l'après-midi une réception en l'honneur du roi Oscar II. Cette matinée sera, si le temps le permet, une garden-party.* » À cette occasion, la comtesse Greffulhe avait présenté au roi le chimiste Marcellin Berthelot, que Proust mentionne dans son article. Un autre détail confirme cette date : Proust fait allusion à la première œuvre en prose d'Anna de Noailles : « depuis un mois on peut aussi dire de Mme de Noailles "un si grand prosateur" ». Il s'agit du premier roman de la poétesse, *L'Ombre des jours*, paru au printemps 1902.

7. On sait, par sa correspondance, que tous les gens cités ci-dessus étaient réunis chez Proust à l'occasion d'un dîner donné le 19 juin 1901 en l'honneur de la poétesse Anna de Noailles.

C'est à tort que l'auteur mentionne ici le titre de prince de Chimay, réservé à l'aîné de la famille. Alexandre, le plus jeune frère d'Élisabeth Greffulhe, était prince de Caraman-Chimay.

Dédicace de la préface de *Sésame et les Lys* : « *À Madame la Princesse Alexandre de Caraman-Chimay, dont les Notes sur Florence auraient fait les délices de Ruskin, je dédie respectueusement, comme un hommage de ma profonde admiration pour elle, ces pages que j'ai recueillies parce qu'elles lui ont plu.* »

8. Jules Janssen (1824-1907) était un astronome français de réputation internationale. Membre de l'Académie des sciences, il participa à la création de l'Observatoire d'astronomie physique à Paris et réussit à établir un observatoire au sommet du mont Blanc.

9. Corr. III, p. 227, n. 120, mercredi (28 janvier 1903) : « *Tu as dû croire, quand je t'ai dit que les choses paraîtraient dans* Le Figaro *d'un jour à l'autre, que j'avais blagué, n'y voyant rien. C'est que les pêcheurs bretons prennent beaucoup de colonnes, et cet article aussi.* » À partir du 14 janvier 1903, *Le Figaro* consacra en effet plusieurs articles à la misère bretonne.

Et Corr. III, p. 300, n. 166 (jeudi 16 avril 1903) : « *J'ai causé avec Ettemlac [Calmette, par anagramme]. Il résulte de notre conversation et à mon grand regret que pour une raison que je ne peux pénétrer, il désire que je donne un article avant celui qui allait passer. De sorte que je donne immédiatement à composer celui qui était prêt pour Mme Eriamel [Lemaire, par anagramme] (d'ailleurs comme il désire que cela paraisse maintenant régulièrement tous les quinze jours, si vraiment l'article Ehlufferg [Greffulhe, par anagramme] doit passer après celui-ci, il sera dans quinze jours, mais est-ce sûr, voilà ce que je ne sais). [...]. J'ai à te parler de cette conversation avec Ettemlac qui me paraît si mystérieuse.* » Dans une note, Kolb précise : « *Mme Greffulhe a dû interdire la publication de l'article sur son salon pour des raisons que nous ignorons. L'article n'a jamais paru et semble avoir été perdu.* »

10. C'est d'ailleurs ce que confirme la lettre écrite par Proust à la comtesse Greffulhe pour refuser d'écrire un article sur la fête de Bagatelle, citée plus loin dans le ch. 4 : « *Il n'y a pas si longtemps, c'est moi qui vous suppliais de me laisser faire paraître sur vous un article très long, auquel vous avez fait subir un sort cruel.* » (Corr. IX, p. 140-141, n. 72).

Chapitre 3
La glace est rompue

SOURCES POUR CE CHAPITRE

Mémoires inédits du duc de Gramont, *op. cit.*, p. 197-198 ; AP/101(I)/19 (lettre du comte Greffulhe à Mme de La Faulotte sur le duc Agénor de Gramont) ; Corr. IV, p. 198-199, n. 107 à Bertrand de Fénelon (peu après le 17 juillet 1904) (sur les fiançailles et la réception à Vallière) ; Cahier 49, fol. 29r° (prénom d'Agénor attribué au prince de Guermantes) ; Lettre : Corr. IV, p 331, n. 175 à Lucien Daudet (9 novembre 1904) (sur l'écrin) ; Corr. IV, p. 350, n. 188 au duc de Guiche (23 novembre 1904) (sur le mariage) ; Paul Morand, *Lettres de Paris*, Arléa, 2008 ; Corr. V, p. 58, n. 24, et p. 59, n. 25 au duc de Guiche (2 et 3 mars 1905) (sur la matinée musicale). Les manuscrits originaux des lettres de Marcel Proust au duc et à la duchesse de Guiche, à la comtesse Greffulhe et au comte Greffulhe sont archivés dans le fonds Greffulhe AP/10(II), supplément non coté.

1. En septembre 1904, Proust écrit plusieurs lettres à sa mère, lui demandant de se renseigner sur la date du mariage de Guiche avant de fixer la date de leur départ à Dieppe ou Trouville (Corr. IV, p. 266, n. 142 et 269, n. 143).

2. Le décor de l'écrin était peint par Frédéric de Madrazo et non par Mme Lemaire, comme l'affirma le compte rendu du *Figaro* (duc de Gramont, *op. cit.*, p.198). Pour la description très précise de cet écrin, voir Princesse Bibesco, *Le Voyageur voilé*, Genève, La Palatine, 1947, p. 30 à 33. Les vers d'Elaine étaient extraits du *Livre d'Ambre*. On ne sait comment Proust s'était procuré cet ouvrage au tirage confidentiel.

3. Albert Flament, *Quelques apparitions de la comtesse Greffulhe*, op. cit., p. 76 à 86. « *Il n'était pas question alors de Mme de Guermantes et Proust n'avait encore écrit qu'un livre :* Les Plaisirs et les Jours *illustré par Mme Madeleine Lemaire. Mais j'ai gardé le souvenir de cette image de Mme Greffulhe dans cette chambre morose ouvrant sur la cour [...]* » Ce texte permet de dater la détention de cette photographie après 1896, date de parution des *Plaisirs et les Jours*, et avant 1900, année où la famille quitta le boulevard Malesherbes pour la rue de Courcelles.

La comtesse Greffulhe avait raison de lui refuser cette photographie, si l'anecdote de Maurice Sachs sur l'usage plutôt scabreux que Proust fera plus tard des clichés de ses amies dans « l'étrange établissement » d'Albert Le Cuziat est véridique : « *[Proust] faisait préparer un plein carton de photographies d'amies illustres ou chères qu'on présentait à un jeune garçon préalablement sermonné par Albert, garçon boucher ou de café, télégraphiste ou prostitué, qui s'écriait : « alors qu'est-ce que c'est que cette poule-là ? » en tirant le portrait de la princesse de C***.* » (Maurice Sachs, *Le Sabbat*, éditions Corrêa, 1946, p. 285.) Sachs affirme tenir « *ces révélations dont la véracité ne fait aucun doute* » de la bouche d'Albert Le Cuziat, tenancier d'un hôtel de passe pour hommes rue de l'Arcade, dont Proust s'inspira pour décrire la scène du baron de Charlus enchaîné dans *Le Temps retrouvé*.

4. L'article de Proust, « La Mort des cathédrales, une conséquence du projet Briand sur la séparation » parut dans *Le Figaro*, 16 août 1904.

5. L'*Index général des cahiers de brouillon* de Marcel Proust, publié à Osaka en 2009, relève 51 occurrences pour le mot Wagner.

6. « Questionnaire de Proust » : Il s'agissait d'un jeu intitulé « Confessions » qui figurait sur un album en anglais appartenant à son amie Antoinette Faure, *An Album to Record Thoughts, Feelings, etc.* Proust répondit aux questions après la fin de 1890. Le manuscrit original, retrouvé en 1924, a été vendu aux enchères le 27 mai 2003 pour 102 000 euros. Il est reproduit dans *L'Album Proust*, La Pléiade, 1965, p. 120 à 122, et sur le site Internet de Philip Kolb, http://www.library.illinois.edu/kolb/proust/qst.html

7. Deux lettres de Proust à Louis d'Albufera, sur papier grand deuil, vendredi 13 janvier et lundi 16 janvier 1905. La première est datée « vendredi soir ». Le cachet de réception du destinataire indique « Reçu le 13 JAN 1905 ». La seconde lettre peut être datée du lundi 16 janvier 1905 d'après son contenu. Dans une troisième lettre (19 janvier 1905), Proust précise « *depuis dimanche (ou plutôt samedi, car je suis allé à Bois-Boudran à jeun) je n'ai rien*

mangé et j'ai eu la fièvre tt le temps de sorte que je suis considérablement abruti ». Ces lettres ne figurent pas dans la correspondance éditée par Philip Kolb. Elles ont été publiées par Françoise Leriche dans le *Bulletin Marcel Proust*, n° 48, 1998, pp. 8-29 : « 14 lettres inédites de Proust à Louis d'Albufera (1ᵉʳ-18 janvier 1905). » Une fiche de Kolb, qui avait eu accès à ces lettres, est disponible sur le site internet http://www.library.illinois.edu/ kolbp/index.html.

À cette époque, le mot « auto », diminutif de « véhicule automobile », est couramment employé au masculin.

8. Corr. VII, p. 43, n. 16, lettre à Reynaldo Hahn, (janvier 1907). Il assure en préambule qu'on accorde « unanimement » à Geneviève de Tinan « une intelligence, un charme, une bonté et un esprit hors ligne », puis ajoute un récit coloré de leur rencontre à Bois-Boudran : « *À ce moment elle a conjugué assez habilement une sorte de rire fugué avec les trilles de sa sœur éployée et ça a été tout. Mais j'ai l'opinion des gens de goût contre moi et je n'ai d'ailleurs pas d'opinion [...].* »

CHAPITRE 4
Le tourbillon de la vie

SOURCES POUR CE CHAPITRE

LETTRES À LA COMTESSE GREFFULHE : Corr. VIII, p. 115, n. 55 (6 mai ? 1908) ; Corr. IX, p. 140-141, n. 72 (Peu avant le 15 juillet 1909) et p. 142-143, n. 73 (18 juillet 1909) (sur la fête à Bagatelle) ; Corr. XI, p 131, n. 72 (26 ou 27 mai 1912). Corr. X, p. 113, n. 51 (10 juin 1909) ; Corr. XI, p. 344, n. 171 (dimanche 12 juin 1909) ; Corr. XI, p. 126, n. 68 (24 mai 1912). Outre le supplément non coté du fonds Greffulhe, on trouve certaines de ces lettres, ainsi que les brouillons de réponse de la comtesse Greffulhe, dans le carton AP/101(II)/107.

LETTRES À REYNALDO HAHN. *Lettres à Reynaldo Hahn*, publiées par Philip Kolb, Gallimard, Paris, 1956, p. 88-92, lettres LII, LIII, LIV, LV, LVI (1906) (pastiches de la comtesse Greffulhe) ; Corr. VII, p. 43, n. 16 (janvier 1907) et p. 75-76, n. 35 (9 février 1907) ; Corr. IX, p. 145-146, n. 74 (sur la comtesse Greffulhe et sa fille).

SUR LES FÊTES À VERSAILLES ET À BAGATELLE. Corr. VIII, p. 178, n. 96 à Mme Catusse (13 juillet 1908) ; Corr. IX, p. 162, n. 81 à Mme Straus (Cabourg, vers le 16 août 1909).

PROUST IMITANT MONTESQUIOU. Corr. I, note p. 449 ; Albert Flament, *Le Bal du Pré-Catelan*, *op. cit.* ; Roger Duchêne, *L'Impossible Marcel Proust*, Robert Laffont, 1994, p 296-297.

RÉCITS À CÉLESTE ALBARET. Céleste Albaret, *op. cit.*, p. 193

1. Voir Bernard de Fallois, préface à *Contre Sainte-Beuve*, Gallimard, Folio-Essais, 2002. Proust a travaillé à *Jean Santeuil* entre 1895 et 1899. Il a

enchaîné sur la traduction et la préface de *La Bible d'Amiens* de Ruskin, parue en mars 1904, puis sur celles de *Sésame et les Lys*, du même auteur (1906). Après la mort de son père, le docteur Adrien Proust, le 26 novembre 1903, puis celle de sa mère, Jeanne Weill, le 26 septembre 1905, Proust s'est installé boulevard Haussmann le 27 décembre 1906. C'est entre 1908 et 1910 qu'il travaille à *Contre Sainte-Beuve*, qui ne sera publié qu'après sa mort.

2. Corr.VI, p. 341, n. 194 à Reynaldo Hahn (19 décembre 1906), à propos d'un dîner, « *très commenté dans la presse* », où la comtesse Greffulhe a reçu Briand, ministre des Cultes et de l'Instruction publique : « *Sachez qu'il serait très gentil que vous vous informiez [...] dans quel journal on a parlé de ce dîner, ce que c'était que ce dîner, quand il a eu lieu, qui étaient les convives, et de me l'escrire et au besoin de m'envoyer journaux.* »

3. Sur la « vigne de l'Esprit », voir Partie IV, ch. 3. Proust envoya à Marie Nordinger cet encombrant symbole qui n'aurait pas résisté aux fumigations de son antre.

4. *Le Gaulois, Bloc-Notes Parisien*, 18 juillet 1909. Dans cet article, l'auteur accorde une large place au programme musical : « *Vous connaissez l'idée merveilleuse qu'avait eue la comtesse Greffulhe et que ce magicien qu'est M. Raoul Gunsbourg s'était chargé de réaliser. L'idée, c'était d'offrir à ses invités, comme l'indiquait le ravissant programme gravé par Stern, une représentation en plein air d'*Anacréon *et du* Venusherg *du* Tannhaüser *de Wagner. Le choix était heureux entre tous car ces deux spectacles se prêtaient admirablement au décor de féerie qu'on leur voulait donner. *Anacréon*, c'était toute la grâce légère et spirituelle du dix-huitième siècle qui allait revivre sous nos yeux ; le *Venusherg*, c'était la splendeur héroïque de ce monde de dieux dont Wagner fut le chantre génial et le sublime poète. *Anacréon *était, de plus, presque de l'inédit, puisqu'il n'avait point été représenté depuis le succès qu'il avait obtenu à Fontainebleau devant la Cour en l'an 1754 [...].* » Prévue à l'origine le mardi 29 juin, la fête avait été ajournée à plusieurs reprises en raison de la pluie ; elle eut finalement lieu le samedi 17 juillet (*Le Gaulois*, 24 juin 1908, *L'Éclair*, 18 juillet 1909).

5. Articles de Proust publiés dans *Le Figaro* à cette époque : « Sentiments filiaux d'un parricide », 1er février 1907 ; « Journées de lecture », 20 mars 1907 ; « Une grand'mère », 23 juillet 1907 ; « Impressions de route en automobile », 19 novembre 1907 ; Pastiches : « L'Affaire Lemoine » par Gustave Flaubert, 14 mars 1908, puis par Ernest Renan, 21 mars 1908, et par Henri de Régnier, 6 mars 1909.

6. En 1905 et 1906, Reynaldo Hahn dirigea notamment plusieurs concerts au Nouveau Théâtre (*Don Juan* et *Les Noces* de Figaro de Mozart), sous le patronage de la Société des grandes auditions (*Le Temps* du dimanche 25 mars 1906, rubrique *Théâtre*).

7. *L'Île du Rêve*, œuvre de Reynaldo Hahn, était une « idylle polynésienne » en trois actes, d'après *Le Mariage de Loti*, de Pierre Loti, sur un

livret de George Hartmann et André Alexandre. La Première eut lieu à l'Opéra-Comique le 23 mars 1898.

8. « Roi ne puis, duc ne daigne, Rohan suis ! » La duchesse de Rohan, éprise de poésie et faiseuse de vers, était connue pour ouvrir très généreusement ses portes à tous les écrivains contemporains. « *Généreuse à l'excès, indifférente à sa personne elle laissa à sa mort cinq chemises et trois bas* », note Élisabeth de Gramont dans ses *Mémoires*, t. 2, *op. cit.*, p. 72-73.

9. *L'Évolution de la matière* était un livre de Gustave Le Bon, paru en 1905. « Costa » désigne le marquis Costa de Beauregard, historien, membre de l'Académie française et du Jockey Club, ami des Greffulhe. La visite du roi Edward VII est mentionné dans un article du *Figaro* du 9 février 1907 : « *Leurs Majestés sont allées prendre le thé, dans la plus stricte intimité, chez Mme la comtesse Greffulhe [...]. Puis, les souverains sont allés visiter le laboratoire de téléphotographie de M. Korn qui les a vivement intéressés.* » Cette visite avait été organisée à l'initiative de la comtesse Greffulhe.

10. Le terme de « formidable convulsion géologique » est extrait d'une lettre de Proust – Corr. XV, p. 54, n. 18 à Charles d'Alton (après le 14 février 1916) : « *Mme de Chevigné et M. Greffulhe m'ont raconté des histoires d'autrefois qui vous eussent intéressé comme des potins de l'Ancien Régime tant est profond le fossé qui sépare les années d'avant la guerre de cette formidable convulsion géologique.* »

CHAPITRE 5
À la poursuite du duc de Guermantes

SOURCES POUR CE CHAPITRE
Corr. XV, p. 260-275 à Bernard Grasset (14 août 1916) ; Céleste Albaret, *op. cit.*, p. 89.

SUR PROUST ET LE COMTE GREFFULHE. Corr. XIII, p. 287, n. 163 à Henry Greffulhe (8 août 1914 ; *Lettres à Reynaldo Hahn, op. cit.*, CLXVII, dimanche 30 août 1914, p. 250 : « *Avez-vous eu ma lettre que (sic) je vous parlais de celle de Greffulhe. Pourvu que pas perdue.* » ; Corr. XIII, p. 309, n. 177, à Madame Straus (octobre 1914) (sur la visite du comte Greffulhe à Cabourg) ; Jean Cocteau : *Le Passé défini*, t. 1, *op. cit.*, p. 274 ; AP/101(I)/19 (brouillon de lettre à Mme de La Faulotte, 1920 – jugement du comte Greffulhe sur les *Jeunes filles en fleurs*).

SUR MME DE LA BÉRAUDIÈRE. Corr. XIV, p 165, n. 79 à Mme de Madrazo (début de juillet 1915) « *J'ai enfin vu Madame de la Béraudière...* » ; Céleste Albaret, *op. cit.*, p. 193-194.

1. Lettre de Reynaldo Hahn à la Comtesse de La Béraudière (carte pneumatique datée du 19 décembre 1913) : « *Ma chère amie, Voulez-vous être assez aimable pour me dire si le Comte Greffulhe est en bons termes avec Henri*

Letellier, le Directeur du Journal (je suis "à son service", mais je n'ai ni veux avoir aucune action sur lui) et s'il peut, sans inconvénient ni désagrément, lui demander quelque chose non pour moi, mais au sujet de l'admirable livre de Proust. Si oui, j'écrirai directement à M. Greffulhe, dont j'apprécie profondément la sympathie affectueuse. Votre vieil ami Reynaldo Hahn. » (Bulletin Marcel Proust n° 21 (1971), p. 1234. »

Preuve de l'intervention active du comte Greffulhe, une lettre que lui adressa Albert Flament, à en-tête du *Journal*, le 4 janvier 1914 : « *Mon cher ami, une note très élogieuse paraissait mardi dernier dans la chronique des livres de Paul Reboux sur celui de M. Proust. Vous voyez que nous avons devancé votre désir. D'autre part, et vous m'en voyez au regret, jamais nous n'insérons au Journal un article de tête sur un livre.* » (AP 101(II)/37). L'article de Blanche parut par ailleurs en première page dans l'*Écho de Paris* le 15 avril 1914.

2. Le comte Greffulhe ne vit que le valet de Proust, Ernest Forrgren, un jeune Suédois que Montesquiou surnommait « Ruy Blond », et dont il garda, paraît-il, « un souvenir ineffaçable ». (Corr. XIX, p. 695, n. 232 à la duchesse de Clermont-Tonnerre, 30 décembre 1920.)

3. J'ai rédigé ce passage en m'inspirant du récit de Ferdinand Bac, *Intimités de la IIIᵉ République*, t. 2, *op. cit.*, p.289 et suiv. L'auteur ne précise pas la date à laquelle eut lieu cette entrevue – juste « le joli mois de mai ». Il parle de « la maîtresse du logis » sans préciser son nom, et nombre de biographes de Proust ont affirmé que cette entrevue avait été organisée par la comtesse Greffulhe rue d'Astorg. En réalité, elle eut lieu chez Mme de La Béraudière. Il suffit pour s'en convaincre de recouper ce récit avec les confidences que Proust fit à Céleste Albaret : « *Comme vous le savez, j'étais ce soir chez la comtesse de la Béraudière. Eh bien, imaginez qu'il était là... le comte Greffulhe ! Et vous auriez dû le voir râler dans son fauteuil, parce que j'étais reçu !* » (*op. cit.*, p. 193-194). Un autre mémorialiste s'est attribué la « paternité » de cette rencontre : André de Fouquières, dans *Cinquante ans de panache* (*op. cit.*, p. 193), raconte beaucoup plus brièvement une scène très semblable, dont il affirme avoir été le témoin, et rapporte la phrase du comte Greffulhe à la fin de la visite. Il dit l'avoir racontée à Ferdinand Bac, qui aurait répondu « *Quelle idée de vouloir ausculter un cuirassier avec un stéthoscope !* » Il situe cette entrevue au mois de juin, rue d'Astorg, en présence de la comtesse Greffulhe, au moment où Proust écrivait *Swann*. Mais des deux versions, c'est celle de Bac, beaucoup plus détaillée, qui paraît la plus authentique. D'après le contexte, la visite a dû avoir lieu au printemps 1915 : à cette époque, *Du côté de chez Swann* a déjà fait de Proust un homme « illustre », non seulement en France, mais aussi en Angleterre et aux États-Unis.

4. *Le côté de Guermantes II.* Signalons également une note amusante de Proust dans le cahier 42 (NAF 16682), fol. 18vᵒ, qui concerne évidemment le comte Greffulhe : « *Capitalissimum. (Si je ne le mets pas pour Mr de Guermantes je le mettrai pour Mr Swann).* »

CHAPITRE 6
Autopsie d'un rendez-vous manqué

SOURCES POUR CE CHAPITRE
ÉCHANGE DE CORRESPONDANCE AVEC LA COMTESSE
GREFFULHE. Corr. XV, p 313, n. 141 et 142, XV, p. 315-317 n. 143 (à
la comtesse Greffulhe, octobre 1916) ; Corr. XIX, p. 89-90 n. 28, la com-
tesse Greffulhe à Marcel Proust (peu après le 19 janvier 1920).
   SUR LE PRIX GONCOURT ET LA CORRESPONDANCE AVEC
LE COMTE GREFFULHE. Jacques Porel, *op. cit* ; Corr. XVIII, p. 553,
n. 322, à Henry Greffulhe (24 décembre 1919) ; *Lettres à Reynaldo Hahn*,
t. XI, p. 197 n. 106, lettre de Cabourg, peu après le 22 août 1922.
   LETTRE DE CONDOLÉANCES À LA MORT DE MONTESQUIOU.
Corr. XX, p. 588, n. 342, à la duchesse de Guiche (18 décembre 1921).

   1. Lettre de la comtesse Greffulhe, octobre 1916. Ce texte, établi d'après
un brouillon dactylographié conservé dans les archives (AP/101(II)/107), est
un peu différent du texte transcrit par Kolb (Corr. XV p. 313, n. 142).
   2. Une note de la comtesse Greffulhe jointe à cette lettre demandait à sa
secrétaire de « *me déchiffrer cette lettre svp* ». Dans une autre note, celle-ci lui
donne la définition de Pélion : « *montagne de Thessalie que les géants, en
révolte contre Zeus, entassèrent sur Ossa pour arriver jusqu'au ciel.* » *Memini
quia pulvis* fait référence à la formule liturgique prononcée le mercredi des
Cendres « *Memento, homo, qui pulvis es et in pulverme reverteris* », « Homme,
souviens-toi que tu es poussière et que tu retourneras en poussière ».
   3. Corr. XIX, p. 82-83, n. 24, à la comtesse Greffulhe (lundi 19 janvier
1920). Proust reçut 870 messages de félicitations pour son prix. Il entreprit d'y
répondre, mais s'arrêta à la soixante-dixième lettre – qui est peut-être celle-ci. La
photographie qu'il mentionne est peut-être celle qu'il avait pu admirer chez
Robert de Montesquiou. Mais André Maurois affirme qu'il s'agit de la fameuse
« robe aux lys », dans laquelle elle avait été photographiée par Nadar : « *Sa grande
ambition était d'obtenir une certaine photographie d'elle, qui la montrait debout,
arrangeant des fleurs, dans une longue robe noire sur laquelle étaient brodées des
feuilles et des branches.* » (AP/101(II)/Supplément non coté.)

CHAPITRE 7
Armand de Gramont, duc de Guiche :
l'insaisissable et fidèle ami

SOURCES POUR CE CHAPITRE
Les citations du duc de Guiche sur Proust et son œuvre, ainsi que de
nombreux détails figurant dans ce chapitre (notamment le récit du dernier

coup de téléphone de Proust) sont extraits de ses *Mémoires* inédits – *Mémoires* du duc de Gramont, *op. cit.*

LETTRES DE PROUST À GUICHE (dans l'ordre des citations). Corr. V, p. 312, n. 157 (vendredi soir, 28 juillet 1905) ; Corr. XVII, p. 209-210, n. 82 (27 avril 1918, sur sa mère) ; Corr. XVI, p. 282-283, n. 145 (7 ? novembre 17) ; Corr. XX, p. 347-350, n. 198 (vendredi 17 juin 1921) et p. 577, n. 336 (9 ou 10 décembre 1921, sur sciences et littérature) ; Corr. XVII, p. 293 à 397, n. 122, 154, 167 (de juillet à octobre 1918, sur le pastiche) ; Corr. XVIII, p. 105 à 292, n. 32, 36, 47, 63, 73, 148 (sur l'appartement du bd Haussmann) ; Corr. XX, p. 238, n. 125 (peu après le 2 mai 1921, lettre dédicace) ; Corr. XX, p. 460-461, n. 312 (peu après le 4 sept 1922) ; Corr. XX, p. 347-350, n. 198 (vendredi 17 juin 1921).

SUR PROUST ET GUICHE EN NORMANDIE. Corr. XVIII, p. 374, n. 208 à Jacques Porel (16 août 1919) ; Corr. VII, p. 280, n. 158, à la duchesse Guiche (30 septembre ou 7 octobre 1907) : « *et ces bonnes visites que vous avez été si bonne de me permettre, ces douces haltes heureuses dans la nuit sur le chemin du retour...* » ;

SUR PROUST ET ELAINE. Corr. VI, p. 62, n. 30 à la duchesse de Guiche (10 avril 1906) ; Corr. XVIII, p. 373, n. 208, à Jacques Porel (15 août 1919).

SUR LES INQUIÉTUDES DE PROUST PENDANT LES VOYAGES DU DUC DE GUICHE. Corr. XVI, p. 139 à 224, n. 63, 65, 69, 79, 112, à divers correspondants.

SUR LES DÎNERS AU RITZ. Corr. VII, p. 230, n. 133, lettre à Robert de Billy, juillet 1907 : « *Guiche avait choisi les plats et les vins, malheureusement c'est moi qui les ai payés !* »

SUR GUICHE ET L'ŒUVRE DE PROUST. Corr. XX, p. 388, n. 319, lettre du duc de Guiche à Marcel Proust (6 juillet 1921) ; Corr. XXI, p. 457-458, n. 148, à Gaston Gallimard (4 ou 5 septembre 1922).

DERNIER APPEL SANS RÉPONSE. Mémoires inédits du duc de Gramont ; Céleste Albaret, *op. cit.*, p. 433 ; Corr. XX, p. 570-571, n. 332, à Walter Berry (8 décembre 1921) ; AP/101(II)/Supplément non coté (lettre de Reynaldo Hahn) ; citation de Cocteau : *La Difficulté d'être*.

1. Diane d'Andoins avait épousé à treize ans Philibert de Gramont. Éprise de littérature courtoise, elle décida d'adopter le prénom de Corisande, héroïne du roman *Amadis des Gaules* : c'est sous ce nom qu'elle restera dans l'Histoire. Veuve à vingt-six ans, cette femme d'une grande beauté, cultivée et raffinée, séjournait souvent à la cour de Pau et de Nérac, chez son amie Catherine de Navarre, sœur du futur Henri IV. Celui-ci s'éprit d'elle : pendant près de dix ans, entre 1582 et 1591, elle sera sa maîtresse, et, plus encore, son amie sûre – vendant ses bijoux, engageant ses biens et levant une armée à ses frais pendant les guerres de la Ligue. Reconnaissant, le roi octroya l'indépendance à la principauté de Bidache. Désormais souverains sur leur terre, les Gramont virent

leur comté transformé en duché par Louis XIV en 1643. Dans la famille, certains laissaient volontiers entendre que leur ancêtre Antoine, deuxième duc de Gramont, était né de ces royales amours.

2. À la suite de cette dernière lettre sur Einstein, Guiche envoya à Proust une note scientifique écrite par lui sur la théorie de la relativité (corr. XX, p. 579 à 581, n. 337, le duc de Guiche à Marcel Proust (11 décembre 1921).

3. *Pastiches et Mélanges* parut à la NRF fin juin 1919. Le texte cité figure dans *L'Affaire Lemoine – Dans les Mémoires de Saint-Simon*.

4. L'Institut supérieur d'optique théorique et appliquée ou « SupOptique », qui débuta ses activités en 1920 et que le duc de Gramont présida jusqu'à sa mort en 1962, est encore aujourd'hui une grande école d'ingénieurs. Les recherches d'Armand de Gramont en matière d'optique débouchèrent par ailleurs sur une activité industrielle de pointe, avec la création, en 1919, de la société OPL, « Optique et précision de Levallois », qui fournit l'armée française en instruments d'optique de précision, avant de diversifier ses activités dans le domaine civil, en produisant à partir de 1945 des appareils photographiques réputés – les premiers appareils français de petit format, commercialisés sous la marque FOCA. Après la mort de son fondateur, OPL fut intégrée, au fil de fusions successives, dans un ensemble industriel plus vaste, racheté en 2000 par Sagem.

5. En réalité, il semble que Guiche n'ait jamais reçu *Guermantes I*. Voir Corr. XX, p. 290, n. 158 au duc de Guiche (entre le 20 et 26 mai 1921) : « *Vous me dites que vous n'avez pas eu Guermantes I. Catastrophe pour moi! En voici un exemplaire ordinaire pour que vous puissiez suivre et lire Guermantes II. Tous ces jours-ci, je vous ai cherché, sans succès, une "originale" de Guermantes I. Mais en attendant que je la trouve, lisez toujours ceci pour "enchaîner", comme on dit en musique.* »

6. La lettre du duc de Guiche sur *Sodome et Gomorrhe* que Proust mentionne ici n'a pas été retrouvée (voir Corr.XXI, p. 459, note 11).

CHAPITRE 8
L'ombre des Guermantes

SOURCES POUR CE CHAPITRE

Article de Maurice Druon, *Les Annales*, novembre 1951 (« *Je m'embarrasse les pieds dans ses phrases* ») ; AP/101(II)/107 (lettres de Robert Proust à la comtesse Greffulhe, 7 décembre 1923 et 27 janvier 1925) ; Céleste Albaret, *op. cit.*, p. 377 ; Antoine Compagnon , « Un lieu de mémoire », article en ligne accessible sur le site du Collège de France : *http://www.college-de-france.fr/media/antoine-compagnon/UPL18784_1_A.Compagnon_Lieu_de_m_moire.pdf* ; Jacques Porel, *op. cit.*, p. 333 ; AP/101(II)/71 (lettre de Pierre

Brisson, datée du 29 novembre 1929, et projet de réponse de la comtesse Greffulhe) ; comtesse Jean de Pange, « Retour au réel », article dans *La Revue des deux mondes*, avril 1968 ; AP/101(II)/Supplément non coté (document manuscrit d'André Maurois, *op. cit.*) ; Mina Curtiss, *op. cit.*, p. 168 ; Jean Cocteau, *Le Passé défini*, t. 1, *op. cit.*, p. 299 (sur Mme de Chevigné) ; Edmond de Goncourt, *Journal*, t. 8, p. 232 à 234 ; *Aux Écoutes*, 28 novembre 1947 (sur l'exposition Proust) ; AP/101(II)/84 (lettre de Léa François, décembre 1948) ; AP/101(II)/ 90, lettre dactylographiée de la comtesse Greffulhe à Philip Kolb, 23 mai 1952 ; AP/101(II)/150. Note à son secrétaire ; AP/101(II)/1 (lettre dactylographiée à Mme Mante, née Proust, le 22 avril 1951 : « *Je me réjouissais de vous revoir, ayant gardé de nos entrevues une impression particulière* ») et note sur Proust datée du 18 juillet 1947) ; AP/101(II)/150, lettre au Dr Le Masle « *En me rappelant l'impression triste de son visage, je me demande si il avait entrevu cette gloire posthume qui l'aurait rendu si heureux* » ; lettre de Marcel Proust à Gaston Calmette après la parution de Swann en 1913, citée par Robert Dreyfus, *Souvenirs sur Marcel Proust*, Grasset, Les Cahiers rouges, 2001 (sur le mot « exquis ») ; AP/101(II)/84 (note sur Proust, non datée) ; cahier vert (document original conservée par les descendants de la comtesse Greffulhe)

1. Le livre de Léon-Pierre Quint, *Marcel Proust, sa vie, son œuvre*, parut aux Éditions du Sagittaire en 1925. C'était le premier des livres consacrés à Proust – plus de 2000 à ce jour.

2. Dans ses Mémoires inédits, le duc de Gramont affirme : « *J'ai la conviction qu'Edith Wharton joua un rôle certain dans le succès – inattendu pourrait-on dire – du premier "Swann" au printemps de 1913. [...] Allant en 1913 rendre visite à Edith Wharton, j'assiste à une conversation où elle ne craint pas d'affirmer que* Du côté de chez Swann *est une œuvre de grande valeur, qui marquera dans l'histoire du roman, et je l'entends développer avec sa belle intelligence les raisons qui ont déterminé son admiration. Ces éloges dans la bouche d'un auteur aussi renommé devaient avoir un retentissement immédiat.* » La romancière Edith Wharton connaissait alors un immense succès. En 1925, elle fit paraître une étude sur Proust : *Marcel Proust, the writing of fiction*, New York & London, Scribners. Cet ouvrage a récemment été réédité en Français : Edith Wharton, *Les Règles de la fiction, suivi de Marcel Proust*, traduit de l'anglais et présenté par Jean Pavans, Éditions Viviane Hamy, 2006.
Proust et Antoine Bibesco employaient par dérision le mot « proustifier » pour désigner le style de Marcel et ceux qui l'imitaient.

3. « *Un petit homme noir et qui me venait ici, dit-elle un jour, en posant sa main maigre à la hauteur de sa poitrine* » (Gérard Bauër, *op. cit.*, p. 272). *À la recherche de Marcel Proust* d'André Maurois parut en 1949 chez Hachette.

4. Princesse Bibesco, *La Duchesse de Guermantes...*, *op. cit.* : « *Au moment où* Le côté de Guermantes, *tomes I et II, parut aux vitrines des libraires, j'étais*

à Paris. J'ai entendu monter le ton des conversations ; je me souviens de la fureur des uns, de l'indignation des autres, feinte ou réelle, des moqueries, des perfidies, des interprétations fausses ou vraies, du petit nombre de ceux qui comprirent ou firent semblant d'avoir compris l'ouvrage, dans les diverses coteries mondaines que fréquentait Mme de Chevigné. [...] Avec le manque total de perspectives et le peu de points de comparaison des lecteurs qui ne lisent que rarement des livres écrits par des inconnus, nombreux furent les amis de Mme de Chevigné [...] qui se trompèrent sur la portée du roman, et ne comprirent rien à son extraordinaire succès. La société, le monde, le Jockey-Club, poussèrent les hauts cris. [...] »

5. *Marcel Proust, Pensées et extraits*, choix et préface de Léa François, Paris, Maréchal, 1945.

6. Robert Le Masle est l'auteur d'une biographie du père de Proust, *Le Professeur Adrien Proust (1834-1903)*, Paris, Lipschutz, 1935. Il légua un fonds important à la Bibliothèque nationale de France.

CHAPITRE 9
Jeux de clefs

SOURCES POUR CE CHAPITRE
« DIEU SE SERT DE TOUT ». *Carnet* 1 (1908), *op. cit.*, p. 69 ; Mémoires inédits du duc de Gramont, *op. cit.* ; Corr. XX, p. 336-339, n. 189, lettre de Robert de Montesquiou à Marcel Proust, 14 juin 1921.

LA DUCHESSE ET LA PRINCESSE DE GUERMANTES. Corr. XX, p. 347-350, n. 198 au duc de Guiche (17 juin 1921) ; Antoine Adam, « Le roman de Proust et le problème des clefs », in *Revue des sciences humaines*, 1952, p. 49 à 90 ; AP/101(II)/97 (lettre de Philippe de Massa) ; *La Dépêche*, Toulouse, 30 mai 1907 (article décrivant la toilette de la comtesse Greffulhe) ; Gabriel-Louis Pringué, *op. cit.*, p. 109 (bal du duc de Westminster ; voir Partie I, ch. 3) ; Edith Wharton, *op. cit.*, p. 133 (« *la froide et méprisante duchesse de Guermantes* ») ; *Le Côté de Guermantes II* (évocations de la duchesse de Guermantes jeune fille) ; : Corr. XXI, p. 209, n. 146, à Laure Hayman (jeudi 18 mai 1922).

LES SECRETS D'ODETTE DE CRÉCY. Citations de la *Recherche* : *Du côté de chez Swann* et *À l'ombre des jeunes filles en fleurs*.

VERDURIN, MARSANTES, CAMBREMER, ETC. Les autres textes ou phrases de *la Recherche* citées dans ce passage sont extraits, dans l'ordre, de *Le Côté de Guermantes I*, *Sodome et Gomorrhe I*, *Le Côté de Guermantes II*.

COMTE GREFFULHE. *Carnets* 1 et 2, transcrit dans l'édition de Gallimard, *op. cit.* p. 112 et 178 ; Jean Cocteau, *Le Passé défini, op. cit.*, p. 293 ; *Lettres à Reynaldo Hahn, op. cit.*, VI-127 (lettre à Reynaldo Hahn datée du 18 ou 19 septembre 1906, sur le projet de pièce) ; Corr. XXI, p. 210, n. 147 à Gabriel de La Rochefoucauld (peu après le 18 mai 1922, sur le marquis du Lau).

GUICHE-SAINT-LOUP. Ferdinand Bac, *Souvenirs inédits*, Livre III. Cité par Ghislain de Diesbach, *Proust, op. cit.*, p. 308 (description du duc de Guiche) ; Corr. VII, p. 43, n. 16, lettre à Reynaldo Hahn (janvier 1907, sur Geneviève de Tinan).

DEMEURES ET MOBILIER. Le « féérique hôtel » est décrit dans *Sodome et Gomorrhe I*. Dans ce passage, on retrouve l'évocation de la duchesse de Guermantes en divinité marine, comme dans celui de la baignoire à l'Opéra. Sur l'appartement Verdurin rue d'Astorg : Cahier 47 (NAF 16687), fol. 1r°, 3r°, 4r°, 5r°, 6r°. Cahier 69 (NAF 18319), fol. 63v° et suiv. Cahier 73 (NAF 18323), fol. 23r. L'appartement de la rue Montalivet, regretté par Brissot, est évoqué dans *La Prisonnière* : « *un magnifique entresol donnant sur un jardin* ». Enfin, dans le cahier 7 (NAF 16647, fol. 17r°), Proust mentionne également Bois-Boudran : « *La mère ou le pianiste plaignaient, d'après Mme Verdurin, les personnes obligées d'assister aux réceptions de Boisboudran.* »

1. Paul Morand, *Journal d'un attaché d'ambassade, op. cit.* : « *Cette dame, dit Céleste en parlant de la comtesse Adhéaume de Chevigné, qui a fait tant de mal à Monsieur, a une voix comme quand on passe sous un tunnel de chemin de fer.* »

2. Laure Hayman, *op. cit.* : « *J'ai signalé dans un article des Œuvres libres la bêtise des gens du monde qui croient qu'on fait entrer une personne dans un livre. J'ajoute qu'ils choisissent généralement la personne qui est exactement le contraire du personnage. J'ai cessé depuis longtemps de dire que Madame G. "n'était pas" la duchesse de Guermantes, en était le contraire. Je ne persuaderai aucune oie. [...] Vous me lisez et vous vous trouvez une ressemblance avec Odette ! C'est à désespérer d'écrire des livres.* »

3. « *Est-ce que par hasard vous pourriez me donner pour un livre que je finis quelques petites explications couturières [...]. Voilà, j'ai besoin de beaucoup de détails, de mots qui me manquent [...]. Avez-vous cette année vu, en toilettes analogues à celles qu'on a pour l'Opéra, Mme Standish et Mme Greffulhe ? Un soir de représentation de Monte-Carlo, Mme Greffulhe m'avait emmené à l'opéra avec Mme Standish. Et j'avais eu l'impression de deux façons de concevoir la toilette et l'élégance, très différentes, très opposées.* » (Corr. XI, p 154, n. 85, à Mme Gaston de Caillavet, peu avant le 4 juin 1912).

4. Certains passage des *Cahiers* et des *Carnets*, qui n'ont pas été retenus pour le texte définitif de la *Recherche*, évoquent de façon évidente l'élégance et le charme très particuliers d'Élisabeth Greffulhe, comme celui-ci, où l'auteur compare Mme de Guermantes à Mme Swann, « *elle me semblait posséder l'art de s'habiller plus loin encore, si loin que chaque fois sa toilette semblait quelque chose qui n'aurait pas pu être autre, qui était inévitablement déterminé par quelque caprice souverain de son goût, obéissant, dans sa fantaisie même à un déterminisme mystérieux et supérieur qui était toujours harmonie. Si* »

on la trouvait chez elle, ennuagée dans la brume d'une robe en crêpe de Chine gris [...] » (*Cahier 42, op. cit.,* fol. 18vº).

Ce passage est repris, sous une forme différente, dans *La Prisonnière* : « *[...] Elstir lui avait parlé de la duchesse comme de la femme de Paris qui s'habillait le mieux [...] Mme de Guermantes me semblait pousser plus loin encore l'art de s'habiller. Si, descendant un moment chez elle [...], je trouvais la duchesse ennuagée dans la brume d'une robe en crêpe de Chine gris, j'acceptais cet aspect que je sentais dû à des causes complexes et qui n'eût pu être changé, je me laissais envahir par l'atmosphère qu'il dégageait, comme la fin de certaines après-midi ouatées en gris perle par un brouillard vaporeux [...] ; ces toilettes n'étaient pas un décor quelconque, remplaçable à volonté, mais une réalité donnée et poétique comme est celle du temps qu'il fait, comme est la lumière spéciale à une certaine heure. De toutes les robes ou robes de chambre que portait Mme de Guermantes, celles qui semblaient le plus répondre à une intention déterminée, être pourvues d'une signification spéciale, c'étaient ces robes que Fortuny a faites d'après d'antiques dessins de Venise.* » La garde-robe de la comtesse Greffulhe conservée au musée Galliera comporte plusieurs robes de Fortuny.

5. *Le côté de Guermantes II* : « *Pour qu'on parlât d'une "dernière d'Oriane", il suffisait qu'à une représentation où il y avait tout Paris et où on jouait une fort jolie pièce, comme on cherchait Mme de Guermantes dans la loge de la princesse de Parme, de la princesse de Guermantes, de tant d'autres qui l'avaient invitée, on la trouvât seule, en noir, avec un tout petit chapeau, à un fauteuil où elle était arrivée pour le lever du rideau. "On entend mieux pour une pièce qui en vaut la peine", expliquait-elle, au scandale des Courvoisier et à l'émerveillement des Guermantes et de la princesse de Parme* ».

6. 1. La seigneurie de Chimay, qui remonte au XIᵉ siècle, s'était transmise successivement, par les femmes, aux familles de Soisson, puis de Hainaut, auxquels succédèrent ensuite les Blois, les Croy, les Croy-Aremberg, les Alsace-Hénin-Liétard, et enfin aux Riquet, comtes de Caraman. (Louis Dardenne, *Histoire de la ville et de la terre de Chimay*, Éditions L'Écho des frontières, 1930).

7. *La Prisonnière*. Dans le Cahier 74 (NAF 18324), fol. 5vº marge gauche, Proust avait noté : « *Ne pas oublier de faire dire par Me Verdurin un équivalent de Me de Greffulhe* ».

8. Le surnom de Bebeth est mentionné notamment dans *Guermantes II* :
– dans la bouche des Courvoisier s'adressant à Oriane : « *Quand elle [Oriane] "imitait" le duc de Limoges, les Courvoisier protestaient : "Oh ! non, il ne parle tout de même pas comme cela, j'ai encore dîné hier soir avec lui chez Bebeth, il m'a parlé toute la soirée, il ne parlait pas comme cela"* » ;
– dans un passage ironique consacré à la manie des surnoms caractéristique du clan Guermantes : « *On se rendait moins compte des raisons qui faisaient remplacer Élisabeth tantôt par Lili, tantôt par Bebeth.* »

9. Camille O'Meara, devenue Mme Dubois, fut également le professeur de piano de la comtesse Greffulhe, qui la mentionne souvent dans sa correspondance familiale. Sur ce personnage, voir Jean-Jacques Eigeldinger, *Chopin vu par ses élèves*, Fayard, 2006.

Jugement de Montesquiou sur les qualités de pianiste de sa cousine : *La Divine Comtesse, op. cit.*, p. 195 : « *Ses mains étaient si fines, que de les entendre interpréter Chopin, avec génie, on comprenait que la délicatesse est la plus grande de toutes les forces.* »

10. Notamment le prince de Polignac, comme en témoigne ce passage de *À l'ombre des jeunes filles en fleurs* : « *Quand à Robert, tenant à peine en place, quand il était assis, dissimulant sous un sourire d'homme de cour l'avidité d'agir en homme de guerre, à le bien regarder, je me rendais compte combien l'ossature énergique de son visage triangulaire devait être la même que celle de ses ancêtres, plus faite pour un ardent archer que pour un lettré délicat. Sous la peau fine, la construction hardie, l'architecture féodale apparaissaient. Sa tête faisait penser à ces tours d'antiques donjons dont les créneaux inutilisés restent visibles, mais qu'on a aménagées intérieurement en bibliothèque.* » Cette dernière phrase est presque identique à celle que Proust écrivit dans un éloge funèbre d'Edmond de Polignac publié dans le *Figaro* du 6 septembre 1903 (voir Partie III, ch. 5). Outre le vieux prince de Polignac – modèle inattendu pour le jeune Saint Loup – les autres inspirateurs reconnus sont notamment Bertrand de Fénelon, Albuféra, Cocteau.

11. Proust s'aperçut que le livre n'avait pas été porté à son destinataire. Éternel indécis, il regretta cette dédicace et en ajouta une seconde, en vers, qui se terminait ainsi :

« *Écrire le nom d'Armand d'Aure*
Et lui répéter que j'adore
L'esprit exquis dont n'est pas chiche
Ce dixième (?) duc de Guiche »

Il s'en expliqua dans une seconde lettre qui accompagnait le volume : « *Je m'aperçois que la dédicace de la première page (bien affectueuse au fond, je vous assure) peut avoir un air de critique. Aussi je ne veux pas la laisser et je l'ai remplacée par une autre à la deuxième page. Vous arracherez le premier feuillet.* » (Corr. VI, p. 67, n. 33, au duc de Guiche, dimanche matin de Pâques (15 avril 1906) et p. 69, n. 36 et 70, n. 37).

12. Passages de la *Recherche* évoqués ci-dessus mettant en scène le mobilier de Beauvais :

– *Le Côté de Guermantes III*, chez le baron de Charlus : « *Je traversai avec lui le grand salon verdâtre. Je lui dis, tout à fait au hasard, combien je le trouvais beau. "N'est-ce pas ? me répondit-il. Il faut bien aimer quelque chose. Les boiseries sont de Bagard. Ce qui est assez gentil, voyez-vous, c'est qu'elles ont été faites pour les sièges de Beauvais et pour les consoles."* »

– *Le Côté de Guermantes II*, chez Mme de Villeparisis : « *À cette première visite qu'en quittant Saint-Loup j'allai faire à Mme de Villeparisis [...], je la trouvai dans son salon tendu de soie jaune sur laquelle les canapés et les admirables fauteuils en tapisseries de Beauvais se détachaient en une couleur rose, presque violette, de framboises mûres.* » ; « *ces meubles n'étaient pas comme nous, ils étaient vaguement de son monde, ils étaient liés à la vie de sa tante ; puis du meuble de Beauvais ce regard était ramené à la personne qui y était assise [...].* » : « *Mme de Marsantes entraîna son fils dans le fond du salon, là où, dans une baie tendue de soie jaune, quelques fauteuils de Beauvais massaient leurs tapisseries violacées comme des iris empourprés dans un champ de boutons d'or.* »

– *Un amour de Swann* : « *Quel joli Beauvais, dit avant de s'asseoir Swann qui cherchait à être aimable. — Ah ! je suis contente que vous appréciiez mon canapé, répondit Mme Verdurin. [...] tenez là, la petite vigne sur fond rouge de l'Ours et les Raisins. Est-ce dessiné ? [...]* »

Chapitre 10
« Et quand les insectes sont tombés en poussière »...

SOURCES POUR CE CHAPITRE

Mémoires inédits du duc de Gramont, *op. cit.* ; « Erreurs de réglage... » : *À l'ombre des jeunes filles en fleurs* ; Corr. XX, p. 336-339, n. 189, lettre de Robert de Montesquiou à Marcel Proust 14 juin 1921 ; lettre de Robert de Montesquiou à Geneviève de Caraman-Chimay, datée du « 26 décembre » ; René Girard, *Mensonge romantique et vérité romanesque*, Grasset, 1961 ; George D. Painter, *op. cit.*, p. 794.

Annexes

ANNEXE 1

1. (*Sic*). Sur les épreuves, le « s » superflu est bien présent. Sur Jules Janssen, voir Partie V, ch. 2, note 8.

2. Le « je » est manquant.

3. Le récit des circonstances de ce legs est en effet raconté par Edmond de Goncourt, *Journal*, t. 8, *op. cit.*, p. 254-255, 7 juillet 1891.

4. *L'Ombre des jours*, premier roman d'Anna de Noailles, paru au printemps 1902.

5. En bas de cette page d'épreuves, qui porte le n° 8, le coin droit n'est pas encré. Le mot « Calmette » a été barré. On peut à peu près reconstituer la dernière phrase : « Mme Greffulhe appelle un par un les hommes les plus proches (?) »

6. (*Sic*).

7. Francis Planté (1839-1934), pianiste virtuose, fut l'un des tout premiers musiciens à avoir été enregistré. Proust admirait beaucoup ce musicien, à qui il fut présenté en 1902 par Reynaldo Hahn, et qu'il cite à deux reprises dans la *Recherche*, en mettant son nom dans la bouche de Mme Verdurin.

ANNEXE 4

8. Henri de Breteuil, *op. cit.*, p. 55.

9. Élisabeth de Gramont, *Mémoires*, t. 2, *op. cit.*, p. 25 ; AP/101(II)/8, lettre d'Anna de Noailles à la comtesse Greffulhe, 10 avril 1932.

10. AP/101(II)/1, lettre de Ferdinand Bac à la comtesse Greffulhe.

11. Ferdinand Bac, *Intimités de la IIIe République*, t. 2. p. 296-309.

12. Ce document est classé dans le carton AP/10(II)/66, consacré à la correspondance du Dr Favre.

SOURCES

SOURCES MANUSCRITES OU TAPUSCRITES

Fonds privés

Archives nationales
Fonds Greffulhe : AP/101(II)/1 à AP/101(II)/203
Suppléments non cotés
Fonds comte Greffulhe : AP/101(I)/1 à AP/101(I)/63
Archives personnelles des descendants de la comtesse Greffulhe
Duc de Gramont, Mémoires inédits.
LEGAY Éric, *Le Comte Henri Greffulhe : un grand notable en Seine-et-Marne*, 1987 (Dir. Vigier) 153 p., Mémoire de maîtrise.

Fonds publics

Bibliothèque nationale de France, Département des manuscrits (NAF 18436) – Pierre et Marie Curie. Papiers. II – Papiers et correspondance. LXXII Documents divers.

Fonds étrangers

New York Public Library Archives & Manuscripts, Correspondance de Gabriel Astruc avec la comtesse Greffulhe entre 1904 et 1911 (69 lettres) – cote microfilm *ZBD-161.

Sources audiovisuelles

Archives françaises du film, Films de famille Greffulhe : 36 courts métrages muets, tournés entre 1899 et 1899.

Archives de l'INA, Documentaire *La Société au temps de Marcel Proust,* diffusé en juin 1971.

BIBLIOGRAPHIE

Mémoires et correspondance

BAC Ferdinand, *Intimités de la IIIe République :* t. 2, *Le fin des temps délicieux. Souvenirs parisiens*, Hachette, 1935 ; t. 3, *Des Ballets russes à la paix de Versailles. Souvenirs d'un témoin.* Hachette, 1936.

BAUËR Gérard, *Chroniques 1934-1954*, Gallimard, 1963.

BENOIS Alexandre, *Reminiscences of the Russian Ballet*, Londres, Putnam, 1947.

BLANCHE Jacques Émile, *La Pêche aux souvenirs*, Flammarion, 1949.

BLOY Léon, *Mon Journal, pour faire suite au Mendiant ingrat : 1896-1900*, Mercure de France, 1904.

BRETEUIL Henri, marquis de, *Journal secret, 1886-1889*, Mercure de France, « Le Temps retrouvé », 2007.

CASTELBAJAC Constance de, marquise de Breteuil, *Journal*, 1885-1886, présenté par Eric Mansion Rigau, Parrin, 2003.

CURTISS Mina, *Others' people letters. In search of Proust, a memoir.* New York, Helen Marks Books & co, 2005.

COCTEAU Jean, *Le Passé défini*, t. 1, Gallimard, 1983.

— *Correspondance avec Jacques-Émile Blanche*, La Table Ronde, 1993.

DAUDET Léon, *Souvenirs des milieux littéraires, politiques, artistiques et médicaux, in Souvenirs et polémiques*, Robert Laffont, Bouquins, 1992.

DAUDET, Mme Alphonse, *Souvenirs autour d'un groupe littéraire*, Bibliothèque Charpentier, Eugène Fasquelle éditeur, 1910.

FAUCIGNY-LUCINGE Jean-Louis de, *Un gentilhomme cosmopolite*, Perrin, 1990.

FAURÉ Gabriel, *Correspondance* présentée et annotée par J.-M. Nectoux, Paris, Flammarion, 1980.

FLAMENT Albert, *Le Bal du Pré-Catelan - Journal 1895-1899*, Arthème Fayard, 1946.

FOUQUIÈRES André de, *Cinquante ans de panache*, Pierre Horay, 1951.

— *Mon Paris et ses Parisiens*, t.2, « Le quartier Monceau », Pierre Horay, 1954.

GERMAIN André, *Portraits parisiens*, Grès, 1918.

— *La Bourgeoisie qui brûle, propos d'un témoin, 1890-1940*, Sun, 1951.

GONCOURT Edmond de, *Journal, mémoires de la vie littéraire*, t. 8 et 9, G. Charpentier, 1887-1896.

GRAMONT Alfred de, *Journal inédit*, édité par Éric MENSION-RIGAU sous le titre *L'Ami du prince, journal inédit d'Alfred de Gramont, 1892-1915*, Fayard, 2011.

GRAMONT Élisabeth de, duchesse de Clermont-Tonnerre, *Mémoires* : t. 1, *Au temps des équipages*, Grasset, 1928 ; t. 2, *Les Marronniers en fleurs*, Grasset, 1929 ; t. 3, *Clair de lune et taxi-auto*, Grasset, 1932.

LA FORCE (duc de), *La fin de la douceur de vivre souvenirs 1878-1914*, Plon, 1961.

LARRETA Enrique, « Souvenirs du Paris de jadis », *La Revue des Deux Mondes*, 15 décembre 1939.

LAURIS, Georges de, *Souvenirs d'une belle époque*, Amiot-Dumont, 1948.

MONTESQUIOU Robert de, *Les Pas effacés, Mémoires et souvenirs*, Emile-Paul Frères, 1923.

MORAND Paul, *Journal d'un attaché d'ambassade*, La Table Ronde, 1948.

— *Lettres de Paris*, Arléa, 2008.

MUGNIER (abbé), *Journal*, Mercure de France, « Le Temps retrouvé », 1985.

NOLHAC Pierre de, *La Résurrection de Versailles souvenirs d'un conservateur*, Plon, 1937.

PANGE Comtesse Jean de, *Comment j'ai vu 1900*, Grasset, 1975.

— « Retour au réel », *La Revue des Deux Mondes*, avril 1968.

POIRET Paul, *En habillant l'époque*, Grasset, 1930.

POREL Jacques Fils de Réjane : *Souvenirs*, t. 1, *1895-1920*, Plon, 1954.

PRINGUÉ Gabriel-Louis, *30 ans de dîners en ville*, Édition Revue Adam, 1948.

Rubinstein Arthur, *My Young Years*. New York, Knopf, 1973. Traduction française : *Les Jours de ma jeunesse*, Robert Laffont, 1973.

Saint-Marceaux Marguerite de, *Journal*, édité sous la direction de Myriam Chimènes, Fayard, 2007.

Sert Misia, *Misia*, Galllimard, 1952.

Zweig Stefan, *Le Monde d'hier, Souvenirs d'un Européen*, 1944. Belfond, 1993, pour la traduction française.

Ouvrages généraux sur l'histoire de France, la IIIe République, la société française, la vie mondaine et artistique au XIXe et au début du XXe siècle.

Ariès Philippe, *Histoire de la vie privée*, t. 4, *De la Révolution à la Grande Guerre*, Le Seuil, 1987, ouvrage collectif sous la direction de Philippe Ariès et de Georges Duby.

Bartillat, Christian de, *Histoire de la noblesse française*, t. 2, *Les nobles du Second Empire à la fin du XXe siècle*, Albin Michel, 1991.

Bricard Isabelle, *Saintes ou pouliches, l'éducation des jeunes filles au XIXe siècle*, Albin Michel 1985.

Burnand Robert, *La Vie quotidienne en France 1870-1900*, Hachette, 1947.

Carassus Émilien, *Le Snobisme et les lettres françaises de Paul Bourget à Marcel Proust, 1884-1914*, Armand Colin, 1996.

Charle Christophe, *Paris fin de siècle, culture et politique*, Seuil, 1998.

Chimènes Myriam, *Mécènes et musiciens : du salon au concert à Paris sous la IIIe République*, Fayard, 2004.

Gaillard, Marc, *Paris à la Belle Époque*, Presses du Village, éditions franciliennes, 2003.

Guilleminault Gilbert, *Le Roman vrai de la IIIe République*, Denoël, 1956.

Legouvé Ernest, *La Femme en France au dix-neuvième siècle*, Paris, Librairie de la bibliothèque démocratique, 1873.

Martin-Fugier Anne, *Les Salons de la IIIe République*, Perrin, Tempus, 2010.

Masseau Didier, *Une histoire du bon goût*, Perrin, 2014.

Mayeur Jean-Marie, *La Vie politique sous la IIIe République*, Seuil, 1984.

Ross James, *Music, Theater, and Cultural Transfer : Paris, 1830-1914*, Annegret Fauser & Mark Everist.

SÉVILLIA Jean, *Histoire passionnée de la France*, Perrin, 2013.

WINOCK Michel, *La Belle Époque. La France de 1900 à 1914*, Paris, Perrin, 2002.

Ouvrages et articles concernant la comtesse Greffulhe

CHIMÈNES Myriam, « Le Mécénat d'une héroïne de Proust », article dans *Histoire* n° 166, mai 1993.

COSSÉ-BRISSAC Anne de, *La Comtesse Greffulhe*, Perrin, 1991.

DAVID André, « Quelques ombres proustiennes », *La Revue des Deux Mondes*, avril 1973.

FLAMENT Albert, « Tableaux de Paris », *La Revue de Paris*, 1ᵉʳ juin 1939.

— « Quelques apparitions de la comtesse Greffulhe », *La Revue des Deux Mondes*, 1ᵉʳ mars 1953.

GREFFULHE Elaine, *Le Livre d'Ambre*, recueil de poèmes écrits de 5 à 7 ans, imprimé en tirage limité en 1892 (archives personnelles de ses descendants).

LAURIS de Georges, « La comtesse Greffulhe », *Écrits de Paris*, n° 96, oct. 1952.

MONTESQUIOU Robert de, *La Divine Comtesse : étude d'après Mme la comtesse de Castiglione*, Goupil et Cie, 1913.

PASLER Jann, *Countess Greffulhe as Entrepreneur : Negotiating Class, Gender, and Nation, in The Musician as Entrepreneur, 1700-1914 Managers, Charlatans, and Idealists*, ed. William Weber, Bloomington, Indiana University Press, 2004, p 221-255.

PORTO-RICHE Georges de, *Bonheur manqué, carnet d'un amoureux*, Paris, Ollendorf, 1903.

Ouvrages et articles sur les contemporains, les amis et la famille de la comtesse Greffulhe, les événements de l'époque

ANTIER Chantal, « Deux femmes œuvrant dans la Grande Guerre : Louise de Bettignies et la reine Élisabeth », article dans *Aux Armes citoyennes, Revue historique des armées*, n° 272 – 2013.

BAROLINI Helen, *Their Other Side : Six American Women and the Lure of Italy*, New York, Fordham University Press, 2006.

— « The Shadowy Lady of the Street of Dark Shops », article en ligne sur le site Web Virginia Quarterly Review (University of Virginia), 2013.

BEAUREPAIRE DE LOUVAGNY (Ctesse D. de), *Les Martyres de la charité*, Paris, P. Téqui, 1897.

BROWN John L., « Guiding the Commerce of Ideas : Marguerite Caetani », *Books Abroad*, Vol. 47, No. 2 (printemps 1973), pp. 307-311, ed. Board of Regents of the University of Oklahoma.

BIBESCO (Princesse), Valentine de Riquet de Caraman, *Une fille inconnue de Napoléon*, Flammarion 1935.

BIBESCO (Princesse), Marthe Lucie Lahovary, *Le Confesseur et les poètes*, Grasset, 1970.

— « L'abbé Mugnier à la rencontre de Luther », article dans *La Revue des Deux Mondes*, août 1970.

— *La Duchesse de Guermantes Laure de Sade, Comtesse de Chevigné*, Plon, 1950.

— *Discours de remerciement à l'Académie Royale de Langue et de Littérature Françaises de Belgique*, publié dans le Bulletin interne de l'Académie – Bulletin de l'ARLLFB, juin 1955 (tome XXXII, n° 1).

BLONDEL Christine et WOLFF Bertrand, *L'Avènement de la fée électricité, 1870-1900. I - La dynamo et la lumière électrique*, portail Web du CNRS *Ampère et l'histoire de l'électricité*, http://www.ampere.cnrs.fr 18

BOUDENOT Jean-Claude, *Comment Branly a découvert la radio. Un siècle de télécommunications*, EDP Sciences, 2005.

BRONNE Carlo, « "Mazarin", ou les souvenirs d'une dame d'honneur de la reine Élisabeth », *Revue des Deux Mondes*, novembre 1975.

BUFFENOIR Hippolyte, *Grandes dames contemporaines*, Paris, Librairie du « Mirabeau », 1894.

DIESBACH Ghislain de, *L'Abbé Mugnier, le confesseur du Tout-Paris*, Perrin, 2003.

GMELINE Patrice de, *La Duchesse d'Uzès*, Paris, Perrin, 1886.

GUEULLETTE Charles, *Les Cabinets d'amateurs à Paris*, Collection de M. le comte Henri de Greffulhe, 1877.

HAREL Christine, « Les Ballets russes de Diaghilev dans l'imaginaire français du début XXᵉ siècle aux années 1930 », *Bulletin de l'Institut Pierre Renouvin*, n° 09, 5 septembre 2000 – Université Paris 1 Panthéon-Sorbonne.

HURET Jules, *La catastrophe du Bazar de la Charité*, Paris, Juven, 1897.

JULIAN Philippe, *Robert de Montesquiou, un Prince 1900*, Librairie Académique Perrin, 1965.

LE NORMAND-ROMAIN Antoinette, *Rodin*, collectionneurs et relations de Grande-Bretagne, 2006.

LIFAR Serge, *Serge Diaghilev his life, his work, his legend*, Londres, Putnam, 1940.

MANNONI Gérard, « Double vie du *Sacre du printemps* » dans *Brochure du centenaire du Théâtre des Champs-Élysées*, 2013.

LENOTRE G., « L'Aiglonne », article dans *Le Temps*, 18 septembre 1932.

MARIÉTON Paul, *Le Théatre antique d'Orange et ses chorégies*, Paris, éditions de La Province, 1908.

MARPEAU Benoît, « Les stratégies de Gustave Le Bon », *Mil neuf cent*, N°9, 1991.

MONTESQUIOU Robert de, *Paul Helleu, peintre et graveur*, Paris, H. Floury, 1913.

NECTOUX Jean-Michel, *Nijinsky, Prélude à l'Après-midi d'un Faune*, Paris, Ed. A. Biro, 1989.

OLLIVIER R.P. Marie-Joseph, *Les Victimes de la charité : discours prononcé à Notre-Dame de Paris le 8 mai 1897 au service funèbre célébré pour les victimes de l'incendie du Bazar de la charité*, Paris, P. Lethielleux, 1898.

PELLAPRA Émilie de, *Une fille de Napoléon, mémoires d'Émilie de Pellapra, comtesse de Brigode, princesse de Chimay*, Introduction de la princesse Bibesco, préface de Frédéric Masson, Paris, Éditions de la Sirène, 1921.

RAVOUX Paul, « Un ami de Dumas », article dans *Le Figaro*, supplément littéraire du dimanche 10 juin 1906.

SAINT-JEAN Robert de, « Diaghilev, danse, défi », dans *La Revue des Deux Mondes*, avril 1972.

SCHLEMMER dr G. « La catastrophe du Bazar de la Charité », in *Annales d'hygiène publique et de médecine légale*, 3e série, Volume 37, janvier à juin 1897.

SCHUERMANS Albert, *Itinéraire général de Napoléon Ier*, Bibliothèque de la Société des études historiques, vol. 6, 1908.

WITT Laetitia de, *Le prince Victor Napoléon*, Fayard, 2007.

Ouvrage collectif : *Roffredo Caetani, la personalità, la cultura, la musica*, Quaderni di Ninfa/3, Fondazione Roffredo Caetani, 2011.

Catalogues :

Catalogue de l'exposition *Paul Poiret et Nicole Groult, maîtres de la mode Art Déco,* Musée de la mode et du costume, Palais Galliera, 1986, n° 13.

Catalogue de la vente La Béraudière du 11 au 13 décembre 1930 : *Collection of Countess de La Béraudière. Important Oil Paintings [...] Fine French Furniture Eighteenth Century, Carvings, Sculptures, Other Objects Art,* New York, American Art Association, Anderson Galleries, 1930.

Journaux et revues contemporains

À Paris, L'Action française, L'Art et la mode, Aux Écoutes, Le Cri du jour, Comœdia illustré, Cyrano, La Dépêche, L'Écho de Paris, L'Éclair, Écrits de Paris, L'Événement, Le Figaro, La Gazette, Le Gaulois, Le Gil Blas, Le Guide musical – Revue internationale de la musique et des théâtres, L'Intransigeant, Le Journal, Le Journal des débats, Le Journal des Demoiselles et Petit Courrier des Dames, La Liberté, La Mode, Le Ménestrel, Le Monde musical, The New York Herald, La Nouvelle Mode, L'Ordre, La Patrie, Le Petit Bleu de Paris, La Revue des Deux Mondes, La Revue de Paris, Ruy Blas, Le Siècle, Le Temps, La Vie parisienne, Vogue.

Bibliographie sur Marcel Proust

ADAM Antoine, « Le roman de Proust et le problème des clefs », *Revue des sciences humaines,* 1952.

ALBARET Céleste, *Monsieur Proust, Souvenirs recueillis par Georges Belmont,* Robert Laffont.

BERNARD Anne-Marie, *Le Monde de Proust vu par Paul Nadar,* Éditions du Patrimoine, 1999.

BIBESCO (Princesse), Marthe Lucie Lahovary, *Le voyageur voilé,* Genève, La Palatine, 1947.

COMPAGNON Antoine, *Proust entre deux siècles,* Seuil, 1989.

— « Un lieu de mémoire », article en ligne accessible sur le site du Collège de France : http://www.college-de-france.fr/media/antoine compagnon/UPL18784_1_A.Compagnon_Lieu_de_m_moire.pdf

DIESBACH Ghislain de, *Proust,* Perrin, 1991.

DREYFUS Robert, *Souvenirs sur Marcel Proust,* Grasset, Les Cahiers rouges, 2001.

DUCHÊNE Roger, *L'Impossible Marcel Proust*, Robert Laffont, 1994.

ENTHOVEN Jean-Paul et Raphaël, *Dictionnaire amoureux de Marcel Proust*, Plon/Grasset, 2013.

FALLOIS Bernard de, *Préface à Contre Sainte-Beuve*, Gallimard, Folio-Essais, 2002.

GERMAIN André, *Les Clés de Proust*, suivi de *Portraits*, Éditions Sun, 1953

GIRARD René, *Mensonge romantique et vérité romanesque*, Grasset, 1961.

GRAMONT Élisabeth de, duchesse de Clermont-Tonnerre, *Marcel Proust*, Flammarion, 1948.

— *Robert de Montesquiou et Marcel Proust*, Flammarion, 1925.

LE MASLE Robert, *Le Professeur Adrien Proust 1834-1903*, Paris, Lipschutz, 1935.

MAUROIS André, *À la recherche de Marcel Proust*, Hachette, 1949.

MAYER Denise, *Marcel Proust et la musique d'après sa correspondance*, Paris, Revue musicale, 1978.

MORAND Paul, *Le Visiteur du soir*, La Palatine, Genève, 1949.

PAINTER George D, *Marcel Proust*, Texto, 2008.

PUGH Anthony R., *The growth of A la recherche du temps perdu : A chronological examination of Proust's manuscripts from 1909 to 1914*, Toronto, University of Toronto Press, 2004.

SOLLERS Philippe, *L'Œil de Proust – les dessins de Marcel Proust*, Stock, 1999.

TADIÉ Jean-Yves, *Marcel Proust*, Gallimard, 1996.

WHARTON Edith, *Marcel Proust, the writing of fiction*, New York & London, Scribners, 1925. Édition française : *Les règles de la fiction, suivi de Marcel Proust* – traduit de l'anglais et présenté par Jean Pavans, Éditions Viviane Hamy, 2006.

WISE Pyra, *Lettres et dédicaces inédites de Proust et de quelques correspondants, Bulletin d'informations proustiennes* n° 40 – CNRS Éditions.

Ouvrages collectifs :

Album Proust, La Pléiade, 1965.

Catalogue de l'exposition Marcel Proust, organisée par André Courtet et Jacques Suffel à la Bibliothèque nationale, 18 novembre-13 décembre 1947, BNF 4- Q- 3116 (1)

Index général des cahiers de brouillon de Marcel Proust, Osaka, 2009. Accessible sur le lien internet : http://www.item.ens.fr/upload/proust/index_cahiers.pdf

Ouvrages de Marcel PROUST

Œuvres

Études et contes parus dans la revue *Le Banquet, n° 1, 2, 3, 5, 6 et 7, 1892-1893.*
Les Plaisirs et les Jours.
Jean Santeuil.
Le Balzac de Monsieur de Guermantes. essai critique sur Balzac écrit en 1909, édition posthume Neuchâtel et Paris, Ides et Calendes, 1950, avec des dessins de l'auteur.
Contre Sainte-Beuve.
Pastiches et Mélanges.
À la recherche du temps perdu.

Correspondance

Correspondance de Marcel Proust, éditée par Philip KOLB, Plon *(21 volumes parus entre 1970 et 1993).*
Lettres à Reynaldo Hahn, présentées, datées et annotées par Philip KOLB, Gallimard, 1956.
14 lettres inédites de Proust à Louis d'Albufera (1er au 1er janvier 1905), publiées par Françoise LERICHE, *in Bulletin de la Société des amis de Marcel Proust et des amis de Combray,* n° 48, 1998.

Cahiers et carnets

Carnets, édition établie par Florence Callu et Antoine Compagnon, Gallimard, Collection Blanche, 2002.
Carnets manuscrits, numérotés de 1 à 4, BNF, NAF 16637 à NAF 16640.
Cahiers manuscrits, numérotés de 1 à 75, BNF, NAF 16641 à NAF 16702 et NAF 18313 à NAF 18325.

INDEX

Bibesco, princesse Georges, née
Marthe Lahovary : 417
Bibesco, princesse Georges, née
Valentine de Caraman-Chimay :
195
Blanche, Jacques-Emile : 121, 150,
153, 166, 207, 217, 252-253,
267, 269, 310, 389, 508, 521,
534
Blériot, Louis : 122
Bloy, Léon : 64
Blum, Léon : 182, 185
Boisgelin, marquise de : 166
Boïto, Arrigo : 146
Bonaparte, Marie : 164
Boncour, Dr. : 75
Bonheur, Rosa : 172
Bonnat, Léon : 464
Borghèse, prince Giovanni : 249
Borghèse, princesse Giovanni, née
Alice de Caraman-Chimay : 119,
249, 316, 322, 339
Borodine, Alexandre : 150-151
Bourdeau, Jean : 144
Boyazoglu, Constantin A. : 63
Branly, Edouard : 11, 82, 155, 159-
162, 334, 357, 375, 416, 498
Brantes, Mme de : 398
Braque, Georges : 524
Breteuil, Henri, marquis de : 23,
34, 177, 179, 199, 202, 266, 475
Breteuil, marquise Henri de, née
Constance de Castelbajac : 34,
179, 229, 266-267, 277, 294,
301, 313
Briand, Aristide : 162, 182-183,
503, 532
Brieux, Eugène : 84
Brigode, comte de : 195
Brocheton, Marie-Thérèse : voir La
Béraudière.
Broglie, Louis, prince de : 74, 122,
163, 463
Broglie, Maurice, duc de : 122

Brussel, Robert : 153
Bucher, Dr. Pierre : 337-338
Bunau-Varilla, Maurice : 160
Bussière, baron de : 484

Cabarrus, Terezia : voir Chimay
Caetani, Ada, duchesse de Sermo-
neta, née Bootle-Wilbraham :
316, 325, 336
Caetani, Camillo : 340
Caetani, Gelasio : 316
Caetani, Giovanella : 325
Caetani, Leone : 341
Caetani, Marguerite, née Margue-
rite Chapin, princesse de Bas-
siano, puis duchesse de
Sermoneta : 130, 335-337, 339-
340
Caetani, Onorato, 14e duc de
Sermoneta : 316, 325-326, 329-
330, 332, 335-336, 339, 342
Caetani, Roffredo, prince de
Bassiano, puis 16e duc de
Sermoneta :78-81, 92-93, 123,
128, 130, 146, 249, 256, 305,
315-343, 402, 419, 433, 454
Caillaux, Joseph : 104-105, 107,
184
Caillavet, madame Gaston de, née
Jeanne Pouquet : 349, 428
Calmette Gaston : 56, 63, 68, 142,
153, 262, 324, 365, 369, 464
Cambon, Jules : 89, 105
Camondo, comtesse de, née Irène
Cahen d'Anvers : 320
Camondo, Moïse, comte de : 320
Capet, Lucien (et Quatuor Capet) :
145, 324
Caraman-Chimay (famille) : 21-25,
193-197, 258, 306, 316, 354-
355

Remerciements

Merci tout d'abord à Anne de Cossé-Brissac, auteur de la première biographie consacrée à la comtesse Greffulhe, dont elle est l'arrière-arrière petite-fille. Je me suis tournée vers elle dès que j'ai conçu ce projet. Avec une rare générosité, elle m'a confié toutes ses notes, documentation et archives, fruit d'années de recherche. Son aide inestimable m'a permis de faire des découvertes inespérées et de gagner un temps précieux en attendant de pouvoir accéder au fonds déposé aux Archives Nationales.

Merci aux membres de sa famille : la comtesse Édouard de Cossé-Brissac, le comte Armand-Ghislain de Maigret, ainsi que la comtesse Aymar de Lastours. Ils ont pris le temps de m'accueillir chez eux, de partager leurs souvenirs familiaux et m'ont permis d'admirer les œuvres, portraits, photos et documents divers, précieux témoins de la vie de la comtesse Greffulhe, leur bisaïeule, dont certains ont pu être reproduits dans ce livre.

Merci à mes fidèles relectrices – Sophie Dassonville, Vanessa Delecroix-de Hillerin, Solange Nuizière, Anne-Marie van Elslande.

Merci enfin à mes enfants et mes amis, qui m'ont accompagnée tout au long de ces années de travail, et jusqu'à la dernière étape, qui coïncide avec la période la plus douloureuse de ma vie.

TABLE

III
Les secrets d'une fascination

IV
Sous le masque

V
La « chambre noire » de Guermantes

Composition et mise en pages
Nord Compo à Villeneuve-d'Ascq

Achevé d'imprimer en janvier 2015
sur les presses de Normandie Roto Impression s.a.s.
61250 Lonrai
N° d'impression : 1405104
N° d'édition : L.01EHBN000582.A003
Dépôt légal : octobre 2014

Imprimé en France